Lisa Jewell urodziła się i wychowała w północnym Londynie. Wcześnie odkryła w sobie talent pisarski. Jest autorką bestsellerowych powieści *Impreza u Ralpha*, *Trzydziestka na karku*.

Gwiazda jednego przeboju to opowieść o Bee Bearhorn, tytułowej gwieździe, która w 1985 roku wylansowała singiel zajmujący czołową pozycję na listach przebojów. Nigdy więcej o niej nie słyszano. Kiedy piętnaście lat później zostaje znaleziona martwa, jej przyrodnia siostra Ana odkrywa nieznane fakty z życia Bee...

Lisa Jewell

GWIAZDA JEDNEGO PRZEBOJU

Tłumaczyła Monika Wiśniewska

ZYSK I S-KA
WYDAWNICTWO

Tytuł oryginału
ONE-HIT WONDER

Opracowanie graficzne serii, projekt okładki i fotografia na okładce
Lucyna Talejko-Kwiatkowska

Redaktor serii
Tadeusz Zysk

Redaktor
Agata Mikołajczak-Bąk

Wydanie I

ISBN 83-7298-244-9

Zysk i S-ka Wydawnictwo
ul. Wielka 10, 61-774 Poznań
tel. (0-61) 853 27 51, 853 27 67, fax 852 63 26
Dział handlowy, tel./fax (0-61) 855 06 90
sklep@zysk.com.pl
www.zysk.com.pl

Mojej mamie Kay i mojemu ojcu Anthony'emu
z największą miłością

Ana Wills
12 Main Street
Great Torrington
Devon
EX38 2AE

12 września 1999

Najdroższa Ano,

nigdy nie przypuszczałam, że będę miała siostrę. *Kiedy pojawiłaś się, miałam jedenaście lat i byłam przekonana, że cały świat obraca się wokół mojej osoby. Wszyscy się spodziewali, że będę zazdrosna, ale ja pokochałam Cię od pierwszej chwili, kiedy na Ciebie spojrzałam. W inkubatorze byłaś taka maleńka i słaba, iż pomyślałam sobie, że umrę, jeśli coś Ci się stanie. Mniej więcej wtedy zaczęłam miesiączkować i pamiętam, że zastanawiałam się nad tym, jak to by było, gdybym to ja była Twoją mamą. Kiedy zjawiłaś się w domu, chciałam Cię mieć całą dla siebie. Uważałam, że jesteś tylko moja. Nie pozwalałam mamie zbliżać się do Ciebie. Byłaś cenna i doskonała niczym mała lalka — miałam wrażenie, że zostałaś wykonana na zamówienie, tak, by pasować do moich małych ramion. I byłaś taką dobrą, małą dziewczynką. Taką grzeczną, zawsze szczęśliwą, gdy mogłaś się za mną włóczyć i załatwiać dla mnie różne sprawy. To właśnie Ty nazwałaś mnie Bee. Od zawsze nienawidziłam imienia Belinda i nagle pewnego dnia, gdy mnie wołałaś, użyłaś zdrobnienia „Bee", które przylgnęło do mnie na dobre. Od tamtej pory jestem Bee i trudno mi sobie wyobrazić czasy, kiedy nazywano mnie inaczej.*

Pewnie nie pamiętasz zbyt wiele z tych kilku lat, które spędziłyśmy razem na Main Street. Ale ja tak. Pamiętam wszystko. A Ty i ja byłyśmy sobie bardzo bliskie. Po tym, jak odszedł tata, wydawało mi się, że jestem na świecie zupełnie sama. A kiedy mama powtórnie wyszła za mąż, poczułam się kompletnie opuszczona. Do czasu, gdy pojawiłaś się Ty. Byłaś moją małą siostrzyczką i kochałam Cię całym sercem. Nigdy nie zapomnę Two-

jej twarzy, kiedy wyjeżdżałam, łez spływających po Twoich policzkach i tego, jak się upierałaś, bym wzięła ze sobą Twojego królika Williama. Pamiętasz go? Nadal go mam, wiesz? Śpi koło mnie na poduszce. Zawsze uważałam, że przynosi mi szczęście, ale teraz nie jestem już tego taka pewna...

Kiedy wyjechałam, Ty miałaś cztery latka i sądziłaś, że Cię porzucam. Pragnę teraz wyjaśnić, dlaczego musiałam to zrobić. Życie z mamą było nie do zniesienia, to jasne, ale nie chodziło tylko o to. Miałam tak wiele planów i żaden nie uwzględniał Devon — wszystkie wiązały się z Londynem. Ale — jeśli mam być z Tobą zupełnie szczera, a teraz przecież mogę, gdyż nie zostało mi już nic do stracenia — wyjechałam głównie dlatego, iż byłam o Ciebie zazdrosna. O to, że miałaś Billa. Swego własnego ojca. Nawet, gdy byłaś mała, wyglądałaś dokładnie tak jak on i od zawsze istniała między Wami silna więź. Ja nie miałam nikogo. Jedynie mamę, a... cóż, sama wiesz.

Pragnęłam być z moim ojcem. Dlatego wyjechałam do Londynu i zamieszkałam tam razem z tatą, i mimo że pękało mi serce, kiedy zostawiałam Cię w Devon, była to najlepsza decyzja w moim życiu. Tak bardzo kochałam mego ojca, Ano, i cierpię, myśląc, jak musisz się teraz czuć bez Billa. On był cudownym, przemiłym i uprzejmym człowiekiem. Delikatnym i cichym, tak jak i Ty, i nie potrafię wyrazić, jak bardzo jest mi przykro z powodu tego, co się stało. Chcę także, byś wiedziała, że w końcu będzie lepiej. Ból naprawdę przemija. Po jakimś czasie. Serio. Nie pojawię się na pogrzebie, Ano. To wszystko jest zbyt skomplikowane — o czym, jestem pewna, wiesz — ale pragnę, byś miała świadomość, że przez calutki czwartek myślami będę przy Tobie.

Często o Tobie myślę, Ano. Nie wiem, co teraz porabiasz ani z kim jesteś — niczego. Ale zawsze wtedy żałuję, że Cię tutaj nie ma. Powinnam była napisać już dawno temu, wiem o tym doskonale. Powinnyśmy były podtrzymać łączące nas więzi, ale okoliczności i mama, i wszystkie te głupie, ulotne sprawy namieszały w tym, co nas kiedyś łączyło. Byłabym szczęśliwa, gdybyś *przyjechała, Ano, i zatrzymała się u mnie. Zajmuję piękne miesz-kanie w Belsize Park (tak przy okazji — to dość wytworna oko-lica), mam kota i motor. Sądzę, że spodobałby Ci się Londyn. Zawsze byłaś taka nieśmiała. I nerwowa. Czasem trzeba opuścić dobrze znane otoczenie i rzucić się w wir niewiadomego, by właściwie siebie poznać, by odkryć, kim się naprawdę jest. Boże — posłuchaj mnie tylko — zachowuję się, jakby czas zatrzymał się w miejscu w chwili, gdy widziałam Cię po raz ostatni, jakbyś nadal miała trzynaście lat! Pewnie mieszkasz teraz w Nowym Jorku albo zdobywasz Himalaje lub coś w tym stylu. Ale jakoś, Ano, trudno jest mi to sobie wyobrazić...*

W Twoim wieku niełatwo w to uwierzyć, ale pewnego dnia też skończysz trzydzieści sześć lat — a stanie się to szybciej, niż się spodziewasz. Nie będziesz już miała przed sobą młodości, na którą się czeka z niecierpliwością — to wszystko zostanie za Tobą i będziesz się zastanawiać, gdzie się do diabła podziało. Nie zmarnuj tego, proszę. Uświadomiłam sobie, że bycie kobietą w średnim wieku nie jest moim przeznaczeniem. Każdego wie-czoru, kiedy stoję w łazience i myję zęby, spoglądam w lustro i płaczę, ponieważ dobiega końca kolejny dzień. To jest jak po-wolne umieranie każdego dnia. Muzyka już mnie nie porusza. Ani miłe słowa i dobrzy przyjaciele, i szczęśliwe dni. Nie porusza mnie myśl o przyszłości. Nie pozostało już ani odrobiny magii. Próbuję Ci przekazać, że młodość jest tak krótka i przelotna, że to właśnie teraz jest czas na podejmowanie ryzyka. Czy nie rzuciłaś lekcji muzyki? Gitary? Śpiewu? Teraz na pewno jesteś fantastyczna — nie zdziwiłabym się, gdybyś była sto razy bar-dziej utalentowana ode mnie. Cóż, nie zdziwiłabym się, gdyby każdy był bardziej utalentowany ode mnie, ale to już zupełnie inna historia!

Bardzo się zmieniałam, Ano, od chwili, kiedy widziałyśmy się po raz ostatni. Nauczyłam się grać na gitarze! I wreszcie do-rosłam. Nie jestem już tą ambitną, chciwą dziewczyną bez serca, którą kiedyś byłam. W ciągu tych lat wiele się wydarzyło. Okrop-

nych rzeczy. Zdarzeń, które potrafią zmienić człowieka nie do poznania. Zdarzeń, o których nigdy nikomu nie mogłam powiedzieć. Jestem teraz pokorniejsza i mam nadzieję, że także milsza. Boże, niepotrzebnie się tak rozpisuję. Przepraszam. Próbuję Ci tylko powiedzieć, że bardzo chciałabym spędzić z Tobą trochę czasu. Tutaj, w Londynie. Wiem, że pewnie czujesz, iż nic nie jesteś mi winna, i w pełni się z tym zgadzam. Byłam dla Ciebie okropną siostrą — egoistyczną, zapatrzoną w siebie, bezmyślną. Ale zawsze Cię kochałam i nic nie uszczęśliwiłoby mnie bardziej niż spędzenie teraz z Tobą trochę czasu. Pokazanie mojego świata i nowej, lepszej Bee. Pragnęłabym spojrzeć na Londyn Twoimi oczami — może ponownie obudziłoby to we mnie magię... I poznać Ciebie. Tak — tego właśnie chciałabym najbardziej..

Nie spodziewam się, że Cię jeszcze zobaczę. Ale nic nie sprawiłoby mi większej radości. Bardzo tego pragnę.

Jutro myślami będę przy Tobie. Proszę, pomódl się w moim imieniu za Billa.

Twoja kochająca siostra,\
Bee xxxx

Prolog

styczeń 2000

Bee syknęła pod adresem kluchowatego taksówkarza, siedzącego z zadowoleniem w oparach papierosów Rothman i woni tłustych włosów, podczas gdy ona wypakowywała z tyłu jego samochodu pudło za pudłem. Potem odwróciła się i wpadła na pana Arifa, korpulentnego i obleśnego agenta nieruchomości, który szczerzył się do niej, stojąc na schodku przed wejściem, a ona odpowiedziała jednym ze swych najsłodszych uśmiechów — podczas gdy tak naprawdę miała ochotę wsadzić jego odrażające jądra w prasowalnicę do spodni i zacisnąć ją, aż pękną z hukiem.

To był jeden z tych dni. Dziki i mętny. Niebo było intensywnie niebieskie i zasnute barankowatymi chmurami, które nieustępliwy wiatr przeganiał wokół słońca. Panował paskudny, bez mała sadystyczny ziąb.

Pan Arif wciągnął brzuch, by umożliwić jej przeciśnięcie się przez drzwi, i uśmiechnął się lubieżnie. Mało brakowało, a Bee zakrztusiłaby się od zapachu wody po goleniu, której zdecydowanie sobie nie pożałował.

— Być może, panie Arif — zaczęła słodko — byłoby prościej, gdyby zaczekał pan na mnie w mieszkaniu.

— Och tak, pani Bearhorn, oczywiście. Będę na panią czekał. Na górze. — Odwrócił się, uśmiechając się przy tym tak, jakby stanowiła ona odpowiedź na jego modlitwy. I w pewnym sensie tak właśnie było. Zadzwoniła do niego dziś rano, poprosiła o pokazanie kilku lokali, zaledwie godzinę po ich telefonicznej rozmowie obejrzała to mieszkanie niedaleko Baker Street, oświadczyła mu, że je bierze, wróciła do jego biura, wypełniła dokumenty, zapłaciła za trzy miesiące z góry, a teraz wprowadzała się po upływie zaledwie czterech godzin od ich pierwszego kontaktu. Prawdopodobnie jeszcze nigdy nie musiał się tak mało napracować, by zarobić na prowizję.

To naprawdę było beznadziejnie ponure i nędzne mieszkanie, ale ze świadomością włączonego taksometru i Johna, grożącego zrobieniem w każdej chwili czegoś niecenzuralnego w swojej kociej klatce, czas na znalezienie doskonałego lokum był dla niej nieosiągalnym luksusem. A poza tym nawet podobała jej się panująca w tej okolicy anonimowość. Bezbarwność. Nie było tu żadnej szczególnej atmosfery ani aury, jedynie ulice, wzdłuż których po obu stronach wyrastały pozbawione wyrazu bloki, zamieszkane przez obcokrajowców i emerytów. W obecnym stanie ducha Bee nie była gotowa, by ponownie zakochać się w sąsiedztwie. A poza tym, miała to być sytuacja tymczasowa, maksymalnie sześć miesięcy, podczas których jakoś się pozbiera, zarobi trochę pieniędzy, a potem może nawet kupi coś własnego.

Starsza pani z misternie ułożonymi, kręconymi srebrnymi włosami i jej odziany w kraciasty sweterek jamnik czekali przed windą, gdy Bee wchodziła do góry ze schowanym w klatce Johnem. Kobieta uśmiechnęła się najpierw do Bee, otworzyła metalową kratę, a potem do Johna.

— No, no, no — rzekła, zwracając się do kota. — Cóż z ciebie za przystojny, młody mężczyzna.

Bee uśmiechnęła się do niej ciepło. Każdy przyjaciel Johna był i jej przyjacielem.

— Cóż za piękne stworzenie — stwierdziła kobieta. — Jak ma na imię?

— John.

— John? Boże drogi. Jak dla kota, to trochę nietypowe imię. Jakiej jest rasy?

Bee wsadziła palec pomiędzy kraty w klatce Johna i bawiła się futerkiem na jego piersi.

— To niebieski kot angielski. I jest najlepszym chłopcem na świecie. Prawda, mój mały aniołku? — John otarł się o jej palec, mrucząc głośno. — A to kto? — zapytała, wskazując na małego psiaka o dziwacznym kształcie, usadowionego na stopach starszej pani. Wcale nie miała ochoty się tego dowiadywać, ale uznała, że tego wymaga uprzejmość, skoro wcześniej pogawędziły sobie o jej pupilku.

— To jest najdroższy Freddie. Nosi imię po Freddiem Mercurym, wie pani?

— Naprawdę? — wykrzyknęła Bee. — A dlaczego akurat eee... po Freddiem Mercurym?

— On kocha Queen, uwierzy pani? Potrafi wyć przez calutką *Bohemian Rhapsody*. — Zachichotała i z czułością popatrzyła na swego ulubieńca.

Cóż, pomyślała Bee, doprawdy nie można sądzić ludzi po pozorach, nie można.

— A więc, moja droga, wprowadzasz się dzisiaj?

Bee przytaknęła i uśmiechnęła się.

— Numer dwadzieścia siedem.

— Och, to wspaniale — ucieszyła się starsza pani. — W takim razie będziemy sąsiadkami. Mieszkam pod dwudziestym dziewiątym. I czas już był najwyższy, by pojawił się tutaj ktoś młody. W tym bloku mieszka zdecydowanie zbyt wielu starszych ludzi. To może przyprawić o depresję.

Bee zaśmiała się.

— Nie nazwałabym siebie młodą.

— Cóż, moja droga, kiedy będziesz w moim wieku, właściwie każdy będzie ci się wydawał młody. Sama, tak?

— Słucham?

— Wprowadzasz się sama?

— Na to wygląda.

— No cóż. Trudno mi sobie wyobrazić, by młoda kobieta taka piękna jak ty długo pozostała samotna. — Ścisnęła ramię Bee drobną, pomarszczoną dłonią i powłócząc nogami, oddaliła się w kierunku windy. — Czas na mnie. Cudownie było cię poznać. A tak przy okazji, mam na imię Amy. Amy Tilly- -Loubelle.

— Bee — odparła Bee, chociaż raz czując, że jej imię nie jest dziwaczne*. — Bee Bearhorn.

— Miło było poznać ciebie, Bee, i Johna. Do zobaczyska.

Uśmiechnęła się do siebie, słysząc to młodzieżowe określenie z ust starszej pani. Po chwili winda zgrzytnęła, brzęknęła i w ślimaczym tempie rozpoczęła podróż na parter. Bee udała się korytarzem w stronę drzwi z numerem dwadzieścia siedem — jej nowego mieszkania.

Pan Arif siedział i przeglądał jakieś dokumenty, ale kiedy zobaczył, że ona wchodzi, zerwał się z sofy tak gwałtownie, że wszystkie papiery spadły na podłogę.

— Nie, nie, nie, nie, droga pani. Nie, nie, nie. — Skrzyżował ręce na piersi i energicznie potrząsał głową. — To jest niedopuszczalne. To zwierzę. Musi zniknąć. Natychmiast. — Wskazał na Johna tak, jakby był on wędrownym szczurem.

— Ale... To mój kot.

— Droga pani, nie interesowałoby mnie to nawet wtedy, gdyby należał do samej królowej. Żadne zwierzęta, jakiegokolwiek rodzaju, nie są dopuszczalne w którejkolwiek z moich nieruchomości. Musi stąd zniknąć. Natychmiast.

— Ale to jest kot domowy. Nigdy nie wypuszczam go z mieszkania. Jest doskonale wyszkolony, cichy i nawet nie linieje i...

— Droga pani. Nie interesują mnie żadne cechy pani zwierzęcia. Jedyne, co jest w tej chwili ważne, to to, by stąd zniknęło. I to natychmiast.

Bee chciało się płakać. Pragnęła uderzyć pana Arifa. Naprawdę mocno. Tak właściwie to po wydarzeniach ubiegłego wieczoru czuła się tak, że miała ochotę go zabić. Gołymi rękami. Otoczyć dłońmi jego grubą, mięsistą szyję i zaciskać, zaciskać, zaci-

---

* *Bee* (ang.) — pszczoła. (Wszystkie przypisy pochodzą od tłumaczki).

skać, aż zrobi się purpurowy, oczy zaczną wychodzić mu z orbit, a potem...

— Panno Bearhorn. Proszę. Usunie pani to zwierzę. Nie mogę dać pani kluczy, dopóki zwierzę nie zniknie.

On nie jest zwierzęciem, chciała zawołać, on jest jak człowiek. Bee czuła pulsowanie w skroniach i bolesną gulę w gardle. Odetchnęła głęboko.

— Proszę, panie Arif. — Przysiadła na brzegu sofy. — Potrzebuję czasu, żeby pomyśleć. Potrzebuję...

— Droga pani. Nie ma czasu na myślenie. Te klucze pozostaną w mojej kieszeni, dopóki to zwierzę nie zniknie z moich oczu.

Bee nie była w stanie dłużej kontrolować gniewu.

— W porządku! — Wstała i chwyciła klatkę z Johnem. — W porządku. W takim razie zapomnijmy o tym. Zapomnijmy o tym mieszkaniu. I tak mi się ono nie podoba. Chcę z powrotem moje pieniądze. Proszę mnie zabrać do swojego biura i zwrócić moje pieniądze.

Pan Arif uśmiechnął się do niej z pobłażaniem.

— Pozwoli pani, że coś jej w tej chwili uświadomię, czarująca panno Bearhorn. Po pierwsze, umowa została już podpisana, a pani pieniądze są teraz w drodze do banku. Za późno na jakiekolwiek unieważnienie. A po drugie, czy naprawdę ma pani ochotę zabierać stąd wszystkie rzeczy, kiedy zaledwie przed chwilą je pani wniosła? Czyż nie byłoby prościej, gdyby przechowała pani swoje zwierzę u przyjaciół lub rodziny?

Bee przyjrzała się leżącym wokół pudłom i uznała, iż mimo że z największą przyjemnością poświęciłaby każdego pensa, którego dała panu Arifowi, w zamian za miejsce, gdzie John byłby mile widziany, to naprawdę nie potrafiła znieść myśli o taszczeniu całego tego majdanu z powrotem na dół w towarzystwie pana Arifa, obserwującego ją swymi zadowolonymi z siebie oczkami, a potem znalezieniu innej agencji nieruchomości, oglądaniu kolejnego mieszkania i przechodzeniu jeszcze raz przez te wszystkie korowody. Odetchnęła więc głęboko i postanowiła uciec się do kłamstwa.

— W porządku — oświadczyła. — Nie ma problemu, panie Arif. Żadnego. Ma pan całkowitą rację. Zaraz zadzwonię i znajdę zastępczy dom dla mojego… eee… zwierzęcia.

Wyciągnęła z torby komórkę i wystukała jakiś całkowicie zmyślony numer.

— Cześć! — rzuciła pogodnie do czasowo niedostępnego abonenta. — Tu Bee. Jesteś może w domu? Super. Mam do ciebie ogromną prośbę. Czy mogłabyś zaopiekować się Johnem? Nie wiem. Na jakiś czas. Najwyżej trzy miesiące. Naprawdę? Nie masz nic przeciwko temu? Dziękuję ci bardzo. Fantastycznie. Jesteś cudowna. Zjawię się za jakieś dziesięć minut. OK. Na razie.

— Wszystko załatwione?

— Tak — uśmiechnęła się promiennie, wkładając telefon z powrotem do torby. — Wszystko załatwione.

Przed blokiem umówiła się z panem Arifem, że później przyjdzie do jego agencji po klucze, po czym obserwowała wielki, kołyszący się na boki tyłek mężczyzny, kiedy odchodził w kierunku swego biura, mieszczącego się przy Chiltern Street. Pokazała jego oddalającym się plecom środkowy palec i język.

— Pieprzony, zalatujący koniochlast, kutas i opasły skurwiel — mruknęła pod nosem, po czym nachyliła się do taksówkarza, który z niecierpliwością czekał, by wypakowała resztę pudeł i wreszcie mu zapłaciła. — Witam! — uśmiechnęła się, uruchamiając na nowo swój czar. — Nastąpiła drobna zmiana planów. Chciałabym, żeby pojeździł pan trochę wokół bloku z moim kotem.

— Co takiego? — Gruby taksówkarz przyglądał się jej wyraźnie przestraszony.

— Słyszał pan — syknęła. — Proszę po prostu zabrać kota i trochę wkoło pojeździć. Spotkamy się tutaj za pół godziny.

Twarz kierowcy złagodniała, gdy Bee wcisnęła do jego spoconej dłoni trzy banknoty dziesięciofuntowe.

— Reszta będzie, kiedy pan go przywiezie. Zgoda?

— A co mi tam. — Wzruszył ramionami, składając egzemplarz „Racing Post". — A co mi tam.

Postawiła klatkę z Johnem na miejscu dla pasażera i połaskotała kota pod brodą.

— Bądź grzecznym chłopcem — wyszeptała mu do ucha. — Spotkamy się za pół godziny. Bądź grzeczny. — Po czym zamknęła drzwi i poczuła wzbierające w oczach łzy, gdy obserwowała odjeżdżający samochód i swego ukochanego Johna, znikającego we wczesnowieczornym, londyńskim ruchu.

Bee westchnęła i udała się do Starbucks, gdzie przysiadła na chwilę i popijając herbatę Earl Grey, zrobiła bilans wszystkiego, co się wydarzyło w ciągu ostatnich dwudziestu czterech godzin. Jej życie, wiedziała to, było skończone. Nie miała pojęcia, dlaczego opuściła dotychczasowe mieszkanie, nie rozumiała, dlaczego wprowadzała się właśnie do tego. To była jedynie instynktowna reakcja na to, co się zdarzyło zeszłego wieczoru. I w pewien dziwny sposób czuła, że jest to jakoś tak... przesądzone.

Po dziesięciu minutach podniosła torbę i udała się do biura pana Arifa. Był zachwycony, gdy zobaczył, że nie ma razem z nią kota, i podał jej klucze z grymasem, który miał oznaczać bezgraniczną radość.

— I niech mi wolno życzyć pani wielu, wielu radosnych lat w pani nowym, pięknym mieszkaniu, czarująca panno Bearhorn. Jestem przekonany, że będzie tam pani niezwykle szczęśliwa.

Bee wzięła kluczyki i znużona ruszyła w kierunku rezydencji Bickenhall, myśląc przy tym, że nieszczególnie się na to zanosi.

Rozdział pierwszy

sierpień 2000

Pociąg Any dotarł wreszcie do Londynu z godzinnym opóźnieniem. Wysiadła z niego w chwili, gdy jeszcze nie zatrzymał się na dobre, i z ulgą stanęła na zalanym słońcem peronie. Pociąg, do którego wsiadła w Exeter, pociąg, w którym miała miejsce siedzące, pociąg, w którym czuła się najzupełniej szczęśliwa, tuż za Bristolem miał awarię. Musieli potem iść prawie pół kilometra do najbliższej stacji, a że następny skład, który się pojawił, był już pełny, stała przez całą drogę z Bristolu do Londynu, ze stopami uwięzionymi pomiędzy trzema wielkimi, należącymi do innych pasażerów torbami, podczas gdy przez zablokowane okno wdzierał się wiatr, niesamowicie plącząc jej włosy.

Ana czasami zastanawiała się, czy nie ciąży na niej jakaś klątwa. Myślała też o tym, czy to aby nie Bee przypadło w udziale całe szczęście zarezerwowane dla jej rodziny, dla niej nie pozostawiając już niczego. Gdyby to właśnie Bee znajdowała się teraz w pociągu, wszyscy potykaliby się o własne nogi, byle tylko jej pomóc. Naprawdę nie było w tym przesady — robiliby to zarówno mężczyźni, jak i kobiety. Gdyby to Bee musiała wysiąść z pociągu i wlec się w skwarze noga za nogą prawie pół kilometra, ktoś zaoferowałby się, że poniesie jej torby. Tak właściwie, to na pewno wyczarterowano by dla niej helikopter. Z Bee sprawa miała się tak, że przede wszystkim, nie znalazłaby się w wadliwym pociągu — jechałaby pojazdem w pełni sprawnym. To była kwestia zasadnicza.

Ana zatrzymała się pośrodku hali na stacji Paddington i zastanowiła nad swoim następnym posunięciem. Południowe słońce, wpadając przez szklany dach, tworzyło połyskujące kolumny i układało gorącą szachownicę na marmurowej podłodze. Ludzie poruszali się nienaturalnie szybko, jakby zostali umiejscowieni w niewłaściwej scenerii. Wszyscy wiedzieli, dokąd idą i co robią. Wszyscy oprócz niej. Ona czuła się tak, jakby została wessana do samego środka ogromnego, pieniącego się wiru. Pomiędzy jej piersiami spływała strużka potu.

Ana nie miała pojęcia, w jaki sposób odnaleźć mieszkanie Bee. Nigdy wcześniej nie była w Londynie i przez to też nie posiadała w głowie jakiejkolwiek mapy, która mogłaby jej teraz pomóc. Wiedziała, że to miasto jest podzielone na część północną, południową, wschodnią i zachodnią i że przez jego środek płynie rzeka. Wiedziała, że mieszkanie Bee mieści się w pobliżu centrum, gdzieś niedaleko Oxford Street. I to by było na tyle, jeżeli chodzi o stan jej wiedzy. Niezbędny był jej plan miasta.

Zauważyła kiosk z gazetami oraz książkami i z zażenowaniem ruszyła w jego kierunku na swoich długich nogach. Gdy się miało ponad metr osiemdziesiąt wzrostu, na tym polegał problem, że się wyglądało niczym modelka na zdjęciu. I wszystko byłoby w porządku, gdyby się było takim obrazkiem, a nie zwykłym człowiekiem. W tym drugim przypadku było to po prostu dziwaczne. Ana nieoczekiwanie jakoś tak „wyciągnęła się" w wieku dwunastu lat, i to całkiem porządnie. Przypominało to nieco jeden z efektów specjalnych w horrorze — prawie można było usłyszeć naciąganie się mięśni i trzask kości, gdy jej chude, dziewczęce ciało wydłużyło się o piętnaście centymetrów w przeciągu jednego roku, doprowadzając do tego, że miała najchudsze i najbardziej kościste ręce i nogi w Devon. Ludzie powtarzali jej, że „nabierze ciała", ale tak się nigdy nie stało. Zamiast tego jej postawa uzyskała charakterystyczne cechy: przygarbione plecy, pochylona głowa, długie, opadające na twarz włosy i styl ubierania — stonowane kolory i buty na płaskim obcasie — to była jej próba ukrycia wzrostu.

Idąc, Ana rozglądała się wokół i uświadomiła sobie, że kobiety w Londynie wyglądają jak dziennikarki z telewizji albo jakieś prezenterki. Przedstawiały sobą typ babek, które zazwyczaj ogląda się jedynie na ekranie telewizora. Ich włosy były błyszczące i pomalowane na interesujące odcienie blond bądź mahoniu. Nosiły obcisłe spodnie, sukienki na ramiączkach i buty na wysokich obcasach. Miały staranne makijaże i opalone ciała. Ich torebki były dopasowane do butów, a paznokcie równo opiłowane. Pachniały drogimi perfumami. Nawet młodsze, te koło dwudziestki, wyglądały na „dopracowane". Były to kobiety różnych ras i narodowości, ale wszystkie prezentowały się wytwornie i nienagannie.

No i te piersi — obecne absolutnie wszędzie: podniesione wysoko w stanikach typu push-up, ujarzmione i zarysowane pod obcisłymi topami w specjalnych stanikach, jędrne i nieskrępowane pod mikroskopijnymi sukienkami. I prawie każdej parze towarzyszyła mała pupa i szczupła, umięśniona talia. Mój Boże, pomyślała Ana, czy posiadanie doskonałych piersi jest w tym mieście obowiązkowe? Czy rozdają je na Oxford Circus? Ana zerknęła na swoją bluzeczkę z lycry i poczuła, że czegoś tam zdecydowanie brakuje. A później kątem oka zauważyła swoje odbicie w oknie wystawowym W.H. Smith's*. Jej długie, czarne włosy były brudne i potargane, a ponieważ opuszczała dom w pośpiechu, ubrania, które miała teraz na sobie, pochodziły prosto z podłogi w jej sypialni: wyblakłe, czarne dżinsy, bluzka z lycry w kolorze khaki z białymi plamami po antyperspirancie pod pachami, supełkowaty, stary, czarny rozpinany sweter, który jest w jej posiadaniu od wielu lat, i zniszczone, brązowe zamszowe buty — jedyna para, jaką miała, jako że niemal niemożliwe było znalezienie przyzwoitego obuwia damskiego w rozmiarze czterdzieści jeden i pół.

---

* W.H. Smith's — sieć niewielkich kiosków z gazetami i książkami.

Pomyślała o pożegnalnych słowach, które padły z ust matki, kiedy dzisiejszego ranka odprowadziła ją do drzwi: „Jeśli podczas pobytu w Londynie znajdziesz trochę wolnego czasu, idź na zakupy, na miłość boską, i kup sobie jakieś porządne ubrania. Wyglądasz jak... — szukała w myślach odpowiednio pogardliwego określenia, a jej twarz była zmarszczona z wysiłku — wyglądasz jak jakaś... brudna lesbijka".

Matka może i ma rację, przyznała Ana. Może powinna trochę się wysilić i zadbać o siebie. Rozejrzała się po hali i uświadomiła sobie, że jedyną osobą, która wydawała się martwić o wygląd jeszcze mniej niż ona, jest facet siedzący pod ścianą ze skrzyżowanymi nogami w towarzystwie rudawozłotego psa i tekturowej kartki, na której było napisane: „Potszebuje pieniendzy. Dziękuje".

Mężczyzna, który obsługiwał ją w kiosku, nie starał się nawiązać z Aną jakiegokolwiek kontaktu wzrokowego, i tak naprawdę w ogóle jej nie zauważał. W Bideford, najbliższej filii Smitha, starano by się chociaż podtrzymać rozmowę, pojawiłyby się jakieś puste komentarze, uśmiech. W Bideford oczekiwano by od Any, że bez względu na to, czy jej się to podoba, czy nie, da w zamian sprzedawcy coś z siebie po to tylko, by nie zostać uznaną za niegrzeczną. Tutejszy brak potrzeby szerszej komunikacji uznała za przyjemnie odświeżający.

Mapa metra z tyłu dopiero co zdobytego planu miasta informowała, że od stacji Baker Street dzielą ją tylko dwa przystanki i że nie będzie musiała zmieniać linii, co stanowiło dla niej ogromną ulgę. Usiadła, obficie się pocąc, w prawie pustym wagonie na — jak jej się wydawało — nie więcej niż kilka sekund, po czym bez problemu trafiła na Bickenhall Street, krótką uliczkę z wyrastającymi po jej obu stronach, groźnie wyglądającymi czerwonymi, siedmiopiętrowymi blokami.

Na widok rezydencji Bickenhall Ana przeżyła szok. Kiedy tego ranka po raz pierwszy spojrzała na adres Bee i ujrzała słowo „rezydencja", bez zdziwienia pomyślała, że jej siostra mieszkała z pewnością w jakimś dużym, wolno stojącym budynku z ochroną i podjazdem. Ale to były zwykłe mieszkania. Poczuła, że jej inne oczekiwania co do stylu życia Bee — sprzątaczki, centra odnowy biologicznej i akcje charytatywne — ulegają odpowiedniej modyfikacji.

Usiadła na schodkach przed blokiem i nerwowo obgryzała paznokcie, obserwując pojawiających się przed nią ludzi. Turyści, biznesmeni, dziewczyny w modnych kombinezonach, kurierzy na ogromnych motorach. Ani jednej starszej osoby w zasięgu wzroku. Nie tak jak w Bideford, gdzie emeryci przewyższali liczebnie młodych w skali trzy do jednego.

— Panno Wills. — Podskoczyła, gdy ktoś pojawił się przed nią i odezwał tubalnym głosem. W jej kierunku wysunęła się potężna dłoń z grubymi kłykciami i wielką, złotą obrączką. Uścisnęła ją. Była lepka od potu i nieco przypominała wilgotną irchę.

— Dzień dobry — rzekła, wstając ze schodków i podnosząc torbę. — Pan Arif?

— A jak wielu jest ludzi, którzy na środku ulicy w Londynie mogą znać pani nazwisko, młoda damo?

Zaśmiał się teatralnie, najwyraźniej rozbawiony własnym poczuciem humoru. Weszli do budynku. Mężczyzna był dość niski i krępy i miał bardzo duży tyłek. Przez cienki, jedwabny materiał jego spodni, Ana dokładnie widziała zarys nieapetycznie małych slipek, wbijających się w pełne pośladki.

Roztaczał wokół siebie intensywną woń i kiedy zamknęły się drzwi przypominającej trumnę windy, Anę otoczył gryzący zapach jego perfum. Winda brzęknęła głośno, gdy wreszcie dotarła na trzecie piętro i pan Arif pchnął mosiężną kratę, by wypuścić Anę na korytarz. Energicznie gestykulował w kierunku mijanych drzwi, kiedy szli szerokim, słabo oświetlonym korytarzem, w którym unosiła się woń sosu do pieczeni i starego mopa.

— To są wszystko moje mieszkania. Wszystkie na krótki termin, ale wynajęte przez trzysta sześćdziesiąt pięć dni w roku. Tutaj. Tam i jeszcze tam. Tutaj sławna aktorka teatralna. Tutaj lord. Tam — poseł.

Ana nie za bardzo miała pojęcie, o czym on mówi, ale uprzejmie kiwała głową.

Pan Arif wsunął pochodzący z dużego pęka klucz w zamek mieszkania numer dwadzieścia siedem, otworzył szeroko drzwi i włączył światło.

— No więc cały dzień z policją, i tak dalej, i kto wie, co jeszcze, wtedy, kiedy ją znaleźliśmy. Zły dzień. Bardzo zły dzień. Leżała tutaj cztery doby. W tym upale. Wciąż jeszcze czuć. — Zmarszczył nos, a jego duże wąsy zadrżały. — Wystarczy głęboko odetchnąć, a ten odór, on tam pozostanie. — Wierzchem dłoni dotknął szyi, by zademonstrować, gdzie dokładnie pozostawał odór i zaczął mocować się z brudnymi, otwieranymi pionowo oknami po drugiej stronie pomieszczenia, zakrywając jednocześnie usta chusteczką z wyszytym na niej monogramem. — Jak to możliwe, że kobieta tak piękna — wskazał na wiszący na ścianie oprawiony w ramkę plakat Bee — umiera i nikt o tym nie wie? Jak to możliwe, że to właśnie ja, jej gospodarz, okazuję się być tym, kto ją znajduje? Nie jestem jej przyjacielem. Nie jestem jej kochankiem. Nie jestem jej rodziną. Jestem jej gospodarzem. To, to nie jest w porządku.

Przed dobre dwadzieścia sekund potrząsał głową, pozwalając, by niestosowność tej sytuacji w pełni dotarła do Any, a język jego ciała dyskretnie ją informował, że w jego kulturze coś takiego nigdy by się nie zdarzyło. Ana delikatnie postawiła torbę na podłodze i z zaskoczeniem wpatrywała się w wiszące na ścianie zdjęcie Bee, uświadamiając sobie, że zdążyła już prawie zapomnieć, jak wyglądała jej siostra.

— No więc tak. — Mężczyzna klasnął w dłonie, po czym je zatarł, wydając przy tym odgłos, jaki towarzyszy ugniataniu ciasta na chleb. — Panie od sprzątania zjawią się tutaj jutro o dziewiątej rano. Do tego czasu wszystkie nieistotne drobiazgi mają zostać usunięte. W sobotę rano wprowadza się sławna balerina. Wszystko musi być na cacy. Pani piękna siostra nie zapewniła pani dużo pracy. Pani piękna siostra nie pozostawiła po sobie wielkiego dobytku. — Ponownie się zaśmiał, po czym nagle urwał. — Oto spis. Będzie go pani potrzebować, aby nie zabrać własności należącej do... eee... własności. Niestety nie mogę zostawić pani klucza, moja damo, ale jeśli będzie chciała pani wyjść, portier wie, że pani tutaj jest i bez problemu dostanie się pani z powrotem do środka. A teraz wychodzę. — I tak właśnie uczynił, ponownie z werwą potrząsając jej dłonią i stukając obcasami mokasynów na podłodze długiego korytarza.

Ana zamknęła za nim drzwi i wydała z siebie westchnienie ulgi. Przekręciła zamek w drzwiach, założyła łańcuch, po czym przez chwilę się rozglądała.

Tak. A więc to jest mieszkanie Bee. Nie tak je sobie wyobrażała. W jej fantazjach pojawiały się jaskrawo pomalowane ściany i wielkie szkarłatne sofy, na ścianie grafiki w stylu Warhola, przedstawiające Bee, starodawne lampy, szklane kule i mnóstwo eklektycznego, odlotowego, kolorowego luzu. Wyobrażała sobie, że mieszkanie Bee jest przedłużeniem jej samej i jej ekstrawaganckiej osobowości. Jednak przede wszystkim, kiedy myślała o mieszkaniu siostry, widziała w nim zawsze mnóstwo ludzi. I oczywiście wśród nich była Bee — jej czerwone usta, rozchylające się co chwila, by odsłonić duże, białe zęby; jej ukazujący dołeczki w policzkach uśmiech; czarne, lśniące, równo obcięte na pazia włosy, kołyszące się na wszystkie strony. Mówiąca za dużo. Paląca za dużo. Śmiejąca się do rozpuku. Zawsze w centrum uwagi.

Żywa.

Zamiast tego Ana znajdowała się we wnętrzu ponurego, stonowanego, zakurzonego mieszkania starszego, owdowiałego dżentelmena. Ściany pokrywała wyblakła tapeta z wytłaczanym, kosztownie wyglądającym wzorem w kwiaty. Meble to reprodukcje z ciemnego mahoniu i drewna tekowego. W rogu stała bogato zdobiona klatka dla ptaków, którą wypełniały rupiecie. W oknach wisiały pożółkłe firanki.

Powoli zaczęła obchodzić mieszkanie. Było duże. Sufity znajdowały się na wysokości co najmniej trzech metrów, pomieszczenia były przestronne. Ale pomimo tej całej przestrzeni robiło przytłaczające wrażenie. Przez otwarte okna wdzierał się miejski gwar, ale w jakiś sposób było ono wyciszone, tak jakby dźwięk został przytłumiony.

Na ścianie w korytarzu wisiała złota płyta w ciężkiej, szklanej ramie. Ana zmrużyła oczy, by odczytać napis:

„GROOVIN' FOR LONDON" BEE BEARHORN
ELECTROGRAM RECORDS © 1985
DLA BEE BEARHORN
W UZNANIU SPRZEDAŻY 750 000 PŁYT

Drzwi po prawej stronie Any były otwarte i ukazywały wnętrze łazienki. Jej wyposażenie miało kolor bladozielony, a ciężkie kurki w stylu art déco wykonano z chromu. Podłogę pokrywało szare linoleum, matowe okna otaczały wiatrak wentylacyjny, który obracał się powoli, tak jakby ktoś zaledwie przed chwilą opuścił to pomieszczenie. Ana zadrżała.

W głębi korytarza znajdowały się zamknięte drzwi, do których przymocowany był wielki kartonowy trzmiel. Za pomocą druta doczepiono do niej chmurkę, w której było napisane: „Bzzzzzzzz". Sypialnia Bee.

Ana położyła dłoń na klamce i nagle poczuła chłód, prawie tak, jakby ciało Bee nadal leżało na łóżku, gdzie znaleziono je trzy tygodnie temu, jakby podłoga zaścielona była tabletkami i kapsułkami, a w pokoju roiło się od much. Powoli pchnęła drzwi, na chwilę wstrzymując oddech. Zasłony w oknach były zaciągnięte, ale pozostała między nimi kilkucentymetrowa szpara, przez którą sączył się snop jaskrawego światła, padającego na ogromne, podwójne łóżko oraz drewnianą podłogę i dzielącego pokój na dwie części. Z cienia wyłaniały się różne kształty. W pomieszczeniu unosiła się jakaś dziwna woń. Ana przyłożyła dłoń do ust i nosa i ponownie rozejrzała się po pokoju, po czym przestąpiła próg i dłonią poszukała kontaktu.

Włączyła światło, rozejrzała się po pokoju, i z gardła jej wydobył się mrożący krew w żyłach krzyk, kiedy dostrzegła drobną kobietę z czarnymi włosami i czerwonymi ustami, stojącą w rogu pokoju.

ℐ

To była postać wycięta z tektury. Bee. Ana przyłożyła dłoń do galopującego serca i z ulgą oparła się o ścianę. To była idiotyczna, naturalnych rozmiarów postać z tektury, jeden z gadżetów promujących *Groovin' for London*. Przypomniała sobie, że widziała podobną u Woolwortha w 1985 roku, kiedy to miała zaledwie dziesięć lat, a singiel jej siostry właśnie się ukazał. Marzyła wówczas o tym, by móc jedną z tych kartonowych postaci zabrać do domu. Bee ubrana była w czarną minisukienkę ze skóry, wokół talii miała udrapowany ogromny, srebrny pasek, a na nogach buty na wysokich platformach. Obejmowała się w talii, a jednym palcem dotykała ust i wpatrywała się w aparat tak, jakby go właśnie zerżnęła. Wyglądało to dosyć absurdalnie i Ana nie potrafiła powstrzymać się od myślenia, że Bee była najprawdopodobniej jedyną znaną jej osobą (z wyjątkiem matki), której nie przeszkadzałoby spanie w jednym pokoju z gigantyczną, kartonową figurą przedstawiającą ją samą.

Ana ponownie cofnęła się myślami do tego popołudnia u Woolwortha całe lata temu, kiedy to po raz pierwszy zobaczyła postać Bee z tektury i prawdopodobnie także po raz pierwszy zdała sobie sprawę z tego, jak sławna jest jej siostra. Zarumieniła się, gdy ją zobaczyła, rozejrzała się wokół, by dojrzeć, czy ktoś jeszcze zauważył figurę, i musiała przygryźć wargi, by nie krzyczeć na głos: „To moja siostra! To moja siostra!"

Rok 1985 był jednym z najbardziej ekscytujących okresów w życiu Any — był to czas, gdy Bee stała się sławna. Na początku roku podpisała kontrakt z wytwórnią płytową, która drapieżnie lansowała ją jako brytyjską odpowiedź na Madonnę, ale nikt nie był przygotowany na zaistniały w wyniku tego fenomen. *Groovin' for London*, napastliwie wpadający w ucho kawałek, wdarł się na listy przebojów od razu na pierwsze miejsce i pozostał tam przez pięć tygodni, a twarz Bee nagle znalazła się dosłownie wszędzie. Przez ponad rok Ana pławiła się w odbitej chwale swojej siostry. Była najpopularniejszą dziewczynką w szkole. Nawet starsze dzieciaki dokładnie wiedziały, kim ona jest. Była siostrą Bee Bearhorn. Kiedy cztery miesiące później drugiemu singlowi Bee nie udało się zrobić na listach przebojów takiej furory, status Any jako Najbardziej Interesującej Postaci w Szkole zaczął się chwiać. A gdy pojawił się trzeci singiel i został powitany ze zjadliwą krytyką — panowało zgodne przekonanie, że jest to najkoszmarniejsze nagranie roku, ledwie się otarł o Top 50, po czym zniknął bez śladu — Bee Bearhorn zaczęła być postrzegana jako kolejna beznadziejna gwiazda jednego przeboju z lat osiemdziesiątych, a pokrewieństwo jej i Any stało się dla tej drugiej bardziej przeszkodą niż towarzyskim atutem. Te najbardziej okrutne dziewczęta w szkole używały strasznego — i bardzo publicznego — załamania kariery Bee jako pretekstu do znęcania się nad Aną i przez resztę szkolnych dni znana ona była jako Willsówna — Gwiazda Jednego Przeboju.

Sypialnia Bee była olbrzymia. Znajdowały się w niej dwa wielkie, otwierane pionowo okna i ogromne małżeńskie łoże, które zostało pozbawione wszystkich nakryć z wyjątkiem czegoś, co wyglądało na kaszmirowy, jaskraworóżowy koc leżący zwinięty w nogach łóżka. Wezgłowie oplecione było boa w kolorze limonki, a wokół okien ktoś porozwieszał kolorowe lampki choinkowe. Drewniana podłoga została pomalowana na niebiesko. Ten pokój zdecydowanie bardziej przypominał miejsce z wcześniejszych wyobrażeń Any. Jak na ironię było to pomieszczenie, w którym jej siostra umarła.

Ana dotknęła najpierw materaca, delikatnie, tylko palcami, po czym na nim usiadła. Łóżko okazało się miękkie i zapadnięte i dziwnie zatrzeszczało pod jej ciężarem. Wzięła do rąk puszysty, różowy koc z kaszmiru i podniosła go do nosa. Trochę czuć było stęchlizną, a trochę jakimiś grejpfrutowymi albo jabłkowymi perfumami.

A tam, usadowiony na poduszce, ku zdziwieniu Any, siedział William. Był starszy i bardziej wytarty, niż go zapamiętała, ale to na pewno był on — mały, zrobiony na drutach królik w niebieskich ogrodniczkach, trzymający w łapkach marchewkę. Dała go Bee, kiedy ta oznajmiła jej, że w wieku piętnastu lat opuszcza dom. Ana miała wtedy zaledwie cztery lata, ale dokładnie pamięta ten moment, pamięta koronkowe rękawiczki bez palców i zapach Anaïs Anaïs, gdy siostra trzymała ją w ramionach i prosiła, by nie pisnęła ani słowa mamie. Pamiętała, jak Bee próbowała go jej oddać, mówiąc: „Nie mogę zabrać Williama, to twoja ulubiona maskotka", i jak siłą wciskała go z powrotem do rąk swojej starszej siostry, tak poważna jak nigdy wcześniej. „Nie, Be-Be, ty masz Williama. Ja mam mamusię".

Ana podniosła go i przyjrzała mu się ze zdumieniem. Bee miała Williama. Przez dwadzieścia lat. I nie tylko go miała, ale także trzymała na poduszce. Tam, gdzie spała. Był tutaj, kiedy umarła. Widział to wszystko.

— No, William — wyszeptała Ana do obszytego aksamitem ucha — powiedz mi, co takiego przydarzyło się Bee Bearhorn.

Rozdział drugi

Mimo że ona i Bee miały wspólną matkę, Ana uważała zazwyczaj, że prędzej praprapraprapraprababkę albo i jeszcze dalszego przodka. Innym razem traktowała Bee jak sen — kogoś, kogo sobie tylko wymyśliła.

W czasach dezintegracji tradycyjnych instytucji, rodzinie Any udało się być w zasadzie nawet bardziej skomplikowaną i niekonwencjonalną niż większości innych. Matka Any, Gay, wyszła za Gregora Bearhorna w 1963 roku i urodziła dziewczynkę, Belindę. Po kilku latach Gregor poddał się swemu długo tłumionemu, ale ostatecznie niemożliwemu do kontrolowania, popędowi homoseksualnemu i porzucił Gay w 1971. Trzy lata później Gay wyszła za mąż po raz drugi, tym razem za Billa, emerytowanego dyrektora szkoły, starszego od niej o dwadzieścia dwa lata. Druga córka, Anabella — albo też Ana, jak później wolała, by ją nazywano — przyszła na świat w roku 1975. (Anabella i Belinda — Ana czasami uważała, że jej matka urodziła raczej parę rzadkiej rasy psów). Cztery lata później Bee porzuciła dom, by zamieszkać w Londynie razem ze swym ojcem. Zmarł on w 1988. Bill także, tyle że jedenaście lat później.

Jakkolwiek zawiłe stało się później to wszystko, zaczęło się całkiem zwyczajnie. Matka Any, obiecująca aktorka, poznała Gregora, młodego, przysadzistego reżysera w miejscowym teatrze, kiedy miała dwadzieścia dwa lata. Pobrali się, miesiąc miodowy spędzili na wybrzeżu Amalfi, jeździli zielonym, wyścigowym morganem, urządzali hałaśliwe imprezy i prowadzili życie charakterystyczne dla spokojnej, zamożnej bohemy. A potem Gay zaszła w ciążę i wszystko zaczęło się psuć.

Przez sześć długich miesięcy Gay cierpiała na depresję poporodową, spowodowaną głównie fizycznym horrorem tego, co ciąża i poród uczyniły z jej dotychczas nieskazitelnym, drobnym ciałem, szokiem wywołanym nagłym brakiem swobody i końcem jej marzeń o byciu sławną aktorką teatralną. Gay nie udało się stworzyć silnej więzi ze swą pierworodną i stała się zgorzkniałą, nieszczęśliwą neurotyczką. W konsekwencji Bee wyrosła na buntowniczkę, a mąż Gay wreszcie wyszedł z ukrycia i uciekł do Londynu, by gonić za karierą i młodym mężczyzną o imieniu Joe.

Nawet w niewielkim Devon nikt nie poczuł się tym szczególnie zaskoczony. Barwnego, kochającego apaszki olbrzyma zawsze podejrzewano o lekko inne skłonności. Ale Gay była tak zrozpaczona, że przez miesiąc nie opuszczała domu i do końca roku ubierała się wyłącznie na czarno. Trzy lata później wyszła za Billa — który znał ją, odkąd była dzieckiem — a powodem tego był raczej zmysł praktyczny i potrzeba towarzystwa niż uczucie. Ana urodziła się dziewięć miesięcy później, kiedy Gay miała lat trzydzieści sześć, a Bill pięćdziesiąt osiem. Ich późne rodzicielstwo przez jakiś czas stanowiło główny temat rozmów całej wsi.

Bill skończył osiemdziesiąt dwa lata, kiedy dziesięć miesięcy temu zmarł na zawał — był w wieku, w którym nie powinno to dziwić, ale i tak tragicznie młody w opinii Any. Brakowało jej go tak bardzo, że aż bolało.

Gay twierdziła, że ona także za nim tęskni. Co jakiś czas jej obrysowane konturówką oczy wypełniały się łzami i spoglądała wtedy z zadumą w przestrzeń, szepcząc z rozpaczą imię zmarłego męża, po czym nagle zaczynała zajmować się czymś innym. Została pozbawiona — pozbawiona! — najlepszego człowieka na świecie. Pozbawiona Billa. Swego cudownego, uprzejmego, kochającego Billa, który ustawił ją na piedestale i niczego nie odmawiał — co było doprawdy całkiem śmieszne, jak uważała Ana, mając na uwadze fakt, że gdy jeszcze żył, jej matka zachowywała się wobec niego jak prawdziwa jędza.

Gay tak naprawdę nigdy nie przebolała odejścia swego wspaniałego, utalentowanego i szorstko przystojnego pierwszego męża i zawsze traktowała Billa jako swego rodzaju nagrodę pocieszenia. Ale jakkolwiek cudowny i niezwykły był Bill, pozostawał on wciąż tylko mężczyzną i kochał swoją piękną Gay tak bardzo, że psuł ją, do ostatnich swoich dni zaszokowany, iż udało mu się przekonać kobietę taką jak ona, do poślubienia takiej „pomarszczonej, starej tyczki" jak on.

Bill nie był odosobniony w adorowaniu swojej żony. Wszyscy w Torrington kochali Gay Wills. Panowie z rumianymi policzkami, którzy pamiętali ją jako młodą dziewczynę, miejscową piękność, przypominającą z wyglądu Elizabeth Taylor, ze szczuplutką talią, połyskującymi czarnymi włosami i fiołkowymi oczami. Dopóki nie okazało się, że cierpi na agorafobię, często widywano Gay w Great Torrington, kręcącą się po miasteczku na swym starym, czarnym rowerze, z koszykiem pełnym kwiatów przymocowanym artystycznie do kierownicy, w haftowanej spódnicy powiewającej na wietrze, co i rusz unoszącej się zalotnie aż do ud. Była kobietą, która dokładnie wiedziała, w jaki sposób działa na mężczyzn i wykorzystywała to do maksimum — szczęśliwa czuła się jedynie wtedy, gdy przynajmniej jeden z nich nieszczęśliwie się w niej kochał. Gay stanowiła uosobienie czaru. Trochę roztrzepana — to prawda. Czasami nieco dziwaczna — bez wątpienia. Ale taka piękna, czarująca, sympatyczna kobieta. Naprawdę. Prawdziwe cudo. Anioł. Dla wszystkich.

Z wyjątkiem własnych dzieci.

— Naprawdę, Anabello — często wzdychała z irytacją — jak dziewczyna tak nieatrakcyjna jak ty mogła narodzić się z mego ciała, tego nie jestem w stanie pojąć. Pewnie takie jest ryzyko, kiedy miesza się geny z innym człowiekiem. Nigdy nie wiesz, co się z tego wykluje.

Gay nie mówiła tego wszystkiego, by zranić Anę — ona po prostu nie dostrzegała, że może być coś niewłaściwego w poglądach, które wygłasza. Jeżeli o nią chodzi, było to jedynie stwierdzenie faktu. Gay zbyt mocno wsiąkła w Cudowny Świat Gay Wills, by zdawać sobie sprawę z konsekwencji swych komentarzy. Miała znacznie ważniejsze sprawy na głowie niż uczucia swej córki — takie, jak na przykład ręczne zbieranie liści z trawnika za domem, haftowanie poduszek krajobrazami Turnera bądź obsesyjne liczenie każdej spożytej w ciągu dnia kalorii, by nie dopuścić do przekroczenia tysiąca pięciuset.

Poza agorafobią, która ujawniła się krótko po pogrzebie Gregora w 1988 roku, wydawało się, że Gay każdego dnia odkrywa u siebie jakąś nową nerwicę. I tak aktualnie odmawiała odbierania telefonów, nie reagowała na dzwonek, chyba że spodziewała się gości, nie jadła czerwonego mięsa, nie piła wody z kranu, buty zdejmowała dopiero tuż przed pójściem spać, nie dotykała nieznajomych, nie zgadzała się na jakiekolwiek zwierzęta w domu, na używanie odkurzacza, zmywarki do naczyń, mikrofalówki ani suszarki do bielizny (mimo że nie przestała korzystać z pralki), a włosy czesała jedynie starą szczotką z końskiego włosia, która należała kiedyś do jej babki i cuchnęła wprost nieziemsko. Miała także swoje dziwaczne rytuały, na przykład za każdym razem do przejścia przez jadalnię musiała użyć takiej samej ilości kroków, każdego dnia podlewała kwiaty dokładnie w takiej samej kolejności i nosiła te same siedem kardiganów w tygodniowej rotacji. Najmniejsze nawet zakłócenie tychże czynności momentalnie doprowadzało ją do histerii.

Ana wróciła do domu w zeszłym roku, wkrótce po pogrzebie Billa, i szybko przyzwyczaiła się do obecnych w zachowaniu matki dziwactw, głównie dlatego, że aż tak bardzo jej one nie przeszkadzały. Jedyne, czego od niej oczekiwano, to niekwestionowania zachowania Gay i nieprzeszkadzania jej częściej niż to konieczne. Jedyne, czego Gay wymagała od swej córki, to robienia raz w tygodniu większych zakupów w Bideford, czasami nabywania jakichś drobiazgów w miasteczku i odbierania telefonów. Dopóki Ana wykonywała to wszystko, Gay ani trochę się nią nie przejmowała, nie obchodziło ją to, o czym jej córka myśli, z kim się spotyka ani w jakim kierunku zmierza jej życie. Czasami wydawała się zaskoczona widokiem Any w swoim domu, prawie tak, jakby zapomniała, że jej córka tu mieszka, a ona tak naprawdę nie mogła jej za to winić, gdyż sama często się zastanawiała, czy w ogóle jeszcze istnieje na tym świecie.

Wspomnienia Any związane z Bee były zamazane i przepojone kolorowym, wysokooktanowym dołeczki-włosy-i-biust i popatrz- -na-mnie-popatrz-na-mnie zachowaniem jej siostry. Kiedy Bee była nastolatką, na jej wizerunek składały się rękawiczki bez palców, różowe włosy, papierosy i chłopcy. Gdy wyprowadziła się z domu i przeniosła do Londynu, charakteryzował ją wystudiowany, odjazdowy, awangardowy makijaż i nieskrywana, niczym nie ujarzmiona ambicja. I od dnia, w którym stała się sławna, cechowało ją lekceważenie w stylu szybciej-szybciej-szybciej, kawa-fajka-kawa, ten-lot-tamten-wywiad-jeszcze-inny- program-telewizyjny, przepraszam-czy-ja-panią-znam-och-pani-jest-moją-matką-chyba-dobrze-poznaję-a-kim-jest-ta-dziwna-koścista-wysoka-postać-och- -tak-prawda-jesteś-moją-siostrą.

Uczucia Any wobec Bee zawsze pozostawały niezwykle ambiwalentne. Z jednej strony uważała ją za fascynującą. Bee była hipnotyzującą postacią, która potrafiła uczynić twój dzień wyjątkowym jednym zaledwie uśmiechem. Kiedy Bee znajdowała się w jakimś pomieszczeniu, nie istniał w nim nikt poza nią. Była urzekająco piękna i gdy tylko miała odpowiedni nastrój, potrafiła zachowywać się niezwykle zabawnie. Ale z drugiej strony, Ana zawsze uważała Bee za frustrująco płytką i czasami jawnie okrutną. Przezwisko, które nadała Anie, kiedy ta była dzieckiem, brzmiało Patyczak i nawiązywało do kościstych kolan i rąk, a po nagłym wystrzeleniu Any w górę w wieku dwunastu lat, Bee zaczęła nazywać swoją młodszą siostrę Strzelistym Patyczakiem. Niektórzy mogą to uznać za całkiem urocze, nawet zabawne — co najwyraźniej dotyczyło Gay, natomiast Bee uważała to określenie za histeryczne. Ale nie Ana. Ana całe życie starała się odwracać uwagę innych od swego wzrostu, a wystarczał jeden komentarz Bee i czuła się jak dziwolągowaty wybryk natury.

Odkąd wyprowadziła się z domu, Bee konsekwentnie odmawiała przyjazdu do Devon, nawet podczas Bożego Narodzenia albo urodzin, twierdząc, że najmniejsze nawet wspomnienie tego miejsca przyprawia ją o atak paniki, natomiast Gay równie głęboką nienawiścią darzyła Londyn. Nienawiść ta pojawiła się po tym, jak porzucił ją Gregor, skuszony perspektywami, które otwiera wielkie miasto. Wyrażała się o Londynie tak lekceważąco, jakby był on jakąś wyzywającą ladacznicą z fatalnie ufarbowanymi włosami, roztaczającą wokół siebie woń ryby.

Tak więc w ramach desperackiej próby kompromisu, Ana wraz z rodziną musiała telepać się do Bath albo Bristolu, by w jakimś zadymionym barze spotkać się z wiecznie spieszącą się Bee. Rozmowa zawsze stawała się napięta, a czasami zrzędliwa, zwłaszcza podczas ich ostatniego spotkania latem 1988 roku. Ana nie miała wtedy pojęcia, że po raz ostatni widzi swoją siostrę. Gdyby tak było, może trochę bardziej doceniłaby to wydarzenie. Zaledwie trzy tygodnie później Gregor już nie żył, a drogi Gay i Bee bezpowrotnie się rozeszły.

Rozdział trzeci

lipiec 1988

Katakumb był gotyckim klubem w samym centrum Bristolu. Gay, Bill i Ana znaleźli się tutaj w środku dnia — co było o tyle dziwne, że najwyraźniej to miejsce nie zostało zaprojektowane, by je oglądać przy świetle dziennym. Ana wyobraziła sobie, że nocą, przypięty do ścian purpurowy aksamit, strzeliste kandelabry ze stopionymi kościelnymi świecami i fluorescencyjne, przymocowane do sufitu gumowe nietoperze, mogą tworzyć dosyć upiorną atmosferę. Jednakże o godzinie drugiej po południu lokal ten wyglądał kiczowato i nieciekawie.

— Cześć, Bill. — Bee wspięła się na palce i pocałowała go w policzek, pozostawiając na nim smugę czerwonobrunatnej szminki.

— Witaj, Belindo. Czyż nie wyglądasz doskonale? — Trzymał jej dłonie i przyglądał się badawczo Bee. Miała na sobie obcisłą sukienkę z lycry, która ledwie przykrywała jej krocze, wielgachne platformy od Vivienne Westwood ze wstążkami zamiast sznurowadeł, a lśniące włosy zaczesała do tyłu. Wyglądała jak jedna z dziewczyn z teledysku do *Addicted to Love*.

— Dziękuję — uśmiechnęła się i lekko skłoniła. — Ty także wyglądasz uroczo. Chyba nie masz mi za złe, że tak mówię?

Bill zaśmiał się z wyraźną przyjemnością.

— Patyczak! — wykrzyknęła Bee, zauważając chowającą się za plecami ojca Anę. — Jak tam mój chudeuszek?

Ana uśmiechnęła się z przymusem i pochyliła, by pocałować swoją sławną siostrę.

— W porządku — mruknęła, czując, jak na jej policzki wypełza rumieniec, po czym wcisnęła dłonie do kieszeni praktycznej, szytej ze skosu spódnicy, którą matka kupiła jej w sklepie dla wysokich.

— Jezu, robisz się taka wysoka — rzekła Bee, taksując ją spojrzeniem. — Teraz to już nigdy nie znajdziesz sobie chłopaka, wiesz? Mężczyźni nienawidzą wysokich dziewczyn, wywołują w nich one poczucie niższości. — Mrugnęła, by dać siostrze do zrozumienia, że tylko żartuje, ale było za późno, jej słowa zdążyły już odcisnąć piętno na wrażliwej duszy Any. — Mamo — rzekła, odwracając się do Gay, która czekała niecierpliwie w swojej nowej, zielonej garsonce. — Jak się masz?

Gay nadstawiła swej starszej córce policzek do pocałowania.

— Jestem zmęczona — odparła. — Wyczerpana. Ten ruch na drogach. Okropny. I jeszcze ten upał. — Podniosła dłoń do twarzy i Bill natychmiast zaczął się rozglądać za krzesłem dla niej.

Gay usiadła sztywno na podsuniętym przez męża stołku i z nieskrywaną niechęcią rozejrzała się po klubie.

— A co takiego — rzuciła pogardliwie — robisz w miejscu tego pokroju?

— Och, nie zaczynaj, mamo. Proszę. Miałam ciężki tydzień. Czy choć raz dla odmiany nie możemy miło spędzić czasu? Właścicielem tego miejsca jest mój przyjaciel, w porządku? Bardzo miły, cudowny człowiek, któremu także kogoś zabrało AIDS. W tej chwili jest to chyba jedyna osoba, która potrafi mnie rozśmieszyć i z którą, tak się składa, spędzę dzisiejszy wieczór. Bill — rzekła, odwracając się do ojczyma i klaszcząc w dłonie. — Pozwól, że przyniosę ci coś do picia. Na co masz ochotę?

— Och, dla mnie coś bezalkoholowego, Belindo. Prowadzę. Lemoniadę albo coś w tym rodzaju.

— Patyczak?

Ana popatrzyła na nią i wzruszyła ramionami.

— Wszystko mi jedno — odparła, zmuszając się do uśmiechu. — Cokolwiek.

— Eee, dobrze. W porządku. — Bee spojrzała na nią z ukosa, a Ana poczuła, jak jakaś mała część niej umiera. Nigdy nie wiedziała o czym rozmawiać z Bee. Miała z tym duży problem. Zawsze się martwiła, że powie coś głupiego bądź też krępującego. Zazwyczaj kończyło się więc na tym, że nie odzywała się w ogóle — co było równie złym rozwiązaniem, ponieważ w takiej sytuacji jej siostra uważała ją za niedorozwiniętą kretynkę. A Bee jest taka piękna, pomyślała Ana z zachwytem. Wystarczy na nią spojrzeć. Te wielkie oczy otoczone gęstymi rzęsami. I ten jej maleńki nosek. Ana gotowa była zabić za taki właśnie nos. Czasami w domu bawiła się przed lustrem, próbując odgadnąć, jak wyglądałaby z nosem Bee. Postanowiła już, że zaraz po skończeniu piętnastu lat poszuka sobie dorywczej pracy i będzie oszczędzać każdego pensa na operację plastyczną. A kiedy uzbiera już odpowiednią sumę, weźmie ze sobą zdjęcie Bee i powie chirurgowi: „Chcę taki właśnie nos".

No i te jej piersi. Krągłe i mlecznobiałe, wciśnięte pod obcisłą sukienkę z lycry. Dlaczego, pomyślała Ana, wpatrując się w nie z palącą zazdrością, dlaczego? Ta sama matka. Ta sama pula genów. Te same szanse na drobną budowę, okrągłą pupę i urodę. Ale nie, spojrzała z urazą na ojca, ja muszę być podobna do Billa Willsa.

Bee podała Anie puszkę coli z wetkniętą do środka słomką i uśmiechnęła się. Ana odpowiedziała pełnym skrępowania uśmiechem.

— Jak się czuje twój ojciec? — zapytała Gay tonem, który sugerował, że w głębi duszy ma nadzieję, iż Bee powie, że on nie żyje.

Bee westchnęła i oparła się o odrapany, czarny bar.

— Źle — odparła zwięźle. — Bardzo źle. Zastanawia się nad hospicjum.

— Hospicjum?

— Tak. W St. John's Wood. Wiesz przecież.

Gay z mądrą miną pokiwała głową i zacisnęła usta.

Ana piła colę, zastanawiając się jednocześnie, co to takiego jest to hospicjum.

— No więc, Patyczaku — rzuciła Bee, zmieniając temat i odwracając się do niej — co słychać u ciebie?

Ana wzruszyła ramionami.

— Nic ciekawego — mruknęła. — No wiesz, szkoła i tak dalej.

— A jak tam twoje lekcje gitary? — Bee udała, że gra na tym instrumencie.

— Dobrze — odrzekła Ana, odprężając się nieco, gdy podjęły najukochańszy dla niej temat. — Właśnie nauczyłam się chwytów barowych.

Bee spojrzała na nią beznamiętnie, a Ana poczuła ukłucie rozczarowania. Miała nadzieję, że na jej siostrze to osiągnięcie zrobi wrażenie — była przecież gwiazdą pop, ale nie potrafiła grać na żadnym instrumencie.

— Super — stwierdziła Bee, otwierając paczkę cameli i proponując jednego Billowi, po czym sama zapaliła. — A co z chłopcami? — Mrugnęła do Any. — Opowiedz mi o chłopcach.

O Boże. Ana nienawidziła, kiedy Bee to robiła — drażniła się z nią. Na jej policzkach zaczął się pojawiać rumieniec.

— Nie ma o czym opowiadać — udało jej się wydukać.

— Och, nie udawaj. — Bee wypuściła z ust obłoczek dymu.

— Ty masz... Ile ty masz teraz lat? Trzynaście? Czternaście?

— Trzynaście — mruknęła Ana. — Skończyłam trzynaście.

— Trzynaście lat. Pewnie, no wiesz, zaczynają w tobie buzować hormony. Nie? Robi się trochę niespokojnie tam na dole?

Rumieniec Any stał się jeszcze bardziej intensywny. Popatrzyła z desperacją na ojca, błagając go wzrokiem, by uchronił ją przed tym upokorzeniem, ale on jedynie łagodnie się do niej uśmiechnął, jakby mówiąc: „Czyż ona nie jest przezabawna?"

— O mój Boże, popatrzcie tylko na jej rumieńce — pisnęła Bee. — Coś w tym jednak musi być. Kto to jest? Dalej, mnie przecież możesz powiedzieć...

— Nikt — burknęła Ana. — Nie ma nikogo.

Bee uśmiechnęła się szelmowsko, polizała palec i dotknęła nim policzka siostry.

— Ssss — syknęła i ze śmiechem odrzuciła głowę do tyłu.

Ana odepchnęła jej dłoń i skrzywiła się. Wtedy Bee odwróciła się, by porozmawiać z Gay, uznając swoją interakcję z młodszą siostrą za oficjalnie zakończoną. Tak właśnie było za każdym razem — krótka chwila upokorzenia, po czym przejście do innych, bardziej dorosłych tematów. Ana przyglądała się siostrze, gdy ta rozmawiała z Gay i Billem o Gregorze, o tym, co ona zrobi, kiedy on odejdzie, o jej karierze i zauważyła, że Bee wydaje się w pewien sposób zmieniona. Miała cienie pod oczami, włosom przydałaby się wizyta u fryzjera, wokół ust pojawiło się kilka maleńkich krostek, a jej ciało, mimo że gibkie i zadbane jak zawsze, wyglądało na dziwnie zmęczone. I zeszczuplała. I wyglądała... starzej. Dużo, dużo starzej. Wszystko z nią związane wydawało się sztuczne i nienaturalne, tak jakby grała rolę w jakimś przedstawieniu.

Anę ogarnęło nagle przemożne pragnienie, by ją zapytać, jak się czuje — „Co u ciebie słychać, Bee?" — ale wiedziała, że w żadnym wypadku się na to nie zdobędzie. Bee popatrzyłaby tylko na nią jak na osobę niespełna rozumu i powiedziała coś takiego, że Ana poczułaby się głupio tylko dlatego, że zastanawiała się nad samopoczuciem siostry.

Facet myjący szkło za barem, o tlenionych włosach splecionych z cienkimi, purpurowymi pasmami, ustach pomalowanych czarną szminką i brwiach przekłutych metalowym kolczykiem, podał Bee koktajl. Wzięła go z kontuaru i kiedy podnosiła szklankę do ust, Ana zauważyła, że trzęsą jej się ręce. Może przeżywa właśnie załamanie nerwowe, pomyślała. Ana nie tak dawno się dowiedziała, że istnieje coś takiego — wszyscy wydawali się je mieć, zwłaszcza Amerykanie. A może brała narkotyki. Trzęsą się wtedy ręce, prawda? I ma się brzydką cerę, chudnie się, a pod oczami pojawiają się cienie. Ana jak urzeczona wpatrywała się w siostrę. Czy to możliwe, pomyślała, że Bee jest narkomanką?

Wcale by jej to nie zdziwiło. Pewnego razu przed kilku laty, kiedy pojechali do Swindon, by się z nią zobaczyć, Bee paliła marihuanę — i to w dodatku w ich towarzystwie! Ana z początku sądziła, że to po prostu jakiś śmiesznie wyglądający papieros, ale potem zorientowała się, iż dym pachnie naprawdę dziwnie, i wtedy jej matka rzekła:

— Belindo, mam nadzieję, że to, co palisz, to nie marihuana.

A Bee odpowiedziała:

— Nie bądź głupia, mamo, to tylko taki ziołowy papieros.

— Myślisz, że urodziłam się wczoraj? — odparowała Gay.

— Dorastałam w latach sześćdziesiątych. Wiem wszystko o tego typu sprawach.

W odpowiedzi Bee uniosła jedynie brwi i podała „papierosa" jakiemuś facetowi, który był ubrany w sukienkę.

Uważano przecież, że palenie trawki może prowadzić do innych rzeczy — twardszych narkotyków — takich jak heroina. Dreszcz przebiegł po plecach Any, gdy wyobraziła sobie Bee, leżącą na betonowej podłodze w pozbawionym szyb mieszkaniu komunalnym, wbijającą sobie igłę w ramię. Ana może i żyje w sennym, zamieszkanym przez klasę średnią Devon, ale widziała przecież *Made in Britain*. Wiedziała wszystko o tym, co się dzieje na świecie...

Rozmowa Bee i Gay zgodnie z przewidywaniem zaczynała się robić coraz bardziej napięta i Ana wyrwała się z tych snów na jawie.

Rozmawiali o tym jakimś „hospicjum", do którego najwyraźniej wybierał się Gregor. Ana uznała, że musi to być jakiś rodzaj szpitala. Bee wypiła do końca koktajl i zastukała pustą szklanką o blat baru w odpowiedzi na coś, co właśnie powiedziała Gay.

— Zawsze tylko ty, ty, ty i ty, prawda, mamo? Mój ojciec umiera, na miłość boską.

— Tak — sapnęła Gay. — A czyja to wina? Hmm?

Bee wyjęła z paczki następnego papierosa i skierowała go w stronę Gay niczym floret, po czym wsadziła do ust i pozwoliła, by Bill go zapalił.

— Mdli mnie od tych twoich gadek. Wiesz o tym?

Ana przełknęła ślinę. Bez względu na to, który raz coś takiego się działo, zawsze bardzo to przeżywała. I bez względu na wszystko zawsze miała nadzieję, że następny raz okaże się inny. Przez wiele tygodni poprzedzających kolejne spotkanie potrafiła śnić o nim na jawie. Tym razem, myślała sobie, mama będzie miała naprawdę dobry humor i nie zacznie się czepiać Bee, i będziemy się świetnie dogadywać, a ja i Bee wreszcie normalnie porozmawiamy. I tym razem sprawię, że Bee będzie się śmiała, opowiem jej śmieszne historyjki o szkole i pokażę jej, jak dobrze umiem grać na gitarze, a ona także opowie mi anegdotki o sławnych gwiazdach z *Top of the Pops* i o lotach pierwszą klasą do Nowego Jorku. Tym razem wspólnie pójdziemy gdzieś na obiad, a ja wypiję kieliszek wina i będziemy się świetnie bawić, a kiedy wsiądziemy do samochodu, by wrócić do domu, wszyscy uściskamy Bee, a ona będzie naprawdę smutna z powodu naszego odjazdu. I wtedy Bee powie: „A może następnym razem to ja przyjadę? Może przyjadę i zatrzymam się na Main Street? Wreszcie moglibyśmy spędzić ze sobą trochę czasu i zabrać Tommy'ego na spacer, i chodzić w byle jakich skarpetkach, i wspólnie coś ugotować". I wtedy, pomyślała Ana, może nie czułabym się już taka samotna...

— Słuchaj, mamo, nie moglibyśmy po prostu zmienić tematu? Naprawdę nie mam w tej chwili ochoty wysłuchiwać tych twoich głupot.

— Och tak, oczywiście. Musi być ci naprawdę niezwykle ciężko zarządzać tymi wszystkimi pieniędzmi twego ojca i jego ogromnym domem...

— To nie jest dom, mamo, ale mieszkanie.

— ...i przez cały dzień nie musieć nic robić. Poczekaj, pewnego dnia będziesz miała tyle lat co ja i wtedy zrozumiesz, co to znaczy niełatwe życie. Tylko sobie wyobraź: wyżyć z nauczycielskiej emerytury. — Wyrzuciła z siebie te słowa i posłała Billowi złośliwe spojrzenie. — Wyobraź sobie, że nie możesz kupować markowych ubrań, kiedy przyjdzie ci na to ochota. Wyobraź sobie, że jesteś mną, Belindo...

— O Boże. — Bee z frustracją klepnęła się dłonią w czoło. — Bill — zwróciła się do niego błagalnie — jak ty to wszystko wytrzymujesz? Dlaczego to wszystko wytrzymujesz? Uciekaj — drażniła się z nim. — Uciekaj natychmiast...

Bill uśmiechnął się do niej bezradnie i podrapał po karku. Ana z rozpaczą wpatrywała się w Bee, popijając colę i starając się dać jej telepatycznie znać, iż jest po jej stronie, a także pragnąc ponad wszystko, by jej matka i siostra były przyjaciółkami, tak by naprawdę mogła się cieszyć tymi rzadkimi, cennymi popołudniami ze swoją wielką, olśniewającą siostrą, której właściwie prawie nie znała.

— Wyglądasz okropnie. Twoja cera. Czy zmywasz na noc makijaż?

— Tak, mamo, zmywam na noc makijaż. Jestem zestresowana, to wszystko.

— No i ta sukienka. Prawie mogę przez nią dojrzeć twoje śniadanie. Czy ty w ogóle nie myślisz o tym, jak cię odbierają inni ludzie, Belindo? Mówię to jako twoja matka. Ja wiem, że jesteś dobrą dziewczyną. Ale inni? Cóż, sądzę, że mogą inaczej cię oceniać.

— Super. Teraz moja matka mi mówi, że wyglądam jak zdzira. Jezu. — Zgasiła papierosa i odwróciła się do krzątającego się za barem faceta z kolczykiem w łuku brwiowym. — Mogę prosić o jeszcze jednego, Tarquin? — Pchnęła pustą szklankę w jego kierunku. — Dzięki, skarbie.

— I za dużo pijesz, Belindo. Zdecydowanie za dużo. Czy ty wiesz, co ten cały alkohol zrobi z twoją skórą do czasu, kiedy będziesz w moim wieku? Wysuszy ją, odwodni cię całą i koło trzydziestki będziesz wyglądać po prostu fatalnie. Będziesz wyglądać jak matka Katie Dewar, uwierz mi.

I tak to się ciągnęło bez końca. Żel zabije połysk włosów Bee, buty zniszczą jej kręgosłup, jeśli schudnie jeszcze bardziej, nabawi się osteoporozy. Jej postawa jest okropna, a jeżeli chodzi o ten „straszny londyński akcent", który zawładnął jej mową...

Wyszli z klubu dwie godziny później. Przez jakiś czas udało im się prowadzić cywilizowaną rozmowę, zwłaszcza wtedy, gdy na chwilę dołączył do nich przyjaciel Bee, który był właścicielem tego klubu. Gay stała się uosobieniem czaru, kiedy Jon, wysoki mężczyzna z farbowanymi, czarnymi włosami, niewielkimi bakami, ubrany w obcisłe dżinsy i skórzaną marynarkę z frędzlami przy rękawach, przedstawił się. Konwersacja stała się wówczas żywa i przyjacielska, a Ana siedziała na taborecie barowym, popijała colę i delektowała się tą chwilą. Ale po pewnym czasie Jon odszedł i w przeciągu kilku sekund atmosfera ponownie się zagęściła.

Bee udała się z nimi na parking, gdzie zostawili samochód. Gdy szli, wpatrywał się w nią każdy mijany mężczyzna. Każdy. Młody, stary, czarny, biały, chudy i gruby. Otwarcie się w nią wgapiali. Ana obserwowała ze zdumieniem, jak jej siostra niewzruszenie idzie, zupełnie nie przejmując się wrażeniem, jakie robi, i kołysze na boki biodrami, z papierosem tlącym się nonszalancko między palcami jej prawej dłoni. Ana nie potrafiła sobie wyobrazić, by kiedykolwiek, ale to kiedykolwiek, ona stała się obiektem tak nieskrywanego męskiego pożądania. Cóż za moc posiada Bee. I jak to musi być?

Atmosfera wyraźnie się rozluźniła w chwili, gdy Bill otworzył drzwi samochodu, a wszyscy żegnali się, udając, że minione trzy godziny nie okazały się tak naprawdę towarzyską torturą.

— Może następnym razem — rzekła Bee, zgniatając papierosa na parkingowym betonie — spróbujemy być dla siebie nieco milsi. Aktualnie jestem wykończona, mamo. Non stop opiekuję się tatą. Naprawdę chciałabym, żebyśmy spróbowali, no wiesz, dogadać się.

— Tak, no cóż — zaczęła Gay, opuszczając się z pomocą Billa na fotel dla pasażera — może gdybyś nie upierała się, by ciągać nas do tych zapomnianych przez Boga miast i kazać nam siedzieć w tych okropnych miejscach w towarzystwie tych wszystkich dziwnych ludzi, łatwiej byłoby mi się odprężyć.

Twarz Bee na chwilę złagodniała. Dziewczyna nachyliła się do okna.

— Może — westchnęła. — Może i masz rację. Może następnym razem to ja przyjadę do Exeter. Co ty na to? I sama będziesz mogła wybrać miejsce. Moglibyśmy wypić herbatę w Dingle's. Co o tym sądzisz? — Uśmiechnęła się cierpko.

— Hmm — odparła Gay. — Zobaczymy. I na miłość boską wyprostuj się, dobrze? Stoisz tutaj z tyłkiem wypiętym w powietrze niczym jakiś pawian. I wszystko masz pewnie na wierzchu w tej sukienczynie.

Bee uśmiechnęła się pokonana, ale jednocześnie nieco rozbawiona, i wyprostowała się.

— Pa, mamo, pa, Bill — rzekła, klepiąc maskę samochodu. — Szerokiej drogi. Wkrótce się odezwę. Obiecuję. — Zerknęła przez tylną szybę i mrugnęła do Any. — Cześć, Patyczaku — rzuciła. — Pozdrów swojego chłopaka.

I wtedy, gdy Bill wyprowadzał ich auto spomiędzy rzędu samochodów i kierował się w stronę wyjazdu, Bee okręciła się na pięcie i niespiesznie od nich oddaliła. Ana odwróciła się na tylnym siedzeniu, by pomachać jej przez szybę. Bee odmachała z entuzjazmem, demonstrując swój szeroki, biały uśmiech. Ale kiedy samochód zniknął w tunelu wyjazdowym i Bee sądziła, że już jej nie widać, Ana dostrzegła, jak opuszcza rękę, przestaje się uśmiechać i opadają jej ramiona, po czym odwraca się i powoli kieruje w stronę wind.

Ana po raz ostatni widziała swoją siostrę jako piękną kobietę w sukience od Azzedine Alaïa, stojącą na tle gołego betonu na zimnym i wilgotnym wielopiętrowym parkingu w Bristolu. Wyglądała wówczas, jakby życie odebrało jej wszelką ochotę do walki.

Trzy tygodnie później Gay udała się do Londynu na pogrzeb Gregora, pozostawiając Billa i Anę w domu ze stanowczym:

„Nie bądźcie niemądrzy. Tam będzie się aż roić od homoseksualistów. Dlaczego wy mielibyście mieć ochotę jechać?" Zarezerwowała sobie pokój w hotelu Claridges, kupiła u Jaegera nową sukienkę i wykonany na zamówienie kapelusz. Zadzwoniła po taksówkę, spakowała torbę, zapełniła lodówkę ilością jedzenia, która wystarczyłaby na tydzień, narobiła strasznie dużo zamieszania swoim wyjazdem, po czym wróciła dziesięć godzin później tak zalana łzami, że tusz do rzęs bez mała skapywał z czubka jej nosa.

Okazało się, że podczas ceremonii Bee wyrzuciła ją z krematorium. Fizycznie. Przy użyciu własnych rąk — Gay zademonstrowała im blade siniaki na swych ramionach. I to w dodatku przy wszystkich. Nazwała ją dziwką. Powiedziała, że nigdy już nie chce jej widzieć. Ani Billa czy też Any, jeżeli chodzi o ścisłość. Oświadczyła, że wyrzeka się swej rodziny. Że nienawidzi ich wszystkich i że się za nich wstydzi.

Nie znamy żadnej Bee, oświadczyła stanowczo Gay, kiedy zapłakana Ana zapytała, czy mogłaby do niej zadzwonić. Bee, rzekła, już nie istnieje. Nigdy nie było żadnej Bee. I Ana tępo i posłusznie umieściła swą siostrę w szufladce z napisem: „Mgliste wspomnienia z mojej przeszłości", i tak ją pozostawiła.

Zdarzało się, że Ana rozmyślała o swojej siostrze, spoglądała na jej czarne włosy i czerwone usta na zdjęciach sławnych ludzi w szmirowatych czasopismach matki. Gay zawiadomiła Bee o pogrzebie Billa i Ana stała nad jego grobem, a jej smutek łagodziło nieco poczucie niepokoju, że w każdej chwili zza drzewa może wyłonić się jej tajemnicza siostra. Ale ona nie przyjechała, a Ana potraktowała to jako kolejne rozczarowanie w swym życiu. Bee wysłała jej jednakże kartkę ze zdjęciem lilii. Nie napisała wiele — jedynie: „Myślami jestem przy Tobie, całuję, Bee". To było miłe, ale chłodno uprzejme i Ana planowała odpisać, by podziękować i spytać, co słychać u niej i tym podobne, lecz więź pomiędzy siostrami była tak nadwątlona i nietrwała, że tak naprawdę nigdy się do tego nie zabrała. Ana zawsze uważała, iż pewnego dnia spotka się z Bee, być może pojedzie na weekend do Londynu, gdzie powłóczą się razem. Różnica wieku nie stanowiła już takiego problemu, odkąd Ana skończyła dwadzieścia lat i była przekonana, że jej siostra nieco się uspokoiła, może znalazła sobie jakąś przyzwoitą pracę, może wyszła za mąż, może nawet ma dziecko albo i dwoje. Wyobrażała sobie, jak Bee wita ją na stacji, cała skąpana w perfumach Gucciego, porywa do salonu piękności, by mogła dopieścić swoje ciało, a potem na obiad do eleganckiej restauracji prowadzonej przez Gordona Ramsaya bądź jakiegoś innego szefa kuchni z kręconymi włosami i dwuczłonowym nazwiskiem. A następnego dnia zabiera ją może na Bond Street, gdzie nalega, by kupić jej coś obrzydliwie drogiego w sklepie z ubraniami znanych projektantów. To byłby bardzo przyjemny weekend i Ana w pełni by się nim cieszyła, ale kiedy dobiegłby końca, dwie kobiety uściskałyby się i uśmiechnęły uprzejmie, ale smutno, ponieważ obie wiedziałyby, iż nie ma między nimi przyjaźni ani silnej więzi, i że prawdopodobnie nie zmartwiłyby się, gdyby się już więcej nie zobaczyły. Ponieważ tak naprawdę nie miałyby ze sobą nic wspólnego.

Ale teraz nawet i ten krótki, smutny scenariusz był już niemożliwy do zrealizowania. Dlatego, że Bee ostatecznie i dramatycznie odeszła. Umarła. W wieku trzydziestu sześciu lat.

Do ładnego domu Gay w Devon, niecałe trzy tygodnie temu zapukała policja. Ciało Bee zostało znalezione we wtorek rano przez pana Whitmana, portiera, który włamał się do jej mieszkania po tym, jak sąsiedzi donieśli mu o wydobywającej się spod drzwi mało przyjemnej woni. Zadzwonił do gospodarza Bee, który z kolei wezwał policję. Bee ubrana była w jedwabną podomkę, a na szyi miała diamentowy naszyjnik.

Na początku policji nie udało się odnaleźć telefonu kontaktowego do Gay, ale po dwóch dniach dotarli wreszcie do prawnika Bee, który im go podał. Ciało Bee zostało oficjalnie zidentyfikowane przez panią Tilly-Loubelle, najbliższą sąsiadkę, która twierdziła, że utrzymywała z denatką „dość przyjacielskie stosunki". Zwłoki przewieziono do Szpitala Najświętszej Maryi Panny, gdzieś w centralnym Londynie, i aktualnie poddawane były autopsji, wyniki której mogą zostać poznane nawet dopiero za kilka tygodni.

— Jak to możliwe, że tyle trwało, nim ktoś znalazł jej ciało? — zapytała Ana.

Gay pociągnęła nosem i wzruszyła ramionami.

— To nie do pomyślenia, Anabello. Ten Londyn. Bezduszne, okrutne miasto. Coś takiego ciągle tam się zdarza. Tak naprawdę to ani trochę mnie to nie dziwi.

— Ale cztery dni, mamo. No i w dodatku weekend. Bee zawsze miała tylu przyjaciół, zawsze otaczało ją tylu ludzi. Nie rozumiem. — Na chwilę zapadła cisza, podczas której Ana układała sobie w głowie następne pytanie. — Czy ona... Czy ona popełniła samobójstwo? Jak myślisz?

— Oczywiście, że nie — warknęła Gay.

— W takim razie co się stało?

— To — odpowiedziała gwałtownie jej matka — dopiero się wyjaśni. — Gay ponownie pociągnęła nosem i smutno pokiwała głową.

Ana przyjrzała się jej, swej drobnej, ładnej, przypominającej lalkę matce z ufryzowanymi włosami i zbyt mocno obrysowanymi oczami, ściskającej w kościstej dłoni zmiętą chusteczkę, i nagle, przypuszczalnie po raz pierwszy w życiu, poczuła, jak bardzo jest jej szkoda tej kobiety. Miała tyle związanych ze swym życiem marzeń, i proszę, jak to się skończyło. Tkwi uwięziona w tym domu przez własne poczucie zagubienia i nerwice, dwukrotnie owdowiała, a jedyny aspekt jej egzystencji, na którym zawsze mogła polegać — uroda, nagle ją zawodzi. Jej życie było jednym wielkim rozczarowaniem, a jedynym światłem, które padało na jej przeklęte marzenia, było wspomnienie egzotycznej, starszej córki. Teraz ona także odeszła. Gay nagle wydała się bardzo malutka i bardzo stara i przez jedną dziwaczną chwilę Anę przepełniło pragnienie, by ją objąć. Nieśmiało położyła dłoń na satynowym materiale bluzki Gay.

Ale kiedy tylko dotknęła palcami delikatnej materii, poczuła, że ciało matki się napina i koścista dłoń Gay uniosła się z kolan, by strącić dłoń Any. Odwróciła się i zmierzyła córkę gniewnym spojrzeniem.

— To powinnaś była być ty! — wyrzuciła z siebie. — To ty powinnaś nie żyć. Nie ona. Nie moja Belinda. Ona miała po co żyć: miała urodę, pieniądze, osobowość, talent. A ty nie masz nic. Ty — ty cały dzień przesiadujesz w sypialni z tym swoim wielkim, długim cielskiem i prostymi włosami i grasz tę swoją okropną muzykę, i wyciskasz pryszcze, i obgryzasz paznokcie. Nie masz przyjaciół ani chłopaka, ani pracy, niczego. Jesteś niepotrzebna, Anabello. Niepotrzebna. A mimo to żyjesz! Ty żyjesz, a Belinda jest martwa! Ha! Coś się pomieszało, coś się pomieszało tam na górze — wskazała na sufit — Jemu. Na górze. Popełnił błąd. Oto, co się stało. Dlaczego inaczej miałby zabierać wszystkich: Gregora, Billa, Belindę, a pozostawić ciebie? Dlaczego miałby pozostawić ciebie, Anabello? Boże — rzekła, zwracając się do sufitu, a głos drżał jej niczym u aktorki szekspirowskiej, o zostaniu którą zawsze marzyła — spieprzyłeś wszystko. Spieprzyłeś... — Ze złością wyciągnęła w górę dłonie, grzmiąc na Stwórcę, po czym oderwała się od sofy i, powstrzymując łkanie, wymaszerowała z pokoju.

Ana przymknęła oczy na tę tyradę — nie było to dla niej nic nowego — i zamiast tego wyobraziła sobie filmowy, romantyczny obraz Bee rozłożonej na dobrze oświetlonym łóżku, z bladymi ramionami zwisającymi na podłogę i zielonymi oczami wpatrującymi się szklano w sufit, a wokół łóżka dywan z tabletek. Mobilizowała swą podświadomość do wykrzesania z siebie jakichś uczuć, smutku, żalu, ale ich tam nie było. Czuła się zaszokowana, ale nie smutna.

Ten pomysł był niedorzeczny — martwa Bee. Ludzie tacy jak Bee nie umierają. Wspaniali, piękni, sławni, bogaci ludzie nie połykają garści prochów i nie umierają w samotności, i nie zostają znalezieni dopiero po czterech dniach. To przytrafia się smutnym nieudacznikom, ludziom, którzy nie mają niczego i nikogo, tak właściwie to ludziom takim jak Ana. Jak Bee może nie żyć? Dlaczego kobieta, która miała wszystko, miałaby z tego rezygnować? To było zupełnie pozbawione sensu.

Ana spędziła resztę wieczoru na poszukiwaniu wszelkich możliwych wyjaśnień, próbując nadać śmierci swej siostry choć jako taki porządek, ale dopiero kilka godzin później, kiedy leżała już w łóżku i nasłuchiwała działających na nerwy odgłosów wydawanych przez jej matkę, która najwyraźniej radziła sobie z bólem w sposób, jakiego Ana mogła się tylko domyślać, dotarło do niej wreszcie poczucie straty.

Już nigdy więcej nie zobaczy Bee.

Może i nie spotkała się z nią przez ostatnie dwanaście lat, ale zawsze ratowała się świadomością, że mogłaby, gdyby tylko chciała. Że mogłaby iść na dworzec, kupić bilet do Londynu i zobaczyć się z Bee. Kiedy tylko miałaby na to ochotę. Ale nigdy do tego nie doszło. I mimo że Bee była dla niej praktycznie kimś obcym, była jednak także jej siostrą, jedyną osobą na całym świecie, która potrafiłaby zrozumieć, przez co musiała przejść Ana, mieszkając ze swoją matką, a teraz ona odeszła i Ana została zupełnie sama.

Tamtej nocy Ana długo nie mogła zasnąć, a kiedy wreszcie się to udało, jej sny były smutne i puste.

Rozdział czwarty

Kiedy Ana zeszła tego ranka na śniadanie, jej matka już czekała przy schodach z listem w jednej dłoni i miską płatków w drugiej.

— A teraz — zaczęła, jakby ta rozmowa ciągnęła się już przez jakiś czas — usiądź. Zjedz to. I pospiesz się. Mam dla ciebie zadanie.

Ana poczuła, że robi jej się niedobrze. Od miesięcy nie widziała matki tak ożywionej.

Podczas gdy chrupała płatki, nasłuchiwała, jak jej matka na górze stuka i brzęczy, i to chyba nawet na poddaszu. Słyszała także, jak mówi sama do siebie. Chwilę później zeszła z hałasem ze schodów. Włosy miała zakurzone i wyjątkowo potargane. Uśmiechała się. I był dziś czwartek, a ona miała na sobie środowy sweter. Działo się coś bardzo, ale to bardzo dziwnego.

— Po raz ostatni używałam jej w 1963. Podczas miesiąca miodowego. — Jej oczy przybrały daleki, tęskny wyraz, po czym Gay cisnęła walizkę na stół, tuż koło Any. Była mała. I śmierdziała stęchlizną. A uszyto ją z kraciastego materiału w kolorze jaskrawej czerwieni i butelkowej zieleni. Była ohydna. — Dalej, Anabello — dodała Gay, błyskawicznie zabierając sprzed nosa Any miskę z płatkami i wstawiając ją z hałasem do zlewu — nie ma dzisiaj czasu na bezczynne siedzenie. Masz masę spraw do załatwienia. — Powiedziała to tonem rodzica oznajmiającego dziecku, że w jego torbie schowane są słodycze.

— Mamo, czy mogłabyś mi łaskawie powiedzieć, o co ci, do diabła, chodzi?

— Dziś rano otrzymałam list. — Gay rozłożyła go na stole przed Aną. — List od gospodarza Bee. Jej umowa najmu właśnie wygasła i jeżeli do jutra rana jej rzeczy nie zostaną uprzątnięte, ma on zamiar się ich pozbyć. No więc tak. Za dobrą godzinę masz pociąg. Pan Arif spotka się z tobą przed blokiem o trzynastej trzydzieści. Mówi, że możesz tam przenocować. Uzgodniłam już z firmą przewozową, że dostarczą rzeczy Bee do Devon. Zjawią się tam jutro rano o dziewiątej trzydzieści. Rozmawiałam też z panem Arnottem Brownem, tym, jak mu tam, prawnikiem Bee i cóż, pomyślałam, że skoro i tak tam będziesz, to możesz równie dobrze upiec dwie pieczenie przy jednym ogniu. Oczekuje on ciebie jutro w południe. Oto jego adres. O szesnastej trzydzieści masz pociąg powrotny i o siódmej wieczorem będziesz w domu. Masz tu trochę pieniędzy… — Położyła na stole komicznie duży zwitek banknotów. — A to jest adres.

Ana pospiesznie przebiegła wzrokiem list, popatrzyła na leżący przed nią stosik dziwnych, niewytłumaczalnych rzeczy, a potem na matkę. To wszystko było absurdalne. Jak matka może oczekiwać od niej, że pewnego ranka obudzi się, spakuje walizkę i pojedzie akurat do Londynu. Sama. Zgubi się. Nigdy nie znajdzie mieszkania Bee w tym całym Londynie. Skończy w Brixton albo Toxteth, czy gdzieś tam, i zostanie napadnięta. Ukradną jej wszystkie pieniądze i walizkę, a ona będzie się włóczyć po ulicach Londynu i zostanie jej tylko to, w co będzie ubrana. I ludzie będą się z niej śmiać. Wszyscy ci chłodni, bezwzględni londyńczycy. Skrywające się pod piżamą serce Any zaczęło walić jak młotem. To było czyste szaleństwo.

Udała się do jadalni i rzekła do pleców matki:

— Ale dlaczego nie możemy poprosić facetów od przeprowadzek, by sami spakowali rzeczy Bee? — zapytała z desperacją w głosie, jednocześnie wiedząc, że to i tak na nic.

— Nie pozwolę bandzie brudnych, otyłych błaznów grzebać tłustymi, brudnymi paluchami w osobistych rzeczach mojej ukochanej, zmarłej córki. Jak coś takiego mogło ci w ogóle przyjść do głowy? Przecież chodzi o jej bieliznę, na miłość boską, i wszystkie te kobiece drobiazgi. W żadnym wypadku się nie zgadzam. Idź i się pakuj. Natychmiast.

Więc Ana poszła. A teraz jest tutaj. W Londynie. Sama. I nie zgubiła się, nie została napadnięta i tak naprawdę czuła się bez mała podekscytowana możliwością przebywania w tym mieście.

Zeszła na dół po portiera, który zamknął za nią drzwi i udzielił wskazówek, jak dotrzeć do najbliższego supermarketu. Kupiła sobie kanapkę z kurczakiem i majonezem i puszkę coli, a potem poprosiła faceta, który układał towar na półkach, o kilka kartonów. Wręczył jej spory, spłaszczony stosik, a ona dokupiła rolkę grubej taśmy i przytaszczyła wszystko z powrotem do rezydencji Bickenhall.

Na dworze było oszałamiająco jasno, ale w pochmurnym mieszkaniu Bee wydawało się, iż jest właśnie późne, listopadowe popołudnie. Ana wzięła do rąk spis pana Arifa i przekartkowała go, przegryzając jednocześnie kanapkę.

1x	czarna, plastikowa warząchew z zieloną rączką	rączka lekko stopiona
1x	biała, plastikowa szczotka do toalety razem ze stojakiem	stan dobry
1x	trzyosobowa sofa obita materiałem w kwiaty	lekko wystrzępiona wokół nóżek, mała wypalona dziura na lewym oparciu

I tak to się ciągnęło w nużąco drobiazgowy i skrupulatny sposób przez dwanaście stron. Ana westchnęła i odłożyła listę na bok.

Przez chwilę rozglądała się po mieszkaniu, wyrzuciła skórki od swojej kanapki z kurczakiem, dopiła colę, po czym zabrała się do osobliwego zadania, którym było przeszukiwanie smętnych resztek z życia jej enigmatycznej starszej siostry. Zaczęła od łazienki, zakładając, że właśnie tam czeka ją najmniej pracy. Złożyła niewielki karton i po kolei zaczęła wkładać do niego rzeczy Bee, bardzo powoli, pojedynczo, sporządzając w tym czasie w głowie swój własny spis. Miała nadzieję, że gdy doda do siebie te wszystkie drobiazgi, w jakiś cudowny sposób wyłoni się z nich obraz jej siostry, a ona pozna zarówno ją, jak i przyczynę jej śmierci.

1x	opakowanie tampaxów super	zostały 4
1x	przezroczysta, plastikowa szczoteczka do zębów Oral B	stan bardzo dobry
1x	szczoteczka do czyszczenia przestrzeni między zębami	zielona
1x	tubka pasty do zębów dla palaczy	wyciskana od środka
1x	butelka płynu do płukania ust Listerine	prawie pełna
1x	nić dentystyczna Bootsa	otwarta
1x	egzemplarz „OK" — na okładce Patsy Palmer	datowane na 7 stycznia '00
1x	egzemplarz „Hello" — na okładce Ronan Keating	datowane na 8 czerwca '00
1x	wielka chromowana popielniczka	pełna
3x	rośliny doniczkowe	uschnięte
1x	pudełko zapałek	Pizza Express
1x	pudełko zapałek	Vasco and Piero's Pavillon
1x	pudełko zapałek	Titanic Bar and Grill
1x	pudełko czopków na grzybicę	w połowie pełne

1x	aplikator do czopków	
1x	tubka Canstenu	używany
1x	rozjaśniacz Jolene Crème	
1x	opakowanie plastrów	w połowie puste

Pomiędzy tymi wszystkimi przedmiotami Anie nie udało się znaleźć żadnych wskazówek, które pomogłyby jej rozgryźć stan świadomości siostry — jedyne, czego się dowiedziała, to tego, iż Bee lubiła na kibelku czytać szmatławe magazyny, co wskazywało na kłopoty z zatwardzeniem (Ana uznała to za nieco niepokojące, jako że tak naprawdę nigdy nie uważała Bee — podobnie jak królowej i Claudii Schiffer — za osobę chodzącą do ubikacji), i że była niezwykle wyczulona na punkcie higieny jamy ustnej, jednak najwyraźniej zwracała znacznie mniejszą uwagę na inne aspekty zdrowotne — o czym świadczyła pełna popielniczka na wannie. Nie miała dobrej ręki do roślin doniczkowych i cierpiała na grzybicę pochwy, niechciane włoski na twarzy i dość obfite miesiączki. Nie była także zwolenniczką mycia wanny po kąpieli, co sygnalizowały małe kępki kręconych czarnych włosów, przywierające do brudnej obwódki wokół jej brzegu.

Ana wpatrywała się w nie przez chwilę. Włosy łonowe Bee. Skrawki Bee. Nagłe i bolesne przypomnienie powodu, dla którego Ana się tutaj znalazła. Bee nie żyje. Jej siostra nie żyje. I nikt nie potrafi wyjaśnić dlaczego. Wszystko wskazywało na samobójstwo, ale z jakichś powodów tragiczny wypadek wydawał się być opcją bardziej do przyjęcia. Kiedy Bee udała się do łóżka tamtego piątkowego wieczoru, czy zaświtało jej w głowie, iż następnego ranka już się nie obudzi? Czy kiedy myła tamtego wieczoru zęby, wiedziała, że już nigdy nie zobaczy swego odbicia w lustrze? Czy przeszła się po mieszkaniu przed pójściem do sypialni, żegnając się z różnymi przedmiotami, ponieważ zdawała sobie sprawę, że odchodzi? Czy też był to po prostu kolejny piątkowy wieczór, późny wieczór, kiedy wypiła zbyt dużo i zataczając się, próbowała położyć się spać, sięgnęła po tabletki na sen, gdy nie mogła zasnąć, a potem po leki przeciwbólowe, kiedy zapukał kac, i nie myślała o tym, co robi?

A może była tutaj teraz, dusza w stanie zawieszenia, obserwowała pakującą jej rzeczy Anę i zastanawiała się, co ona, kurwa, robi. Ana często miewała takie dziwne myśli, kiedy przedwcześnie umierali sławni ludzie — zdawało jej się, że oni nie wiedzą, iż nie żyją, że nikt im o tym nie powiedział. Wyobrażała sobie Dianę tamtego niedzielnego ranka w 1997 roku, jak schodzi na śniadanie, czyta nagłówki, włącza telewizor i widzi zdjęcia zmiażdżonego mercedesa w paryskim tunelu, Henri Paula, oraz jej i Dodiego opuszczających hotel Ritz, i myśli: nie, nie, nie, i... Ana westchnęła i wstała. Czasami jej zachowanie było naprawdę dziwaczne i chorobliwe. Przez jej głowę przebiegały doprawdy osobliwe myśli.

Udała się do kuchni, gdzie do drugiego pudła, albo w niektórych przypadkach do kosza na śmieci, powędrowały następujące przedmioty:

1x	egzemplarz *Jak jeść* Nigelli Lawson	w idealnym stanie, w środku odręcznie napisana dedykacja: „Mojej najlepszej przyjaciółce, która czasami potrzebuje przypomnienia, z wyrazami miłości od Lol"
1x	szklana miseczka z cytrynami	na niektórych pleśń
2x	chromowany shaker do koktajli — jeden mały, drugi duży	lepki osad na dnie obydwu
1x	butelka Jose Cuervo	prawie pusta
1x	butelka triple sec	prawie pusta
1x	butelka wódki Absolut	prawie pusta

1x	butelka dżinu Bombay Sapphire	nienaruszona
1x	butelka tabasco	w połowie pełna
1x	butelka sosu Worcester	pełna w dwóch trzecich
1x	butelka toniku	nienaruszona
1x	butelka gazowanej wody mineralnej	prawie pusta
1x	paczka Coco Pops	w połowie pełna
1x	słoik szalotek	pozostały dwie
1x	słoik korniszonów	pozostało pięć
1x	książka zatytułowana *1001 klasycznych koktajli*	pozaginane rogi, poplamiona
1x	pudełko herbaty ekspresowej Twinings Earl Grey	pozostało dwanaście torebek
1x	słoik brązowego cukru	w twardej bryle
1x	ekspres do kawy	nieco brudny
1x	niebieski ceramiczny pojemnik z prawdziwą kawą	gatunek nieznany
1x	bochenek ciemnego chleba	bardzo twardy
1x	różowa ceramiczna popielniczka w kształcie ust	pełna

W lodówce

4x	butelki szampana	różne gatunki
1x	słoik korniszonów	nienaruszony
1x	słoik z mieszanką orzechów	nienaruszony
1x	kostka masła Sainsbury's Normandy	w połowie zjedzona

12x	buteleczki z lakierem do paznokci	różne marki i kolory
1x	duże pudełko czekoladek Charbonnel et Walker	brakuje tylko dwóch
1x	opakowanie serka wiejskiego Tesco	z czosnkiem i szczypiorkiem
3x	litrowe kartony sosu pomidorowego Libby's	pleśń wokół otwartej końcówki jednego z nich

W zamrażalniku

1x	dwukilogramowa torba z lodem Party Ice	otwarta
1x	duży rumsztyk	
1x	truskawkowe ciasto lodowe Tesco	brakuje jednej porcji
1x	butelka Jose Cuervo	nienaruszona

Wychodziło na to, że Bee lubiła sobie popijać. Te butelki i shakery nie wyglądały na takie, co to czekają na specjalne okazje bądź ważnych gości. Najwyraźniej znajdowały się w codziennym użyciu. Ana cofnęła się myślami do wymyślnych zielonych, różowych i niebieskich różności w szklankach o dziwacznych kształtach, ozdobionych parasoleczkami i lepkimi wisienkami, które jej siostra piła te wszystkie lata temu, kiedy ona i rodzice jeździli, by się z nią spotkać. Zastanowiła się, czy Bee nie miała przypadkiem problemu z piciem i czy alkohol nie przyczynił się do jej śmierci. Ale, pomyślała Ana, przez której głowę myśli przemykały niczym fajerwerki, z pewnością ktoś mający problem z piciem nie zadawałby sobie trudu przygotowywania koktajlu za każdym razem, kiedy miał ochotę się napić. Nie, pomyślała, Bee po prostu lubiła pić; nie miała problemu z piciem.

Ana skierowała się do salonu. Zatrzymała się po drodze, by otworzyć niewielkie drzwi w ścianie na korytarzu. To była szafka na bieliznę, w której poza tradycyjnymi stertami poskładanych ręczników i prześcieradeł znajdowała się jeszcze popielniczka, brudny kubek i czarna, wieczorowa marynarka. Na metce widniał napis: Vivienne Westwood. Była ciężka od cekinów i pachniała mocnymi perfumami. Przyjrzała się uważnie metce. Rozmiar trzydzieści osiem. Obejrzała marynarkę w poszukiwaniu kieszeni i znalazła jedną, małą, umiejscowioną w podszewce. W kieszeni skrywał się pierścionek — srebrny z trzema dużymi diamentami. Ana podeszła do okna w salonie i uniosła go do światła. Promienie słoneczne zatańczyły i odbiły się od kamieni, a pierścionek okazał się tak bardzo błyszczeć, że musiał być wykonany z czegoś cenniejszego od srebra — z platyny albo białego złota. Włożyła go i pomyślała, jak śmiesznie wygląda na jej chudych, podrapanych palcach z poobgryzanymi, nierównymi paznokciami, ale mimo wszystko pozostawiła go tam, ciesząc się jego ciężarem i sposobem, w jaki przyciągał światło.

Salon był szokująco goły. Nie miał w sobie ani odrobiny prawdziwego „życia". Żadnych ozdób, lamp, luster ani obrazów na ścianach — jedynie mnóstwo brzydkich mebli i książek, i płyt ułożonych w stosach, co sugerowało, że położono je tam tymczasowo, ale w końcu nigdy nie zostały przeniesione. Kolekcja różnorodnych maskotek i zwierzątek wpatrywała się w Anę z gzymsu kominka, a w najdalszym kącie pokoju wypatrzyła ona coś rozdzierającego serce: oparte o ścianę stały dwie najsmutniej wyglądające gitary, jakie kiedykolwiek miała okazję oglądać. Jedna akustyczna, druga elektryczna, obie zepsute, obu brakowało strun, obie pokrywała porządna warstwa kurzu. Dla Any równało się to ze znalezieniem dwóch porzuconych szczeniaków. Jak ludzie mogą być tak okrutni? Wzięła do rąk gitarę akustyczną. Była — kiedyś — pięknym instrumentem. W tylnej ścianie została wyżłobiona dziura, a na wierzchu widniała długa rysa. Wyglądała, jakby nieźle oberwała. Anie udało się wydobyć kilka fałszywie brzmiących dźwięków z tego biednego, niekochanego stworzenia, po czym pogłaskała ją delikatnie i owinęła dwoma ręcznikami kąpielowymi, a następnie ułożyła ostrożnie w dużym pudle.

Anę zastanowiło, kiedy Bee nauczyła się grać na gitarze. Kto ją nauczył? Czy była w tym dobra? Trzeba naprawdę nisko upaść, by potraktować tak swoje gitary, pomyślała ze smutkiem.

Rozglądając się po pomieszczeniu, uznała, że porzuci układanie swego prywatnego spisu — traciła już nadzieję, iż znajdzie coś, co choć trochę rozjaśni jej w głowie. Pospiesznie wrzucała teraz przedmioty do kartonów, zwalniając jedynie po to, by przyjrzeć się uważniej płytom, książkom i filmom Bee. Szybko uświadomiła sobie ze zdumieniem, iż jej siostra miała zupełnie dobry gust. I to nie taki, jaki nakazują dodatki do niedzielnych gazet, ale inteligentny, rozległy, przemyślany i — co było najbardziej zaskakujące — bezpretensjonalny. W jej muzycznych zbiorach znajdowało się wszystko od Davida Bowie do Barry'ego Manilowa, od Candyskins do Cocteau Twins, od Paula Westerberga do The Pretenders i od Janis Joplin do Janet Jackson. Jej filmy to zarówno *Mary Poppins*, te z Billem Hicksem, *Dziewczyna Gregory'ego* i — co zrobiło na Anie ogromne wrażenie — *Tajemnice Los Angeles*, jej ulubiony film kilku ostatnich lat. Pomiędzy sfatygowanymi książkami z pozaginanymi stronami znajdowały się pozycje autorów tak różnych jak Noam Chomsky, Stephen King i Roald Dahl oraz biografie ludzi wiodących krańcowo odmienne życie, jak Alan Clark, Siuksowie czy Adolf Hitler.

Ana zawsze lekceważąco i chyba nawet wyniośle myślała o Bee jako o kobiecie z pospolitym gustem i poczuła się lekko zawstydzona i zasmucona, znalazłszy tak wiele podobieństw między jej własnymi upodobaniami a preferencjami siostry.

Spojrzała na zegarek i ze zdziwieniem odkryła, że jest już prawie ósma. Dzień powoli się kończył, a Ana była tak zaabsorbowana swoją pracą, że praktycznie nie zwracała uwagi na mijający czas. Zbliżała się pora kolacji i w żołądku cicho jej burczało, a kanapka z kurczakiem i majonezem wydawała się jedynie odległym wspomnieniem. Poszła do kuchni i otworzyła lodówkę Bee. Wydobywające się z niej światło rozjaśniło nieco zaciemnione pomieszczenie i nadało znajdującym się w niej samotnym produktom iście hollywoodzką oprawę. Butelka Perrier Jouet i pudełko czekoladek uśmiechały się do Any uwodzicielsko, w stylu Mae West. A czemu by nie, pomyślała Ana. Czemu nie? Wyjęła je z lodówki, sięgnęła do szafki po kieliszek i z powrotem udała się do sypialni.

Zrobiło się już prawie ciemno i Ana poczuła się trochę nieswojo. Ten budynek pełen był dziwnych hałasów, trzasków i brzęków, a dobiegające zza okna odgłosy miasta brzmiały gniewnie i rozpraszająco w porównaniu z idealną ciszą panującą w czwartkowy wieczór w Torrington. Ana znalazła włącznik lampek choinkowych otaczających okna i zapaliła je. Po drugiej stronie pokoju znajdowała się nocna lampka przykryta bordowym szalem. Włączyła także i ją, po czym rozejrzała się. Zadrżała. Było tu smutno, pusto i zimno. Było strasznie. Muzyka — oto, czego potrzebował ten pokój.

Przyniosła z sąsiedniego pokoju płytę — *Greatest Hits* zespołu Blondie — i włożyła ją do niewielkiego odtwarzacza, stojącego tuż przy łóżku Bee. Gdy pokój wypełniły pierwsze dźwięki *Heart of Glass* i muzyka zaczęła pulsować w jej żyłach, Ana poczuła, że wydostaje się z siebie i znajduje się teraz w ciele kogoś znacznie bardziej interesującego. Jakiejś czadowej artystki, która mieszka sama w pobliżu Baker Street. Jakiejś dekanckiej, pięknej postaci, która w samotności pije szampana i je z pasją drogie belgijskie trufle. Otworzyła szampana, napełniła kieliszek i poczęstowała się pistacjowym cukierkiem. Stwardniała w lodówce czekoladowa warstwa trzasnęła i odsłoniła śmietankowe wnętrze, które przywarło do zębów Any. Lodowate bąbelki szampana łaskotały ją w język i spływały do gardła. Poczuła, że się uśmiecha.

Przeszła tanecznie przez pokój w rytm przeboju Blondie i otworzyła szafę Bee, wiedząc jeszcze, zanim to uczyniła, iż za tymi drzwiami będzie się kryło całe sedno i istota jej siostry. Bee żyła swoim wizerunkiem, a jej wizerunek stanowiły głównie ubrania.

Ale nawet najśmielsze przewidywania Any nie przygotowały jej na ten magiczny, baśniowy kufer ze skarbami, jakim okazała się szafa Bee. Cekiny. Satyna. Jedwab. Paciorki. Kryształki. Futerko. Szyfon. Organdyna. Złoto. Szkarłat. Purpura. Tureckie wzory. Grochy. Wszystko poukładane według kolorów, począwszy od czarnego przez atramentowoniebieski, purpurowy i ciemnoczerwony aż do bladego różu, pastelowej zieleni i śnieżnej bieli, wszystko połyskujące. Na dnie szafy ustawione były buty Bee, każda para na bardzo wysokich obcasach, w każdej drodze, drewniane prawidła, których używają bogacze, właściciele ręcznie robionych butów z Jermyn Street. Na drzwiach wisiały boa z piór, szale i paski z diamencikami, chusty z frędzlami i jakieś futerka. No i torebki, całe tuziny torebek. Na co jednej kobiecie aż tyle torebek? Maleńkie, pokaźne, kolczuga, lureks, marabut, hafty, lakierowana skóra, zamsz.

Ana założyła parę rękawiczek z gniecionego weluru w kolorze winogron, które sięgały aż za łokcie, i podziwiała je w przyćmionym świetle. Bardzo eleganckie. Wychyliła resztę szampana i nalała sobie kolejny kieliszek, wytwornie trzymając nóżkę odzianymi w welur palcami. Szyję okręciła boa, takim wyjątkowo puszystym i w kolorze głębokiej czerwieni i obróciła się kilka razy wokół własnej osi. Podeszła do wiszącego po drugiej stronie pokoju lustra i przez chwilę wdzięczyła się przed nim, aż jej wzrok przykuła toaletka Bee.

Ta toaletka była marzeniem każdej sześciolatki. Zapełniona stosami kosmetyków — nie jedynie pobrudzonymi tubkami z podkładem i sponiewieranymi tuszami do rzęs, ale porządnymi kosmetykami i akcesoriami w stylu lat trzydziestych. Puszki do pudru, puderniczki, drewniane szczotki do włosów, słoiczki z brokatem, sztuczne rzęsy, zalotki do podwijania rzęs, cienie w jaskrawych kolorach, rzędy szminek w srebrnych etui. Kosztownie wyglądające flakony perfum — Vivienne Westwood, Thierry Mugler, Jean Paul Gaultier. Nawet chusteczki Bee schowane były w rzeźbionej skrzyneczce, a waciki do demakijażu wystawały z lśniącego, metalowego pudełka, jeden za drugim.

Ana usiadła i włączyła — jak można to było przewidzieć — żarówki, które otaczały lustro, i przyjrzała się w tym ostrym świetle swemu odbiciu: to okropne — wyglądała strasznie, a jej skóra wydawała się wyjątkowo blada i bezbarwna na tle głębokiej czerwieni otaczającego jej szyję boa. Zaczęła uważnie studiować pudełka i słoiczki, podnosiła je, czytała etykietki, wąchała, wkładała w nie palce i odkładała na miejsce. I wtedy jej wzrok przykuło coś innego — stojące na półce tuż przy toaletce puzderko, duże, drewniane puzderko. Uniosła ciężką pokrywkę i na widok zawartości gwałtownie wciągnęła powietrze: biżuteria i jeszcze raz biżuteria. Sztuczna biżuteria. W większości ciężka, błyszcząca, starodawna. Kilka drobiazgów z macicy perłowej. Granaty. Ametysty. Akwamaryny. Diamenty. Kolczyki. Ana wyjęła z pudełka parę delikatnych, wiktoriańskich, kryształowych łezek i założyła je. I wtedy jej spojrzenie zatrzymało się na półkolu połyskujących diamencików — diadem, cholerny diadem. Tylko Bee, pomyślała, tylko Bee mogła posiadać cholerny diadem... Ona naprawdę była jedyną w swoim rodzaju księżniczką, a diadem tylko to potwierdzał. Ale istotnie jest on oszałamiający, pomyślała Ana, podnosząc go i uważnie mu się przyglądając: filigranowy i wykonany z setek maleńkich diamencików. Nie mogła się powstrzymać. Wsunęła go we włosy i w chwili, gdy spojrzała w lustro, poczuła, że coś się z nią dzieje. Że ogarnia ją coś na kształt próżności, przyjemności, podekscytowania. Jasna cholera, pomyślała, jednym haustem wypijając drugi kieliszek szampana i nalewając sobie trzeci, ja też będę księżniczką.

Podeszła do odtwarzacza płyt, podkręciła go na cały regulator, tak że pokój wypełniały teraz dźwięki *Atomic*, nie dając szansy jakimkolwiek innym odgłosom, po czym ponownie zbliżyła się do szafy.

Pół godziny później Ana była zupełnie nie do poznania. Usta czerwone, tusz na rzęsach, włosy natapirowane, ubrana w długą do ziemi suknię z satyny w kolorze fuksji i etolę ze sztucznego futra. I dosłownie kapały z niej diamenty, począwszy od głowy, poprzez płatki uszu aż do nadgarstków.

Przejrzała się w dużym lustrze i dostała napadu histerycznego śmiechu. Wyglądała komicznie i absurdalnie. Starała się upodobnić do Madonny z teledysku do *Material Girl*, a skończyło się na tym, że przypominała Lily Savage podczas oscarowej nocy. No i ta suknia została najwyraźniej zaprojektowana dla kobiety z biustem, gdyż rozchylała się smutno u góry, odsłaniając wystające kości obojczykowe Any i niewiele poza tym. Ale nic ją to teraz nie obchodziło — dobrze się bawiła i już. Była wstawiona. Po raz pierwszy od wieków naprawdę dobrze się bawiła. Po raz pierwszy od prawie roku, od ranka, kiedy jej ojciec przewrócił się, pracując w ogrodzie dla swojej drogocennej Gay. Po raz pierwszy od czasu, kiedy obserwowała, jak trumna, zrobiona na zamówienie dla jego tyczkowatego ciała, opuszcza się do grobu. Po raz pierwszy, odkąd dziesięć miesięcy temu wprowadziła się z powrotem do domu matki i zostawiła za sobą Hugh, pracę, mieszkanie i życie w Exeter.

Ana wzniosła przed lustrem toast czwartym — a może piątym? — kieliszkiem szampana i podskoczyła do góry z okrzykiem podekscytowania, kiedy usłyszała *Union City Blues*, ulubioną piosenkę Blondie. Ślizgała się po pokoju w samych skarpetkach (nawet nie próbowała wciskać swych stóp w parę jakichkolwiek absurdalnie małych butów Bee) i śpiewała do pustej butelki po szampanie w hołdzie Tomowi Cruise'owi z *Ryzykownego interesu*. Otuliła się etolą i lekko zmierzwiła włosy. Dumnie kroczyła przed siebie, wydzierając się przy tym niemiłosiernie. Aż do tej chwili nie zdawała sobie sprawy, ile czasu minęło, odkąd po raz ostatni śpiewała, i jak bardzo jej tego brakowało. I wtedy, gdy przycichły ostatnie akordy, a ona ukłoniła się, bez tchu i cała w euforii, nabuzowana adrenaliną, w pokoju na chwilę zapadła cisza i rozległ się dzwonek.

Rozdział piąty

Ana wpadła w panikę. Przez jej głowę przeleciał naraz milion myśli. Pan Arif? Policja? Odurzony narkotykami gwałciciel z piłą łańcuchową? Nie może otworzyć drzwi. Diadem. Szminka. Idiotyczna fryzura. Różowa suknia. Wstawiona. Nieźle wstawiona. Cholera. Kurwa. Co robić? Co robić?

Zerwała z głowy diadem, odrzuciła etolę i zatknęła utapirowane włosy za uszy, starając się jakoś je przygładzić, po czym przeszła na palcach przez przedpokój i zbliżyła się do drzwi, ledwie mając odwagę oddychać. Przytknęła oko do wizjera i zerknęła na korytarz, myśląc natychmiast o tym dziwacznym teledysku Oasis, w którym taki właśnie oglądany przez judasza obraz robi się coraz wyraźniejszy. A to, co zobaczyła Ana, było doprawdy surrealistyczne: drobna, używająca zbyt dużo różu starsza pani, z dziwnie skręconymi siwymi włosami przykrytymi siatką, odziana w różowy, puszysty szlafrok i dobrane kolorystycznie ranne pantofle, przyciskająca do piersi małego jamnika ubranego w różowy, zrobiony na drutach kaftanik. Wyglądała na niezwykle przejętą, tak jak to potrafią tylko bezradni i samotni staruszkowie. Ana chwyciła swój leżący na sofie sweter, narzuciła go na suknię i ponownie zbliżyła się do drzwi.

— Już idę! — zawołała, jeszcze raz przygładziła włosy i dłonią wytarła szminkę z ust. — Już idę.

— Och — rzekła staruszka, cofając się lekko, gdy drzwi się otworzyły, i przykładając drobną, pomarszczoną dłoń do piersi.

— Witam — odezwała się Ana i spróbowała normalnie się uśmiechnąć, ale sądząc po zmartwionym wyrazie twarzy starszej pani, nie bardzo jej się to udało.

— Ja właśnie... eee... zamykałam wszystko, miałam iść spać i usłyszałam dochodzące stąd hałasy. Czy wszystko w porządku?

— Och tak. W najlepszym. Przepraszam, że pani przeszkodziłam. Ja tylko... eee... słucham muzyki, wie pani.

— Jestem Amy Tilly-Loubelle. Mieszkam tuż obok. A pani jest...?

— Jestem Ana. — Wyciągnęła dłoń i podała ją sąsiadce, która lekko się wzdrygnęła.

— Wprowadzamy się, tak? — zapytała, a jej blade niebieskie oczy nerwowo błądziły po częściowo widocznym przedpokoju.

— Nie. Wyprowadzamy. Moja siostra tutaj mieszkała, a ja przyjechałam, by...

Nagle twarz pani Tilly-Loubelle rozjaśniła się, a jej nastawienie zmieniło się wprost diametralnie.

— Och, a więc to ty jesteś tą sławną Aną — ucieszyła się, klaszcząc z zachwytem w dłonie i płosząc tym samym swego małego psa. — Bee ciągle o tobie opowiadała. — Ponownie posmutniała i położyła dłoń na ramieniu Any. — Jest mi tak strasznie, strasznie, wprost niewypowiedzianie przykro z powodu tego okropieństwa, które przytrafiło się twojej siostrze. Czuję się za to odpowiedzialna, bo widzisz, mieszkam zaraz obok i niczego nie zauważyłam i...

Ale Ana już jej nie słuchała. Ciągle jeszcze nie doszła do siebie po tym, co powiedziała jej starsza pani — że Bee ciągle o niej opowiadała.

— Eee, właśnie miałam zamiar otworzyć jeszcze jednego szampana — Ana usłyszała ze zdziwieniem własne słowa. — Czy wypiłaby pani kieliszek razem ze mną?

Twarz pani Tilly-Loubelle rozjaśniła się. Uśmiechnęła się figlarnie.

— Cudownie. Z przyjemnością, moja droga.

Była dozgonnie wdzięczna starszej pani za to, że ani słowem nie wspomniała o jej dziwacznym wyglądzie, ale z drugiej strony nie była ona przecież osobą upoważnioną do wygłaszania tego typu komentarzy, uznała Ana, mając na uwadze dobrany kolorystycznie zestaw w składzie: różowy szlafrok, ranne pantofle i psi kaftanik.

Wpuściła Amy do środka i zamknęła za nią drzwi.

— Och, to była urocza dziewczyna — oświadczyła z żarem Amy, popijając entuzjastycznie drugi kieliszek szampana. — W chwili, kiedy zobaczyłam ją po raz pierwszy, pomyślałam: oto moja bratnia dusza. Tak bardzo przypominała mnie, kiedy byłam w jej wieku, taka elegancka i zadbana. Miała zawsze wypieszczone paznokcie, tak samo włosy. No i była taka niekonwencjonalna.

— Często ją pani widywała?

— Nie — potrząsnęła głową starsza pani. — Nie tak często, jak bym tego chciała. Od czasu do czasu wypijałyśmy wspólnie herbatę. Zawsze bardzo interesowało ją moje samopoczucie. Ale młodzi ludzie mają przecież własne życie, prawda? My już wykorzystaliśmy swoją szansę. — Zachichotała, a po chwili znowu posmutniała. — To jest tak bardzo, bardzo tragiczne, że jej życie trwało tak krótko. Kiedy jest się w moim wieku, coś takiego nigdy nie przychodzi do głowy. Zapisałam jej w testamencie różne rzeczy, no wiesz, drobiazgi, które podobały jej się w moim mieszkaniu. Miałam także zamiar poprosić ją o zaopiekowanie się kochanym Freddiem. — Wskazała na długiego psiaka, śpiącego na sofie tuż przy niej. — Zakładałam po prostu, że to ja pierwsza wykituję. Nie myśli się o tym, że młodzi ludzie odejdą pierwsi.

— Czy ma pani… Czy ma pani jakiekolwiek podejrzenia co do tego, co się tutaj wydarzyło tamtego wieczoru? — zapytała Ana. — Czy ktoś u niej… był? Z nią?

Amy potrząsnęła głową.

— Około dziewiątej usłyszałam, jak wychodzi, wtedy, kiedy

67

szykowałam się do spania. Widzisz, rozpoznaję trzask jej drzwi. A potem się położyłam, wetknęłam do uszu zatyczki i to było ostatnie, co słyszałam aż do następnego ranka. Mam bardzo mocny sen. Kiedy już sobie kimnę, nic nie jest w stanie mnie obudzić.

— A co się wydarzyło nazajutrz? Czy nic nie wydawało się dziwne?

— Wielkie nieba — zachichotała pani Tilly-Loubelle. — Czy kiedykolwiek rozważałaś wstąpienie do policji?

— Przepraszam. Chodzi po prostu o to, że my — ja i moja matka — tak naprawdę bardzo mało wiemy. Tylko to, co nam powiedziano przez telefon i...

— A tak przy okazji, gdzie jest teraz twoja matka? Nie ma jej tutaj z tobą?

Ana potrząsnęła głową.

— Nie — odparła. — Moja matka cierpi na agorafobię. Nie może opuszczać domu, wysłała więc mnie.

Amy przycisnęła dłoń do serca.

— Och, to po prostu straszne — jęknęła. — Wyobraź sobie tylko, nie móc wychodzić z własnego domu. To jest jak przebywanie w więzieniu. Tak mi przykro, Ano, to naprawdę okropne. Ale wrócę do odpowiedzi na twoje pytanie. Nie. Nazajutrz nic nie wydawało się dziwne. Nie widziałam Bee, ale przecież wyjeżdżała niemal na każdy weekend. Nie było w tym więc niczego niezwykłego.

— Dokąd wyjeżdżała? W weekendy?

Amy wyglądała na zaskoczoną i uśmiechnęła się do Any w sposób wyrażający lekkie zdziwienie.

— No jak to dokąd, by spotkać się z tobą, rzecz jasna!

— Ze mną?

— Tak. Spotkać się z tobą. W Devon.

— W Devon?

— Zgadza się, moja droga.

— I tak pani powiedziała Bee? Bee powiedziała pani, że spędza weekendy ze mną w Devon?

— W rzeczy samej. Opowiedziała mi o twoim uroczym, małym mieszkaniu tuż nad morzem, o tym, jak to gracie wspólnie na gitarach i chodzicie na spacery. Potrzebna jej była ucieczka, tak zawsze mówiła, oderwanie się od zgiełku i zamętu miejskiego życia. Powiadała, że powietrze w Devon jest balsamem na jej duszę.

Zdezorientowana Ana próbowała się uśmiechnąć.

— A jak często ona... eee... jeździła, by się ze mną spotkać?

— Cóż, prawie co tydzień, sama przecież o tym wiesz. Dlatego właśnie niczym nadzwyczajnym nie było to, że jej nie widziałam ani nie słyszałam podczas tego strasznego, strasznego weekendu. — Bladoniebieskie oczy Amy wypełniły się łzami i szybko wyciągnęła z rękawa chusteczkę, chowając swą ładną, uróżowaną twarz w miękkiej bawełnie, a jej drobne ramiona zatrzęsły się. — Och, Ano, czuję się tak okropnie. Pomyśl tylko. Przez cały czas byłam tutaj, tuż za ścianą. Cały weekend krzątałam się i robiłam porządki. Wychodziłam na zakupy. Dzwoniłam. Oglądałam telewizję. I przez ten cały czas twoja piękna siostra, ta anielska, wyjątkowa kobieta, która wszystko miała jeszcze przed sobą, leżała tutaj — wskazała zaczerwienionymi oczami sypialnię — martwa. Zupełnie sama. Zupełnie sama. Sądzę, że to najtragiczniejsza rzecz, jaka mi się kiedykolwiek przytrafiła, a w swoim czasie straciłam wielu ludzi. Ale nigdy, przenigdy, nie pogodzę się z odejściem twojej siostry. Rozumiesz? Niektórzy ludzie umierają, lecz inni są zabierani. I ta dziewczyna została zabrana.

— Myśli pani, że to było samobójstwo?

Amy energicznie pokręciła głową.

— Nie. W żadnym wypadku. Nie ma mowy, by ta dziewczyna sama odebrała sobie życie.

— A więc co się stało?

— Wypadek. Straszny, straszny wypadek. Oto, co myślę. Ona by się nigdy nie zabiła. Miała po co żyć.

— Na przykład? — Ana ciągle nie mogła się otrząsnąć z niewytłumaczalnych kłamstw Bee na temat tego, w jaki sposób spędzała weekendy. Częściowo spodziewała się nawet, iż starsza pani powie jej teraz, że Bee miała sześcioro dzieci albo coś w tym stylu.

— No cóż — zaczęła pani Tilly-Loubelle, najwyraźniej czując się głęboko dotknięta takim pytaniem — choćby i ty, żeby od czegoś zacząć. Uwielbiała cię. Mam nadzieję, że zdajesz sobie z tego sprawę.

Ana otworzyła usta, by coś powiedzieć, ale po chwili je zamknęła. Nie istniały słowa, które potrafiłyby wyrazić jej konsternację i mętlik w głowie.

— No i John — ciągnęła Amy.

— John? A kto to jest John?

— Jej kot. Przepiękne zwierzę.

Kot. O imieniu John?

— A gdzie teraz jest ten... eee... John?

Amy wzruszyła ramionami.

— Ktoś go pewnie zabrał. Królewskie Towarzystwo Opieki nad Zwierzętami. Przyjaciel. Nie mam pojęcia. Miałam nadzieję, że jest u was. W Devon.

Ana potrząsnęła głową.

— Nie. Nie ma go w Devon.

Przez chwilę panowała cisza, gdy obie kobiety popijały szampana i wpatrywały się w dywan.

— Czy Bee miała jakichś szczególnych znajomych, chłopaków, kogoś, o kim pani wiedziała?

Amy skrzywiła się, po czym przytaknęła.

— Miała kilkoro przyjaciół, którzy czasami ją odwiedzali. Jednak nie widziałam ich już od jakiegoś czasu. Właściwie mogę powiedzieć, że w ciągu ostatnich kilku miesięcy nie przychodzili do niej żadni goście.

— Jak oni wyglądali?

— Czarnoskóra dziewczyna, bardzo ładna. I potężny mężczyzna. Przystojny.

— Chłopak Bee?

— Nie. A szkoda. Nie, on był tylko przyjacielem, tak powiedziała mi Bee. Bardzo starym przyjacielem. I nigdy nie wspominała o innych mężczyznach. Często się zastanawiałam, czy ona nie jest przypadkiem lesbijką.

Ana zachłysnęła się szampanem.

— Słucham? — wydusiła z siebie.

— Twoja siostra. Często zastanawiałam się, czy nie jest lesbijką. Miała w sobie coś ze staromodnej lesbijki, takiej z Radclyffe Hall. Niezwykle wytworna, ale nieco szorstka, jeżeli rozumiesz, o co mi chodzi.

— A sądzi pani... Sądzi pani, że nią była?

Starsza pani wzruszyła ramionami.

— Nie widziałam, by odwiedzali ją mężczyźni, ale nie widziałam także kobiet. Może była aseksualna. W każdym razie to, co robią inni, jest tylko i wyłącznie ich sprawą. Staram się nie zwracać na to zbyt dużej uwagi. No a co z tobą?

Ana zaniemówiła, myśląc jednocześnie, że jej rozmówczyni nie chodzi chyba o to, czy ona także jest lesbijką.

— Czy masz chłopaka?

Ana pomyślała o Hugh — czy ktoś jest nadal twoim chłopakiem, jeśli nie widziało się go od sześciu miesięcy? — i potrząsnęła głową.

— A jutro wracasz do Devon, tak?

Przytaknęła.

— Cóż, powinnaś gdzieś wyjść dzisiejszego wieczoru, zobaczyć, co uda ci się znaleźć. Wiesz, w tym mieście jest sporo niezwykle przystojnych, młodych mężczyzn.

— Naprawdę?

— Och tak. Ciągle ich spotykam. Każdego dnia. Wszędzie, gdzie tylko spojrzę. Przystojni młodzi mężczyźni i ostatnio tak dobrze ubrani. W dzisiejszych czasach mężczyźni wyraźnie bardziej dbają o swój wygląd i ubiór niż za moich młodych lat. A teraz muszę już przestać o tym mówić. Za bardzo się rozemocjonuję, a wtedy nic na to nie będę mogła poradzić. — Mrugnęła do Any, a ta prawie zemdlała. — Tak czy siak — dodała Amy, podnosząc swego pochrapującego psa i poprawiając puszysty szlafrok — bardzo miło było cię poznać, Ano, ale już dawno powinnam być w łóżku, a jeśli nie wyniosę się stąd teraz, zasnę na sofie i będziesz wtedy na mnie skazana! Ale bardzo dziękuję za zaproszenie mnie tutaj. W dzisiejszych czasach, mieszkający w Londynie ludzie nie mają takiego zwyczaju. Nie zapraszają cię do siebie. Pewnie za bardzo się boją, że już nigdy nie wyjdziesz. — Zaśmiała się smutno. — I przykro mi, że musiałyśmy się poznać w tak koszmarnych okolicznościach. Twoja siostra była prawdziwym oryginałem, Ano. Jedyna w swoim rodzaju. Bardzo mi jej brakuje.

Ana odprowadziła Amy do drzwi, żałując, że jej gość musi już iść.

— Czy mogę zadać pani jeszcze jedno pytanie? — zaczęła, kładąc dłoń na klamce. — Związane z Bee.

— Naturalnie.

— Wie pani, wtedy we wtorek. Kiedy musiała pani pójść do szpitala i… no wie pani… zidentyfikować ją. Cóż, jak… eee… jak ona wyglądała? To znaczy, wyglądała spokojnie czy…?

Amy położyła dłoń na ramieniu Any i uśmiechnęła się do niej ciepło.

— Ano — rzekła, a jej niebieskie oczy błyszczały. — Ona się uśmiechała. Przysięgam na życie Freddiego. Bee uśmiechała się. Wyglądała na zmęczoną, ale była bardzo piękna i uśmiechała się. Nie wyglądała jak wyniszczona życiem i rozczarowana kobieta, kobieta tak nieporuszona tym, co oferuje jej świat, że decyduje się na odebranie sobie życia. Wyglądała jak mała dziewczynka, której właśnie opowiedziano cudowną bajkę na dobranoc i która odpłynęła w słodki, niczym nie zakłócony sen.

— Dziękuję… — Ana uśmiechnęła się z dziwnym uczuciem ulgi. — Dziękuję pani bardzo.

Potem Amy Tilly-Loubelle ostatni raz ścisnęła ramię Any i udała się do sąsiedniego mieszkania, gdzie od świata odgradzało ją dwanaście różnych zamków i łańcuchów.

Ana opadła na sofę, nalała sobie jeszcze jeden kieliszek szampana i zmusiła swój przytępiony alkoholem umysł do próby uporządkowania tego, czego właśnie udało się jej dowiedzieć.

A. Bee wyjeżdżała na większość weekendów i kłamała na temat tego, dokąd się wybiera.
B. Generalnie nikt nie odwiedzał jej w mieszkaniu.
C. Miała kota o imieniu John, miejsce pobytu którego jest nieznane.
D. Wyszła z domu o dziewiątej wieczorem w dniu swojej śmierci.
E. Istnieje niejasne przypuszczenie, że mogła być lesbijką.

Ana wstała z sofy i pomaszerowała z powrotem do sypialni Bee. Było już wpół do dziesiątej. Nie położy się spać, dopóki nie odkryje czegoś istotnego. Z desperacją wrzucała rzeczy do pudeł, próbując znaleźć wśród nich jakieś wskazówki, ale nie mówiły one jej wiele poza tym, że jej siostra była kobietą, która troszczyła się o swoje ubrania, skórę i włosy dużo bardziej niż o zdrowie bądź dom. Że ubierała się w krzykliwym, odważnym, teatralnym stylu i najwyraźniej całkowicie oparła się tak modnym w ciągu ostatnich kilku lat sportowym trendom. Nie posiadała nawet jednej pary adidasów.

Wyglądało na to, że Bee paliła, jadła, piła, czytała i oglądała telewizję w łóżku. Najwyraźniej spędzała w tym pokoju większość czasu, co potwierdzały jej nieśmiałe starania, by przystroić go kolorowymi szyfonowymi szalami, lampkami na choinkę i tym podobnymi. I było całkiem możliwe, że pod koniec życia Bee spędzała w swojej sypialni raczej za dużo czasu...

A jednak Anie udało się znaleźć kilka dość interesujących przedmiotów:

1x kask motorowy

1x walizka z przywieszką bagażową linii lotniczych Virgin,
zamknięta, ale pełna

1x mały blok listowy w jedwabnej okładce

Wynikało z tego, że Bee albo posiadała motor, albo też znała kogoś, kto go miał, i to na tyle dobrze, by sprawić sobie swój własny kask. Jeden z pięciu kluczy z pęku, które znalazła w to-rebce Bee, mógł być właśnie tym od motoru, ale Ana nie rozpo-znałaby kluczyka do stacyjki, nawet gdyby miała go centymetr od oczu.

Przez chwilę bawiła się myszą z kocimiętki, którą znalazła pod sofą, i rozmyślała o kocie o imieniu John. Gdzie on jest? Kto go zabrał?

A potem otworzyła mały notes i ustawiła go pod odpowied-nim kątem do światła. Zapisana była wyłącznie pierwsza strona, a oto, co się na niej znajdowało:

Piosenka dla Zandera

Kiedy myślę o tobie
Mam przed oczami wszystko
Każde miejsce, każde życie i szczęśliwe zakończenie
Myślę o słonecznym blasku
Myślę o radości
Myślę o lecie
I o tobie, mój chłopcze
Pewnego dnia, kiedy czas się dopełni
Spotkamy się
Na plaży
I ujmę twoją dłoń, mój chłopcze
I pobiegniemy brzegiem, chłopcze
A ty, zrozumiesz, chłopcze
Że kochałam cię bardziej
Niż moje słowa potrafią

I tu się urywało. Anie trudno było ocenić, czy ostatnia linijka była dokończona czy też nie, jednak szukała w myślach słowa, które rymowało się z „bardziej". „Zdradzić"? „Wyrazić"? Nie, pomyślała Ana, te dwie ostatnie linijki wymagają całkowitej prze-róbki. Ale reszta piosenki — cóż, była całkiem dobra. A już na pewno nie do kitu. Sugerowała rytm. Najprawdopodobniej smutna melodia, dochodząca do crescendo, które musi zostać dopisane. Ana zaczęła komponować w myślach akordy, z roztargnieniem przebierając palcami po wyimaginowanych strunach gitary. Znalazła długopis i notowała muzykę.

Myśli Any opuściły ten budynek.

Często tak się z nią działo, kiedy układała w głowie piosenkę. Zupełnie zapominała o tym, gdzie się znajduje. Przenikliwy dźwięk policyjnej syreny przywołał ją do rzeczywistości i Ana lekko podskoczyła, czując się prawie zdziwiona tym, że siedzi po turecku na podłodze w sypialni swojej siostry w wieczorowej sukience do kostek, w swetrze i skarpetkach. Przyjrzała się ponownie piosence Bee. Kim był Zander? Chłopakiem? Utrzymywanym w tajemnicy kochankiem? Może żonatym mężczyzną?

W chwili natchnienia wzięła do rąk notes z adresami Bee i otworzyła go na ostatnich stronach. Zoe B... Zoe L... Zach... Ani śladu Zandera. A potem przyciągnęła do siebie walizkę. Była to duża torba podręczna z czarnej skóry. Mimo że wysłużona, wyglądała na drogą. Ana powoli rozpięła zamek i rozchyliła ją.

Pierwsze, co poczuła, to smród — obrzydliwy, stęchły smród. Wyciągnęła znajdującą się na samym wierzchu reklamówkę z logo sklepu wolnocłowego i natychmiast znalazła winowajcę: białe bikini, które musiało być mokre przy pakowaniu, a pozostawione w walizce zaczęło gnić i teraz pokrywała je zielonobrązowa pleśń. Ana zgniotła reklamówkę i odrzuciła ją w najdalszy kąt pokoju. A potem zaczęła wyciągać z torby kolejne rzeczy, jedną za drugą: różowe sarongi, pomarańczowe sarongi, szyfonowe sarongi, jedwabne sarongi, jedno- i dwuczęściowe kostiumy kąpielowe, obszyte paciorkami sandałki z rzemyków, japonki w kwiatki, emulsja do opalania, lekarstwo na malarię, środek odstraszający komary. Były także przedmioty owinięte w cienki, brązowy papier: etnicznie wyglądające miseczki i tkaniny, pudełka pachnące cynamonem i czymś orientalnym. Znajdowały się tam też mosiężne konie z przypiętymi małymi dzwoneczkami i misternie wykonana biżuteria, sari, tuniki i szarawary w najróżniejszych jaskrawych kolorach, uszyte z luksusowych tkanin.

I wreszcie prawie na samym dnie, o ile potrzebny był jeszcze jakikolwiek dowód, leżał *Krótki przewodnik po Goa*.

Mój Boże, pomyślała Ana, ze zdumieniem wpatrując się w rozłożony wokół niej egzotyczny i aromatyczny kiermasz, Bee pojechała do Indii. Ana sama kilka lat temu planowała wyjazd do tego kraju, zanim jeszcze zmarł jej ojciec. Ona i Hugh mieli zamiar rzucić pracę i jechać tam razem. Oszczędzali już nawet na ten wyjazd i w ogóle. Ale obraz Bee w Indiach pozostawał równie nierealny, jak wizja Bee na kibelku. A tak naprawdę obie te sprawy były ze sobą nierozerwalnie związane. Ana nie mogła sobie po prostu tego wyobrazić — Księżniczka Bee pośród ubóstwa, brudu i ludzkiego cierpienia, Księżniczka Bee z problematyczną przemianą materii, zmuszona do siusiania w brudnych toaletach, Księżniczka Bee jedząca palcami ryż i ręką wycierająca tyłek. Ale z drugiej strony, pomyślała Ana, Księżniczka Bee przypuszczalnie zatrzymała się w najdroższych hotelach i wszędzie jeździła taksówką. Księżniczka Bee ledwo pewnie zauważyła, że jest w Indiach. Ale kiedy przekartkowała *Krótki przewodnik po Goa* i przyjrzała się napisanym ołówkiem uwagom, podkreśleniom i znakom Bee, okazało się, że ta wyprawa nie była ani trochę w królewskim stylu. Bee pozaznaczała dwui trzygwiazdkowe hotele, miejscowe restauracje i atrakcje z dala od utartych szlaków turystycznych.

Ana odłożyła książkę i oparła głowę na dłoniach. Kim była ta Bee, którą zaczynała poznawać? Osobą, która zajmowała obskurne, brzydko umeblowane mieszkanie, która nie posiadała przyjaciół, jeździła motorem, miała kota i fantastyczne upodobania muzyczne i która potrafiła grać na gitarze? Osobą, która ubierała się jak ślicznotka, ale mieszkała jak studentka, która znikała gdzieś w każdy weekend, która kolegowała się z samotnymi staruszkami i która pojechała do Indii, gdzie mieszkała w hotelach z ryzykownym systemem kanalizacyjnym? Ta Bee zaczynała niebezpiecznie przypominać kogoś, z kim Ana potrafiłaby się zaprzyjaźnić. Potarła twarz, westchnęła ciężko i kontynuowała rozpakowywanie.

Kolejne pamiątki w stylu etnicznym, powieść Johna Updike'a, moskitiera, sukienka wieczorowa, wyszywane paciorkami ranne pantofle i oto na samym dnie — bingo! — niewielki srebrny aparat fotograficzny z połowicznie zużytą kliszą. Zdjęcia. W tym mieszkaniu nigdzie nie było zdjęć, z wyjątkiem kilku oprawionych w ramki i wiszących na ścianach, które przedstawiały Gregora. Będzie musiała oddać film do wywołania tak szybko, jak to możliwe.

Ana ziewnęła. Szampan zaczął już z niej wyparowywać, a na jego miejsce wkradało się coś na kształt kaca. Przeciągnęła się i wstała z podłogi, otworzyła swoją okropną, kraciastą walizkę i zaczęła pakować do niej różne przedmioty. Aparat, blok listowy, mysz z kocimiętki. Notes z adresami i klucze. Zdjęła biżuterię, którą miała na sobie i także ją tam wrzuciła. I kilka uroczych, indyjskich ubrań z torby Bee. I czarną marynarkę z cekinami. I resztę czekoladek. I płytę Blondie. I Williama, wełnianego królika.

Całą resztę wrzuciła z powrotem do torby Bee, zapięła ją i ustawiła koło drzwi wejściowych razem z kartonami, na pakowaniu których spędziła cały dzień. Robiło się późno i czas już było iść spać. Ana czuła się wykończona. Po raz ostatni rozejrzała się po sypialni, sprawdzając, czy niczego nie przeoczyła. Coś pod łóżkiem rzucało niewielki cień. Przyklękła, po czym położyła się płasko na podłodze, starając się dosięgnąć ciemnego kształtu. Wreszcie się udało — wyciągnęła ten przedmiot i przyjrzała się mu: pudełko po cygarach. Zdmuchnęła z wierzchu nieco kurzu i otworzyła je — i gwałtownie wciągnęła powietrze. Pieniądze, mnóstwo pieniędzy. Trzęsącymi się dłońmi wyjęła je z pudełka, banknot po banknocie. Nigdy wcześniej nie widziała na raz tylu pieniędzy. Rozłożyła je na podłodze i zaczęła liczyć: 7 350 funtów. Zabrakło jej tchu: 7 350 funtów — w gotówce — tak po prostu sobie leżało. Nie należące do nikogo, niechciane, nie wypatrywane. Powinnam je zatrzymać, pomyślała Ana, naprawdę powinnam. Pakowanie ich jutro do ciężarówki nie byłoby zbyt bezpieczne. Nie, uznała, wrzucając pudełko po cygarach do kraciastej walizki, zdecydowanie powinna je zatrzymać. Zamknęła walizkę i poczuła, jak mocno wali jej serce, prawie tak, jakby robiła właśnie coś złego.

Gdy przechodziła przez korytarz, kątem oka dojrzała paczkę cameli, leżącą na samym wierzchu jednego z kartonów. Ana nigdy nie paliła. To było w pewien sposób dziwne, ponieważ wszyscy, z którymi chodziła do college'u, palili, Hugh palił, jej ojciec palił, ale Any nigdy ani trochę to nie kusiło. Nie była przeciwniczką palenia i woń papierosowego dymu nie przeszkadzała jej tak jak niektórym ludziom. Ale teraz (może był to wpływ sukni od Vivienne Westwood i picia szampana przez ostatnie cztery godziny) wydawało się to czymś stosownym. Dzisiaj nic nie było takie jak zawsze. Prawdę powiedziawszy, właśnie się kończył jeden z najdziwaczniejszych dni w jej życiu i Ana zorientowała się, że z jakiegoś trudnego do wytłumaczenia powodu wyjmuje zapałkę z pudełka, bierze w palce papierosa i podchodzi do okna. Uchyliła je i stała tam, gdzie wyobrażała sobie, że stałaby Bee, a na parapecie — w miejscu, w którym ją wcześniej znalazła — postawiła popielniczkę. Po całym dniu miejskiego zgiełku, wiercenia, klaksonów i ruchu ulicznego, teraz na zewnątrz panowała cisza, a nocne powietrze było ciepłe. Ana wdychała je chciwie, smakując obce zapachy spalin samochodowych i asfaltu. Znajdująca się poniżej ulica opustoszała, pogaszono wszystkie światła w bloku naprzeciwko. Nie było na co patrzeć, ale cała ta ogłada, samo miejsce jej pobytu — Londyn, mieszkanie Bee — i samotność Any, dodawały temu widokowi mnóstwa magii. Potarła zapałką o fosforowy pasek i z przyjemnością obserwowała, jak płomień budzi się do życia. Włożyła papieros do ust, częściowo nieświadomie, po czym go zapaliła.

Zaciągnęła się.

To było obrzydliwe.

Zaciągnęła się jeszcze raz.

Nadal obrzydliwe.

Wypaliła go do końca.

Myśli Any zaczęły błądzić; paląc, próbowała wyobrazić sobie ostatnie miesiące życia Bee w tym mieszkaniu. Odwróciła się twarzą do drzwi wejściowych i — tak jakby w jej głowie odtwarzał się film — zobaczyła, jak Bee wchodzi do pokoju. Miała na sobie dopasowane, nisko opuszczone spodnie o męskim kroju, pastelowoniebieski, satynowy, obcisły top bez ramiączek, podnoszący jej piersi do góry, a na szyi — diamentowy naszyjnik. Gdy przechodziła przez pokój, zrzuciła z nóg parę niebieskich, zamszowych butów na wysokich koturnach i zapaliła papierosa. Podeszła do okna i stanęła tuż przy Anie. Z bliska Ana dostrzegła, że jej twarz jest matowo biała od podkładu — wyglądała nieskazitelnie jak lalka. Wokół jej wąskich nadgarstków pobrzękiwały szerokie, diamentowe bransoletki, a paznokcie pomalowane miała na kolor czerwonobrunatny. Strzepnęła popiół na ulicę i wydmuchnęła dym niczym gwiazda filmów z lat dwudziestych, przesadnie układając w dziobek swe pełne, umalowane usta.

Ana nie mogła oderwać od niej oczu. Była urzekająco piękna, ale urodą różną od tej hałaśliwej, wyszczekanej, wysokooktanowej urody młodej dziewczyny, którą rozsadzała radość, młodość i energia. To piękno było spokojniejsze i bardziej opanowane, zimne, niedostępne — całkowicie aseksualne.

Ana obserwowała, jak Bee zgniata niedopałek papierosa, idzie do kuchni i przyrządza sobie krwawą Mary — pięć kropli tabasco, trzy jednostki Worcester, sok ze świeżej cytryny — po czym przygotowuje kąpiel. Przyglądała się jej, jak zabiera drinka do sypialni, po czym przez kilka minut siedzi przy toaletce, wpatrując się bezmyślnie w swoje odbicie, a następnie ponownie wzdycha i sięga po wacik z bawełny, by usunąć makijaż. Elastyczną opaską związuje z tyłu czarne, lśniące włosy, wyślizguje się z ubrań, odwiesza je, a następnie razem z drinkiem i camelami idzie do łazienki, gdzie pozwala, by zamknęły się za nią drzwi...

Ana zgasiła niedopałek papierosa i po raz ostatni odetchnęła ciepłym nocnym powietrzem, po czym zamknęła okno i zgasiła światło. Pomyślała, by wziąć prysznic, zmyć całodzienny brud ze swego chudego, głodnego ciała, ale była za bardzo zmęczona, więc zsunęła z siebie suknię Bee, wciągnęła T-shirt i spodnie od piżamy, umyła zęby i poszła do sypialni. A tam zatrzymała się nagle, gdy jej policzka dosięgnął podmuch zimnego powietrza, a przed jej oczami pojawił się przerażający widok martwego ciała jej siostry, leżącego i rozkładającego się na wielkim łóżku. Czy tak właśnie miało być? Czy tak właśnie miał wyglądać koniec Bee? Puste mieszkanie, zbyt wiele alkoholu, pigułki na sen — żal z powodu mijającej młodości? Musiała mieć przyjaciół — musiała mieć chyba kogoś, z kim mogła porozmawiać. Chłopaka? Kochanka? To było po prostu niemożliwe, by ktoś taki jak Bee umarł niczym niekochany emeryt — sam, nie pozostawiając nikogo, kto by zauważył jego odejście.

Ana zadrżała, po raz ostatni popatrzyła na puste, złowieszcze łóżko, wyłączyła światło i z powrotem poszła do salonu, gdzie wreszcie zasnęła na sofie pod różowym kaszmirowym kocem Bee, który wciąż pachniał jej perfumami od Vivienne Westwood.

Rozdział szósty

O dziewiątej piętnaście następnego ranka głęboki sen Any został brutalnie przerwany przez grupę składającą się z czterech Rumunek, trzech półnagich mężczyzn z Newcastle i pana Arifa, którzy to wszyscy przybyli w tym samym czasie. Ledwie udało jej się wyrwać ze snu i odkryć okropnego kaca, kiedy zorientowała się, że wpatruje się przez wizjer w powiększone oko pana Arifa, który szczerzy zęby. No a dalej stała reszta, chowająca się za jego plecami. Dziesiątki ludzi.

— Dzień dobry, panno Wills! I proszę mi powiedzieć, jak moje miłe panie mają tutaj posprzątać, skoro przybyli także ci trzej potężni dżentelmeni? — Wyjął z kieszeni ozdobioną monogramem chustkę, otarł nią czoło i wskazał lekceważąco na stojących za nim, gołych od pasa w górę mężczyzn.

Gdy wszedł do mieszkania, cztery kobiety posłusznie ścisnęły się za nim, taszcząc ze sobą wiadra, mopy i torby pełne środków czystości.

— Cóż, może — zaczęła Ana, szarpiąc nieświadomie za pasek od piżamy — panie mogłyby zacząć od kuchni i łazienki, a ci dżentelmeni będą wynosić rzeczy. Panowie... panowie po to tutaj przyjechali, prawda? — zapytała, myśląc nagle, jak czułaby się zakłopotana, gdyby się okazało inaczej i gdyby tak naprawdę przedstawili się jako dziennikarze albo ktoś w tym rodzaju. Cała trójka przytaknęła. — Dobrze, wyśmienicie. I może, gdy państwo będą robić to wszystko, ja mogłabym... eee... ubrać się?

— Tak, tak, tak, oczywiście, panno Wills. Oczywiście. Moje drogie — odwrócił się do jakoś tak smutno wyglądających kobiet za sobą, z których wszystkie miały koło dwudziestu lat, ale posturę i fryzury czterdziestolatek — proszę za mną, jeśli panie pozwolą.

Ana przemknęła do sypialni i zamknęła za sobą drzwi. To było straszne. Po wrażeniu intymności, jakiego doświadczyła zeszłego wieczoru, gdy przebywała tutaj sama, obecność tak wielu obcych ludzi była wyjątkowo irytująca i przygnębiająca — i taka ostateczna. W chwili, gdy ostatnie pudło zostanie załadowane do białego, czekającego na dole vana, ona będzie musiała wyjść i już nigdy tutaj nie wróci. Ponieważ to nie będzie już mieszkanie Bee. Teraz zajmie je jakaś primabalerina. A, ku własnemu zdumieniu, Ana miała ochotę tutaj zostać. Nie na zawsze ani nic z tych rzeczy, jednak potrzebowała jeszcze przynajmniej jednej nocy, by po prostu pooddychać panującą tutaj atmosferą i lepiej poznać własną siostrę.

Ale zamiast tego będzie siedzieć w pociągu, zupełnie sama, i coraz bardziej się zbliżać do Great Torrington i swojej sypialni. I, co było jeszcze bardziej przygnębiające, do matki. Ana westchnęła i podeszła do okna. Na dole jeden z półnagich mężczyzn wkładał duże pudło na tył vana. Ana rozpoznała, że do tego właśnie spakowała buty Bee, i nagle zrobiło jej się przeraźliwie smutno.

Załadowanie do samochodu śmiesznie małej ilości rzeczy Bee, nie zabrało dużo czasu i już o dziesiątej trzydzieści Ana machała na pożegnanie Bezowi, Alowi i Geoffowi i obserwowała, jak życie Bee toczy się wzdłuż Bickenhall Street i dalej w kierunku Devon. O dwunastej była umówiona na spotkanie z prawnikiem Bee, więc cofnęła się do mieszkania, by się pożegnać.

Pan Arif także przygotowywał się do wyjścia, chowając dokumenty w rdzawoczerwonej skórzanej dyplomatce i pogwizdując pod nosem.

— A więc, madame — rzekł, uśmiechając się do Any szeroko, teraz, kiedy miał już pewność, iż wszystko znajduje się pod kontrolą, że mieszkanie jest wysprzątane i że ta primabalerina może się jutro spokojnie wprowadzać — już po wszystkim. Pani siostra została spakowana, a pani zadanie wykonane. Dokąd ma pani zamiar teraz się udać?

Ana wzruszyła ramionami.

— No cóż, najpierw muszę się spotkać z prawnikiem Bee, załatwić jej wszystkie sprawy finansowe i tak dalej. Potem pewnie pojadę do domu.

— A dom jest gdzie?

— Dom jest w Devon.

— Ach tak! Piękna, angielska prowincja. Ma pani szczęście. Ma pani wielkie szczęście. Może gdyby pani urocza siostra pozostała na tej malowniczej, angielskiej wsi, zamiast przeprowadzać się tutaj, do tego zepsutego miasta, wtedy to niemiły incydent nigdy by się nie przydarzył? — Roześmiał się na cały głos, wyjątkowo niestosownie zresztą, ale do Any nagle dotarło, że oto jest człowiek, który mógł niedawno widzieć się z Bee, mógł z nią rozmawiać, kiedy jeszcze żyła i oddychała — i prawdopodobnie rozmyślała o śmierci.

— Panie Arif — zaczęła. — Ja... eee... raczej nie widywałam się z siostrą w ciągu ostatnich kilku lat. Dwunastu lat, tak naprawdę. I tak się zastanawiałam, czy może niedawno pan z nią rozmawiał albo coś. Wie pan, jaka ona wydawała się być?

— Wydawała się być? — zapytał pan Arif, a jego opadające powieki momentalnie uniosły się ze zdziwienia. — Wydawała się? — Zatrzasnął dyplomatkę i podwinął rękawy swej koszuli. — Madame, to jest naprawdę osobliwe pytanie. Jeżeli pyta mnie pani, jaka ona wydawała się być, mogę tylko odpowiedzieć, że wydawała się być piękną, bardzo czarującą lokatorką, która płaciła czynsz na czas i która zmarła we własnym łóżku, pozwalając, bym to ja ją odnalazł. A teraz będę musiał panią opuścić, gdyż czeka mnie jeszcze wiele pilnych spotkań. Dziękuję pani za operatywność i życzę bezpiecznej i przyjemnej podróży do domu, panno Wills.

Odwrócił się, by wyjść, ale Ana przypomniała sobie o jeszcze jednej sprawie.

— Kot, panie Arif...?

— Słucham?

— Kot Bee. Co się z nim stało?

— Ach. To zwierzę. Niegrzeczna panna Bearhorn oszukiwała mnie przez wiele miesięcy. Ale jej oszustwo zostało wykryte i teraz zwierzę rezyduje u przyjaciela.

— Przyjaciela? Jakiego przyjaciela?

— Na miłość boską, panno Wills. Nie może pani ode mnie oczekiwać, że będę znał wszystkie szczegóły z życia moich lokatorów. Przyjaciel. To wszystko, co wiem. A teraz naprawdę muszę już iść.

I wyszedł, a jedynym śladem wskazującym na jego niedawną obecność był unoszący się w salonie intensywny zapach męskiej wody po goleniu.

Rozdział siódmy

Prawnik Bee urzędował w malutkiej kancelarii w bardzo wysokim biurowcu w Holborn i nie wyglądał ani na prawnika, ani na kogoś, kto nazywa się Arnott Brown. Po pierwsze miał na sobie T-shirt. Nie było na nim zdjęcia Megadeth ani niczego w tym stylu — była to prosta, czerwona koszulka — ale jednak T-shirt. („Bardzo przepraszam za mój wygląd, panno Wills — rzekł, kiedy przywitał się z nią w windzie — właśnie wprowadzono u nas zasadę piątku jako dnia bez krawata. Nie mogę powiedzieć, bym dobrze się z tym czuł"). I wyglądał niesamowicie młodo. Sączące się przez okno kancelarii promienie słoneczne osiadały na jego gładkiej, różowawej skórze i wyraźnie podkreślały rzadkie kępki włosków na brodzie. Na palcu miał obrączkę, a na biurku stały zdjęcia równie młodo wyglądającej żony i dwójki fotogenicznych berbeci.

Był bardzo nieśmiały i jego zakryte okularami oczy wydawały się mieć problem z utrzymywaniem kontaktu wzrokowego z Aną.

— Tak — mówił prawie szeptem. — Pani siostra wszystkie sprawy finansowe utrzymywała w porządku. Cóż, może niezupełnie pani siostra. Zawsze odnosiłem wrażenie, iż gdyby zależało to od niej, wszystkie pieniądze przechowywałaby pod materacem. Ale miała dobrego księgowego i wszystko jest tak, jak być powinno. Żadnych długów, zaległych podatków, zero debetu. Niestety nie sporządziła testamentu. Było to coś, na co od dłuższego czasu starałem się ją namówić, ale ona uważała, że to... eee... głupi pomysł. No więc tak. Cały jej majątek należy się osobie najbliżej z nią spokrewnionej, którą jest, jak ufam, jej... eee... matka. — Podniósł głowę znad dokumentów i patrzył prosto w oczy Any, dopóki ta nie przytaknęła, po czym natychmiast odwrócił wzrok.

— Tak — odparła Ana. — Zgadza się, ale widzi pan, ona cierpi na agorafobię i nie może opuszczać domu, więc ja przybyłam w jej imieniu.

— Rozumiem. Rozumiem. — Zaczął ponownie kartkować dokumenty i wyciągać z nich różne kartki. — Tak, Bee w 1988 roku odziedziczyła dużą sumę pieniędzy. Dwupoziomowe mieszkanie ojca w południowym Kensington, które sprzedała za 210 000 funtów i niewielki domek w Dordogne, za który udało jej się uzyskać kolejne 12 000. Posiadała także sporą sumę pieniędzy, które zarobiła dzięki kontraktowi z wytwórnią płytową w 1985 roku. Około 80 000 funtów.

Ana wstrzymała oddech.

— Jednakże okazuje się, że Bee preferowała raczej kosztowny styl życia. Jej miesięczne wydatki były dość znaczne i wygląda na to, że pożarły sporą część spadku. No i jeszcze — obrócił w jej stronę duży arkusz papieru — kupiła to w... eee... 1997 roku.

Na górze dokumentu znajdował się sporządzony przez agenta nieruchomości szczegółowy opis domku w kształcie bombonierki, pomalowanego na różowo i porośniętego pnącymi różami. 125 000 funtów.

— Zapłaciła za niego gotówką. To była jedyna nieruchomość, jaką kiedykolwiek nabyła. Preferowała wynajmowanie...

Ana z niedowierzaniem wpatrywała się w domek. Podpis nad zdjęciem głosił, iż znajduje się on w Broadstairs, w hrabstwie Kent.

— ...sądzę, że mógł zostać kupiony dla kaprysu, jeżeli mam

być szczery. O ile mi wiadomo, nigdy tam nie jeździła. Szkoda, gdyż jest niesamowicie ładny, nie sądzi pani? — Odwrócił zdjęcie w swoją stronę, by je podziwiać, a Ana prawie widziała, jaki obraz ukazuje się teraz w jego głowie: wizja jego samego, jego młodej żony i dwójki dzieci, cieszących się wspólnie spędzanym, uroczym weekendem nad morzem.

— Czy mogę to zatrzymać? — spytała, przypatrując się ze zdumieniem opisowi domku.

— Cóż, ja... eee... nie widzę powodu, dla którego miałoby być inaczej. Nie jest mi to potrzebne. — Przesunął dokument na biurku w jej stronę, a Ana wsunęła go do torby. — A więc — rzekł — policzywszy wszystko, włączając w to ten dom, wartość netto majątku pani siostry wynosi około 148 000 funtów. Plus ciągle wpływające na konto tantiemy, które dają kolejne 1000-2000 funtów rocznie. Istnieje jeszcze jedna, nieco pomniejsza kwestia. Pani siostra miała kota. Wabił się... eee... John, o ile się nie mylę.

Ana wyprostowała się.

— Nie mogła trzymać go w swym nowym mieszkaniu, zgodnie z umową najmu. Tak naprawdę, to wtedy rozmawiałem z nią po raz ostatni. Jej najemca straszył ją eksmisją, jeżeli nie pozbędzie się kota, i Bee chciała zasięgnąć mojej opinii w tej sprawie. I obawiam się, iż jedyna rada, której mogłem jej udzielić, była taka, że kot musi odejść. Zabrała go więc do swej przyjaciółki. Panny Tate. Mam jej adres, jeżeli chce się z nią pani skontaktować. Kilka razy pełniła rolę świadka Bee... — Przekartkował stos papierzysk i przepisał adres na kartkę papieru, którą podał Anie. — Może będzie się pani chciała porozumieć z panną Tate, by się dowiedzieć, jakie ona widzi rozwiązanie tej sytuacji. Jeżeli o nią chodzi, miał to być jedynie krok tymczasowy — tylko do momentu, kiedy Bee znajdzie sobie nowe mieszkanie. — Mężczyzna otarł pot z czoła. W niewielkim pomieszczeniu brakowało klimatyzacji i zrobiło się obrzydliwie gorąco.

— A więc mieszkanie na Bickenhall Street było tylko na krótką metę?

Pan Arnott Brown przytaknął.

— Tak, jak najbardziej. Wiem, iż szukała innej nieruchomości do wynajęcia kilka tygodni przed... eee... tym incydentem.

— Kiedy widział ją pan po raz ostatni, panie Arnott Brown?

Zdjął z nosa okulary i z roztargnieniem przetarł szkła kawałkiem miękkiego materiału.

— No cóż, widywałem ją bardzo rzadko, bardzo rzadko. Pomyślmy. Hmm... Ostatni raz spotkałem się z nią... — Zajrzał do stojącego na biurku terminarza, niezdarnie go kartkując spoconymi palcami. — ...mam. Tak. To było w styczniu. Tuż po jej przeprowadzce do nowego mieszkania. Zdeponowała u mnie dokumenty. Umowę najmu i tym podobne.

— I jaka się wtedy wydawała być?

— Wydawała? Cóż... eee... taka, jak zawsze, tak mi się wydaje. Wie pani...

— Nie. Nie wiem. Nie widziałam jej, odkąd skończyłam trzynaście lat.

— Och. Och, rozumiem. To jest... eee... to jest... hmmm. Cóż, Bee zawsze bardzo egzotycznie się ubierała. Można powiedzieć, że wręcz teatralnie. I była w pewien sposób żywa, zmienna.

— Co pan przez to rozumie?

— Nigdy nie można było dokładnie przewidzieć, w jakim ona jest nastroju. Czasami wydawała się ożywiona i pełna entuzjazmu, innym razem raczej zamknięta w sobie i łatwo się denerwująca. I ciągle upierała się przy paleniu tutaj, mimo że jest to absolutnie zabronione, wie pani, i okropnie niebezpieczne. Moja żona zawsze wiedziała, kiedy miałem spotkanie z Bee, ponieważ wracałem do domu, śmierdząc niczym stara popielniczka. — Ni to chrząknął, ni to prychnął. — Była bardzo otwarta, co zdarzało się być nieco żenujące. Nie cofała się na przykład przed używaniem bardzo... eee... mocnego języka i zadawania takich, no, osobistych pytań.

— Ale tamtego dnia. W styczniu. Kiedy widział ją pan po raz ostatni. Jaka była wtedy? Jaki miała nastrój?

— Obawiam się, panno Wills, że naprawdę sobie tego nie przypomnę. Ale jeżeli pyta mnie pani, czy wydawała się być na krawędzi... eee... odebrania sobie życia, jestem zmuszony odpowiedzieć, iż nie. Zdecydowanie nie.

Nosowy, dochodzący z interkomu pana Arnotta Browna głos, poinformował go, iż właśnie przybył następny klient. Mężczyzna uśmiechnął się przepraszająco do Any.

— Obawiam się, że musimy się teraz pożegnać, panno Wills. Prześlę wszystkie te dokumenty do prawnika pani matki. Jeśli mogłaby pani teraz podpisać te papiery, by wszystko uprawomocnić. Tutaj. I tutaj. Doskonale. Dziękuję. — Wyszedł zza biurka i odprowadził Anę do drzwi. Ujął jej dłoń w swoją i potrząsnął nią ciepło. — I jeśli wolno mi skorzystać z okazji, panno Wills, chciałbym wyrazić, jak strasznie, strasznie przykro mi z powodu śmierci Bee. Była niecodzienną postacią, ale muszę się przyznać, iż bardzo ją lubiłem. Umiała sprawić, że człowiek czuł się kimś bardzo... eee... wyjątkowym. Wie pani, o co mi chodzi?

Ana przytaknęła, jeszcze raz potrząsnęła dłonią mężczyzny, po czym opuściła jego kancelarię, myśląc ze smutkiem, że nie, tak naprawdę nie ma pojęcia, o co mu chodzi, gdyż ledwie znała swoją siostrę, i że coraz bardziej zaczyna żałować, iż nie stało się inaczej.

Rozdział ósmy

Na drugim końcu brukowanej uliczki, za rogiem kancelarii pana Arnotta Browna mieścił się ładny, georgiański skwerek. Ana skręciła w prawo i znalazła się w cichym zakątku zabudowanym małymi, wiktoriańskimi mieszkaniami komunalnymi z niewielkimi balkonami, które porastała męczennica. Dzieci bawiły się na niewielkim placu zabaw, gdzie ustawiony był znak z napisem: „Dorośli tylko w towarzystwie dziecka". Zza chmur ponownie wyjrzało słońce i Ana zdjęła sweter.

Gdy tak szła, doleciał do niej nagle smakowity zapach: świeży chleb. Od rana niczego jeszcze nie miała w ustach, a przez kaca jej apetyt był naprawdę imponujący. Podążyła za zapachem w kierunku galerii sztuki mieszczącej się w starej kaplicy metodystów i znalazła się na spokojnym, bez mała zakonnym dziedzińcu, otoczonym drewnianymi rzeźbami i wielkimi krzakami w donicach. Na tyłach dziedzińca znajdowała się niewielka jadłodajnia z dość ograniczonym menu, na którym widniały zdrowo brzmiące nazwy potraw. I nie było tam prawie nikogo.

Ana zamówiła makaron zapiekany z leśnymi grzybami i gdy czekała na jedzenie, rozejrzała się. Zaczynało do niej docierać, gdzie się znajduje. Była w Londynie. W mieście, do którego przeprowadziła się Bee, kiedy Ana miała cztery lata. W mieście, które jej matce złamało serce — i to w dodatku dwa razy. A ona była tutaj sama — i wcale nie okazało się to tak bardzo przerażające. Ana zawsze uważała Londyn za tajemnicze miejsce połykające ludzi niczym wielka, czarna dziura, zabierające im wszystko co cenne, ich głębię emocjonalną, ubierające ich w absurdalne ciuchy, uzależniające od alkoholu i narkotyków i zarażające wirusami, które w Devon nawet nie istnieją. I wtedy, kiedy z człowieka nie zostaje już nic, miasto wypluwa go swoim drugim końcem. Według Gay, to właśnie Londyn zrobił Gregorowi. A teraz także i Bee. Ale Ana w przeciwieństwie do swojej matki nie potrafiła nienawidzić za to tego miasta. Tak naprawdę było coś fascynującego w tym ogromnym, niesfornym miejscu, którego na razie zobaczyła zaledwie niewielki fragment.

Mężczyzna ubrany jedynie w dżinsy i kamizelkę usiadł nad nią na schodkach przeciwpożarowych i zaczął brzdąkać na gitarze, a wiszące na drzewie figowym dzwoneczki zadzwoniły cicho i Ana poczuła się prawie jak w domu. Usadowiła się za szerokim, drewnianym stołem i wyłożyła na niego rzeczy Bee. Jej notes z adresami, blok listowy, aparat fotograficzny, *Krótki przewodnik po Goa*. Rozmyślała o wszystkich niespójnościach, domku na wsi, weekendach z dala od domu, zaginionym kocie. I wtedy wyciągnęła z torby kartkę papieru, którą otrzymała od pana Arnotta Browna z adresem przybranej matki kota Johna: panna L. Tate.

Ana zerknęła na zegarek. Wpół do drugiej. Do odjazdu pociągu pozostały jej trzy godziny i nagle dotarło do niej, że tak naprawdę nie ma znaczenia, czy spóźni się na ten o szesnastej trzydzieści — może pojechać o siedemnastej trzydzieści, osiemnastej trzydzieści albo i jeszcze później. Mogłaby pójść i spotkać się z tą panną L. Tate, tą znajomą Bee. Pragnęłaby poznać przyjaciółkę swojej siostry. Może udałoby jej się rzucić nieco światła na mętlik w głowie. I naprawdę bardzo chciała zobaczyć kota Bee, to stworzenie, które najwyraźniej tak mocno było przez nią kochane.

Ana wyciągnęła z torby plan miasta i poszukała na nim Bevington Road, W10, aktualne miejsce pobytu kota Johna. Wewnątrz kaplicy znalazła automat telefoniczny, wykręciła więc napisany na kartce numer. I wtedy przypomniała sobie, że jest właśnie środek dnia i że ta panna L. Tate najprawdopodobniej wyszła do pracy, podskoczyła więc nieco, kiedy po drugiej stronie usłyszała głośne, chrapliwe i krótkie: „Tak?"

— Eee, dzień dobry. Czy to panna L. Tate?

— A kto mówi? — odparł podejrzliwie głos.

— Jestem Ana. Ana Wills. Jestem... eee... siostrą Bee.

— O mój Boże! — zawołał głos. — Siostra Bee! To ty naprawdę istniejesz. Zawsze myślałam, że Bee sobie ciebie wymyśliła. — Miała bardzo charakterystyczny akcent z okolic Leeds.

— Och. Jasne. Tak. Cóż, jestem teraz w Londynie, ponieważ załatwiałam jej sprawy i czuję się trochę... eee... skołowana... i muszę porozmawiać z kimś, kto ją znał. A prawnik Bee dał mi twój numer, ponieważ opiekujesz się jej kotem. I tak sobie pomyślałam, że mogłabym się z tobą spotkać. Może mogłabym wpaść? Nie zostanę długo. Oczywiście o ile nie jesteś zajęta...

— Nie. Nie, nie jestem zajęta. Tak naprawdę to diabelnie się nudzę. A więc może do mnie zajrzysz?

Panna Tate mieszkała tuż obok Portobello Road. Ana nie wiedziała zbyt wiele o Londynie, ale nawet ona zdawała sobie sprawę z tego, że Portobello jest odlotowe i szpanerskie, co znalazło potwierdzenie, kiedy wyszła zza rogu i znalazła się w samym środku tłumu najbardziej przerażająco modnie wyglądających ludzi, jakich kiedykolwiek widziała. Ana starała się dodać sobie otuchy, ale nic nie mogła poradzić na paranoiczny strach. Bała się, że jedna z tych strasznie pewnych siebie osób, jedna z tych osób w typie wiem-dokładnie-kim-jestem-gdzie-jestem-i-co-tutaj-robię podejdzie do niej i zacznie robić sobie z niej jaja. Ale nikt nawet na nią nie spojrzał — co było dziwną odmianą dla Any, ponieważ gdziekolwiek udała się w Devon, bezlitośnie się na nią gapiono. Zwłaszcza tacy trzej chłopcy, mieszkający tuż przy Torrington, którzy drwili z niej za każdym razem, gdy tylko wystawiła nos z domu. Ci z odstającym uszami, rudymi włosami i biżuterią. Zawsze, kiedy ją widzieli, zatrzymywali się na swoich deskorolkach i po prostu stali i się w nią wpatrywali, kiedy przechodziła obok. A kiedy ich mijała, najwyższy, ten z najbardziej rudymi włosami, syczał coś, na przykład: „Dziwoląg!", „Strach na wróble!" albo „Chuda dziwka!" Nic szczególnie twórczego, ale za to skutecznego. Ana uznała, że podoba jej się anonimowość londyńskich ulic, gdzie można być wysokim albo niskim, czarnym albo białym, mieć różowe włosy albo przekłute policzki i jedyne, co cię spotyka, to przelotne, niezbyt zainteresowane spojrzenie.

Szła wzdłuż Portobello w stronę jej najbardziej na północ wysuniętej części, minęła kilka smutnie wyglądających straganów, gdzie można było kupić rzeczy, które wyglądały tak, że nawet najmniej wybredna nędzarka nie chciałaby ich wziąć, minęła wegetariańską restaurację, przed którą na zewnątrz ustawiła się kolejka, sklepy muzyczne z witrynami w rastafariańskich kolorach, indyjską knajpkę, przeszła pod mostem, a następnie tuż obok tętniącego życiem bazarku, wypełnionego jeszcze modniej wyglądającymi ludźmi. Niebo nad jej głową robiło się coraz ciemniejsze i wyraźnie zanosiło się na deszcz, ale nadal było duszno i wilgotno. Ana przeszła zygzakiem przez kilka maleńkich, nędznie wyglądających uliczek, aż znalazła się na Bevington Road, przy której stały w łuku śliczne, małe, jaskrawo pomalowane domy, usytuowane tuż przy szkolnym boisku.

Numer piętnaście miał kolor ostrej zieleni, a jego obramowania były fioletowo-różowe. Ana weszła po schodkach, zbliżyła się do drzwi wejściowych, zadzwoniła domofonem i przy wtórze brzęczenia została wpuszczona do środka. Niewielka klatka schodowa zaprowadziła ją na ostatnie piętro, gdzie powitały ją szeroko otwarte drzwi i dźwięk, jaki wydaje pędzące w popłochu stado antylop.

— Dzień dobry — zaryzykowała.

Stado antylop przestało na chwilę pędzić, po czym ruszyło na nowo.

Ana nerwowo rozejrzała się.

— Dzień dobry.

— Jasna cholera, kurwa mać.

Ana podążyła za chrypiącym głosem i hałasami. Przeszła przez najmniejszy, najbardziej zabałaganiony salon na świecie i dotarła do jeszcze mniejszej i jeszcze bardziej zabałaganionej sypialni, gdzie wszystkie rzeczy fruwały w powietrzu, rozrzucane najwyraźniej rękami złośliwego ducha.

— Zgubiłam ten kurewski naszyjnik. — Chrypienie dochodziło niewątpliwie z tego pomieszczenia. — On nawet nie jest mój. Należy do Jade pieprzonej Jagger. Jest wart jakieś dwa tryliony pieprzonych funciaków i muszę go oddać jutro. Kurwa.

Spod łóżka wyłoniła się nagle głowa, a nad nieuprzątniętą pościelą wyciągnęła się w kierunku Any czarna dłoń. Palce zakończone były najdłuższymi i najbielszymi paznokciami, jakie Ana kiedykolwiek widziała. Przypominały pięć czarodziejskich różdżek.

— Ana! Cześć! Lol.

— Lol? — powtórzyła Ana, przypominając sobie dedykację w książce kucharskiej Nigelli Lawson.

— Tak mam na imię — wychrypiała. Zabrzmiało to tak, jakby traciła głos. — Sorki za to wszystko. Właśnie występowałam na żywo w takim dziecięcym show i stylistka pożyczyła mi ten pieprzony, głupi naszyjnik, a ja zapomniałam go jej oddać, a teraz go, kurwa, zgubiłam. I już nie żyję... — skrzywiła się.

Ana była zbyt zaszokowana spotkaniem tej kobiety, którą rozpiera energia, i towarzyszącymi jej przekleństwami, by zapytać, co tak właściwie robiła w dziecięcej telewizji.

Lol podniosła się z podłogi. Miała długą do pasa, związaną w koński ogon platynową treskę, skórę barwy cukierka z mlecznej czekolady, szafir w nosie i pasujące kolorystycznie intensywnie niebieskie oczy, wyraźnie kupione u optyka, a nie powstałe w matczynym łonie. Była ubrana w top z miękkiej skóry, w dokładnie takim samym odcieniu jak jej karnacja, i wyszywane kryształami górskimi dżinsy. I, na co Ana zwróciła szczególną uwagę, miała około metra osiemdziesięciu i była chuda niczym nitka makaronu.

— O mój Boże! — wykrzyknęła Lol, wpatrując się zdziwionym i jednocześnie rozbawionym wzrokiem w Anę. — Wyglądasz jak mój pieprzony negatyw! — I wtedy zaczęła się śmiać. Jej śmiech był głośniejszy niż czyjkolwiek, który zdarzyło się Anie słyszeć do tej pory.

Lol obeszła przykryte stertą ciuchów łóżko i chwyciła dłoń swego gościa.

— Muszę na to popatrzeć — oświadczyła i pociągnęła Anę w kierunku wielkiego lustra.

Stanęły obok siebie i oto okazały się być idealnym pozytywem i negatywem tej samej osoby — dokładnie ten sam wzrost, ta sama figura, czarne włosy, białe włosy, biała skóra, czarna skóra. Przez sekundę obie przyglądały się odbiciu z rozchylonymi ustami, po czym Lol ponownie wybuchnęła śmiechem. Poklepała się po udach. Otarła łzy wierzchem swych długich palców. Zgięła się wpół. Przytrzymała się ramienia Any i śmiała się tak długo i tak bezgłośnie, jednocześnie tak boleśnie ściskając jej rękę, że Ana pomyślała, iż Lol ma jakiś atak.

Jednak wtedy Lol ponownie się wyprostowała, przybrała normalny wyraz twarzy, lekko się obróciła i jeszcze raz uważnie przyjrzała ich odbiciom. Nie minęły dwie sekundy, gdy znów była zgięta wpół, i tym razem poddała się także i Ana. To była jedna z najzabawniejszych rzeczy, jakie zdarzyło jej się widzieć, zabawna tak samo jak oglądanie swojej zniekształconej i przemienionej w karła postaci w beczce śmiechu, zabawna niczym owinięcie bandażami swej głowy, zabawna jak dmuchanie z całej siły na szybę — po prostu absurdalnie, dziecinnie, niewiarygodnie zabawna.

— O kurwa, chyba się zleję — wydyszała Lol, która teraz stanowiła leżącą na podłodze plątaninę nóg i rąk. Ana przysiadła na krawędzi łóżka i dotarła do tego spazmatycznego, nie kontrolowanego momentu, kiedy śmiech przestawał cieszyć, a zaczynał boleć. Popatrzyła na leżącą na podłodze Lol, na jej wyjątkowo długie kończyny, luz w spodniach, na znajomy widok zaznaczających się pod topem żeber i brak różnicy między łydkami a udami i nagle pomyślała — a ogarnęło ją nieoczekiwane i przytłaczająco intensywne uczucie, które łaskotało ją w brzuchu niczym miotełka do wycierania kurzu — że ją kocha, że kocha tę dziewczynę, którą zna od mniej niż pięciu minut, i na tę szokującą myśl poczuła drapanie w gardle i oczach i nagle zaczęła płakać. A im bardziej starała się przestać, tym intensywniej płakała. Nie miała pojęcia, skąd się wzięło u niej aż tyle łez — wielkich, twardych i bolących.

Lol dosiadła się do Any i objęła ją ekstrawagancko długim ramieniem.

— Och, skarbie — rzekła uspokajająco, spoglądając z niepokojem w jej oczy. — Co ci się stało, a?

Ana pociągnęła nosem i wytarła go rękawem swetra. Co się nie stało, oto pytanie, które byłoby bardziej na miejscu. Otworzyła usta, by się odezwać, ale nie miała zbyt wiele do powiedzenia, więc ponownie je zamknęła. Mimo to powody ustawiły się w szeregu w jej głowie niczym lista zakupów.

Jestem tyczkowatym dziwolągiem, na którego inni gapią się na ulicach, a mali chłopcy z przenikliwymi głosami śmieją się ze mnie.

Mój ojciec, po którym odziedziczyłam wzrost, po którym mam długie nogi, umarł dziesięć miesięcy temu i wciąż brakuje mi go każdego dnia.

Jedyny chłopak, jakiego kiedykolwiek miałam, rzucił mnie dwa miesiące po śmierci mego ojca.

Moja matka to cierpiąca na agorafobię wariatka, która lunatykuje i myśli, że jest pępkiem wszechświata.

Nie mam przyjaciół ani życia towarzyskiego.

Moja siostra, jedyna osoba, która wydawała się lubić życie i czynić je zabawnym, zabiła się.

Jestem sama w obcym mieście i nikogo tu nie znam.

Jestem przerażona, zdezorientowana, brudna i zmęczona. A teraz ty — ty z takimi samymi rękami i nogami jak ja, jednakowo kościstym tułowiem i płaską klatką piersiową, ty na kilka minut sprawiłaś, że poczułam się jak normalny człowiek, tak jakby nie było jedynie Any, ale Ana i Lol, po raz pierwszy od dziesięciu miesięcy się śmiałam i po raz pierwszy od dziesięciu miesięcy czułam się tak samo, jak każdy inny. Dlatego płaczę, to właśnie się stało. A najsmutniejszy w tym wszystkim jest fakt, iż wiem, że to tylko chwila — że nie będzie już tak stale. I właśnie ten przedsmak normalności tak mnie dobija...

Ale nie wypowiedziała głośno swych myśli, a Lol do głowy przyszedł najbardziej oczywisty powód jej łez.

— Och, skarbie — rzekła uspokajająco, a w jej oczach także zalśniły łzy. — Wiem. Wiem. Była moją najlepszą przyjaciółką, Ano. Moją najlepszą przyjaciółką. Kochałam ją bardziej niż kogokolwiek innego na tym świecie. Byłyśmy bratnimi duszami, jedynymi ludźmi, którzy się naprawdę rozumieli. Ja i Bee — byłyśmy jak siostry... byłyśmy... och. Przepraszam. Nie chciałam tego powiedzieć. To znaczy oczywiście, że to ty byłaś jej siostrą. Ale...

— W porządku — odparła Ana. — Rozumiem, o co ci chodzi. W porządku.

— Wiesz, ona cię kochała — ciągnęła Lol, głośno wydmuchując nos w starą chusteczkę. — Naprawdę cię kochała. Przez całe lata miała tego zabawnego, starego królika...

— Williama.

— Taa. Właśnie. Brała go ze sobą wszędzie. Raz urządziła imprezę i ktoś porwał go w żartach i żądał za niego okupu, ale ona nie uznała tego za choćby odrobinę zabawne. O nie. Kompletnie straciła wtedy nad sobą panowanie. Powinnaś była ją widzieć — krzyczącą i płaczącą. Ten królik chyba... sama nie wiem, chyba reprezentował sobą dla niej coś, czego nikt nie był w stanie zrozumieć.

Na chwilę zapadła cisza i Ana oddychała głęboko, starając się zapanować nad ogarniającymi ją uczuciami, próbując powstrzymać ból i zmusić się do zajrzenia do puszki Pandory, którą nieumyślnie otworzyła Lol. Płakała po raz pierwszy od pogrzebu ojca.

Przyjrzała się mieszkaniu, ścianom w kolorze fuksji, zasłonom w lamparcie cętki, stosom ubrań i butów, perfum i biżuterii. Popatrzyła na przypięte do ścian zdjęcia: grupki uśmiechniętych ludzi, małe dzieci, rodzina. I wtedy jej spojrzenie przyciągnęła wspólna fotografia obejmujących się Lol i Bee, siedzących za stolikiem z szampanem i uśmiechających się szeroko do aparatu, i nagle Anna przypomniała sobie, po co tutaj przyjechała.

— John? — zapytała, prostując się. — Gdzie jest kot?

— Och. No tak. On… wyszedł.

— Wyszedł?

— Taa. No wiesz. Na dwór. Załatwia… kocie sprawy. — Wzruszyła ramionami i wstała. — Słuchaj, nie odchodź nigdzie, dobrze? Sprawdzę tylko klatkę schodową i ulicę, czy nie ma tam tego pieprzonego, głupiego naszyjnika. Osobiście guzik mnie on obchodzi, ale jeżeli ktoś go znalazł i się z nim ulotnił, będę udupiona. A tak przy okazji, jakie masz plany na dzisiejszy wieczór?

Ana wzruszyła ramionami i pociągnęła nosem.

— Jadę do domu. Za godzinę mam pociąg.

Lol znieruchomiała z szeroko otwartymi ustami i wpatrywała się w nią, przesadnie udając wstrząśniętą. Położyła dłonie na chudych biodrach i z pełną surowością oświadczyła:

— Ależ nie, młoda damo.

— Słucham?

— Przez całe lata słyszałam o tobie. I chyba od zawsze chciałam cię poznać. Nie możesz tak od razu jechać do domu. Jesteś pieprzoną siostrą Bee. Masz pojęcie, jakie to jest ekscytujące?

— Tak, ale…

— Żadnego ale. Zostajesz tutaj i wieczorem razem wychodzimy.

— Tak, ale… ale co z moją matką?

— Co z twoją matką?

— Jest chora. Potrzebuje mnie. Nie mogę tak jej po prostu zostawić.

Lol uśmiechnęła się ciepło i położyła dłoń na ramieniu Any.

— Posłuchaj — zaczęła miło. — Wiem wszystko o twojej matce. Bee mi opowiedziała. I uważam, że spędzona w samotności noc może jej naprawdę dobrze zrobić. No przestań. Proszę, zostań. Proooszę — kusiła. — Pójdziemy i sprawdzimy razeeem, co słychaaać w Lundarn Tan. — Uśmiechnęła się, gdy próbowała mówić ze śmiesznym, londyńskim akcentem.

Myśli Any obracały się z przyprawiającą o zawrót głowy prędkością wokół jej poczucia odpowiedzialności za matkę i pragnieniem zmiany planów. Naprawdę chciała tutaj zostać. Chciała zostać z Lol. Chciała rozmawiać z Lol. Całą noc. O Bee. O domach na wsi, motorach i gitarach. Chciała wyjść gdzieś z Lol. I upić się. I nie jechać do domu. Nie dzisiaj. Nie była na to jeszcze gotowa. W jej głowie powstał mur determinacji. Już przytakiwała, nie będąc tego świadoma, z zaciśniętymi ustami i splecionymi dłońmi.

— Dobra — rzekła zdecydowanie. — W porządku. Zostanę.

— Grzeczna dziewczynka. — Uśmiechnęła się szeroko Lol, ściskając jej ramię. — Za momencik będę z powrotem.

— Jednak muszę zadzwonić do mamy. Mogę skorzystać z twojego telefonu?

— Pewnie, że możesz. Tam stoi. — Lol wskazała na parapet i rozemocjonowana uśmiechnęła się do Any. — Nie mogę w to uwierzyć — cała się rozpływała. — Siostra Bee. W moim mieszkaniu. Jestem taka podekscytowana! — Lol ponownie ścisnęła jej ramię, po czym zeszła ze stukotem po schodach niczym... chuda, wysoka kobieta w butach na koturnach.

Ana podeszła do okna i odkryła, że zagląda przez szyberdach do skórzanego wnętrza wielkiego, czarnego lexusa. Podczas wybierania numeru bawiła się włosami. Po dwóch sygnałach włączyła się automatyczna sekretarka.

— Cześć, mamo, to ja — zaczęła. — Dzwonię tylko, by ci powiedzieć, że nie wrócę dziś do domu. Zostanę tutaj na jeszcze jeden dzień. U przyjaciółki Bee. Wszystko w porządku i do zobaczenia... eee... do zobaczenia jutro. — Odłożyła słuchawkę i poczuła musujące w swoim wnętrzu bąbelki podekscytowania, buntu i zmiany. Poniżej otworzyły się drzwi wejściowe i na ulicę wyszła wpatrzona w chodnik Lol. Jasne słońce połyskiwało w kryształach górskich na spodniach i odbijało się od jej nieskazitelnej skóry. Była najbardziej niewiarygodnie wyglądającą kobietą, jaką Ana kiedykolwiek widziała. Postawą krańcowo różniła się od Any: ramiona do tyłu, głowa podniesiona, wysokie obcasy — jakby była wręcz dumna ze swego wzrostu.

Ana dotknęła ramy okiennej i wtedy dostrzegła coś skrywającego się w fałdach zasłony tuż przy jej stopach. Misterna taśma z turkusowych piór i półprzezroczystych, zielonych paciorków nawleczonych na delikatny drucik. Naszyjnik. Podniosła go, czując, że rozsadza ją radość, iż może być użyteczna.

— Lol! — zawołała w stronę duszącą gorącej ulicy. — Twój pieprzony naszyjnik! — Lol spojrzała na nią i zachichotała. Złożyła razem dłonie i Ana upuściła w nie swoje znalezisko.

— Ana — uśmiechnęła się szeroko. — Chyba cię kocham! — Ucałowała naszyjnik i zapięła go wokół swej długiej, szczupłej szyi. Grupa jadących na deskorolkach chłopców zatrzymała się gwałtownie, gdy zobaczyli, jak elegancko wchodzi po schodach do domu. Oparli o nogi swoje deski i wpatrywali się w nią. Ana czekała, aż któryś z nich coś powie. Ale tak się nie stało. Jedynie patrzyli. I dopiero gdy zamknęły się za nią drzwi i Lol była już w połowie drogi na górę, jeden z chłopców przemówił. Otworzył szeroko usta i wyrzucił z siebie jedno pełne onieśmielenia słowo:

— Wo-ow!

Rozdział dziewiąty

Ana bardzo szybko uświadomiła sobie, że Lol jest kompletnie szalona. Skończyła trzydzieści trzy lata, ale wyglądała na jakieś dziesięć mniej i miała więcej energii niż nadpobudliwy, odczuwający potrzebę zwracania na siebie uwagi sześciolatek podładowany Red Bullem. Była także rozbrajająco szczera.

— Chyba nie masz zamiaru tak wyjść, co? — spytała, pokazując z niedowierzaniem na zwisające, proste włosy Any i ponure ciuchy. — Wskakuj pod prysznic, mała, a ja przygotuję nam po drinku.

Łazienka Lol była niewielką, wilgotną trumną z pleśnią na suficie i największą kolekcją produktów do pielęgnacji ciała, jaką Ana kiedykolwiek widziała. Zamknęła się w kabinie prysznicowej i poczuła obezwładniające uczucie ulgi, gdy ciepła woda zaczęła spływać od czubka jej głowy, po twarzy i wzdłuż całego, zmęczonego ciała. Umyła głowę kokosowym szamponem do włosów afro, wypilingowała twarz jakąś ziarnistą substancją, która pachniała grejpfrutem, i namydliła całe ciało przezroczystą kostką o zapachu jabłka.

Gdy wyłoniła się z łazienki, Lol wcisnęła w jej dłonie drinka: blady, zielonkawy napój w kieliszku na długiej nóżce, którego brzeg obtoczony był w połyskującej soli.

— Och — rzekła Ana, patrząc na drinka. — Margarita. To ją właśnie piła Bee, prawda?

Lol pokiwała głową i pociągnęła łyk, a jej język prześlizgiwał się po brzegu kieliszka, zbierając kryształki soli.

— Pewnie, że piła — odparła — a ty patrzysz teraz na kobietę, która nauczyła Bee ją przyrządzać. Zdrówko — rzekła, unosząc wysoko kieliszek. — Za Bee. Najlepszą dziewuchę na świecie i najlepszą przyjaciółkę, jaką dane mi było mieć. Niech jej biedna, piękna dusza odpoczywa w pokoju i niech rzeki margarity przepływają przez doliny nieba... — Stuknęły się kieliszkami i wymieniły smutne spojrzenia. Lol uśmiechała się, ale Ana widziała lśniące w jej oczach łzy.

— No dobra! — zawołała Lol, odstawiając drinka, i zaczęła odkręcać turban z ręcznika na głowie Any. — Co w takim razie z tobą poczniemy?

— Co masz na myśli?

— Chcę cię zrobić na bóstwo — oświadczyła Lol, biorąc między palce pasma jej mokrych włosów i uważnie się im przypatrując. — Jesteś siostrą gwiazdy pop, wiesz o tym? Powinnaś więc wyglądać jak siostra gwiazdy pop. Mam dwie szafy pełne pięknych ciuchów i wreszcie poznałam kogoś, komu mogłabym je pożyczyć. A poza tym wyglądasz okropnie, jeśli tylko nie masz mi za złe, że to mówię. Kiedy ostatni raz byłaś u fryzjera?

— No tak, ale... Ja nie chcę...

— Nie martw się — uśmiechnęła się Lol. — Nie mam zamiaru przesadzić. Nie doprowadzę do tego, że będziesz wyglądać jak ja, ani nic w tym stylu. Niech mnie ręka boska broni! Chcę cię jedynie wypolerować. Wiesz, o co mi chodzi? Chcę, byś zaczęła błyszczeć...

Na rozdwojone końcówki włosów Any nałożyła masę czegoś mazistego i lepkiego i przez jakiś kwadrans suszyła je i modelowała dużą okrągłą szczotką, aż opadły na jej ramiona niczym czarna, satynowa peleryna.

— Yasmin le Bon, miej się na baczności.

Potem wykonała subtelny makijaż i zmusiła Anę do włożenia

brązowego, szyfonowego topu na ramiączkach, który odsłaniał jej brzuch i mienił się złotymi paciorkami, pary klasycznych, sztucznie postarzanych dżinsów z oddartym paskiem i szpilek ze skóry aligatora z wydłużonymi noskami.

— Ooch, tak miło jest dla odmiany nie czuć się jedyną kobietą na świecie, noszącą obuwie w rozmiarze czterdzieści jeden — rzekła, wsuwając bez trudu w jeden z butów długą, szczupłą stopę swego gościa.

Ana ze zdumieniem obserwowała w lustrze swoją transformację. Nigdy nie przyszło jej do głowy, że można być swobodnie ubranym i jednocześnie wyglądać olśniewająco, i że można tak szykownie prezentować się w dżinsach. W jej rodzinnym miasteczku dziewczęta albo ubierały się po studencku, albo też nosiły ozdobione cekinami sukienki w stylu New Look i buty na dziesięciocentymetrowych obcasach. Było się albo niechlujnym, albo supermodnym. Podobała jej się ta wersja, która nie była ani taka, ani taka. Pod warstwą cieniutkiego szyfonu jej kościste ramiona nabrały gracji, blady brzuch, zerkający spomiędzy topu i spodni wyglądał bez mała seksownie, a nogi wydawały się niezwykle zgrabne w obcisłych spodniach i butach na obcasach. Lol pomalowała tuszem zarówno górne, jak i dolne rzęsy Any, przez co jej oczy wydawały się ogromne, a włosy były błyszczące i rozwichrzone, trochę w stylu bogini rocka Patti Smith.

— No i nie możesz przecież nosić swoich drobiazgów w tym. — Lol wskazała lekceważąco na brudny plecak. — Masz. — Rzuciła Anie małą, złotą kopertówkę. Potem wstała i przez chwilę uważnie się jej przyglądała, a na jej twarzy rozlewał się szeroki uśmiech. — Jeszcze jedno — rzekła, podchodząc do Any. Chwyciła jej ramiona i pociągnęła je do tyłu, po czym stojąc za nią, przyłożyła pięść do jej krzyża.

— Co ty wyprawiasz? — zapytała Ana.

— Sprawiam, byś prosto się trzymała. Twoja postawa, Ano, jest straszna. Bóg obdarował cię tym fantastycznym, eleganckim, wyrafinowanym ciałem. Pokaż wszystkim, że jesteś z niego dumna. — Cofnęła się kawałek i ponownie się jej przyjrzała. — Już lepiej — oceniła. — Teraz wyglądasz jak prawdziwe zwierzę imprezowe. Bee byłaby z ciebie taka dumna. — Jej oczy ponownie zalśniły i przez chwilę wpatrywała się w przestrzeń. — No dobra. — Wyrwała się z zadumy i chwyciła klucze. — Ty i ja, dziewczyno, wyjdziemy teraz i będziemy wysokie i chude, i czarne, i białe, i napędzimy stracha tym wszystkim pedziowatym południowcom. Co ty na to?

Lol zabrała Anę do klubu członkowskiego, należącego do boleśnie, niemożliwie modnej sieci knajp mieszczących się w nędznie wyglądających, ale mimo to dziwnie szykownych pomieszczeniach — tę akurat urządzono w starej fabryce, leżącej w zdecydowanie obskurnej bocznej uliczce w Landbroke Grove. Wchodząc do środka razem z Lol, Ana zauważyła, iż po raz pierwszy od jej przyjazdu do Londynu przyciąga spojrzenia — że nie jest już dłużej niewidzialna. I nie tylko się na nią patrzono, ale wręcz gapiono — z wyraźnym zainteresowaniem — i robili to zarówno stylowi faceci, jak i kobiety.

— To miejsce — oświadczyła Lol — jest tak bardzo londyńskie, jak to tylko możliwe. Popatrz na nich: styliści, projektanci, detaliści, restauratorzy, dziennikarze, modelki, prezenterzy. To są — i obawiam się, że to prawda — ludzie, którzy nadają charakter temu miastu. Bez nich Londyn byłby tylko, no wiesz... Leeds.

Lol kupiła im po margaricie i razem udały się w kierunku ciemnego kąta, oświetlanego punktowo przez kolorowe lampki i umeblowanego wielkimi, brązowymi, skórzanymi sofami. W tle grał cicho Groovejet, a naprzeciwko nich siedziały dwie odpicowane panienki w ciuchach wzorowanych na lata siedemdziesiąte, robiące skręty z machorki i czegoś jeszcze.

— A więc jak ty i Bee się poznałyście?

— Na imprezie — odparła zwięźle Lol. — We wczesnych latach osiemdziesiątych. Nie potrafię sobie jednak przypomnieć konkretnego momentu. Jakoś tak po prostu zaskoczyło między nami. Ona była wtedy dzika, oj, była. Obie stanowiłyśmy część tej samej sceny, tego gównianego stylu new romantic: Steve Strange, Philip Salon, Blitz i tym podobni. Ale tak na poważnie zaprzyjaźniłyśmy się dopiero kilka lat później, po tym, jak zaprosiła mnie do współpracy nad *Groovin' for London*.

— A więc czym ty się zajmujesz?

— Jestem najmniej udaną gwiazdą pop.

— Co chcesz przez to powiedzieć?

— Chcę przez to powiedzieć, że rzuciłam szkołę muzyczną piętnaście lat temu i od tamtej pory non stop haruję. Jakieś dziesięć razy objechałam cały świat, pracowałam z największymi nazwiskami w tej branży, dziękowano mi na okładkach kilku najlepiej sprzedających się płyt wszechczasów. A mimo to mam pięćset funtów na debecie i mieszkam w paskudnej norze, dokładnie tak samo jak w dniu, kiedy skończyłam college.

— No ale co tak właściwie robisz?

— Jestem piosenkarką sesyjną, kochanie. No wiesz, to ci pracujący dorywczo aktorzy przemysłu muzycznego. Bezimienni, anonimowi twórcy smętnej harmonii, niedoceniani wykonawcy tych słyszanych w tle odgłosów, które zagłuszają fakt, iż główny artysta nie potrafi śpiewać. Och, no i jeszcze oczywiście pochrzaniona muzyka w reklamach.

— Reklamach?

— O tak. Śpiewałam we wszystkich ich rodzajach. Piosenki o dezodorancie. Piosenki o farbie do włosów. Piosenki o tamponach. Myślisz pewnie, że takie rzeczy robi jedynie cholerny głupiec, ale nieźle za to płacą.

— Boże — rzekła marzycielsko Ana. — Tylko pomyśl: płacą ci za to, że śpiewasz.

— Czy w takim razie ty też śpiewasz, Ano?

— Aha — przytaknęła i pociągnęła łyk cierpkiej margarity.

— Dobra jesteś?

Wzruszyła ramionami.

— A bo ja wiem? Możliwe. Nigdy nie robiłam tego publicznie.

— Hmm. Temu z pewnością możemy kiedyś zaradzić. Dobry głos nigdy nie powinien się marnować. To tak, jakby się wylewało bolsa do zlewu.

— Co w takim razie śpiewałaś dziś rano?

— Och, skarbie, dziś rano upadłam naprawdę nisko. Chórki dla Billie Piper. Już niewiele niżej można upaść. Chociaż miła dziewczyna z tej Billie. Bardzo dojrzała. Powiedziałam jej o Bee. Nie wiedziała, o kim, do diabła, mówię, ale starała się przynajmniej wyglądać na zasmuconą, niech Bóg błogosławi jej duszyczkę. Prawdziwa ironia losu, no nie? Pewnego dnia to może być ona, to Billie Piper może leżeć martwa w swym łóżku i nikogo nie będzie to obchodziło, a jakaś nastoletnia gwiazdka sezonu zapyta: Billie jaka? Rozumiesz, o co mi chodzi? To jest właśnie ten biznes. Takie jest życie. Tak właśnie się dzieje na tym świecie. Najpierw cię przeżuje, a później wypluje.

Łzy zaczęły skapywać z brązowych oczu Lol i Ana szybko podała jej chusteczkę. Dwie wytworne dziewczyny naprzeciwko udawały, że tego nie widzą, ale przestały ze sobą rozmawiać i siedziały bez ruchu niczym małe króliki.

— Wydaje ci się, że to właśnie przytrafiło się Bee? Czy myślisz, że to przemysł muzyczny? To znaczy, czy ty uważasz, że sama odebrała sobie życie?

Lol wzruszyła ramionami i głośno wydmuchała nos.

— Nie wiem, Ano. Naprawdę nie wiem. Przez całe minione trzy tygodnie o tym myślałam. Znaczy się, jasne, że tak to wygląda. Nie widzę innego wytłumaczenia. Jednak przyznanie tego jest tak bardzo bolesne, prawda? To tak, jakbym potwierdziła, że nie byłam dobrą kumpelą. Że tak naprawdę jej nie znałam. Że nasza przyjaźń to lipa. — Pociągnęła nosem i spojrzała na Anę. — A ty co o tym myślisz?

— O czym?

— O Bee, a o czym? Sądzisz, że to było samobójstwo?

Ana wzruszyła ramionami.

— To jedyne logiczne wyjaśnienie.

Lol ze smutkiem pokiwała głową.

— Niestety, prawda?

— Ale dlaczego? Dlaczego miałaby robić coś takiego? Czy wydawała się być nieszczęśliwa?

— Problem w tym, że Bee nigdy nie była naprawdę szczęśliwa, no nie? Nie po śmierci ojca. I przed nią zresztą też nie. Jedynie z wyjątkiem czasów, kiedy była młoda i zagłuszała to imprezowaniem, piciem, spaniem z kim popadnie i zgrywaniem się na oryginalną, wesolutką dziewczynę. Potem Gregor umarł, jej kariera też, a ona tak naprawdę nigdy się z tego nie otrząsnęła.

— Ale czy nie mogła uzyskać jakiejś pomocy?

— Och, tak właśnie się stało. Nie powiedziała ci?

Ana potrząsnęła głową.

— No tak. Przez trzy lata chodziła na terapię, która donikąd jej nie zaprowadziła. I przez piętnaście lat co i rusz faszerowała się środkami antydepresyjnymi.

— Przez piętnaście lat?

— Aha. Czy tego też ci nie mówiła? Jezu. Tak, Bee tak naprawdę po prostu egzystowała. Nie chcę przez to powiedzieć, że chodziła nieszczęśliwa przez cały czas ani nic w tym stylu. Nadal potrafiła się bawić. Wciąż stanowiła dobre towarzystwo. Ale jakoś tak przestała się... rozwijać. Stanęła w miejscu i nie podejmowała wyzwań. Nie brała udziału w życiu, pozwalała jedynie unosić się razem z jego prądem.

— A więc mówisz, że przez połowę swego życia Bee była w ciągłej depresji?

— Niestety.

— Ale to wstrząsające. Po prostu wstrząsające. Nie sądzisz?

Lol wzruszyła ramionami.

— To właśnie Londyn — stwierdziła. — W takim mieście depresja jest niczym grypa. To norma. Ale tak naprawdę Bee wyraźnie wydawała się czuć lepiej przez pewien okres jakiś rok temu. Przebąkiwała coś o karierze, przyszłości. A potem w styczniu zmieniła mieszkanie i znów zaczęła opadać w dół. Zawładnęła nią obsesja na punkcie starzenia się, wspominała o operacji plastycznej. I przestała wychodzić. Próbowałam wyciągać ją z domu, ale twierdziła, że oszczędza każdy grosz. Zapraszała mnie do siebie, ale ja... pewnie wydam ci się paskudna, ale ja po prostu nienawidziłam tego mieszkania. Naprawdę.

— Dlaczego?

Lol wzruszyła ramionami.

— Tak naprawdę to nie wiem — odparła szczerze. — To chyba ta jego aura. Coś w atmosferze. Ono było... martwe.

— Gdzie mieszkała wcześniej?

Lol rzuciła jej dziwne spojrzenie.

— O czym dokładnie wy dwie rozmawiałyście ze sobą? Wydaje się, że w ogóle jej nie znasz.

Ana wzruszyła ramionami.

— Cóż, bo to w zasadzie prawda.

— No więc miała piękne mieszkanie w Belsize Park. Było fantastyczne, takie jasne, wytworne i urocze.

— Należało do niej?

— Nieee, ona nigdy nie kupowała mieszkań. Była zbyt wolnym duchem, by obarczać się kredytem i hipoteką. Jednak nigdy nie pojęłam, czemu przeprowadziła się stamtąd na Baker Street. No i wszystko stało się tak nagle. No wiesz. W jednej chwili była ustatkowana i zorganizowana. Miała kota i te wszystkie śliczne rzeczy. I nagle po prostu wstała i wyszła. Z tego, co mi wiadomo, zostawiła tam połowę swoich rzeczy. I przeniosła się do tego świńskiego, paskudnego mieszkania. Boże, jak ja go nienawidziłam...

— Ale czy wydawała się wystarczająco nieszczęśliwa, by... no wiesz?

Lol potrząsnęła głową i wzruszyła ramionami.

— Jak mówię, ona nigdy nie była zadowoloną z życia duszyczką. Ale myślałam, że nauczyła się z tym egzystować. I na pewno nie sprawiała wrażenia, że jest gorzej, no wiesz, że spada w dół lub coś takiego. Ale kiedy zdarza się to, co w jej przypadku, zaczyna się rozpamiętywać każdy szczegół, no nie? — Odwróciła się nagle do Any i rzuciła jej desperackie spojrzenie. — Ana — rzekła. — Jest jedna sprawa. Coś, czego nikomu nie powiedziałam. Jeden szczegół. To znaczy nie wiem, czy to właśnie było powodem, ale...

Ana zachęcająco skinęła głową.

— ...myślę, że to mogło być przeze mnie.

Jej towarzyszka zmarszczyła brwi.

— Nie bądź głupia — odparła. — Jak to się mogło stać przez ciebie?

— Ponieważ... ponieważ, o Boże. Słuchaj. Czy obiecujesz, że nie powiesz nikomu tego, co teraz usłyszysz? Ani twojej matce, ani nikomu innemu?

Ana energicznie pokiwała głową.

Lol pociągnęła łyk margarity.

— No cóż — zaczęła. — To była środa, tuż przed jej śmiercią. Nie widziałam się z nią przez kilka tygodni, ponieważ wyjechałam z kraju w trasę, a ona pojawiła się u mnie i była w okropnym stanie, no wiesz — płakała, trzęsła się i tak dalej. I miała ze sobą kota. Powiedziała, że jej gospodarz dostał cynk, że ona trzyma w mieszkaniu zwierzę i że przyszedł do niej i zagroził, że ją wyrzuci, jeśli się go nie pozbędzie. Błagała mnie więc, bym się nim zaopiekowała, tylko przez kilka tygodni, dopóki nie znajdzie nowego mieszkania. I ja się zgodziłam. Na jej twarzy widać było taką ulgę i w ogóle, że poczułam się, no wiesz, naprawdę zadowolona, że mogę jej pomóc. No więc po jej wyjściu porozstawiałam wszystkie rzeczy Johna — jego miskę, koszyk i tym podobne. A on powoli zaczął się zadomawiać. A potem wyszłam po południu na lekcje śpiewu i... i... o Boże. — Ponownie pociągnęła nosem i otarła twarz zmiętą chusteczką. — Okno w korytarzu zostawiłam minimalnie uchylone. Naprawdę to była tylko szpara, ponieważ robi się tam piekielnie gorąco. A kiedy wróciłam — nie wiem, jak udało mu się wydostać, ponieważ jest cholernie dużym kotem, to znaczy naprawdę ogromnym — nie było go w mieszkaniu. Jakoś więc musiało mu się to udać. Szukałam go wszędzie. Przez cały następny dzień. A Bee przysłała mi kwiaty. We czwartek. Kiedy ja szukałam jej kota. Piękne kwiaty z bilecikiem, w którym napisała, jak bardzo jest mi wdzięczna i że wie, iż ja nie lubię kotów i jak wiele dla niej znaczy to, że przyjęłam go do siebie i jak bardzo nie chciała zostawiać go z nikim innym. Było tam też i to. — Otworzyła haftowaną, jedwabną torebkę i wyjęła z niej kartkę wydartą z jakiejś gazety. Podała ją Anie. — Napisała, że natrafiła na to już całe wieki temu i od miesięcy miała zamiar mi to dać.

Wycinek zatytułowany był *Prawdziwa przyjaźń* i pochodził z listu Kingsleya Amisa do jego przyjaciela Philipa Larkina:

Lubię rozmawiać z tobą bardziej niż z kimkolwiek innym, ponieważ nigdy wtedy nie czuję, że zdradzam samego siebie, i dlatego mogę się przyznać do mrocznych, nieszczerych, lizusowatych, tchórzliwych, niesprawiedliwych, aroganckich, snobistycznych, lubieżnych, perwersyjnych i generalnie wstydliwych uczuć, o których nie chcę, by wiedział ktokolwiek inny; ale najbardziej dlatego, iż kiedy z tobą rozmawiam, zawsze jestem na granicy wybuchnięcia szczerym śmiechem.

Gdybyś był teraz ze mną, tak sobie myślę, spędzalibyśmy czas na rozmowie, piciu i paleniu, a ja śmiałbym się PRZEZ CAŁY CZAS i byłbym szczęśliwy PRZEZ CAŁY CZAS.

Lol popukała w kartkę.

— Spójrz — rzekła, a do jej oczu znowu napłynęły łzy. — Spójrz. Gdybyś był teraz ze mną. Gdybyś był teraz ze mną. Boże, to mnie dobija. Ponieważ mnie tam nie było, naprawdę nie było. Widzisz, ja i Bee, my zawsze żyłyśmy jak „wolne dziewczyny", rozumiesz, kobiety niezależne. Zawsze miałyśmy dla siebie czas. A potem, rok temu — zakochałam się. Po raz pierwszy w życiu. To znaczy, miewałam już wcześniej obsesje, wiedziałam, co to namiętność i tym podobne. Ale z Keithem po prostu miałam pewność, że odnalazłam swoją bratnią duszę. Jest Romem — uśmiechnęła się szeroko przez łzy. — Prawdziwym, porządnym Romem. I astrologiem. Naprawdę znanym. Ma swoje kolumny w gazetach na całym świecie. A ja często wyjeżdżam służbowo za granicę. Wcześniej zawsze było tak, że kiedy wracałam do Londynu, spotykałam się z Bee. Ale odkąd poznałam

Keitha — cóż, to dla niego rezerwowałam wolny czas. A nie miałam go wystarczająco dużo, by dzielić go między ich dwoje. Ktoś w tej sytuacji musiał ucierpieć. I tym kimś okazała się Bee. Więc kiedy nie chciała ze mną wychodzić, ja byłam z Keithem, i jeszcze to jej pieprzone, okropne mieszkanie, no cóż, prawie się nie widywałyśmy. A ten wycinek — wskazała na niego ponownie — to było wołanie, nie sądzisz? Wołanie o pomoc. No a potem moje kłamstwa na temat tego, że John ma się dobrze. Podczas gdy najprawdopodobniej leży na grzbiecie w jakimś rynsztoku. — Pociągnęła nosem.

Ana oddała Lol wycinek, a ta ze smutkiem złożyła go i z powrotem schowała do torebki.

— Więc następnego dnia porozwieszałam na drzewach plakaty i tak dalej. Zaczęłam pukać do obcych ludzi. Poszłam do miejscowego weterynarza. Do Królewskiego Towarzystwa Opieki nad Zwierzętami. Do ambulatorium dla chorych zwierząt. Wiem, że powinnam była powiedzieć Bee, ale po prostu nie mogłam. Kochała tego kota jak dziecko, chwytasz, o co mi chodzi? Ale kiedy nie znalazł się do piątku, pomyślałam... no wiesz. Więc jej wreszcie powiedziałam, a ona dosłownie oszalała, Ano, naprawdę oszalała. To było straszne. Nie była jednak zła na mnie. Nie winiła mnie ani nic takiego. Ona winiła siebie. To było tak, jakbym jej powiedziała, że jest złą matką albo coś w tym stylu. Przyjechała tutaj po południu, kiedy mnie nie było, i także przeczesała okolicę. Do domu dotarłam późno w nocy w piątek, a we wtorek wieczorem zadzwoniła do mnie pieprzona policja, która poinformowała mnie, że ona nie żyje. Że nie żyje od piątku. Że zmarła zupełnie sama. — Lol ponownie wydmuchnęła nos i potarła oczy. — Więc nawet jeżeli sama tego nie zrobiła, nawet jeżeli to istotnie był wypadek, i tak to moja wina. Ponieważ przeze mnie straciła swego kota, straciła Johna. To ja ją unieszczęśliwiłam. I taka właśnie odeszła — nieszczęśliwa i zupełnie sama, Ano. Czyż można wyobrazić sobie coś gorszego? Ktoś, kogo kochasz, umiera w osamotnieniu.

Ana przytaknęła, a w oczach zaczęły jej pęcznieć łzy, gdy w jej świadomości pojawił się obraz łóżka Bee.

— Przez cały weekend próbowałam się do niej dodzwonić, ale nikt nie odbierał. Uznałam, że pojechała, by spotkać się z tobą, więc nie martwiłam się tym zbytnio i...

Ana odwróciła się do Lol.

— Przepraszam — przerwała. — Ale czy mogłabyś powtórzyć ostatnie zdanie?

Lol spojrzała na nią.

— Powiedziałam, że nie martwiłam się zbytnio, kiedy nie odbierała telefonu, ponieważ uznałam, że jest w Devon. Z tobą.

Anie opadła szczęka.

— Och, teraz to już jest zbyt dziwne, zdecydowanie zbyt dziwne. — Opowiedziała Lol o tym, co usłyszała od pani Tilly-Loubelle, a także o domku na wsi, piosence dla Zandera i wyprawie do Indii. Lol o niczym nie miała pojęcia i te wszystkie informacje sprawiły, że na chwilę zaniemówiła.

— Zatkało mnie — odezwała się wreszcie, otwierając szeroko oczy z dezorientacją. — Kompletnie, całkowicie i totalnie zatkało. A ja uważałam, że to dziwaczne — ciągnęła — że zadawałaś te wszystkie pytania na temat Bee, tak jakbyś jej nie znała. I chcesz powiedzieć — pisnęła z niedowierzaniem — że Bee znikała gdzieś w każdy weekend i okłamywała mnie? Mnie, swoją najlepszą przyjaciółkę? I że ta oślica miała uroczy, mały domek na wsi i nie puściła na ten temat pary z ust? Boże, wiesz, zawsze się zastanawiałam, co zrobiła z tą całą forsą po tacie. Nie mogłam zrozumieć, czemu ciągle mówi, że jest spłukana. I zawsze, ale to zawsze nadawała o wyjeździe do Indii. To było jej wielkie marzenie. I pojechała tam, i nawet nam o tym nie powiedziała. Jestem oburzona, Ano, po prostu oburzona. Wiesz, co musimy teraz zrobić, prawda? — spytała.

Ana potrząsnęła głową.

— Musimy tam jechać. Musimy pojechać do Broadstairs i znaleźć ten domek. Założę się o wszystko, że tam właśnie spędzała wszystkie weekendy. Miała pewnie jakiegoś sekretnego kochanka. Tego Zandera. Założę się, że to on. Mówiłaś, że w mieszkaniu znalazłaś jakieś klucze?

Ana tępo pokiwała głową.

— A więc tak. Mamy zdjęcie. Mamy klucze. Musimy jechać. — Lol robiła się coraz bardziej ożywiona, podczas gdy jej łzy wysychały, a plan zaczynał nabierać kształtów.

— Tak — zgodziła się Ana. — Ale kiedy? Jutro muszę jechać do domu.

— O rany, nie bądź głupia. Nie możesz jechać do domu. Nie teraz. Mamy do rozwiązania zagadkę.

— Tak, ale co z mamą?

Lol ponownie uniosła brwi w stronę sufitu.

— Jesteś jak zdarta płyta, wiesz? Co z mamą? Co z mamą? — naśladowała akcent Any. — A co ma być z tą twoją cholerną mamą? Ile ona ma lat?

— Sześćdziesiąt.

— Chodzi?

— Uhu.

— Umie korzystać z toalety?

— Tak.

— Potrafi sobie coś ugotować?

— Mmm.

— Ma przyjaciół? Ludzi, którzy mogliby się nią opiekować?

— Tak, mnóstwo. Wszyscy w Torrington uważają, że jest wspaniała.

— W takim razie nic się jej nie stanie przez kilka dni, co?

— Urządzi mi piekło.

— Wielkie, kurwa, rzeczy! — Lol narysowała dłońmi gazetę. — Już widzę te nagłówki: „Sześćdziesięcioletnia kobieta krzyczy na swoją córkę". Ile ty masz lat, Ano? Dwadzieścia cztery, dwadzieścia pięć? I wciąż boisz się mamy. Szczerze, dziewczyno, powinnaś się wstydzić. I prawdę mówiąc, jeśli nie masz nic przeciwko temu, że przez chwilę będę z tobą zupełnie szczera, twoja matka nie zasługuje na twoją troskę. Nie po tym, jak traktowała Bee. Zwłaszcza nie po tym incydencie na pogrzebie...

— Jakim pogrzebie?

— Gregora, no a jakim?

— Tak, ale to była wina Bee. Ona zaatakowała moją matkę...

— A winisz ją za to? To była najbardziej wstrząsająca scena, jakiej byłam świadkiem, i gdybym nie widziała tego na własne oczy...

— Co takiego? — spytała Ana. — A co się stało?

— Cóż, a co powiedziała ci na ten temat twoja matka?

— Że Bee wyrzuciła ją z kaplicy, że ją zraniła i że przy wszystkich na nią nakrzyczała.

— A jak sądzisz, dlaczego to zrobiła?

Ana wzruszyła ramionami.

— Ponieważ nie chciała, by ona tam była. Ponieważ wstydziła się jej. Wstydziła się nas.

— Czy to właśnie powiedziała ci matka?

— No tak.

Lol uniosła brwi.

— Ta kobieta — stwierdziła — ta kobieta powinna... powinna... Boże. Nie wiem. Ona przynosi waszej rodzinie wstyd. Słuchaj. Twoja matka na pogrzebie Gregora zachowywała się okropnie. Szlochała, zawodziła i wołała: „Mój mąż, mój mąż!", podczas gdy wszyscy wiedzieli, że on ani trochę nie był jej cholernym mężem. I robiła takie zamieszanie, że jeden z przyjaciół Gregora, naprawdę uroczy facet zwany Tigerem, podszedł i usiadł koło niej, starając się ją uspokoić. Powiedział pewnie coś w stylu: „Czy mogę coś dla pani zrobić" albo „Czy chciałaby pani zaczerpnąć świeżego powietrza". Chodzi mi o to, że nie był nawet odrobinę niegrzeczny. I położył rękę na jej ramieniu, o tak. A ona zrzuciła ją, odwróciła się do niego i wtedy zaczęła mu ubliżać...

O Boże. Ana już wiedziała, co wydarzyło się później. Ogromny czar jej matki w takich sytuacjach znikał bez śladu. Kiedy wpadała w trans, wtedy nic się nie liczyło.

— Powiedziała: „Zabierz ode mnie swoją odrażającą, zarażoną AIDS dłoń, ty płaczliwa, niedożywiona i wyjątkowo mało atrakcyjna namiastko mężczyzny". A potem oświadczyła mu, że powinien się pospieszyć i umrzeć, i przestać być pasożytem służby zdrowia. Następnie wstała i przy wszystkich oskarżyła przyjaciół Gregora o zrobienie z niego wbrew jego woli dewianta i o celowe zarażenie Gregora tym ich „zjełczałym wirusem", tak by mogli położyć łapy na jego pieniądzach.

— Nie! — zawołała Ana.

— Ależ tak — zapewniła Lol. — Tak właśnie powiedziała. Och, Ano, mówię ci, to była jedna z najbardziej szokujących scen, jakie zdarzyło mi się widzieć. Pragnęłam ją uderzyć. Naprawdę. I wtedy zobaczyłam, jak Bee podnosi się z krzesła z wykrzywioną twarzą, chwyta twoją matkę za ramię, o tak, i siłą wyprowadza z kaplicy. Powiedziała jej, że nigdy więcej nie chce jej widzieć. Powiedziała, że się jej wyrzeka. Miałam ochotę urządzić owacje na stojąco, oj, miałam. Ale to byłoby trochę nie na miejscu, no wiesz...

Twarz Any znieruchomiała w szoku — nie dlatego, że jej matka była zdolna do tak okropnego zachowania, ale dlatego, że utraciła więź z Bee z powodu osławionych siniaków na ramionach Gay, za które odpowiedzialność ponosiła nie Bee, ale matka. I że była na tyle głupia, by uwierzyć w podaną przez matkę wersję wydarzeń.

— Więc — ciągnęła Lol — to ci powinno zapewnić świeże spojrzenie na różne sprawy. — Podniosła torbę. — Przyniosę nam teraz po jeszcze jednym drinku i spodziewam się, że do mojego powrotu zdążysz podjąć właściwą decyzję. Jasne?

— Jasne. — Dłonie Any trzęsły się, gdy podniosła do ust kieliszek z margaritą i wysączyła ostatnie krople. Ogrom tego, co przed chwilą usłyszała od Lol, powoli zaczynał do niej docierać. Wszystko mogło się potoczyć zupełnie inaczej.

Przyglądała się, jak Lol idzie przez pomieszczenie, kołysząc biodrami, ubrana w niebieski, szyfonowy, cygański top i dżinsy w kolorze indygo, a jej biały koński ogon i długie diamentowe kolczyki kołyszą się na boki. Przyciągała spojrzenia wszystkich obecnych tutaj ludzi. Lol nie wiedziała, co to strach. Nie widziała przeszkód w życiu — jedynie możliwości. Nie była wyłącznie fizycznym negatywem Any, ale także i psychicznym.

Ana rozglądnęła się i przyjrzała znajdującym się w barze ludziom. Obcy. Dziesiątki obcych ludzi. Obcy wiodący dziwne życie, zajmujący mieszkania, których ona nigdy nie odwiedzi, wykonujący zawody, o których nigdy wcześniej nie słyszała. To był świat Bee, uświadomiła sobie Ana, to miasto szybko zmieniającej się mody, ekskluzywności i anonimowości, to miasto, gdzie potrzeba było dwóch godzin, by odwiedzić przyjaciela mieszkającego pięć kilometrów dalej, ale zaledwie trzydziestu minut, by do twoich drzwi został dostarczony świeży homar. Pragnęła nie tylko dowiedzieć się, co to miasto zrobiło jej siostrze, ale także sama chciała je poznać. Marzyła, by poczuć się tutaj jak u siebie w domu. Tak jak Bee. Nie była gotowa, by wrócić do Torrington. Nie była gotowa stanąć twarzą w twarz z matką. Chciała tutaj zostać.

— Zostaję — oświadczyła zdecydowanie, kiedy Lol wróciła z dwiema kolejnymi margaritami. — Zostaję.

Lol zarzuciła jej ręce na szyję i obie kobiety uściskały się.

— Doskonale, dziewczyno, doskonale. A teraz musimy ułożyć plan. Pojedziemy w niedzielę, dobrze? Jutro pracuję, a w poniedziałek wylatuję.

— Wylatujesz?

— Taaa. Na kilka dni lecę do Saint-Tropez. Do studia nagraniowego.

— Naprawdę? — Anie nie mieścił się w głowie splendor tego wszystkiego.

— Uhu. Będę mieszkać w położonej na urwisku nad morzem posiadłości w stylu *belle époque*, z basenem, labiryntem fontann i tym podobnym.

— Wow — rzekła Ana.

— No tak. Minus jest taki, że będę tam razem z bandą ordynarnych, żłopiących piwsko łebków z Liverpoolu, którzy mają za dużo forsy w kieszeniach i za dużo koki w nosie. Ale nie narzekam. Ani trochę. I znajdę ci wcześniej jakiś pokój. Zaproponowałabym ci moje mieszkanie, ale to taka wstrętna nora, a poza tym nie chcę, byś mieszkała sama. Nie dziewczyna ze wsi, taka jak ty, w mieście takim jak to. Masz jakieś pieniądze?

Ana z poczuciem winy pomyślała o ukrytych w pozostawionej w mieszkaniu Lol walizce 7 350 funtach i przytaknęła.

— Wyśmienicie. Zostaw to mnie. I weźmiemy Flinta, by nas tam zawiózł.

— Flinta? Kim jest Flint?

Lol uniosła perfekcyjnie wyregulowane brwi.

— Nie pytaj. Po prostu facet. Facet z naprawdę dużym samochodem. A więc wznieśmy toast! — Uśmiechnęła się szeroko, podnosząc kieliszek. — Za nas, Cagney i Lacey z W10. — Roześmiały się i stuknęły kieliszkami, po czym Lol odwróciła się do Any z naprawdę poważnym wyrazem twarzy. — Wybaczysz mi? — zapytała.

— Wybaczę, co?

— To, że nie byłam wystarczająco dobrą przyjaciółką dla Bee. Że okazałam się samolubna. Że zgubiłam kota. Że złamałam Bee serce. Że ją zawiodłam.

— Och, Lol, nie bądź głupia. To nie twoja wina. Słuchaj, Bee szukałaby tego kota nawet, gdyby jej to miało zabrać wieki. To nie chodziło o niego. Musiało być coś jeszcze. I tego właśnie mamy zamiar dowiedzieć się w Broadstairs. OK?

— OK — odparła Lol. — OK.

I wtedy przerwano im rozmowę, gdyż zbliżył się do nich mężczyzna z oklapłymi włosami, ubrany w T-shirt i bermudy.

— Przepraszam — rzekł z niemieckim akcentem. — Mój przyjaciel i ja — wskazał na innego faceta z oklapłą fryzurą, siedzącego przy barze — zastanawialiśmy się nad czymś. Obie jesteście bardzo piękne i bardzo wysokie. Czy nie pracujecie przypadkiem jako modelki?

— Nie, skarbie — odparła ze znużeniem Lol, odrzucając

do tyłu koński ogon. — Nie jesteśmy modelkami, ale kimś lepszym. Jesteśmy tajnymi detektywami. Ale nie zdradź tego nikomu. Dobrze?

Ana i Lol zaczekały, aż zdezorientowany mężczyzna wróci do swego kolegi, po czym popatrzyły na siebie i zaczęły chichotać.

Rozdział dziesiąty

Flint zaparkował samochód tuż koło sprzedawcy kwiatów i wysiadł.

— Dzień dobry — rzucił brodaty mężczyzna, który był właścicielem straganu. — Jak się pan dzisiaj miewa?

Flint wzruszył ramionami i wcisnął ręce do kieszeni.

— Nie tak źle — odparł.

— To, co zwykle?

Flint podrapał się po karku.

— Taaa — odparł. — Dzięki.

Mężczyzna popatrzył z ciekawością na swego klienta, ale nic nie powiedział. Z zielonego wiadra wyciągnął dziesięć długich, cukierkowo różowych róż, wybierając najbardziej rozwinięte kwiaty, i związał je luźno kremową wstążką. Flint podał mu banknot dwudziestofuntowy, po czym wziął od niego bukiet i resztę.

— Jeśli wolno mi spytać — odezwał się mężczyzna po chwili milczenia — chodzi mi o te kwiaty. Prawie każdego dnia w ciągu ostatnich trzech tygodni. Dla kogo one są? Żony? Mamy? Dziewczyny?

— Nie — odrzekł Flint. — Jedynie dla przyjaciółki.

— Sądząc po nich, dla dobrej przyjaciółki.

— Taa — zgodził się Flint. — Jednej z najlepszych. Zbyt dobrej dla mnie.

— Jak to?

— Och. No wie pan. To łatwe, no nie? Tak łatwo być, no wie pan, samolubnym...

— No tak. Nie ma wśród nas zbyt wielu, którzy nie są samolubni, kolego. Taka już nasza natura ludzka. Instynkt samozachowawczy. Musisz stawiać swoją osobę na pierwszym miejscu, gdyż nikt inny tego za ciebie nie zrobi.

— Tak, ale to... to takie niewłaściwe. Fakt, że taka jest ludzka natura, nie oznacza od razu, że to w porządku. Powinniśmy być w stanie wznieść się ponad to wszystko. Zwracać uwagę na innych ludzi.

— A więc, co w takim razie się stało? Co to było?

— Przedawkowanie.

— Samobójstwo?

Flint wzruszył ramionami.

— Nie ma jeszcze pewności.

Mężczyzna głośno westchnął.

— To niedobrze — rzekł. — To bardzo niedobrze. Ale nie może czuć się pan za to odpowiedzialny. Osoba, która posunęła się do czegoś takiego... cóż, musiała stoczyć się na samo dno, prawda? Nic nie da się zrobić, kiedy ktoś dotrze do końca liny.

— A właśnie, że się da. Zawsze da się coś zrobić. Nigdy nie słyszał pan tej historii o mężczyźnie na moście? I o tym drugim, który namówił go do zejścia?

— Tak, ale co się wydarzyło później? Oto właściwe pytanie. Powstrzymał go wtedy, ale kto, do diabła, wie, co się działo potem? Następnym razem, kiedy ten facet miał doła? I nie było nikogo, kto by z nim pogadał? A ta pańska przyjaciółka, czy ma pan pewność, że już kilka razy nie ocalił jej pan życia? Skąd pan wie, że nie powiedział miłego słowa w odpowiednim czasie, nie zabrał ją na drinka fatalnego wieczoru, nie dał czegoś, na co mogła czekać, kiedy zdawało się jej, że nic dobrego już jej w życiu nie czeka?

Flint wzruszył ramionami. Słowa tego mężczyzny nie były dla niego żadną pociechą.

— Miałem się nią opiekować — rzekł. — To była moja...
praca.

— Co? Dosłownie?

— Taa. Kiedyś. Wie pan, byłem jej ochroniarzem. Nie przez długi czas, nie przez lata, ale tak naprawdę nigdy nie opuściło mnie poczucie odpowiedzialności za nią. Wie pan, nie miała nikogo innego...

— Posłuchaj, kolego. Nie można być jednocześnie wszędzie. Nie da się ochronić ludzi przed wszystkim. Uwierz mi. Mam trójkę dzieciaków. I wiem, że nieważne, jak bardzo się chce kontrolować wszystko, ludzie i tak podejmują własne decyzje. Wszystko jest kwestią wyboru. Ludzie sami dokonują wyborów i inni nie mogą brać za nie odpowiedzialności.

— Taa — odparł Flint, tracąc cały impet, uderzając kwiatami w ramię i delektując się dotykiem jedwabistych płatków i łaskotaniem kłujących liści. — Taa. Może ma pan rację. Ale to ani trochę nie czyni snu lżejszym. Wie pan...

Mężczyzna przytaknął i uśmiechnął się.

— Taa — zgodził się. — Wiem.

— Ale dzięki. Za pogawędkę. Dzięki.

— Nie ma sprawy. W takim razie do jutra, kolego?

— Taa — odparł, mocniej uderzając kwiatami o ramię. — Do jutra.

Wsiadł z powrotem do samochodu i ruszył powoli w kierunku parkingu, a opony chrzęściły na sypkim żwirze. Zaparkował auto i ruszył przez cmentarz w stronę grobu Bee.

Rozdział jedenasty

Lol dotrzymała słowa i znalazła Anie pokój.

Może nie był on szczególnie ładny, ale — jak twierdziła jej nowa znajoma — mieścił się we właściwej części miasta, niedaleko Ladbroke Grove. („Zachód to jest to, zawsze to powtarzam" — takie były jej słowa).

Lol nie mogła pójść tam razem z Aną, ponieważ pracowała, ale narysowała jej szczegółową mapkę. Mieszkanie miało się mieścić w małym, nowoczesnym szeregowcu naprzeciwko stacji metra Latimer Road.

— Kiedyś należał on do władz lokalnych, ale nigdy byś tego nie powiedziała. A Gill utrzymuje w nim nieskazitelną czystość — stwierdziła.

Gill była dawną współlokatorką Lol, z którą mieszkała „całe pieprzone wieki temu". Była niska, chuda i ładna w taki jakiś sprany sposób. Miała wypielęgnowane włosy, brązowe z jaśniejszymi, popielatymi pasemkami. Nosiła parę tych grzecznych, małych dżinsów, w jakie zawsze ubierają się niskie, chude i nieefektowne kobiety, niebieskie japonki i pomarańczowy top z dżerseju ze złoto-czarną obwódką wokół dekoltu. W uszach miała proste, złote kolczyki, na małym palcu trójkolorową, rosyjską obrączkę i była nieumalowana. Wyglądała na jakieś trzydzieści lat.

— Tak naprawdę to w ogóle nie chciałam wynajmować pokoju, ale kilka miesięcy temu zostałam bez pracy, a teraz postanowiłam wrócić do college'u i ukończyć kurs psychologii. W tej chwili potrzebny jest mi więc każdy pens. Palisz? — Była Szkotką, miała słodki, dziecinny głosik i spacerowała dookoła z dłońmi wepchniętymi do kieszeni niczym mały chłopiec.

— Nie — odparła Ana, po czym się poprawiła — to znaczy tylko czasami i na pewno nie w domu, jeżeli tego nie chcesz...

— Ależ skąd. Chcę, byś paliła. Ja właśnie rzuciłam fajki i mam ochotę przynajmniej wdychać ich dym. Tak mi brakuje tego dymu. To jest kuchnia...

Mała, czysta, nowoczesna, z dużym oknem, wychodzącym na niewielki, uporządkowany ogród.

— A tak przy okazji, bardzo, ale to bardzo mi przykro z powodu twojej siostry. Była niesamowitą osobą. Nie mogę w to uwierzyć. Naprawdę nie mogę. A to jest salon...

Ściany w kolorze mięty, jasnopopielata podłoga, dużo półek z książkami, rodzinne fotografie, różnego rodzaju sportowe trofea, mały żółty futon*.

— I nie zostawić listu ani niczego. To musi być dla ciebie straszne. Tu jest toaleta...

Sosnowa deska klozetowa, wytłaczany papier toaletowy, chromowana szczotka do ubikacji, różowe rolety.

— A jak to przyjęła twoja biedna matka? Lol mówi, że od wieków ze sobą nie rozmawiały. Musi być zdruzgotana. To moja sypialnia...

Lawendowe ściany, łóżko z kutego żelaza, poduszki z haftem angielskim, pluszowe maskotki, rowerek treningowy, przyrząd do ćwiczeń wioślarskich.

— Zawsze jest dużo gorzej, kiedy odejdzie ktoś, z kim się miało nie pozałatwiane sprawy. Łazienka...

Wiktoriańska wanna z nóżkami w kształcie łap, porcelanowy

---

* Futon — ekologiczny materac do spania wypełniony warstwami surowej bawełny i obszyty płótnem. Zapewnia wyjątkowo komfortowe warunki snu.

nocnik, toaletka z sosnowego, nie lakierowanego drewna, różowe ręczniki kąpielowe, pojemniczki na soczewki kontaktowe.

— A to twój pokój...

Okazało się, że to najmniejszy pokój, jaki zdarzyło się Anie oglądać, ale był czysty i całkiem ładny, miał żółte ściany, pojedynczy zielony futon i bardzo wąską szafę.

— Wiem, że jest trochę mały, ale kilka lat temu przez jakiś czas mieszkała tutaj moja siostra i była bardzo zadowolona. I fajnie jest mieć futon na wypadek gości...

W głowie Any pojawił się obraz siostry Gill, urządzającej imprezę w tej klitce, zapraszającej masę ludzi, którzy pili poncz i siedzieli na jej maciupeńkim futonie. Z trudem powstrzymała się przed wybuchnięciem śmiechem.

— Jest słodki — rzekła zamiast tego. — Podoba mi się.

— Och i lokalizacja jest naprawdę bardzo dogodna. Tuż za rogiem masz Sainsbury's, a stację metra po drugiej stronie ulicy. Dojazd do centrum zabiera zaledwie parę minut. A kilka ulic stąd mieści się mała, świetna siłownia. I jeśli zostaniesz do następnego weekendu, to zobaczysz paradę uliczną. Znajdujemy się w samym jej środku, a atmosfera zawsze jest niesamowita. Na jak długo planujesz wynająć pokój?

Ana wzruszyła ramionami.

— Boże. Nie wiem. Myślę, że co najmniej tydzień.

— Dla mnie świetnie. We wrześniu wprowadza się tu lokatorka długoterminowa, więc nie mogłoby być lepiej. Więc... co o tym myślisz? Bierzesz to?

— Cóż, a ty chcesz, żebym wzięła?

— Pewnie. Każdy przyjaciel Lol jest moim przyjacielem. A wolę mieszkać z przyjacielem niż z kimś obcym. Czy jedyne sto funtów tygodniowo trafia ci do przekonania?

Ana omal się nie zakrztusiła i miała ochotę zawołać: „Sto funtów za taką klitkę? Chyba, kurwa, żartujesz!" Ale zamiast tego kiwnęła głową, uśmiechnęła się i rzekła:

— W porządku. Mam gotówkę.

— Świetnie — odparła z zadowoleniem Gill. — Załatwimy

to później, teraz spieszę się na siłownię. A potem umówiłam się na lunch z przyjaciółką. Wrócę pewnie dopiero wczesnym wieczorem, czuj się więc jak u siebie w domu! Och, a jeśli masz zamiar opalać się w ogrodzie, nie zakładaj niczego zbyt skąpego. Po drugiej stronie mieszka facet, który wyciąga kutasa i trzepie go, gdy tylko dojrzy kawałek kobiecego ciała. Tylko nie mów potem, że cię nie ostrzegałam. — Uśmiechnęła się szeroko, zachichotała, chwyciła swoją sportową torbę i opuściła dom z dźwięcznym: — Na razie!

Ana znalazła się sama w swoim nowym domu. Rozpakowała w pokoiku torbę, po czym powłóczyła się przez chwilę, oglądając trofea i medale Gill — wyglądało na to, że jest jakąś atletką. Potem wzięła do ręki jedno z czasopism, przenośny telefon i szklankę wody z kranu i wyszła do ogrodu.

Pismo nosiło tytuł „ES". Przekartkowała je. *Hoxton kontra Notting Hill* — głosił jeden z nagłówków. Pod spodem umieszczono zdjęcia bardzo chudych dziewcząt z postrzępionymi włosami i wyskubanymi brwiami, ubranych w wyjątkowo dziwaczne ciuchy i przyjmujących pozy, które wyglądały na bardzo niewygodne. Tekst głosił:

„Od światowego sukcesu *Notting Hill* Richarda Curtisa, światła sławy przygasły chyba nieco na ulicach W11. Różowy tynk i świece zapachowe, kaszmir i Patty Shelabargers, the Cross i Kate Moss przegrały wyścig na rzecz ponurych ulic Londynu EC1. Dziewczęta z Hoxton przejęły kontrolę nad londyńskim światem mody... pomyśl o zdartych obcasach szpilek i skarpetkach do kostek... pomyśl o bezkompromisowych fryzurach — pomyśl o Tracie, śpiewającej w 1983 *House that Jack Built*..."

Pomyśl: „Co za bzdety", dodała w myślach Ana. Po chwili uśmiechnęła się, gdy w wyobraźni układała podobny komentarz, dopasowując go do swego rodzinnego hrabstwa.

„...kobieta z Barnstaple przejęła kontrolę nad światem mody w North Devon... pomyśl o wygodnych butach i elastycznych rajstopach przeciwżylakowych... pomyśl o bezkompromisowym szamponie i odżywce... pomyśl o Ethel z *East Enders*, śpiewającej karaoke w 1983..."

Uśmiechnęła się do siebie i odłożyła gazetę na trawę. I wtedy poczuła, jak jej żołądek kurczy się z niepokoju. Nie mogła już dłużej tego odkładać. Musiała zadzwonić do matki. Odetchnęła głęboko, wyprostowała ramiona i wystukała numer telefonu do domu.

— Proszę — szeptała do siebie — nie odbieraj, proszę, nie odbieraj... Mamo — zaczęła, zwracając się do automatycznej sekretarki, i jednocześnie oddychając z ulgą. — To ja. Przepraszam, że wczoraj nie zadzwoniłam, ale byłam...

— Anabello!

Ana podskoczyła na dźwięk dochodzącego ze słuchawki przenikliwego głosu jej matki.

— W co ty, do diabła, myślisz, że się bawisz?

— Ja...

— Jesteś najbardziej bezużyteczną, najbardziej samolubną dziewczyną, jaką znam. Proszę cię, byś zrobiła jedną rzecz. Jedną jedyną. A ty i tak to knocisz. To jest naprawdę niedopuszczalne, Anabello, zupełnie niedopuszczalne. Zamartwiam się na śmierć. Chcę cię widzieć dzisiaj w domu, Anabello. Czy mnie słyszysz?

— Ja...

— Ani słowa więcej. Ani jednego słowa. Za półtorej godziny masz pociąg z Paddington. Chcę, byś się w nim znalazła.

— Ja...

— Ani słowa więcej. Wracasz do domu.

— Nie!

— Tak!

— Nie!

— Tak!

— Nie! Nie wracam do domu, mamo. Zostaję tutaj. Przynajmniej na kilka dni. Nie wracam do domu. Będziesz więc musiała przez jakiś czas sama sobie radzić. Rozumiesz? — Chwila ciszy dała Anie znać, iż jej słowa wywarły należyte wrażenie.

— Co masz na myśli, mówiąc, że zostajesz?

— Mam na myśli to, że wynajęłam sobie pokój i zostaję.

— Jaki pokój?

— W domu Gill. Jest koleżanką Lol. A Lol z kolei była najlepszą przyjaciółką Bee.

— A gdzie jest to mieszkanie?

— W Ladbroke Grove.

— Nigdy nie słyszałam o czymś takim. Jaka jest ta Gill?

— Bardzo miła. To Szkotka. Jest sportsmenką.

— Hmm. A ta Lol? — Wyrzuciła z siebie to imię niczym flegmę. — Co z nią?

— Lol jest... ona jest... — Ana bezwiednie się uśmiechnęła. — Ona jest niesamowita. Naprawdę zabawna, piękna, pewna siebie i umie śpiewać, i...

— Tak, tak, tak. Prawie już nie mam polenty, została mi zaledwie odrobina pasty do zębów, a jeżeli do jutra nie zasieję trawy, w przyszłym roku możemy się pożegnać z naszym trawnikiem. I jakbym nie miała się już o co martwić, prawie skończył się papier toaletowy i kuskus zresztą także. Przeżyję kilka dni, ale potem, cóż... Ale nie powinnam sobie wyobrażać, że ciebie choć odrobinę to obchodzi. A co ty, do diabła, tam w ogóle robisz?

Ana przygryzła wargę, nie wiedząc, czy powiedzieć mamie o tym, co się dzieje.

— Słuchaj, mamo. To wszystko jest trochę dziwne. Związane z Bee. Jedziemy więc na wybrzeże, by się dowiedzieć czegoś więcej o tym, co się wydarzyło...

— My?

— Tak. Ja, Lol i Flint.

— A kto to jest ten Flint?

— Inny znajomy Lol. Jeszcze go nie poznałam...

— Idiotyczne imię. Pasowałoby do jaskiniowca. W każdym razie wszystko dotarło. Wszystkie rzeczy Belindy. Dostarczyli je wczoraj po południu. Ale trochę się martwię, czy coś się przypadkiem po drodze nie zawieruszyło. Na przykład wszystkie meble Gregora. I jej pamiątki. Nie ma tego zbyt wiele.

— Nie, mamo. To wszystko, co było. Bee nie posiadała zbyt wielu rzeczy.

— No tak. A gazety? Co się dzieje z gazetami? Nadal niczego nie znalazłam, no wiesz, ani jednej wzmianki.

— Mamo — westchnęła Ana. — Przykro mi, że muszę ci to powiedzieć, ale nie sądzę, by kogokolwiek to obchodziło.

— Oczywiście, że obchodzi. Gazety mają dzisiaj obsesję na punkcie sław, jakichkolwiek sław.

— Tak, ale mamo, Bee nie była sławna.

— Ależ oczywiście, że była.

— Nie, mamo, ona była sławna kiedyś. Nikt nie dba o przebrzmiałe gwiazdy.

— Co? Nawet kiedy umrą?

— Nawet kiedy umrą.

— Och.

— Słuchaj, mamo. Ta rozmowa będzie kosztować fortunę. Muszę kończyć.

— Och. Rozumiem. Czy... Czy jeszcze do mnie zadzwonisz? Niedługo?

Ana poczuła, że mięknie, gdy z ukrycia wyszła żałosna, dziecięca natura jej matki.

— Oczywiście, że tak. Zadzwonię do ciebie.

— To dobrze. Bo naprawdę nie jestem w najlepszej kondycji. W związku z tą całą sytuacją. Czuję się, jakbym wszystko utraciła. Rozumiesz? Wszystko. A teraz ty także odeszłaś. A ja zostałam sama... zupełnie sama...

— Wrócę za kilka dni, mamo, ja...

— ...nie rozumiem zupełnie, jak mogłaś mi to zrobić. To przez to miasto. To zepsute miasto. Wciąga w siebie ludzi. Niszczy ich. To plac zabaw samego szatana. Ono jest... o Boże! Jestem taka samotna, Anabello. Zupełnie sama. Nie wiem, czy dam sobie radę. Nie wiem, co się ze mną stanie. Jestem przerażona.

Jestem tak bardzo, bardzo przerażona. Nie mogę w nocy spać, nie mogę...

— Weź tabletkę na sen, mamo. Po prostu weź tabletkę — westchnęła ze znużeniem Ana, gdy matka zaczęła zrzucać swoją surową fasadę i załamywać się. Zawsze to robiła. Zaczynała z ustami zaciśniętymi niczym ściągana na sznurek torba, wyrzucała z siebie słowa jak gorzkie, małe pestki, a potem, jeżeli to nie skutkowało, przywoływała na twarz rozpacz i zaczynała powtarzać, że jest bardzo samotna. Nie istniał stan pośredni. Nie było punktu, w którym Ana mogłaby się z nią zacząć porozumiewać w rozsądny sposób. Nie chciała tego wysłuchiwać. Nie musiała tego wysłuchiwać. Miała ważniejsze zmartwienia na głowie.

— Do widzenia, mamo.

— Nie. Anabello. Nie odchodź.

— Zadzwonię do ciebie za kilka dni.

— Nie! Nie! Poczekaj, nalegam... ja...

Ana oderwała słuchawkę od ucha, ale nie odłożyła jej tak od razu. Przez chwilę słuchała stłumionych odgłosów cichego płaczu Gay. I doskonale wiedziała, dlaczego jej matka płacze. Nie z powodu Bee czy Any, ale siebie samej. Ponieważ tak długo, jak Gay miała Anę u siebie w domu, siedzącą bezużytecznie w swoim pokoju, wtedy zawsze był ktoś gorszy od niej. A bez niepotrzebnej, zamkniętej w sypialni Any pozostawała tylko Gay, smutna i samotna stara kobieta, za bardzo nękana nerwicami, by wyjść poza mury swego domu, która sknociła wszystko, czego kiedykolwiek dotknęła, której nie mogły znieść własne córki i która teraz, po raz pierwszy w życiu, została zupełnie sama.

Ana wyobraziła sobie matkę tam, w jej doskonale urządzonym domu. Wyobraziła sobie głuchy odgłos lądującego na wycieraczce dziennika „Telegraph", który dostarczano każdego dnia dokładnie o dziewiątej rano. Wyobraziła sobie zapach miętowej herbaty Gay i ucięte czubki głów ludzi, przechodzących koło ich frontowego okna w drodze do mieszczącego się tuż obok sklepu papierniczego, i odgłos kościelnych dzwonów w niedzielę, przywiewanych razem z wiatrem z Saint Giles w Wood.

To wszystko już wydawało się obce, zaledwie po dwóch dniach nieobecności. I wtedy, gdy leżała sobie na kremowym leżaku Gill, delektując się słońcem, pomyślała o poprzednim wieczorze, o swych lśniących włosach i szpilkach z wężowej skóry, o szyfonowym topie i złotej kopertówce. Pomyślała o swoim silnym uczuciu wobec Lol i sposobie, w jaki wszyscy się na nie patrzyli, i o facecie, który podszedł i spytał, czy nie są przypadkiem modelkami. Pomyślała o wspieraniu się na ramieniu Lol i nocnej bryzie, o wspólnym chichotaniu i śpiewaniu na cały głos przeboju Groovejet *If This Ain't Lo-ove*, aż jakaś blondynka w satynowym staniku otworzyła okno i kazała im się, do cholery, zamknąć. Pomyślała o taksówce, która zawiozła je do domu o pierwszej w nocy, i kierowcy z Serbii o ogromnych, brązowych oczach, który pokazał im zdjęcia swoich małych córeczek i pięknej żony i wyjaśnił, że mieszka w schronisku razem z sześćdziesięcioma innymi mężczyznami, dzieli pokój z pięcioma, z których kilku każdej nocy zasypia z płaczem, i jakim on jest szczęściarzem, ponieważ zna angielski i posiada samochód. Pomyślała o opuszczeniu szyby w aucie i ciepłym nocnym powietrzu plączącym się w jej pełnych papierosowego dymu włosach, i obserwowaniu młodych mieszkanek Londynu z farbowanymi włosami, zataczających się po ulicach w dżinsowych kurtkach i bluzeczkach odsłaniających brzuch. Pomyślała o powrocie do mieszkanka Lol i przyglądaniu się, jak jej nowa przyjaciółka robi wielkiego, grubego skręta z marihuany i jakiejś mazistej, gryzącej trawy, na którą nigdy nie natrafiła w Devon, i o wypaleniu go, i słuchaniu razem z Lol jej taśm demo przy szeroko otwartych oknach, które wpuszczały do środka podmuchy ciepłego, miejskiego powietrza oraz okazjonalne odgłosy wydawane przez wracających do domu imprezowiczów. Pomyślała o tym, jak zaczęła mieć zawroty i przez kilka minut musiała siedzieć z głową nad ubikacją, nim znowu poczuła się normalnie, i jak Lol się śmiała, i przeżywała ją cieniasem, i powiedziała, że Bee wstydziłaby się za nią i że ona, Lol, ma zamiar ją zahartować.

A potem pomyślała o piątkowym wieczorze sprzed tygodnia. Pomyślała o wołającej ją na kolację matce i o spożywanym w milczeniu posiłku. Pomyślała o położeniu się do łóżka o dwunastej i wsłuchiwaniu się w odgłosy Torrington w piątkową noc — ciszę zakłócał jedynie przejeżdżający sporadycznie samochód. I pomyślała o tym smutnym uczuciu, o tym wrażeniu bezużyteczności i pustki, poczuciu, że już nigdy nie przytrafi się jej nic dobrego, które nie dawało jej zasnąć do pierwszej w nocy, i o tym, że nawet jej wtedy nie przeszło przez myśl, iż za tydzień znajdzie się tutaj. W Londynie. Na leżaku w ogrodzie w Ladbroke Grove. Że zamieszka z kobietą z Perthshire i będzie ją czekać przygoda, którą przeżyje z tyczkowatą, czarnoskórą piosenkarką i tajemniczym mężczyzną o imieniu Flint.

I na tę myśl Ana poczuła, że jej serce przepełnia radość i nagle zrobiła się niezwykle zadowolona. Zamknęła oczy i pozwoliła promieniom słońca całować całą twarz, podczas gdy odgłosy miejskiego życia — wysoki pisk taksówek, rytmiczny, głuchy odgłos odległego kontrabasu, donośne dudnienie piętrowych autobusów i krzyki dochodzące z pobliskiego boiska — sączyły się do jej świadomości niczym ścieżka dźwiękowa jakiegoś klasycznego filmu, który polecano jej od lat, ale który ogląda dopiero dzisiaj i zastanawia się, dlaczego tak długo z tym zwlekała.

— Bee — wyszeptała do siebie, gdy już uporządkowała wszystkie swoje uczucia i uświadomiła sobie, że brakuje jej już tylko jednego. — Szkoda, że ciebie tu nie ma.

Lol tego wieczoru znowu wyciągnęła Anę z domu. Wypiły kilka koktajli w odlotowym barze niedaleko cuchnącego kanału i hałaśliwego dworca autobusowego, pełnym modnie wyglądających ludzi. Dlaczego upierali się przy chodzeniu do lokali mieszczących się w tak paskudnych okolicach? Rozmawiały o Bee i o chłopaku Lol — który aktualnie zaszył się w domku w Kornwalii i stara się dotrzymać nieprzekraczalnego terminu oddania pisanej przez siebie książki o astrologii — a także o ich planach na następny dzień. Potem o dziesiątej Lol zamówiła dla nich taksówkę, upierając się, że ona i Ana powinny iść się przespać. Jutro czeka je wczesny początek dnia.

Kiedy Ana dotarła do domku Gill, pogrążony był on w ciemnościach. Zdjęła buty z wężowej skóry i powoli weszła na paluszkach na górę, do swojego maleńkiego pokoju. Gdy zbliżyła się do podestu zauważyła, że u Gill pali się jeszcze światło, a kiedy przechodziła obok drzwi do jej sypialni, usłyszała muzykę. I piski. I jęki. I odgłos ssania. I klapsy. I uderzanie.

Ana poczuła się delikatnie wstrząśnięta. Nie było, rzecz jasna, niczego szokującego w tym, że trzydziestojednoletnia kobieta uprawia seks w sobotni wieczór, ale z jakiegoś powodu Gill nie wydawała się należeć do tego typu osób. Są ludzie, których łatwo można sobie wyobrazić w łóżku z kimś innym, a innych po prostu nie i Gill zdecydowanie należała do tej drugiej kategorii. Wydawała się zbyt czysta, zbyt świeża, zbyt wysportowana, zbyt schludna. Stanowiła typ osoby, którą trudno sobie wyobrazić sikającą, puszczającą bąki czy też noszącą śmierdzące trampki.

Kiedy Gill wróciła po południu z lunchu, pogawędziły przez chwilę i Ana dowiedziała się, że jej gospodyni była kiedyś gimnastyczką. Reprezentowała Wielką Brytanię na olimpiadzie w Barcelonie i przed redukcją etatów pracowała jako osobisty trener w miejscowej siłowni. Kurs psychologii, który miała wkrótce rozpocząć, okazał się kursem psychologii sportowej (Ana zastanawiała się, o co takiego może w tym chodzić. „Mój trener od pływania nigdy mnie nie przytulał"?), a Gill dziewięćdziesiąt procent wolnego czasu spędzała na siłowni i pobliskim basenie. W jej lodówce pełno było napojów energetyzujących, jogurtów i świeżych owoców, a w sypialni rządkiem stało około dziesięciu par ślicznych, małych adidasów w rozmiarze trzydzieści pięć, z których żadna nie wyglądała na noszoną. Gill była zdrowa i wysportowana i reprezentowała sobą typ ludzi, którzy sprawiają, iż czujesz się przy nich jak wielki, cuchnący, niezdrowy potwór.

Dlatego właśnie Anie dziwaczny wydawał się pomysł, by

mogła ona robić coś tak prymitywnego, zwierzęcego i ogólnie niechlujnego i brudzącego jak uprawianie seksu.

Ana powoli nacisnęła klamkę w drzwiach do swojego pokoju, desperacko starając się nie wybić z rytmu Gill i jej kochanka. Otworzyła je, delikatnie zapaliła światło i już miała zamknąć za sobą drzwi, kiedy powstrzymał ją nagle odgłos męskiego śmiechu. Ponieważ nie był to śmiech jednego mężczyzny. Był to odgłos śmiejących się mężczyzn. Razem.

Gdy stała w bezruchu w drzwiach, nie wiedząc, gdzie podziać wzrok, nie wiedząc, co zrobić, drzwi sypialni Gill nagle się otworzyły na całą szerokość i pojawił się w nich zarys kompletnie gołego faceta. Wielkiego, czarnoskórego faceta. Z ogromnymi mięśniami. I lśniącym torsem. I udami tak potężnymi, że jego nogi nie łączyły się ze sobą. Miał ogoloną głowę i niewielką kozią bródkę.

— Cześć — uśmiechnął się promiennie do Any, kryjąc w dłoniach swoje cenne klejnoty. Jego głos był melodyjny, a uśmiech czarujący.

— Cześć — odparła speszona Ana.

— Przepraszam, ja... eee... nie wiedziałem, że w domu jest ktoś jeszcze. Ja tylko... eee... — Z zakłopotaniem wskazał oczami na łazienkę, po czym przemknął przez korytarz, a księżycowe światło odbijało się w jego idealnych pośladkach.

— O kurwa. Ana. Przepraszam. — W drzwiach pojawiła się owinięta w kołdrę Gill z potarganymi włosami, fajką w dłoni, tak urżnięta, jak jeszcze nikt wcześniej widziany przez Anę. — Boże. Cholera. Kurwa. Zapomniałam o tobie. — Zachichotała i zbliżyła się do drzwi. — To był Tony — wybełkotała — a to — przesunęła się w bok i wskazała gestem na łóżko ze zmiętą pościelą i leżącego na nim drugiego czarnoskórego faceta — to jest... jest... powiedz mi jeszsze rasz, jak masz na imię?

— Marcus.

— Marcus — powtórzyła, uśmiechając się i kołysząc na boki. — Słuchaj. Mam nadzieję, że ci nie przeszkadzaliśmy, Ana. To znaczy wiesz, nie jest ci teraz łatwo. Jej siostra umarła —

oświadczyła, odwracając się do łóżka i zwracając do Marcusa.

— Przedawkowała i umarła.

— Pierdolisz — odparł Marcus.

— Naprawdę. — Kołdra Gill zaczęła się nieco obsuwać i Ana nie wiedziała, gdzie podziać wzrok, kiedy nagle wyskoczyła spod niej mała, różowa brodawka. — Szłuchaj — kontynuowała, zaciągając się papierosem. — Powinnaś iść do łóżka. My już szkończyliszmy. Już nie będziemy przeszkadżać. Śpij dobrze, szłyszysz? — Podciągnęła kołdrę, podeszła na palcach do Any i złożyła na jej policzku mokrego całusa. — Branoc. Powiedz branoc, Marcus — ponownie odwróciła się w stronę łóżka.

— Branoc, Marcus — powtórzył Marcus.

Na co Gill wybuchnęła histerycznym śmiechem i zamknęła za sobą drzwi.

Rozdział dwunasty

Następnego ranka budzik Any zadzwonił o ósmej trzydzieści. Próbowała przekręcić się na drugi bok, ale jej plecy krzyczały w agonii. Nigdy wcześniej nie spała na futonie, ale zawsze sądziła, że jest on znacznie wygodniejszy niż normalne łóżko. Nic bardziej błędnego.

Usłyszała dochodzące z dołu odgłosy krzątaniny i nagle sobie przypomniała — zeszła noc — Tony — Marcus — brodawka Gill. Jezu. Czy to się wydarzyło naprawdę? Zsunęła się z łóżka i poszła po cichu do łazienki, ostrożnie rozglądając się w poszukiwaniu jakichś zbłąkanych, nagich mężczyzn, ale wszystko zdawało się wrócić do normalności. Poranne, sierpniowe słońce sączyło się przez nieskazitelnie czyste szyby, powietrze pachniało Ambi-purem i Mr Sparkle, a drzwi od sypialni Gill były szeroko otwarte, ukazując lśniące czystością białe, świeżo posłane łóżko.

Po orzeźwiającym prysznicu Ana nieufnie i ostrożnie zeszła na dół, gdzie ujrzała Gill: jej gospodyni włosy związała w sterczący radośnie koński ogon, jej ciało opinał nienaganny strój gimnastyczny Ellesse, piła właśnie coś, co miało złoty kolor, i tryskała energią niczym najzdrowsza kobieta na świecie.

— Dzień dobry! — rzuciła, gdy dostrzegła zbliżającą się Anę. — Soku? — spytała, podając jej dzbanek.

— Co to jest?

— Mango, kiwi, papaja, żółtka z jaj i miód — Gill radośnie wyliczyła na palcach składniki. — Najlepsze znane człowiekowi lekarstwo na kaca. Spróbuj, jest pyszne.

Ana kiwnęła bez słowa głową i przyjęła szklankę napoju.

— Są także bajgle. Świeżutkie. Skoczyłam po nie wcześniej.

Wcześniej? Wcześniej? Czy mogło być jeszcze wcześniej niż teraz? Ana miała wrażenie, że coś jej nie pasuje. Była dziewiąta rano. Zaledwie dziesięć godzin temu ta kobieta była pijana jak bela i uprawiała seks z dwoma facetami. A teraz jest już na nogach, kupuje bajgle, przyrządza sok i wygląda niczym najschludniejsza, najsłodsza, drobna nauczycielka wuefu, jaką można spotkać.

Przez chwilę Ana stała bez ruchu, czując się całkowicie zaszokowana. Przecież nie wymyśliła sobie zeszłej nocy? W łóżku Gill gościli dwaj mężczyźni? Gill paliła papierosa? Była zalana w trupa? Ana widziała jej brodawkę, prawda? Może Gill zupełnie sobie tego nie przypomina, może cierpi na zanik pamięci? Ale nie, z pewnością nie. Co innego zapomnieć, w jaki sposób trafiło się do domu, ale nie pamiętać miłosnego trójkąta? To po prostu niemożliwe.

— W każdym razie ja idę teraz na siłownię. Zobaczymy się później?

Ana już miała przytaknąć, ale wtedy nagle sobie przypomniała, że raczej nie zobaczą się później. Powiedziała jej o Broadstairs.

— Och, więc zawiezie was tam Flint, tak? Lepiej na niego uważaj.

— Co masz na myśli?

— Flint to bardzo niegrzeczny chłopiec. Nie daj się omotać temu olbrzymowi o łagodnym sercu. OK?

Ana niepewnie pokiwała głową.

— W takim razie w porządku. Do zobaczenia jutro. Bawcie się dobrze! — zaszczebiotała, po czym chwyciła swoją torbę i skierowała się do drzwi.

Ana dokończyła sok i nalała sobie jeszcze jedną szklankę. Gill miała rację. Okazał się przepyszny. Potem poczęstowała się rozkosznie ciepłym bajglem. Kleił się od roztopionego sera i był słony dzięki wędzonemu łososiowi, skórkę miał chrupiącą, a wnętrze idealnie lepkie. Pochłonęła go w kilku kęsach i sięgnęła po jeszcze jeden. Ana nie mogła sobie przypomnieć, kiedy ostatni raz jedzenie tak bardzo jej smakowało. Otworzyła kuchenne drzwi i poczuła na twarzy palące promienie porannego słońca. Zanosiło się na kolejny skwarny dzień.

Zabrała sok do siebie na górę i zaczęła się pakować na tę szczególną wyprawę, po czym wpadła w panikę, gdy zdała sobie sprawę, że skończyły się jej czyste majtki, i zaklęła, kiedy z dna torby wyjęła znaleziony w walizce Bee mały, srebrny aparat fotograficzny.

— Cholera — mruknęła. Zupełnie o nim zapomniała.

Wyszła na korytarz i zadzwoniła do Lol.

— Słuchaj — rzekła jej nowa przyjaciółka. — Nic się o to nie martw. Na końcu twojej ulicy jest takie miejsce, gdzie wywołują filmy w godzinę. Podrzuć to tam teraz, a odbierzemy później. I tak chciałam przed wyjazdem załatwić jeszcze jedną sprawę.

— Jaką sprawę?

— Nieważne — odparła Lol. — Będziemy u ciebie za jakieś dwadzieścia minut. Flint właśnie do mnie dotarł.

— No więc jaki jest w końcu ten Flint?

— Bardzo wysoki, bardzo spokojny i ma bardzo wielki samochód. Na razie wystarczy, dobrze? Do zobaczenia wkrótce.

Ana znalazła punkt fotograficzny, a także — ku swojej ogromnej radości — sklep ze wszystkimi artykułami po funcie, gdzie zaopatrzyła się w pięć par bawełnianych majtek. Była właśnie w połowie trzeciego bajgla i kolejnej szklanki soku Gill, kiedy przed domem rozległ się dźwięk klaksonu. Chwyciła torbę i pospieszyła do drzwi, gdzie zatrzymała się jak wryta, gdy spostrzegła największego mercedesa, jakiego zdarzyło się jej widzieć: granatowy, z przyciemnianymi szybami i dokładnie w połowie jakiś taki rozciągnięty. Był bardzo błyszczący i obrzydliwie ostentacyjny.

Z tylnego siedzenia wygramoliła się Lol, zdejmując z nosa parę wielkich okularów przeciwsłonecznych i szeroko się uśmiechając do Any. We włosy miała wetknięty kwiat słonecznika.

— Kochanie — przeciągała samogłoski ze sztucznie wytwornym akcentem — jak się masz? Wyglądasz po prostu bosko. Cmok. Cmok. Proszę, wsiadaj do auta.

Ana najpierw wrzuciła na siedzenia torbę, po czym weszła do środka za Lol.

— Och. Wow. Kurwa! — zawołała, rozglądając się po wykończonym mahoniem wnętrzu, podziwiając dyskretne oświetlenie, najróżniejsze przyciski i gałki. — Czy naprawdę pojedziemy tym?

— Aha. Lepiej się do tego przyzwyczaj.

— Wow. — Przesunęła dłonią po tapicerce z miękkiej skóry.

— Wow.

— To już trzecie wow, Lennard. Słyszałeś? — Lol popukała masywnym, diamentowym pierścionkiem w szklane przepierzenie. — Trzy razy wow. Ty może nie robisz już na kobietach takiego wrażenia, ale nadrabia to twój samochód.

— Ha. Ha. Ha.

Ana obserwowała, jak przyciemniane, szklane przepierzenie zsuwa się i ukazuje się tył męskiej głowy. Była to duża, lekko kwadratowa głowa na szerokiej szyi, którą podpierały rozłożyste ramiona. Porastały ją krótkie, gęste włosy w kolorze przybrudzonego blondu, gdzieniegdzie przetykane siwizną.

— Flint — Lol przysunęła się do przepierzenia. — To właśnie jest ta Sławna na Cały Świat Ana. Ana, to jest... eee... no cóż, to jest Flint.

— Miło wreszcie cię poznać. — Mężczyzna odwrócił się sztywno i posłał jej przelotny uśmiech. Miał głęboki i chrapliwy głos. A on sam był piękny. Ana przełknęła ślinę.

— Mnie także miło cię poznać.

— Strasznie, strasznie mi przykro z powodu Bee — dodał. Wzruszyła ramionami i uśmiechnęła się z przymusem.

— Mnie także.

— Flint pracował jako kierowca Bee w latach osiemdziesiątych, kiedy była sławna — poinformowała Lol.

— Ooo — odparła Ana. Przyjrzała się uszom Flinta. Były zadziwiająco delikatne jak na takiego krzepkiego faceta.

— W każdym razie — rzekł Flint, pochylając się, by znaleźć odpowiedni przycisk na desce rozdzielczej — dla mnie jest trochę za wcześnie na rozmowę, pozostawię więc to wam. Trzymajcie swoje buty z dala od tapicerki. A ręce od szampana. Popielniczki są w oparciach. I krzyczcie, jeżeli będziecie się chciały zatrzymać.

— Jasna sprawa, panie Flint — odparła Lol.

Po chwili przepierzenie powoli się podniosło i było prawie tak, jakby Flint w ogóle nie istniał.

Lol odwróciła się do Any.

— O rany — rzekła, a na jej twarz wypełzł uśmiech. — Spójrz tylko na swoje kolorki. Wyglądasz jak jakiś pieprzony burak. Ale zapomnij o tym, dobra? Ten gość może i ma minę świętoszka, ale to szczwany, stary lis. Nie daj mu się przypadkiem omotać.

— Jezu — rzekła Ana — dokładnie to samo powiedziała mi Gill. Kim on jest? Seryjnym mordercą?

— Nie — odparła Lol. — Nie seryjnym mordercą. Seryjnym popaprańcem.

— Nieważne. Mogę cię zapewnić, że nie jest w moim typie.

— Świetnie — stwierdziła Lol, podkulając pod siebie długie nogi, po czym zaczęła się bawić wysuwaną popielniczką na drzwiach. — W takim razie w porządku. Co my tutaj mamy? — Przejechała palcem po mahoniowym blacie niewielkiego stolika i pokazała go Anie. — Aha! Kolumbijska prima sort. — Do jej palca przykleiła się warstwa białego proszku. — Bez pudła — rzekła, wycierając go w dżinsy. — Jest tak za każdym razem, kiedy wsiadam do tego samochodu. Boże, nienawidzę tego towaru, naprawdę. Czy istnieje ktoś taki, jak gwiazda, która nie wącha koki?

— Gwiazda?

— Aha. W taki właśnie sposób pan Flint zarabia na życie. Wozi gwiazdy.

— Gadasz!

— Nie ekscytuj się tak. W połowie przypadków w ogóle ich nawet nie widzi. Musi jedynie sprzątnąć ich kokę i spermę i rzygowiny, kiedy już sobie pójdą.

— Uuu — skrzywiła się Ana.

— Właśnie — odparła Lol, odwracając się do okna. — Spójrz. Jesteśmy już na miejscu.

Ana wyjrzała przez okno. Zatrzymali się na poboczu brudnej drogi, przy której mieściły się warsztaty napraw, biura taksówek oraz piekarnie, parkując tuż obok dużego straganu z kwiatami.

— Gdzie my jesteśmy? — spytała Ana.

Lol wskazała oczami na wiszący powyżej szyld. Namalowane były na nim słowa: „Krematorium Zachodniego Londynu".

— Czy to tutaj…?

— Uhu — odparła Lol. — Pomyślałam, że może będziesz chciała się przywitać. I pożegnać.

Ana powoli skinęła głową. Zobaczy grób Bee. Wcześniej nawet o tym nie pomyślała.

Kupiła pęk pomarańczowych gladioli, a potem zastanowiła się, czy są to odpowiednie kwiaty. Dla nieżyjącej siostry. Albo też w tym przypadku dla nieżyjącej gwiazdy pop. Czy ktoś zostawił gladiole dla Diany? Nie zauważyła żadnych kwiatów tego gatunku przyczepionych do barierek i balustrad. Może były nie na miejscu? Takie kwiatowe faux pas.

— Są piękne — oświadczyła Lol. — Pomarańczowy był ulubionym kolorem Bee.

— Tak? — zapytała Ana. — Naprawdę?

— Aha — przytaknęła Lol. — Cóż, a na pewno jednym z ulubionych.

Dwie kobiety ruszyły w kierunku cmentarza.

— Flint nie idzie z nami? — zapytała szeptem Ana.

— Nie. On takie sprawy lubi załatwiać w pojedynkę, wiesz?

Tak naprawdę to Ana nie wiedziała, ale kiwnęła głową. Szły właśnie krętą, żwirowaną drogą, wysadzaną platanami i cyprysami. Promienie słoneczne pokrywały cętkami bujną, zieloną trawę. Widać było także kilkoro innych, ściskających kwiaty ludzi. Przed nimi rozpościerał się wielki cmentarz.

Chrzęst żwiru za ich plecami ostrzegł je przed zbliżającym się samochodem. Zeszły na trawę i obejrzały się. Kondukt pogrzebowy. Trumna ze stosem bukietów i wielkim wieńcem, na którym z kwiatów ułożone było słowo: mama. Lol przycisnęła dłoń do piersi i opuściła wzrok, stojąc w bezruchu, dopóki nie minęła ich cała procesja samochodów. Kiedy Ana ponownie na nią spojrzała, oczy jej przyjaciółki były wilgotne od łez.

— Sorki — pociągnęła nosem i otarła twarz. — Czasami budzi się we mnie uczuciowy gałgan.

Grób Bee znajdował się w części zachodniej, w cieniu jaworu. Leżała pomiędzy swoim ojcem i mężczyzną, który nazywał się Maurice Gum i który urodził się w Tobago w 1931 roku. Jej całym grobem była płaska, ułożona na równej linii z trawą marmurowa tablica, na której wyryto słowa wybrane przez matkę Any:

BELINDA OCTAVIA
BEARHORN
1964-2000
UKOCHANA CÓRKA I SIOSTRA
MILIONOM PRZYNOSIŁA RADOŚĆ SWOJĄ URODĄ,
TALENTEM I JOIE DE VIVRE
ZAWSZE BĘDZIE NAM JEJ BRAKOWAĆ

„Joie de vivre"?, pomyślała Ana. Czy nie jest to określenie, które do płyty nagrobnej pasuje nieszczególnie? Na grobie leżał niewielki bukiet luźno związanych, różowych róż.

— Jak sądzisz, kto je tutaj położył? — spytała Ana.

Lol wzruszyła ramionami.

Ana położyła swoje kwiaty tuż obok róż i zmiotła dłonią z płyty jakieś śmieci. Dziwnie się czuła. Wiedziała, że powinna myśleć teraz o Bee, ale tak nie było. Myślała o swoim ojcu. O tym, jak pędziła do szpitala Bideford General ze swego mieszkania w Exeter razem z Hugh, kiedy dostała telefoniczną wiadomość, i o tym, że dotarła akurat na czas, by się pożegnać, by mu powiedzieć, że go kocha, uścisnąć jego pokryte starczymi plamami dłonie, gdy wciąż jeszcze były ciepłe. Myślała o wizycie w zakładzie pogrzebowym razem z matką i wybraniu perłowej, marmurowej płyty, poprzecinanej różowymi żyłkami, złotych liter, słów. Płyty identycznej jak dla Bee. Wykonanej z tego samego materiału, na której tekst wyryto taką samą czcionką. Wybór jej matki. Gust jej matki. Matka Any miała znakomity gust. I wiedziała, co się jej podoba.

Poczuła łaskotanie pod powiekami. Lol uścisnęła jej ramię.

— Chcesz, żebym cię teraz zostawiła?

— Aha. — Ana przełknęła ślinę. — Tylko na chwilę.

— Spotkamy się w samochodzie.

Ana z pochyloną głową przysłuchiwała się cichnącym krokom Lol, oddalającej się żwirowaną drogą. I wtedy ramiona zaczęły się jej trząść, a z oczu popłynął cały strumień łez. Łez, których nie wypłakała na pogrzebie ojca. Łez, których nie mogła pokazać, ponieważ pogrzeb ojca zarezerwowany był dla jej matki.

Zasłabł w ogrodzie podczas wykopywania bulw hiacyntów — ironią było to, że tak pilnie przygotowywał się do następnego sezonu, podczas gdy miał nie przeżyć nawet tego dnia. Karetka zabrała go do szpitala Barnstaple General, ale zmarł tam dwie godziny później, czekając na operację bypassów. Miał osiemdziesiąt dwa lata. To była szybka i względnie mało bolesna śmierć, dokładnie taka, jakiej Bill zawsze dla siebie pragnął. Nigdy nie okazał się dla nikogo ciężarem, nigdy nieumyślnie nikogo nie zranił, nigdy się nie zapomniał, nie upokorzył ani nie skalał.

Podczas ostatnich kilku lat swego życia Bill zaczął się garbić i Ana zdążyła już zapomnieć, jak naprawdę wysoki był jej ojciec. Gdy przyglądała się, jak jego długa trumna jest podnoszona z karawanu przez sześciu silnych mężczyzn, poczuła się dziwnie dumna z jego wzrostu i — po raz pierwszy w życiu — odczuła także dumę ze swego tyczkowatego ciała, długich rąk i wielkich stóp, które odziedziczyła po Billu.

Ana od zawsze wiedziała, że jej ojciec umrze, podczas gdy ona będzie jeszcze względnie młoda, że nie zobaczy jej ślubu i swych wnuków, ale kiedy to się stało, i tak przeżyła ogromny wstrząs, który w połączeniu z szybko postępującą chorobą nerwową jej mającej obsesję na swoim punkcie matki, brutalnie zawrócił Anę z całkiem dotychczas udanej drogi życiowej. To znaczy, w miarę udanej, na którą składała się prowadząca donikąd praca w Tony's Tin Pan Alley, polegająca na sprzedaży pryszczatym szesnastolatkom perkusji i syntezatorów, wilgotne mieszkanie ze wspólną łazienką i sześcioletni związek z Hugh, wybitnie inteligentnym, ale czasami apodyktycznym facetem, z którym straciła dziewictwo. Ale odkąd utraciła swoją prowadzącą donikąd pracę, wilgotne mieszkanie i apodyktycznego chłopaka, wszystko w przeciągu trzech miesięcy, Ana nie zrobiła niczego, by ponownie naprowadzić swoje życie na właściwy tor. Zamiast znaleźć kogoś do opieki nad matką, poszukać sobie nowego mieszkania i nowej pracy, ona spędzała całe dnie w swojej sypialni, pisząc piosenki — banalne, sentymentalne, łzawe piosenki. Okropne piosenki. Pod łóżkiem miała ich pełne pudełka. Dziesiątki dziesiątek. Były tak beznadziejne, że nie mogła znieść ich widoku.

Kiedy nie była akurat w trakcie pisania koszmarnych piosenek, Ana czytała książki — zachłannie, dwie albo i trzy na tydzień — które wypożyczała z miejscowej biblioteki. Mogła się oszukiwać, wierząc, że się rozwija, doskonali swój umysł, ale pochłaniała jedynie kryminały. Patricia Cornwell. Ruth Rendell. P.D. James. Agatha Christie. A także książki o seryjnych mordercach. Jeffrey Dahmer. Dennis Nielsen. Charles Manson. Ted Bundy. Ed Gein. Jej matka uważała, że Ana „gustuje w makabrze", ale ją po prostu w sposób niepohamowany fascynowały stany umysłów i dusz ciemniejszych od jej własnej.

Ana nigdy nie należała do dziewczyn szczególnie towarzyskich ani ponad wszystko kochających zabawę. Szkolne raporty na jej temat przedstawiały ją jako zdolną, spokojną dziewczynę z niesamowitym talentem do komponowania muzyki, śpiewu i gry, ale sugerowały, że jej umiejętności nawiązywania kontaktów mogłyby zostać udoskonalone. Ludzie zawsze opisywali ją jako „nieśmiałą", „cichą", „pilną", „twórczą". Jednakże od śmierci jej ojca te przymiotniki przekształciły się stopniowo w: „dziwna", „osobliwa", „kuriozalna" i „cudaczna".

Mieszkanie z matką miało z tym wiele wspólnego. Ona i Ana tak diametralnie się różniły — pod względem wyglądu, kontaktów towarzyskich, stylu ubierania, intelektu — że nie potrafiły znaleźć żadnej wspólnej płaszczyzny. Bill od zawsze stanowił swego rodzaju zawór bezpieczeństwa między matką i córką — doskonale wiedział, co sprawia przyjemność każdej z nich — a bez niego dom na Main Street stał się zimny i nieszczęśliwy.

— O Boże, tato — wyszeptała Ana. — Tak bardzo za tobą tęsknię, tato, tak mi ciebie brakuje. — Jej ciałem wstrząsały teraz konwulsje, gdy łzy, których nie wypłakała, kiedy było jej to potrzebne, wreszcie znalazły dla siebie ujście. Zakrztusiła się nimi i cała się trzęsła. Przez dziesięć miesięcy kryła w sobie te wszystkie uczucia. Już dawno temu chciała się przełamać, ale Hugh kazał jej być silną, stwierdził, że pojawiła się doskonała okazja, by dorosnąć, by dojrzeć. Podczas gdy jedyne, czego pragnęła, to zwinąć się w kulkę w jego ramionach i pozwolić, by kołysał ją jak małe dziecko, on zmusił ją, by wszystko dusiła w sobie. I aby mu udowodnić, że potrafi być silna, że potrafi być dorosłą kobietą, Ana zrobiła to, co jej kazał. Wyrzekła się własnego żalu. A potem Gay zaczęło się pogarszać, więc przeprowadziła się z powrotem do rodzinnego domu, a tam nie było miejsca na uczucia czyjekolwiek poza tymi, należącymi do jej matki. Anie nie wolno było czuć — mogła jedynie opuszczać głowę i starać się nie urazić matki. Uświadomiła sobie teraz, że po raz pierwszy od śmierci ojca znajdowała się w pozycji odpowiedniej do... odpowiedniej do... — O Boże, tato — zaszlochała. — Co ja zrobię bez ciebie... nie rozumiem... jak mam teraz żyć bez ciebie?

Ana pozostała w takiej pozycji, z pochylonymi ramionami, bolącym brzuchem, opuszczoną głową i klęczała przez kolejne dziesięć minut, oczyszczając swoją duszę z bólu do czasu, aż na żwirowej ścieżce za sobą usłyszała kroki i wzięła się w garść. Głęboko odetchnęła, otarła z policzków łzy i odgarnęła włosy z twarzy.

I kiedy jej łzy zaczęły wysychać i znowu zaczęła wyraźnie widzieć, Ana przyjrzała się jeszcze raz płycie przy swoich stopach i nagle znalazła się w silnych objęciach największego, najbardziej przytłaczającego poczucia straty — nie tylko kogoś, kogo znała i kochała, ale także kogoś, kogo powinna była znać i kochać — i wyszeptała do Bee jedno zupełnie nieoczekiwane słowo:

— Wybacz.

Rozdział trzynasty

Flint zgniótł pustą torebkę po chipsach w niewielką kulkę i wcisnął ją do popielniczki tuż obok zmiętego opakowania po batonie Twix i kilku listków szarej, twardej gumy do żucia. Poszukał w kieszeni wykałaczki, a kiedy ją znalazł, wyczyścił szczeliny między zębami z resztek chipsów. Lol siedziała na tylnym siedzeniu, a Ana właśnie zbliżała się do samochodu. Cholera, ona jest wysoka. Bardzo wysoka. Wyższa od Lol, ponieważ miała na nogach płaskie, sznurowane buty, podczas gdy Lol zawsze paradowała na tych absurdalnie wysokich obcasach. I w niczym nie przypominała Bee. Tak właściwie, gdyby ktoś pokazał ci zdjęcie Bee i kazał opisać kobietę, która byłaby jej całkowitym przeciwieństwem, okazałaby się nią Ana. Nie w jego typie. Absolutnie nie w jego typie. Ale całkiem interesująca. Intrygujący był sposób, w jaki jej nos wystawał z twarzy prawie jak dzióbek, jak piękny, ale użyteczny dzióbek. A jej oczy miały fascynujący kształt — niczym małe, delikatne trójkąciki w niesamowitym, orzechowym kolorze. Prawie żółte. Długie, gęste rzęsy. I ani śladu makijażu. Flint podziwiał takie kobiety. Była także cicha i miała w sobie pewną godność. Nie tak jak Krzykaczka Lol i Jazgotliwa Gill. Flint lubił ciche kobiety — nigdy nie wiadomo, co się dzieje w ich głowach. Taki był właśnie problem z większością kobiet — przez cały pieprzony czas chciały mówić ci, o czym myślą.

Gdy Ana podeszła jeszcze bliżej, Flint dostrzegł, że jej oczy są zaczerwienione i przepełniło go uczucie zrozumienia, a sam także poczuł wilgoć pod powiekami. Pospiesznie odkaszlnął. W ciągu ostatnich trzech tygodni zdarzyło mu się płakać częściej niż w ciągu całego dotychczasowego życia. Wystarczy już tych łez. Opuścił przepierzenie i obejrzał się przez ramię.

— Możemy jechać?

Dziewczyny przytaknęły, więc zapalił silnik, wrzucił bieg i ruszył. Ana wyraźnie go intrygowała — ta dziwnie wyglądająca siostra Bee, z którą jego przyjaciółka rzekomo spędzała wszystkie weekendy, ale która tak naprawdę nie widziała jej odkąd skończyła trzynaście lat. Nie był jednak typem lubiącym wdawać się w pogawędki, włączył więc interkom, odwinął sobie listek gumy Wrigley's, wsunął go do ust i słuchał.

— Wszystko w porządku?

Pociągnięcie nosem.

— Tak. Przepraszam. Już w porządku.

Odgłos wydmuchiwanego nosa.

— Jaki on był, Lol? Pogrzeb Bee?

Krótka cisza.

— Była ładna pogoda.

— Ilu zjawiło się ludzi?

— Ja. Flint. Gill.

— Nikt więcej?

— Aha. Byliśmy dość zaszokowani. Sądziliśmy, że pojawicie się ty i twoja mama. Myśleliśmy, że przyjedzie więcej ludzi z domu. No wiesz, z Devon. Krewni. Przyjaciele rodziny. Zaprosiłabym innych, ale nie wiedziałam, kto jeszcze się zjawi. Sądziłam, że twoja matka wszystkim się zajmie…

— Ja chciałam przyjechać. Mama nie mogła, ale ja chciałam…

— Więc dlaczego tego nie zrobiłaś?

Krótka cisza.

— Chyba za bardzo się bałam.

— Bałaś? Czego?

— Bałam się przyjazdu w pojedynkę, bałam się Londynu,

bałam się śmierci, bałam się przyjaciół Bee, bałam się podróży pociągiem. No wiesz, po prostu się bałam.

— Ty głupia oślico.

Gorzki śmiech.

— Teraz żałuję, że nie przyjechałam. Teraz, kiedy już wiem, że nie ma się czego bać. Bardzo, bardzo żałuję, że mnie tutaj nie było. Tylko troje ludzi. To takie... straszne.

Kolejna chwila ciszy.

— No a co z Londynem? Tutejszymi przyjaciółmi Bee? Co z tymi wszystkimi ludźmi, których miała zapisanych w notesie z adresami?

Odgłos wzdychającej Lol.

— Posłuchaj, Ano. Twoja siostra. Była moją najlepszą przyjaciółką, to prawda. Naprawdę najlepszą przyjaciółką, jaką miałam na tym świecie. Zrobiłabym dla niej wszystko, a ona zrobiłaby to samo dla mnie. Ale — i proszę, nie zrozum mnie źle — potrafiła być naprawdę niezłą krową.

Siedzący za kierowcą Flint przytaknął i uśmiechnął się do siebie.

— Zwłaszcza na początku, kiedy była dużo młodsza. Pomiatała ludźmi, wykorzystywała ich. Była tak cholernie ambitna. I wiele osób wkurwiała. Nie chciałam przekopywać się przez jej notes z adresami i słyszeć, jak mi mówią, że nie przyjdą na pogrzeb Bee, ponieważ jej nie lubią, ponieważ ich zraniła. Rozumiesz?

Flint zniżył głowę ze zrozumieniem i omiótł wzrokiem chodnik. Lato — kochał tę porę roku. Dziewczyny. Odsłonięte ciała. Wszędzie.

— Więc jak to możliwe, że ciebie nie odepchnęła?

— Wiedziałam, jak z nią postępować. Taki właśnie problem miała Bee. Była naprawdę niezwykłą osobą, a większość ludzi po prostu niewłaściwie ją traktowała. Tłumaczyli jej zachowanie. Robili wokół niej mnóstwo zamieszania. Traktowali ją jak pieprzoną księżniczkę. Podczas gdy ona chciała być dla nich kimś równorzędnym. Kumpelą. Kimś, z kim można się pośmiać.

I, co ważniejsze, pragnęła kogoś, komu mogłaby zaufać. To było naprawdę ciekawe doświadczenie widzieć, co się działo z Bee, kiedy ukazał się jej pierwszy singiel i przez jedną noc stała się sławna, oj było. Sposób, w jaki nagle znikąd pojawiły się te wszystkie osy. Bzzz, bzzz. Plujki. Cuchnące, wielkie muchy. Rzygać się chce, jak się widzi tych wszystkich wyłażących zewsząd ludzi, którzy poczuli zapach pieniędzy. Czołgają się i traktują cię jak centrum pieprzonego wszechświata, tak jakby celem ich życia było twoje szczęście, twoja wygoda, spełnianie twojego każdego życzenia i zachcianki. A kiedy Bee przestała kosić kasę, żaden z nich nie dałby jej nawet pięćdziesięciu pensów na autobus. Rozumiesz, o co mi biega?

— Ale nie mogła przecież pokłócić się z całym światem?

Lol westchnęła.

— No dobra, Ana, tego akurat nie wiem. Jedyne, czego jestem pewna, to tego, że odkąd zmarł jej ojciec, widywałam ją tylko w pojedynkę albo z Flintem. Nigdy nie wspominała o nikim innym. A teraz, cóż, wychodzi na to, że nie ufała także i mnie.

— A więc chcesz mi powiedzieć, że nikt nie przyszedł na pogrzeb Bee, ponieważ nikt jej nie lubił?

— Tak to w skrócie wygląda.

Krótka cisza.

Szept Any:

— To takie straszne... wyobraź sobie, żyć na tym świecie przez trzydzieści sześć lat i mieć tylko trzech przyjaciół...

Wtedy spojrzenie Flinta przyciągnęła szczególnie dojrzała blondynka. Wysoka, atletycznie zbudowana, opalona, obcisła bawełniana sukienka, sportowe buty — sama wytworność. Kucyki. Prywatne szkoły. Cudnie. Flintowi wyjątkowo podobały się wytworne dziewczyny. I wyglądało na to, że im on także wyjątkowo się podoba. Zobaczyła, że Flint jej się przygląda i lekko się zaczerwieniła. Zaśmiał się cicho, odjeżdżając jednocześnie spod świateł.

— Flint. — Lol opuściła przepierzenie i nachyliła się do niego, prezentując jedną ze swoich min typu „jak mógłbyś mi się oprzeć, jestem taka urocza i mam właśnie zamiar poprosić cię o denerwującą cię przysługę".

— Ta-ak.

— Czy mógłbyś puścić nam z tyłu muzykę?

— Tak. — Westchnął i włączył radio. Groovejet. No a jakże by inaczej. Wszędzie, dokąd się udawał tego lata. Big Brother i ten pieprzony Groovejet.

Dziesięć minut później zatrzymał się przy punkcie fotograficznym na Latimer Road i obserwował, jak Lol i Ana razem wychodzą z samochodu i idą niczym para egzotycznych patyczaków, muzyka dudni z tyłu samochodu, a wszyscy zatrzymują się i patrzą na nie, zastanawiając się, kim one są. Flint westchnął i wierzchem dłoni otarł pot znad górnej wargi. Minutę później pojawiły się w drzwiach, przerzucały zdjęcia i wyglądały na zdecydowanie zbyt podekscytowane.

Lol rzuciła się na tylne siedzenie auta.

— Mamy zdjęcia! — zapiszczała tak głośno, że Flint musiał zakryć dłońmi uszy.

— Jezu, Tate — jęknął. — Uspokój się, dobra? — Wziął z dłoni Lol fotografie i zaczął je przeglądać. Ana wślizgnęła się na siedzenie obok kierowcy i zaglądała mu przez ramię. Pachniała domem Gill: płynem do zmiękczania tkanin i świeżą pościelą.

— Boże — wyszeptała Ana, gdy Flint przerzucał zdjęcia. — Bee wygląda tak... tak dorośle. I ma inną fryzurę. Zawsze myślałam, że ona nadal nosi czarnego pazia, tak jak kiedyś.

— Niee — odparła Lol, biorąc do rąk krążące zdjęcia. — Pozbyła się go, gdy skończyła trzydziestkę.

Gdy Flint przyglądał się fotografiom przedstawiającym Bee, przełknął ślinę i zaczęło go drapać w gardle. Na każdej fotce wyglądała pięknie i była, rzecz jasna, nienagannie ubrana. We włosy miała wetknięte świeże, tropikalne kwiaty, rozwinięte, białe kamelie i gałązki fiołkowej bugenwilli, najbardziej zaś zaskakiwało to, że wyglądała na absolutnie szczęśliwą. Nie pamiętał, kiedy ostatni raz widział ją tak radosną. Coraz szybciej przerzucał zdjęcia.

Bee na plaży.

Bee w restauracji.

Bee targująca się z handlarzem na bazarze.

Bee na moście.

Bee z bindi na czole.

Bee jedząca orzech kokosowy.

I wreszcie na kilka fotek przed końcem wyłoniło się zdjęcie mężczyzny. Cała trójka wstrzymała oddech. Lol zapiszczała:

— Omójboże, to facet! To pieprzony facet! — I wyszarpnęła mu zdjęcie z dłoni.

Czterdzieści kilka lat, prawie zupełnie siwe, krótko ostrzyżone włosy. Ubrany w długie spodnie, modne sandały i hawajską koszulę w jaskrawych kolorach, a na głowie odlotowe okulary przeciwsłoneczne, które ostatnio tak bardzo upodobały sobie gwiazdy pop. Siedział przed restauracją, trzymał jedną nogę założoną na drugiej, w klasycznej pozie odsłaniającej krocze, i wyglądał na lekko zagniewanego. Nie był ani szczególnie przystojny, ani brzydki. Wyglądał jak kapcan.

— Kto to jest? — zapytała niecierpliwie Ana.

Flint nachylił się i jeszcze raz przyjrzał zdjęciu, zanim ponownie zawładnęła nim Lol. Potarł zarośnięty podbródek.

— Nie mam pieprzonego pojęcia — westchnął. — Nie widziałem tego faceta na oczy. Może to po prostu jakiś koleś, którego poznała na wakacjach. Może zagadała do niego w restauracji i pstryknęła tę fotkę. Nie ma go na żadnej innej.

— Tak — odparła z niecierpliwością Lol — ale kto w takim razie zrobił resztę? Bee musiała z kimś tam być...

— Niekoniecznie. Bee nie krępowała się obcych. Mogła prosić przypadkowych ludzi, by robili jej zdjęcia.

Ana potrząsnęła głową.

— Nie — uznała. — Nie. Wygląda na zbyt... odprężoną, zbyt świadomą obecności osoby, która ją fotografuje. Spójrzcie, widać to w jej oczach...

— Co?

— Podekscytowanie. Albo coś w tym stylu. Zrozumienie. Miłość.

— To cała Bee — burknął cynicznie Flint. — Urodzona flirciara. I uwielbiała, jak się jej robiło zdjęcia.

— Popatrzcie! — rzekła nagle Ana, pukając palcem w zdjęcie Bee, głaszczącej na ulicy wyliniałego psa.

— Co?

— Pierścionek. Ten pierścionek — pokazała im diamentowy krążek, który miała na palcu. — Ma go na tych zdjęciach. Na palcu, na którym się nosi pierścionek zaręczynowy.

— A gdzie go znalazłaś?

— W jej szafie z ubraniami. W wewnętrznej kieszeni wieczorowej marynarki. Ma na palcu pierścionek zaręczynowy.

Flint ponownie potrząsnął głową.

— Była w Indiach, sama. Założyła go najprawdopodobniej ze względów bezpieczeństwa, by ludzie myśleli, że jest mężatką.

— A może to Zander! — zawołała Ana.

— Kim do diabła jest Zander? — zapytał Flint.

— Nie wiemy — odparła Lol. — Ale wygląda na to, że napisała dla niego piosenkę. Piosenkę o miłości. Ana znalazła ją w jej mieszkaniu.

Cała trójka przez chwilę siedziała w milczeniu, aż wreszcie odezwała się Lol:

— No dobra. — Poklepała się po udach. — Starczy tego gadania, weźmy się za robotę i jedźmy. Nie zniosę tej niepewności ani pieprzonej chwili dłużej.

Ana wślizgnęła się z powrotem na tylne siedzenie i ruszyli w stronę wybrzeża.

Rozdział czternasty

październik 1997

Bee zdjęła z głowy kask i przeczesała palcami włosy.

— Pani Wills. — Niewielki mężczyzna, który wyglądał trochę jak przerośnięte dziecko, wytoczył się ze swojego forda pumy i zbliżył się do niej z wyciągniętą dłonią. — Tony Pritchard. Nie miała pani problemu z trafieniem tutaj?

Bee położyła kask na siedzeniu motoru i uścisnęła jego dłoń.

— Absolutnie żadnego. Tak naprawdę to bardzo spodobała mi się ta przejażdżka.

— Dobrze. Dobrze. — Zaczął się rozglądać. — Czy spodziewamy się pani męża, pani Wills?

— Nie — uśmiechnęła się Bee, odpinając górę swojego kombinezonu. — Nie. Nie czuł się zbyt dobrze. Uznaliśmy, że będzie lepiej, jeśli zostanie w domu.

— Naturalnie. Naturalnie. Doskonale to rozumiem. A więc jest pani gotowa?

Ruszyła za nim w kierunku domu.

— Podjazd dla wózka inwalidzkiego — rzekł, pokazując go ręką. — Poręcze, jak pani widzi, przez całą drogę od bramy aż do domu. Czy pani mąż posiada jakąkolwiek... eee... władzę w nogach?

Potrząsnęła głową.

— Rozumiem. Rozumiem. Cóż, sądzę, że wszystko, czego

potrzebuje, jest w tym domu zainstalowane. Został on zaadaptowany na potrzeby damy dotkniętej paraplegią.

— Tak — odparła Bee. — Wiem.

— Jednak szczególnie zadowalające jest to, iż ta chora dama była także projektantką wnętrz. — Otworzył szeroko wejściowe drzwi, a Bee po raz pierwszy, odkąd podjęła decyzję, poczuła się w pełni przekonana, że postępuje właściwie. Wewnątrz było nawet ładniej, niż pokazywały to zdjęcia w agencji nieruchomości. Zamiast instytucyjnej, przesyconej zapachem linoleum atmosfery, której częściowo się spodziewała, domek okazał się stylowy i przytulny, a podłogi wyłożono kremowymi dywanami.

— Przy przerabianiu tego budynku na niczym nie oszczędzano i przemyślano każdy szczegół. Wszystko jest usytuowane na niskim poziomie, w każdym pomieszczeniu znajduje się przycisk bezpieczeństwa, a system ochrony to prawdziwy majstersztyk. Proszę za mną do kuchni. Myślę, że zrobi ona na pani wrażenie.

Bee udała się za nim.

— Poprzednia właścicielka przepadała za gotowaniem. Jej mąż także, zainstalowano więc to. Proszę spojrzeć. — Przesunął blat kuchenny Formica w górę i w dół po równoległych szynach przymocowanych do ściany. — I proszę popatrzeć na to. Nawet płyta grzejna ma regulowaną wysokość. Są dwa zlewy na różnych poziomach, a więc pani mąż nie będzie miał wymówki, by wymigiwać się od zmywania. — Zaśmiał się. — A teraz proszę za mną do ogrodu. Myślę, że uzna go pani za wyjątkowo rozkoszny.

Bee kiwnęła głową i zdusiła uśmiech. Ach ci agenci nieruchomości. Doprawdy. Jacy oni są? „Wyjątkowo rozkoszni". Czy on naprawdę spodziewał się, że Bee uwierzy, iż takiego języka używa na co dzień? Że gdy zje podany przez żonę obiad, mówi: „Dziękuję, kochanie — to było wyjątkowo rozkoszne"? Albo że podczas oglądania meczu w pubie rzuci do swoich kumpli: „Cóż — ten gol był szczególnie rozkoszny"? Bee spotkała w ciągu ostatnich kilku tygodni wystarczająco wielu agentów nieruchomości, by doskonale ich poznać — sposoby, w jakie starali się

154

ukryć swoje akcenty, otaczającą ich atmosferę sztywniackiego liceum, koszule w pastelowych kolorach, dyskretną złotą biżuterię, neutralne fryzury, dezodoranty Lynx. Paul. Dave. Phil. Steve. Tony. Mark. Mnóstwo Marków. Tak naprawdę większość Marków. Ten Tony nie okazał się taki zły, jak niektórzy. Nie był gruby. Ani przylizany. Nosił na palcu obrączkę i pewnie był dobrym mężem, pewnie miał parę małych dzieci i pewnie podlizywał się teściowej, która nawet teraz, po tylu latach, uważa, że jej córeczka mogła trafić znacznie lepiej.

— Czy ma pani dzieci, pani Wills? — zapytał, prowadząc ją do ogrodu.

Bee potrząsnęła głową.

— Ale mamy kota.

— Och. Uroczo. To jest naprawdę koci raj.

Bee rozejrzała się i podjęła decyzję. Natychmiast. To jest dom, jakiego pragnęła. Podjazd prowadził od tylnych drzwi i wzdłuż pokrytej żwirem ścieżki, która biegła przez zielony trawnik. We wschodniej części ogrodu rosło parę jabłoni, a na ich gałęziach wciąż wisiało kilka napęczniałych, upartych owoców. Trawnik otaczał półokrągły klomb z daliami, geranium, bratkami i fiołkami. Jarmarczne kwiaty. Jej matka nie cierpiałaby ich. Na zachodzie widać było panoramę przypominających szachownicę pól, a w oddali pojawiał się ciemny zarys morza, spienionego pod zasnuwającym się chmurami niebem. Obróciła się, by jeszcze raz przyjrzeć się domowi. Cukierkowo różowy i masywny, z białymi obramowaniami niczym gigantyczne, lukrowane ciastko. Potem odwróciła się do Tony'ego.

— Cudnie, prawda? — westchnęła, odgarniając z twarzy pasmo włosów.

— Olśniewająco — zgodził się. — Prawdopodobnie jedna z najpiękniejszych wiejskich posiadłości tego typu, jakie kiedykolwiek mieliśmy w naszej ofercie. Wszystkie te przeróbki zupełnie nie rzucają się w oczy. A jeśli chodzi o widok...

Oboje odwrócili się, by jeszcze raz mu się przyjrzeć, i popatrzyli w górę, gdy z nieba spadło kilka grubych kropli deszczu.

— Wejdziemy do środka?

Tony zabrał Bee na górę, pokazał jej windę przy schodach, wannę z ułatwionym dostępem, specjalną ubikację i spektakularny widok z okien sypialni, teraz z powodu deszczu nieco niewyraźny i zamazany. Na dworze było już prawie ciemno, gdyż niebo przysłoniły grube chmury, więc Tony włączył światło. Bee przeszła się po domu sama, pozwalając, by objęła ją w posiadanie jego przytulność. Spodoba mu się tutaj. Tutaj nie ma kompromisów. To nie jest smutne, sekretne, obskurne miejsce. Nie musieliby tutaj udawać, udawać, że są szczęśliwi. Tak naprawdę to mogliby tacy tutaj być. Pomyśleć tylko o Bożym Narodzeniu przed tym wspaniałym kominkiem, z porozwieszanymi wszędzie lampkami choinkowymi i płytami Binga Crosby'ego. Pomyśleć tylko o letnich popołudniach w tym ogrodzie, spędzanych na krzątaniu się, opalaniu, grze w frisbee. No cóż, może akurat nie w frisbee. Ale pomyśleć tylko, uznała Bee, pomyśleć o spędzonych tutaj chwilach. Razem. Tylko we dwoje.

— Chcę tego — oświadczyła Tony'emu, gdy zeszła ze schodów. — Chcę kupić ten dom. Chcę wyłożyć całą żądaną sumę. I chcę zapłacić gotówką.

Tony wstał, starając się nie wyglądać na zbyt podekscytowanego.

— Doskonale — rzekł. — Doskonale. Świetnie. I muszę przyznać, że to wyśmienita decyzja. Absolutnie wyśmienita. Cóż, w takim razie lepiej wróćmy do biura. Załatwimy formalności.

Obszedł dom, pogasił światła i odprowadził pod parasolką Bee do jej motoru. Gdy usiadła na nim okrakiem i włożyła na głowę kask, mężczyzna przyjrzał się jej uważnie, a na jego twarzy pojawił się uśmiech.

— Czy ktoś mówił pani kiedyś, że wygląda pani jak Bee Bearhorn?

Uśmiechnęła się.

— Jaka Bee?

— No wie pani, Bee Bearhorn. Ta piosenkarka z lat osiemdziesiątych. Z równo obciętymi włosami i czerwonymi ustami.

I'm grooooving, for Lon-don, for Lon-don, all night. — U-śmiechnął się znacząco, gdy skończył swoją żałosną interpretację jej jedynego przeboju.

Bee skrzywiła się i roześmiała.

— Nigdy o niej nie słyszałam — odparła. — Ale brzmi okropnie.

— Taaa — zachichotał Tony, kierując się w deszczu do swego samochodu. — Bo taka właśnie była.

Rozdział piętnasty

Kiedy już dotarli do Broadstairs, zaledwie pół godziny zajęło im odnalezienie domu Bee. Notka od agenta nieruchomości opisywała go jako „położony w odosobnieniu, niecały kilometr od czarującego, dickensowskiego wybrzeża". Zatrzymali się kilka razy i machali fotografią domu przed nosami ludzi, aż wreszcie ktoś rzekł: „Ach tak, rozpoznaję to miejsce" i wskazał im właściwy kierunek. A już całkowitą pewność, że dotarli pod odpowiedni adres, zyskali wtedy, gdy zatrzymali się przed domem i zobaczyli na podjeździe duży motor Bee przykryty brezentowym pokrowcem.

— Co on, do cholery, tutaj robi? — zapytał Flint, wysiadając z samochodu i idąc w stronę hondy.

Brezent pokrywała gruba warstwa brudu i martwych insektów. Flint strząsnął je i zaczął ściągać pokrowiec z motoru. Ana przyglądała mu się z zainteresowaniem. Po raz pierwszy zobaczyła go wyprostowanego i uznała, że Lol nie przesadziła. Był naprawdę potężny. Miał na sobie długie do kolan bojówki w kolorze khaki, szary T-shirt w serek i sandały zapinane na rzepy. Jego łydki rozmiarami podobne były do kantalup, a ramiona przypominały Anie stare rysunki Kenny'ego Everetta z siedzącym na czołgu amerykańskim żołnierzem. Poczuła ogromną chęć, by podejść i stanąć tuż przy nim, i po raz pierwszy przekonać się, jak to jest być kruszynką. Twarz miał przystojną, lecz pobrużdżoną. Było to oblicze mężczyzny, który nieco za dużo przeżył. Oczy miał ciemnoniebieskie jak u noworodka, a w rogu ust małą bliznę, która wyżłobiła na jego policzku niezamierzony, szelmowski dołeczek.

Był niesamowicie przystojny.

Jeżeli lubi się właśnie takich facetów.

— Masz kluczyki, Ano? — zapytał, odwracając się do niej, a ona się zaczerwieniła. Znowu. Cholera. By ukryć swoje zmieszanie, wsunęła szybko dłoń do plecaka i poszperała w nim niezdarnie, nasłuchując brzęku kluczy.

— Proszę. — Pomachała nimi i zaczęła się idiotycznie uśmiechać. Ten mężczyzna wprost nieprzyzwoicie emanował seksem. Roztaczał go wokół siebie. Pachniał nim. Równie dobrze mógł chodzić z półmetrową erekcją wystającą z czoła.

— W porządku. Chodźmy więc.

— Patrzcie — odezwała się Lol, kiedy stała tuż przy drzwiach wejściowych. — Co to, u diabła, jest? Czy nie przypadkiem podjazd dla wózka inwalidzkiego?

Przyjrzeli się uważniej.

— Hmm. A bo ja wiem.

— Na to wygląda.

— Może i tak.

Ana wsunęła klucz Yale do zamka i cała trójka odetchnęła z ulgą, kiedy drzwi otworzyły się, nie uruchamiając żadnego alarmu.

Zaczęli się rozglądać.

— Wow — orzekła Lol. — Tu jest uroczo.

I było. Milion razy przyjemniej niż w tym ponurym, starym mieszkaniu przy Baker Street. Ściany miały kolor ciepłych odcieni żurawin i śliwki, podłogi pokrywały kremowe dywany, a meble były dość zabawne: wielkie, różowe sofy i sztucznie postarzony, mahoniowy stół obiadowy, na którym ustawiono gotyckie lichtarze na trzech nóżkach. Sufit ozdobiono malunkiem przedstawiającym niebo i chmury, a zza wybujałych winorośli zerkał toskański zachód słońca, wymalowany na nierówno otynkowanej ścianie, udekorowanej kiśćmi plastikowych winogron. Dekoracje stanowiły także olbrzymie obrazy, z których każdy przedstawiał tylko jeden, bujny owoc: metrowej wielkości granat, wielkie, zniekształcone jabłko z cętkowaną, czerwono-zieloną skórką, żółtozielone, pełne pestek wnętrze włochatego kiwi. Na jednej ze ścian rozwieszono prawdziwą skórę tygrysa. Zwierzę nie miało głowy i wisiało z rozrzuconymi łapami. Z tynku wyrastały kandelabry. Żyrandole ze sklepu ze starzyzną opadały spod sufitu.

— To są meble Gregora — mruknął Flint.

— Co?

— To wszystko: sofy, obrazy, kandelabry, należało kiedyś do Gregora. Miał to w tym swoim mieszkaniu w Kensington. Stare podpory i fragmenty scenografii, a przynajmniej większość. Patrzcie. — Podniósł olbrzymi, gotycki lichtarz i pomachał nim nonszalancko. — Cyna.

— Cholera. Masz rację — przyznała Lol, rozglądając się. — Sądziłam, że pozbyła się tego wszystkiego podczas kolejnych przeprowadzek albo dała na przechowanie lub coś w tym stylu. Dobry Boże — dodała, wskazując na metalowe ustrojstwo przy schodach. — Tylko spójrzcie na to: pieprzona winda. Bee miała w domu pieprzoną windę. Jak sądzicie, kiedy w takim razie jej używała? Po kilku głębszych? Boże, to tak bardzo w stylu Bee. Już ją sobie wyobrażam, jak patrzy na schody i myśli: „Dziś nie mam ochoty iść, dziś będę sunąć..."

Ana znajdowała się teraz w kuchni, gdzie przyglądała się temu całemu dziwnemu wyposażeniu, przesuwanym blatom i zlewom na dwóch różnych poziomach. Na drewnianym stole leżał stos błyszczących książek kucharskich. W szafkach pełno było przypraw. Soja. Pieprz. Oliwa z oliwek. Sok z limonek. Piniale. Kminek. Suszone pomidory. I płatki śniadaniowe — całe tony płatków. Różne rodzaje Frosties i Golden Nuggets. Lodówka świeciła pustkami z wyjątkiem kilku jajek i ściśniętej tuby z pomidorowym purée. I nigdzie nie widać było shakera do koktajli ani butelki z tequilą. Ten dom krańcowo różnił się od mieszkania przy Baker Street.

Wypróbowała kolejny klucz i otworzyła drzwi do ogrodu. Był piękny. Bardzo funkcjonalnie urządzony i wypielęgnowany. W szopie w odległym kącie ogrodu Ana znalazła kosiarkę do trawy i rzędy niewielkich doniczek, rydle ogrodnicze i pikowane rękawice, sekatory, szpagat i kompost. Musiał korzystać z niej aktywny i pełen entuzjazmu ogrodnik — wyglądała dokładnie jak ta w domu, w ogrodzie Gay.

— Jezu Chryste! — Ana usłyszała za sobą ogłuszające wołanie Lol. — Czy ta dziewczyna może być jeszcze bardziej cholernie tajemnicza? Co to jest? — Wyciągnęła przed siebie bokserki, przyszarzałe, z cienkiego materiału i jakieś takie małe. — Na górze jest tego cała pieprzona szuflada. I powinnaś zobaczyć łazienkę.

— Dlaczego?

— Po prostu chodź i popatrz, dobrze? — Lol chwyciła dłoń Any i pociągnęła ją w stronę schodów. — Spójrz. Ana, w wannie są cholerne drzwiczki. O co w tym wszystkim, do diabła, chodzi? Drzwiczki. W wannie. I zwróć uwagę na wysokość spłuczki przy kiblu. No i te poręcze, popatrz tylko. Tutaj. I tam. I wszędzie te pieprzone przyciski. A przyjrzyj się jeszcze temu. — Lol wepchnęła Anę do niewielkiej sypialni po drugiej stronie korytarza. — Spójrz! — Pokój pomalowany był na niebiesko. Ściany ozdabiały plakaty Radiohead, z *Buffy — Postrachu Wampirów* i *Z Archiwum X*. Znajdował się tu jeszcze telewizor i sprzęt grający, a także wielka komoda z sosnowymi szufladami o grubych uchwytach. I olbrzymie, białe i nieco szpitalnie wyglądające łóżko, stojące tuż przy wykuszowym oknie.

— Co to, do diabła, ma wszystko znaczyć, Ana? Bee mieszkała z Christopherem Reevesem* czy co?

Do sypialni wszedł Flint, znacznie bardziej ożywiony, niż Ana widziała go dotychczas.

---

* Christopher Reeves — aktor amerykański, który po upadku z konia uległ częściowemu paraliżowi.

— To wszystko jest cholernie dziwne. Popatrzcie, co znalazłem w szafie Bee.

— Niemożliwe — Lol aż zabrakło na chwilę powietrza.

Flint trzymał przed sobą parę adidasów. Adidasów.

— Aha — odparł. — A popatrzcie na to. — W drugiej ręce miał bluzę sportową. Bluzę, która z przodu była ubłocona.

— No dobra — stwierdziła Lol, opadając na fotel. — Teraz jestem już porządnie wystraszona. Wtargnęliśmy do Strefy Mroku, zdajecie sobie z tego sprawę? Znaleźliśmy się w *Opowieściach* cholernie *niesamowitych*. Od tego wszystkiego rozbolała mnie głowa.

Cała trójka na chwilę zamilkła.

— To jest przecież dom Bee, prawda? — spytała wreszcie Lol.

Flint i Ana przytaknęli.

— W porządku — rzekł w końcu Flint, klepiąc się w swoje wielkie-jak-golonka-od-szynki-norfolskiej uda swymi pięć-kiełbasek-na-talerzu dłońmi. — Myślę, że każdy powinien zająć się innymi pomieszczeniami i przeczesać je w poszukiwaniu czegoś dziwnego. Za jakąś godzinę spotkamy się na dole i przyjrzymy naszym znaleziskom. OK?

— OK.

Anie przypadły w udziale sypialnie, Flint zajął się salonem i garażem, a Lol łazienką, kuchnią i szopą w ogrodzie. Przez godzinę żadne z nich nie odezwało się ani słowem. Zamiast tego dom wypełniało trzeszczenie desek podłogowych, odgłos spłukiwanej co jakiś czas wody w ubikacji i ogólna krzątanina. To była dziwna godzina, podczas której Ana ponownie szperała w bieliźnie Bee, jej książkach i płytach, dotykała jej ubrań i przerzucała przybory toaletowe. Ale dziś było inaczej niż podczas porządkowania mieszkania przy Baker Street. W czwartek siostra była dla niej kimś obcym. Z wyjątkiem chwili, kiedy stała i wpatrywała się we włosy łonowe Bee na wannie, jej działaniom towarzyszyło niepokojące odrętwienie. Ale zaledwie trzy dni później wszystko się zmieniło. Ana czuła, że zrzuciła z siebie ciężar, zwłaszcza po wypłakaniu się przy grobie Bee, i teraz każdy przedmiot, każda rzecz przepełniała ją jakąś magiczną, desperacką żałością i wzruszeniem. A Bee rosła w jej świadomości z każdą chwilą, przekształcając się z dwuwymiarowej, kartonowej postaci w człowieka z krwi i kości. Otworzyła szufladę w nocnym stoliku i przeczesała dłonią jej zawartość: wsuwki, jedna z przyczepionym do niej czarnym włosem, elastyczne opaski na włosy, pigułki na sen, zmięte chusteczki, cążki do paznokci, zdjęcie Gregora. W szafie Bee znajdowały się ubrania, ale były to zwyczajne ciuchy: dżinsy, swetry, długa dżinsowa spódnica, buty na płaskim obcasie, a nawet ciepła bielizna.

Dokładne przeszukanie sypialni Bee niczego nie ujawniło, więc Ana przeszła przez korytarz do niebieskiego pokoju. Unosił się w nim taki jakiś stęchły zapach. Nic przyprawiającego o mdłości, po prostu woń nieco zbyt długo nie zmienianej pościeli. Tak, jak na ogół pachnie w pokoju nastoletniego chłopca. Bo to był pokój nastoletniego chłopca. Na podłodze znalazła porozrzucane skarpetki, pod łóżkiem leżały adidasy, wszędzie walały się płyty bez pudełek, a na telewizorze stały brudne kubki. Ana otworzyła szuflady i odkryła kolejne pary najzwyklejszych slipek plus różne części męskiej garderoby, zwyczajne i nieszczególnie modne: stare T-shirty, dżinsy, bezkształtne bluzy.

Majstrowała chwilę przy łóżku, pociągając za różne dźwignie, aż nagle przekręciło się prawie pionowo, strasząc ją przy tym nie na żarty.

— Jezu — mruknęła, przykładając dłoń do piersi. Dowody stawały się coraz bardziej wyraźne i oczywiste. Podjazd dla wózka inwalidzkiego, dziwaczna wanna, winda i te oto hydrauliczne łóżko — kto może mieszkać w takim domu?

Usiadła na brzegu łóżka i przeszukała szufladę w nocnym stoliku. Puste etui do okularów. Martwa mucha. Kalkulator. CD-rom. Na blacie leżało kilka książek: *Teorie spisku — tajemnice i siły w Ameryce*, *Kwestia Marsa — plan zasiedlenia Czerwonej Planety i dlaczego tak trzeba* oraz *Apollo 12: raporty misji NASA*. W szafce poniżej znajdowały się podręczniki zatytułowane:

Zastosowanie elementarnej algebry liniowej, Matematyczne wzory i tabele Schauma, Stosowane statystyczne modele liniowe. Kilka leżących obok zeszytów zapisanych było wzorami matematycznymi, które wyglądały zbyt technicznie i skomplikowanie, by chciała się bawić w ich odczytywanie. A pod spodem wciśnięta była książka z ćwiczeniami z wydrukowaną naklejką, na widok której Ana głęboko wciągnęła powietrze: „Zander Roper, klasa VI".

Zander.

Ten sam Zander, dla którego Bee napisała piosenkę.

On nie był mężczyzną. To dziecko. Przycisnęła książkę z ćwiczeniami do piersi i zbiegła na dół.

Cała trójka usiadła bez słowa w salonie w otoczeniu zbieraniny zasadniczo odmiennych i eklektycznych przedmiotów. Sprawiało to wrażenie, jakby grali w jakąś niezwykle surrealistyczną i posępną grę towarzyską. Choć raz nawet Lol się nie odzywała.

Lol znalazła kilka książek z pozaginanymi rogami na temat obserwowania ptaków, lornetkę, cały stos lekarstw na receptę, stertę plastikowych prześcieradeł i kilka następnych zeszytów z wzorami matematycznymi. A Flint przyniósł parę akwarel, namalowanych bezpośrednio w bloku grubego papieru rysunkowego. Akwarele przedstawiały ogród, krajobraz, dom i Bee. Bee opalająca się na leżaku, Bee przy kuchennym stole, Bee śpiąca przed kominkiem.

— Jezu — odezwała się Lol, biorąc do rąk jedną z nich. — Są po prostu piękne. Po prostu nieskończenie piękne.

Pozwoliła opaść kartce papieru na podłogę i oparła głowę na dłoniach, głośno przy tym wzdychając.

— No cóż — rzekła. — Teraz wszystko jest już cholernie i krystalicznie jasne, no nie? Bee spędzała każdy weekend na przestrzeni ostatnich trzech lat z nie kontrolującym czynności fizjologiczne, obserwującym ptaki matematykiem o imieniu Zander, który leciał na Gillian Anderson i malował jak Michał Anioł. Och, i napisała także dla niego piosenkę miłosną. Jasne. Wszyst-

164

ko zaczyna się cholernie zgadzać. Jest tak jasne jak pieprzone North Circular w godzinach szczytu... Jezu...

— Czy myślisz...? — zaczęła Ana, mając zamiar wypowiedzieć na głos najbardziej oczywiste ze wszystkich możliwych pytań.

— Nawet tego nie sugeruj, Ana — przerwała Lol, używając dłoni, by podkreślić swoją konsternację. — Nawet nie chcę o tym myśleć. Jeżeli ten dzieciak, ten Zander był jej synem, wtedy zamienia to ostatnie piętnaście lat mojego życia w kompletny chaos. Jeśli miała dziecko i nie powiedziała mi o tym, w takim razie niczego już na tym świecie nie rozumiem...

Flint wstał i przeciągnął się. Zatrzeszczały mu kości i Lol zamrugała oczami.

— A ty dokąd się wybierasz?

Sięgał właśnie po kluczyki do samochodu.

— Do pubu.

Lol przewróciła oczami.

— To typowe. Przejechaliśmy całą tę drogę do Broadstairs, dowiedzieliśmy się, że nasza najlepsza przyjaciółka wiodła cholerne, sekretne życie, mamy jeszcze tyle do zrobienia, a ty wybierasz się do pieprzonego pubu!

Flint przewrócił oczami i spojrzał na Lol.

— Może przestałabyś choć na sekundę ujadać i pomyślała trochę. Chociaż ten jeden raz, Tate.

— W porządku, Lennard. Przestałam. Myślę. I... eee... wybacz, ale nic nie przychodzi mi do głowy. Tylko to, że ty jesteś jak pieprzony, odwodniony gołąb, jeżeli chodzi o knajpy.

Flint westchnął.

— Mamy niedzielę, porę obiadową. To jest niewielka wioska. A co robią ludzie w niewielkich wioskach w niedzielę w porze obiadowej?

Ana kiwnęła głową i uśmiechnęła się.

— Idą do pubu.

— Właśnie, Ano, idą do pubu. A co jeszcze robią ludzie w niewielkich wioskach?

— Uprawiają seks ze swoimi siostrami — prychnęła Lol.

— Oprócz tego.

— Ze swoimi psami?

— Plotkują, Tate. Oni plotkują. Ktoś musiał coś widzieć, coś wiedzieć. A więc idziecie?

Lol westchnęła i wstała.

— Dobrze, już dobrze. Zróbmy to. Ale zrozum, że naprawdę będą się na nas gapić. Calutki pub zamilknie w chwili, gdy wejdziemy do środka, każda osoba odwróci się i zmierzy nas obojętnym spojrzeniem, mającym na celu przegonienie nas z miasta, a jedynym dźwiękiem, jaki usłyszymy, będzie tykanie zegara nad barem. Jesteśmy nie tylko obcymi, ale trójką bardzo wysokich obcych, którzy pojawią się w długiej limuzynie z przyciemnianymi szybami. I jedno z nas ma czarną skórę. Na pewno uznają, że jesteśmy gangsterami i wezwą szeryfa. OK?

Flint i Ana kiwnęli głowami.

— OK. W takim razie chodźmy.

We wsi znajdowały się trzy puby, który to fakt nieco ich zdeprymował. Dwa z nich były w zasadzie restauracjami z parkingami i ogródkami piwnymi, po których biegały dzieci, skierowali się więc w stronę Bleak House, małego, pomalowanego na kremowo pubu z firankami w oknach. Flint zaparkował mercedesa na chodniku, a kilkoro mijających ich mieszkańców wsi zatrzymało się i przyglądało mu z zainteresowaniem.

— Widzisz — syknęła Lol. — A jeszcze nawet nie wysiedliśmy z tego chamskiego samochodu. O rany, szkoda, że nie ubrałam się w coś innego. — Obciągnęła swój krótki, bawełniany top i zsunęła okulary przeciwsłoneczne z czubka głowy na nos. Ana przyglądała się jej ze zdziwieniem. Lol była zdenerwowana. Nieustraszona, wyszczekana, ekstrawertyczna Lol się denerwowała.

Zauważyła spojrzenie Any.

— Czego?

— Nic — odparła Ana. — Nic takiego. Tylko że jeszcze nie

widziałam cię wyglądającej tak... nieswojo. Nie sądziłam, że obchodzi cię, co myślą o tobie inni.

— Taa, no cóż. Obchodzi mnie. W każdym razie poza Londynem. To te małe miasteczka. Nienawidzę ich.

— Dlaczego?

Lol wzruszyła ramionami.

— A bo ja wiem. Pewnie dlatego, że sama z takiego pochodzę.

— Sądziłam, że jesteś z Leeds?

— Taa, z małej miejsciny tuż pod Leeds. Wystarczająco źle być tam czarną. Ale być czarną, chudą i wysoką to piekło.

— Naprawdę? — zdumiała się Ana. Z trudem przychodziło jej wyobrażenie sobie, że Lol nie zawsze była pewna siebie i piękna.

— A tak. Spotkała mnie cała masa gówna.

— Jakiego gówna?

— Och, no wiesz. Dzieciaki. Komentarze. Wyzwiska na ulicy. Tego rodzaju rzeczy.

Ana przytaknęła ze zrozumieniem.

— Mnie też się to przydarza — szepnęła. — Komentarze. Spojrzenia.

— Tak — rzekła Lol. — Zauważyłam to w tobie, kiedy ujrzałam cię po raz pierwszy. Wtedy zobaczyłam w tobie siebie.

— Co chcesz przez to powiedzieć?

— No cóż, nie zawsze byłam tak cholernie olśniewająca. To znaczy, te soczewki kontaktowe nie są jedynie dla szpanu — bez nich jestem praktycznie ślepa, a kiedy wyjechałam z domu, nosiłam okulary ze szkłami jak denka od butelek i miałam na głowie to cholerne afro, które zbierałam z tyłu w kucyk. No i makijaż! Powinnaś była mnie wtedy zobaczyć. Chodziłam do Woollies i kupowałam podkład dla białych dziewczyn, niebieski eye-liner i tym podobne, starając się upodobnić do lady Di. No i jeszcze ten róż! Jaskrawy, cholernie różowy. Wtedy naprawdę nie wiedziałam, kim do cholery jestem. A potem przyjechałam do Londynu i wpasowałam się tutaj. Mogłam sobie być, kim mi się żywnie podoba. Dlatego tak bardzo kocham to miasto. W Londynie mogę żyć. Kapujesz? Mogę wyglądać tak dziwacznie, jak tylko mam ochotę, i zawsze znajdzie się ktoś, kto będzie wyglądał jeszcze dziwniej. Mogę być tak głośna, jak tylko sobie zamarzę, i zawsze się znajdzie ktoś głośniejszy. Mogę być tak wysoka, jak mi się tylko podoba, i zawsze się znajdzie ktoś jeszcze wyższy. Z drugiej jednak strony, zawsze się także znajdzie ktoś bogatszy, ładniejszy, szczęśliwszy i milszy. Ale i tak nikogo to nie obchodzi. Jedyną prawdziwą walutą w Londynie, Ano, jest sława. Jedyne, co może sprawić, że jeden londyńczyk przyjrzy się drugiemu z jakimkolwiek zainteresowaniem, jest sława. I nawet wtedy stara się nie pokazywać, że jest pod wrażeniem. Stara się udawać, że niczego nie zauważył. Ale tutaj — odwróciła się i wyjrzała przez okno — każdy, kto jest w jakiś sposób inny, już jest sławny. Mówi się o nim, gapi na niego, zwraca uwagę. A ja tego nienawidzę. Naprawdę tego nienawidzę.

— Czy istnieje szansa, że wy dwie wyjdziecie dzisiaj z samochodu? — zapytał Flint, a w oknie pojawiła się jego wielka głowa.

Lol odetchnęła głęboko, odwróciła się do Any i uśmiechnęła.

— Udawaj, że jesteś Madonną. Ja zawsze staram się robić właśnie to. Udawaj, że jesteś Madonną, a wtedy nie ruszą cię żadne spojrzenia.

Zgodnie z przewidywaniami wszyscy w pubie milczeli, kiedy Lol, Ana i Flint weszli do środka. Jednakże znajdowało się tam tylko czworo ludzi i nie wyglądało na to, by wcześniej ze sobą rozmawiali. Barmanka, młoda, na oko osiemnastoletnia dziewczyna, patrzyła na nich z zainteresowaniem, gdy zbliżali się do baru. Wyraz jej twarzy mówił im, że nie traktuje ona trójki obcych jako zagrożenia, ale jako szansę na przeżycie czegoś niezwykłego. A jej twarz ożywiła się jeszcze bardziej, kiedy Flint otworzył usta i posłał jej jeden z tych swoich elektryzujących uśmiechów.

— Cześć — uśmiechnęła się szeroko w odpowiedzi, a jej okrągłe piersi wyraźnie się powiększyły pod obcisłą bluzeczką z lycry, na której złotymi literami wyszyto: Angel. — Co mogę wam podać?

— Patrz — szepnęła Lol, dając Anie sójkę w bok. — Flint zaraz się rozkręci. Podaj mi wiadro...

— Poproszę dużego exporta, a moje dwie przyjaciółki życzą sobie... — Odwrócił się do Lol i Any i uniósł brwi w stylu Rogera Moore'a.

— To samo — rzekła Ana.

— A dla mnie wódka z żurawinami — dodała Lol, przyjmując dziwny akcent, coś w stylu Joanny Lumley.

— Och. Przykro mi. Nie mamy żurawin. — Twarz dziewczyny pobladła z rozczarowania, po czym nieco się rozjaśniła. — Ale mamy czarną porzeczkę.

— Co, sok z czarnej porzeczki?

— Tak. Nie. Nie jestem pewna. Zaraz się spytam.

Pomknęła na zaplecze, a Flint posłał Lol surowe spojrzenie.

— Oj, Scary Spice*, zostaw w spokoju tę biedną dziewczynę.

— Proszę mi wybaczyć, sir Flint — odparła Lol, dusząc chichot i ponownie dając Anie kuksańca w bok.

— Angel, czy tak właśnie masz na imię? — Flint wskazał wzrokiem jej bluzeczkę.

Lol spojrzała na Anę i uniosła brwi.

Barmanka zachichotała i zaczęła nalewać piwo.

— Nie — rozpłynęła się w uśmiechu. — Mam na imię Louise. Ale przyjaciele mówią na mnie Lou.

— No więc, Lou, czy jesteś stąd?

— Niestety — westchnęła. — Mieszkam tu od urodzenia.

— Trochę nudnawo?

— Można i tak to ująć. — Postawiła pełen kufel na barze i zaczęła nalewać drugi. — Mieszkanie tutaj czasami przypomina *Noc żywych trupów*.

— A ty co robisz? Tutaj? Coś się czasem dzieje?

— Niee. Nic. Jeżeli już dzieje się coś ciekawego, to na nadmorskim bulwarze, ale to i tak naprawdę rzadko.

---

* Scary Spice — Melanie Brown, członkini brytyjskiego zespołu Spice Girls.

— A więc jeśli w okolicy miałoby się zdarzyć coś niezwykłego, ty zwróciłabyś na to uwagę?

— O tak. Zdecydowanie.

Flint ponownie uśmiechnął się do barmanki, a Ana zauważyła, że policzki dziewczyny stają się szkarłatne.

— W takim razie możliwe, że to właśnie ty jesteś osobą, której szukam.

— Ach tak? — roześmiała się, a czerwień na jej twarzy przybrała jeszcze bardziej intensywny odcień.

— Tak. Potrzebujemy pewnych informacji. O domu przy Broad Lane.

— Posłuchaj tylko inspektora Morse'a — wyszeptała Lol do ucha Any, dusząc kolejny chichot.

— A o który dom chodzi?

— O ten różowy. Różowy, z zaparkowanym na podjeździe motorem.

— Ach tak. Taaa, wiem który. Należy się 5,85.

Flint wyciągnął banknot dziesięciofuntowy. Ana zauważyła, że celowo musnął palcami dłoń dziewczyny przy podawaniu pieniędzy, i dostrzegła też, że Lou wyraźnie podskoczyła, jakby przebiegł ją prąd.

— Czy wiesz coś o nim? O domu?

Wzruszyła ramionami i zatrzasnęła kasę.

— Na przykład co?

— Na przykład, kto w nim mieszkał.

Lou położyła łokcie na barze i oparła twarz na dłoniach, przyglądając się Flintowi szeroko otwartymi oczami, a jej spalone słońcem piersi natarczywie drżały. Uśmiechnęła się do niego szeroko.

— Jesteście glinami? — zapytała.

— Nie — Flint odpowiedział takim samym uśmiechem, po czym pociągnął wielki łyk piwa i otarł usta wierzchem dłoni, podczas gdy jego spojrzenie przez cały czas utkwione było w Louise.

— Posłuchaj, Lou. — Nachylił się do niej, tak że ich nosy prawie się dotykały. Ana dostrzegła, że Louise przestała oddychać. — Potrafisz dochować tajemnicy?

Przytaknęła, a jej oczy z każdą chwilą robiły się coraz większe.

— Posłuchaj. Nasza przyjaciółka. Zmarła miesiąc temu.

— O Boże, naprawdę mi przykro. — Lou przycisnęła dłoń do piersi.

— Taa. Dzięki. I chodzi o to, że kiedy umarła, dowiedzieliśmy się o niej naprawdę dziwnych rzeczy.

— Ach tak? — Gdyby Louise otworzyła oczy jeszcze szerzej, jej powieki bezpowrotnie skryłyby się za gałkami ocznymi.

— A jedną z nich jest fakt, że była właścicielką tego domu. Tego różowego.

— Ach tak. To znaczy ta kobieta z czarnymi włosami i motorem?

— Taa. Właśnie ta. Znałaś ją?

— Nie. Nie bywała w okolicy zbyt często. Myślę, że jedynie podczas weekendów. Pani Wills, tak się nazywała.

— To nazwisko mojej matki — wyszeptała Ana do ucha Lol.

— A kto tam mieszkał razem z nią?

— To znaczy?

— Chodzi mi o to, kto mieszkał z nią, kiedy była w domu. Wiesz może?

Lou wzruszyła ramionami.

— Nigdy nikogo nie widziałam. Jednak czasami pod dom podjeżdżał ambulans.

— Ambulans?

— Taa. No wie pan. Jeden z tych, co przewożą starsze osoby. Nie karetka ani erka.

— To znaczy mogli tam być jacyś niepełnosprawni ludzie, tak?

— Tak, zgadza się.

— Ale nigdy nie widziałaś, by ktoś do niego wsiadał albo wysiadał?

— Nie. To znaczy widziałam, jak ambulans podjeżdża i sanitariusze pomagają komuś wysiąść, ale to wszystko działo się z drugiej strony, więc nigdy nikogo tak naprawdę nie zobaczyłam. Tak tylko sobie myślałam, że to pewnie jakiś starszy krewny albo ktoś w tym rodzaju.

Flint kiwnął głową, mając przy tym niezwykle poważną minę.

— A czy kiedykolwiek rozmawiałaś z panią Wills? Czy przychodziła tutaj?

— Nie. Nie tutaj. Ale czasami widywałam ją na motorze, jak przejeżdżała w pobliżu. Albo kilka razy w Sparze. Ale nie rozmawiałam z nią. Była bardzo ładna. W jaki sposób ona — jeśli nie ma mi pan za złe, że pytam — w jaki właściwie sposób ona umarła?

— Cóż, jeszcze nie wiemy. Tego właśnie staramy się dowiedzieć.

— Ona nie… ona nie umarła chyba w tym domu?

— Nie. Zmarła w Londynie. W swoim mieszkaniu.

— Boże. Naprawdę mi przykro. Była taka młoda i taka ładna, i w ogóle. Musicie być zdruzgotani.

— Taa. Jesteśmy. — Flint odwrócił się, by spojrzeć na Anę i Lol, a Louise ze smutkiem przyjrzała się ich trójce.

— Słuchajcie — zaczęła. — Za godzinę kończę pracę. Jeżeli chcecie, to mogę was zabrać, byście porozmawiali z paroma osobami. Oni mogą wiedzieć więcej ode mnie. No wiecie, wścibscy intryganci i tym podobni. — Zachichotała, a Flint uśmiechnął się, na co ona odpowiedziała jeszcze głośniejszym chichotem.

— Naprawdę? — rozpływał się w uśmiechu. — Zrobiłabyś to? Byłoby fantastycznie, prawda, dziewczyny? — Odwrócił się do nich, a one energicznie pokiwały głowami. — OK. Świetnie. Zaczekamy na ciebie tam, w kącie.

— OK — uśmiechnęła się szeroko. — Wyśmienicie.

Flint już miał się odwrócić, ale jednak się zatrzymał, popatrzył prosto na piersi Louise i wyszczerzył zęby w uśmiechu.

— Czy myślałaś kiedyś o zmianie imienia?

Louise zarumieniła się, zachichotała i ukryła twarz w dłoniach, a Lol włożyła palce do gardła i zamknęła usta, kierując się w kąt pubu.

— Chryste, Lennard, jesteś naprawdę obrzydliwy, wiesz o tym? — oświadczyła, gdy cała trójka usiadła przy stoliku.

— Robię tylko to, co konieczne. To wszystko.

— E tam. Brednie. Nie mogłeś po prostu powiedzieć: „Cześć, czy wiesz może coś o kobiecie, która mieszkała w różowym domu przy Broad Lane?" Czy musiałeś wyciągać na wierzch swojego kutasa i machać nim przed oczami tej biednej dziewczyny? Masz trzydzieści sześć lat, na wypadek, gdybyś o tym zapomniał. Mógłbyś być już ojcem jej i połowy tuzina podobnych do niej dziewcząt, ty chory popaprańcu.

Ana przyglądała im się ze zdumieniem.

— Czy wy dwoje kiedykolwiek przestajecie się kłócić? — zapytała.

Flint i Lol popatrzyli na siebie i roześmieli się.

— Nie — odpowiedzieli jednym głosem. — W każdym razie jeszcze nie, dopóki czerpiemy z tego tak wiele przyjemności — dodała Lol i oboje ponownie się zaśmiali.

Wtedy Ana popatrzyła na nich, na wielkiego, szpanerskiego Flinta z blizną na policzku i szaloną Lol z doczepianymi, platynowymi włosami i głośnym, chrapliwym śmiechem, i pomyślała sobie, że to właśnie są ludzie Bee — siedzę sobie w pubie w hrabstwie Kent z ludźmi Bee. A Bee nie żyje. Czy to nie dziwne? I pomyśleć tylko, że gdybym pozostała w kontakcie z Bee, gdybym nie pozwoliła nerwicom matki wywierać na mnie takiego wpływu, gdybym nie uwierzyła w jej kłamstwa, gdybym nie była taka leniwa, gdybym miała więcej siły albo charakteru, może mogłabym siedzieć w pubie z ludźmi Bee i samą Bee. Znałabym Flinta, będąc nastolatką. Znałabym Lol, kiedy miała tyle lat, co ja teraz. Byłabym kimś, z kim Bee mogłaby porozmawiać, komu mogłaby powierzyć swoje tajemnice. Mogłabym jeździć na tylnym siodełku jej motoru do Kent i wspólnie mogłybyśmy robić to wszystko, czym się tutaj zajmowała. Mogłabym być na Baker Street tamtego wieczoru, dwudziestego ósmego lipca, i mogłabym ją uratować. Mogłabym ją uratować...

Rozdział szesnasty

styczeń 1998

Bee po raz kolejny obeszła cały dom, czyniąc ostatnie poprawki. Przełożyła poduszki, wyprostowała zasłony, włączyła lampkę na stole, wyłączyła lampkę na stole. W ten srebrzysty, zimowy ranek wszystko na zewnątrz przykrywała warstwa śniegu. Był już ósmy stycznia, ale Bee i tak kupiła niewielką choinkę i postawiła ją w rogu, udekorowawszy wcześniej złotymi, wyklejanymi cekinami gwiazdkami, niewielkimi lampkami i tymi naprawdę słodkimi maleńkimi świecidełkami, które znalazła w Paperchase. Na kominku trzaskał ogień, a w piekarniku piekł się kurczak.

Mój Boże, pomyślała Bee, w końcu to się stało — przemieniłam się we własną matkę. Zadrżała na tę myśl i ponownie odsunęła zasłonę, by wyjrzeć na drogę. Spojrzała na zegarek. Piętnaście po jedenastej. Gdzie oni, do diabła, są? Mieli być o jedenastej. I wtedy usłyszała chrzęst opon. Mały, biały ambulans z logo Wysokich Cedrów zatrzymał się na jej podjeździe. Przyjechali. O Boże. Przyjechali. Puściła zasłonę i poprawiła włosy, schludną bluzkę i eleganckie, dopasowane spodnie. Popatrzyła na swoje stopy: tenisówki — płaskie, granatowe tenisówki. Dziwaczne. I wtedy kątem oka dostrzegła swoje odbicie w lustrze. Blade, nieumalowane usta, delikatnie wytuszowane rzęsy, dyskretne, złote kolczyki. Zrobiła to. Wygląda jak jej matka. O Jezu. Narzuciła na siebie płaszcz, głęboko odetchnęła i wyszła na podjazd.

— Witam — rzekła, podając dłoń sanitariuszowi, który otwierał właśnie tylne drzwi w ambulansie. — Belinda Wills. Miło pana poznać. Mieliście przyjemną podróż? — Chciałabym, żebyś to był ty, pomyślała, patrząc na pryszczatego chłopaka, chciałabym, żebyś to był ty. Chciałabym, by jedyne, co muszę uczynić, to uścisnąć twoją dłoń i powitać ciebie w moim domu i dla ciebie przygotować kurczaka. To byłoby takie proste. Takie proste w porównaniu z tym, co muszę teraz zrobić.

Zerknęła ponad ramieniem sanitariusza do wnętrza ambulansu i wtedy go zobaczyła. Zauważył jej spojrzenie i odwrócił wzrok.

— Zander! — zawołała, starając się, by w jej zdenerwowanym głosie słychać było entuzjazm. — Nareszcie. Witaj.

Rozdział siedemnasty

Carol w Sparze wie wszystko. Absolutnie wszystko. Wie, że pani Wills — Belinda — nabyła ten dom w październiku 1997 roku; że sprzedał jej go Tony Pritchard z pobliskiej agencji nieruchomości. Wie, że kupiła zasłony w wytwornym sklepie z wyposażeniem wnętrz na High Street i miała wykonywane malowidło ścienne — Carol widziała ciężarówkę, na której było napisane: „Malowanie efektów specjalnych". Wie, że ta pani Wills początkowo miała się wprowadzić razem z mężem, ale nigdy go tutaj nie widziano — może zerwali, a może stało się coś innego, ona nie chciała pytać. A potem w styczniu 1998 roku zaczął przyjeżdżać tutaj ten chłopiec. Tak, zgadza się. Niepełnosprawny chłopiec. Razem 1,20 funta, skarbie, dzięki. Miał około dwunastu lat. Chociaż tak właściwie to trudno powiedzieć, skoro był na wózku i w ogóle. Nie — ona nigdy go nie poznała, tak właściwie to nawet dobrze nie widziała, jedynie z daleka. Pojawiał się w sobotę rano, a wyjeżdżał w niedzielę wieczorem i wtedy pani Wills wracała do domu na motorze, z kotem w klatce przymocowanej do tylnego siodełka. Kilka razy była w Sparze, nie przychodziła tu regularnie ani nic takiego, najwyżej po herbatę, cukier i tego typu artykuły. Jednak nie z chłopcem i zawsze spieszyła się do domu. Carol czasem o niego pytała: „Jak się ma pani chłopak?", a pani Wills zawsze wtedy się tak pięknie uśmiechała i odpowiadała: „Doskonale, dziękuję, że pani pyta". Nie wdawała się w pogaduszki, ale londyńczycy przecież tego nie robią, prawda? A jeśli chodzi o to, kim był chłopiec — cóż, uznała, że to musi być jej syn, ale nie, nie wiedziała tego na pewno. Poproszę 3,74, kochanie. Dzięki, kochanie — i pozdrów mamę. A czy wiedzieliście, mówi Carol, czy wiedzieliście, że pani Wills — Belinda — była kiedyś gwiazdą pop? W latach osiemdziesiątych. Śpiewała ten wielki przebój, no wiecie, *Groovin' for London* czy jakoś tak, prawda? Carol porusza biodrami i chichocze. Trzeba się było z tym zgodzić, kiedy się o tym dłużej pomyślało, mówi. Miała te cechy, no wiecie — gwiazdorskie cechy. Nawet w starym prochowcu i kaloszach — zdecydowanie była gwiazdą. Och, tak. Zdecydowanie...

Lol, Ana i Flint opadli na różowe sofy i wydali zgodne westchnienie.

— Prochowiec. Kalosze. Weekendowe schadzki z Tinym, cholernym Timem*. — Lol zrzuciła ze stóp szpilki i zaczęła masować stopy. — Do jasnej cholery, Bee. W co ty się kurwa bawiłaś?

— A więc tak. Co o tym myślicie? Czy to był jej syn?
Flint i Lol zgodnie i energicznie pokręcili głowami.

— A dlaczego nie?

— Ponieważ Bee nigdy nie była w ciąży, oto dlaczego. Mało istotna kwestia biologii.

— Więc czemu, u diabła, spędzała weekendy z tym chłopcem?
Flint potarł twarz.

— W tej chwili nie potrafię przetrawić żadnej z tych rzeczy. Nic nie możemy dziś zrobić, by odpowiedzieć na te pytania. Myślę, że powinniśmy po prostu się wyluzować, coś zjeść, pogapić się trochę w telewizor. A jutro podzwonimy po domach dziecka, szpitalach i tym podobnych.

---

* Tiny Tim — jedna z najsłynniejszych postaci amerykańskiego przemysłu rozrywkowego lat sześćdziesiątych.

— To pierwsze rozsądne słowa, które dzisiaj wydostały się z twoich ust, Lennard — przyznała Lol. — Mam zamiar uciąć sobie drzemkę w ogrodzie. — Wstała z sofy i położyła dłonie na biodrach. — A wy dwoje, co chcecie robić?

Ana i Flint popatrzyli na siebie i wzruszyli ramionami.

— Masz ochotę na przejażdżkę? — zapytał Flint.

— Słucham?

— Motorem. Czy masz ochotę na przejażdżkę motorem? Mam kluczyki. Bee dała mi zapasowy komplet. Moglibyśmy pojechać na bulwar, zjeść jakieś frytki albo coś w tym stylu. Wchodzisz w to?

— Och — odparła Ana, lekko się czerwieniąc. — Taa. Czemu nie?

— W takim razie w porządku. Pójdę i przygotuję motocykl. Za parę minut będzie gotowy.

— Taa — rzekła Lol, zwracając się do pleców Flinta. — Tylko dobrze mi się nią opiekuj. Żadnego popisywania się, jasne? I zero tych twoich sztuczek w stylu macho. Trzymaj się dozwolonej prędkości. Nie waż się błaznować. I przywieźcie mi jakąś kolację, dobra? Pizzę albo coś takiego. Jestem cholernie głodna.

Kilka minut później Ana otworzyła drzwi i dostrzegła, że Flint siedzi już okrakiem na olbrzymiej, czerwono-żółtej hondzie. Natarczywie zwiększył obroty silnika i podał jej kask.

Zdumiona podeszła do olbrzymiej maszyny. Od zawsze motory trochę ją kręciły, a ten był naprawdę wspaniałym okazem.

— Wow. — Pogładziła jaskrawy lakier. — Jest niesamowity.

— No nie? — odparł. — I wiesz, właśnie przyszła mi do głowy zabawna myśl. Ten potwór prawdopodobnie należy teraz do twojej cholernej matki. Myślisz, że jej się spodoba? — Uśmiechnął się krzywo, a Ana zaśmiała się głośno, gdy w jej głowie pojawił się obraz matki, wspinającej się na tę bestię.

— Nie mogę też sobie wyobrazić na nim Bee — rzekła. — Była przecież taka drobna.

— Taa. Rzeczywiście trochę dziwnie na nim wyglądała. Ale

kochała ten motor. To była pierwsza rzecz, jaką kupiła po śmierci ojca, kiedy odziedziczyła wszystkie jego pieniądze. Widzisz, ona naprawdę nienawidziła samochodów. — Czule pogłaskał motor. — Wskakuj.

Ana nie dała się dwa razy prosić. Przerzuciła długą, patykowatą nogę przez siodełko.

— Ooo — rzekła, sadowiąc się z tyłu i nakładając kask. — Tu jest naprawdę wygodnie.

— O rety. — Flint wpatrywał się w kolano Any, które wystawało z boku pod kątem dziewięćdziesięciu stopni i spoczywało w pobliżu jego własnego kolana. — Noga Bee dochodziła tylko dotąd. — Pokazał na swoje biodro. — Gotowa?

Ana przez chwilę wierciła się na siodełku, po czym przytaknęła.

— Ramiona.

— Co?

— Obejmij mnie ramionami.

— Och. Tak. Racja. — Delikatnie otoczyła nimi pokaźny tors Flinta. Miał na sobie jedynie T-shirt i wyczuwała pod nim wszystko: każde żebro, każdy mięsień, bicie jego serca, ciepło krwi, wilgoć potu.

— Ciaśniej.

Objęła go mocniej i znalazła się na tyle blisko, by czuć jego zapach, jako że jej nos znajdował się zaledwie centymetr od jego koszulki. Odetchnęła głęboko i przytrzymała ten zapach, niczym dym papierosowy. Pachniał mężczyzną, który nie ma zwyczaju wdzięczyć się przed lustrem. Była to woń lekko zatęchła, lekko spocona, a towarzyszył jej rozkoszny aromat rozgrzanego słońcem ciała.

Słońce przesuwało się na niebie coraz niżej i rzucało długie cienie na wiejskie drogi. Kiedy dotarli do Broadstairs, wisiało nad samym morzem i rzucało blask na tętniący życiem nadmorski kurort. Serce Any przepełniła radość, gdy dojrzała morze, gdy poczuła zapach słonej, morskiej wody i kiedy jej uszy zaatakował wzburzony skrzek mewy. Brakowało jej morza.

Zaparkowali motor tuż przy bulwarze. Flint przeczesał palcami sterczące na wszystkie strony włosy i roześmiał się.

— Nieźle muszę teraz wyglądać, co?

— Mam grzebień. Chcesz?

— Dzięki. — Wziął go od niej i ujarzmił nieco swoje włosy. Ana obserwowała go. Pomyślała, że może i jest w jego zachowaniu odrobina próżności, ale wyglądał męsko i zupełnie swobodnie. — Dzięki. — Oddał grzebień i przez chwilę stali i uważnie patrzyli przed siebie. Morska bryza łagodziła sierpniowy upał i Ana ledwie zauważalnie zadrżała. — Co lubisz robić, kiedy jesteś nad morzem, Ano?

Wzruszyła ramionami i znalazła się w kłopotliwym położeniu, gdy starała się wymyślić jakąś odpowiedź na to proste przecież pytanie Flinta. Co lubię robić nad morzem? — myślała z desperacją, co u diabła lubię robić nad morzem? I dlaczego tak się denerwuję przy tym facecie? Zerknęła na niego. Patrzył przed siebie, mrużąc przy tym oczy. Niewielu mężczyzn można było zakwalifikować do kategorii „przystojny". Łatwo było uznać kobietę za „piękną". Jedynie dzięki temu, że nie była „brzydka", czyniła jakiś tam wysiłek i młodo wyglądała, miała ładne włosy i dobrą figurę, kobieta mogła być opisana jako piękna. Ale w przypadku mężczyzn było inaczej. Mężczyźni mogli być milutcy, atrakcyjni albo seksowni, ale rzadko przystojni. A Flint był przystojny.

Ana tak właściwie to nie lubiła przystojnych mężczyzn. Ani także, jeśli już o tym mowa, atrakcyjnych. Zbyt przystojny mężczyzna miał w sobie coś obraźliwie ostentacyjnego. Podobali jej się mili, ale dziwnie nieatrakcyjni faceci, którzy „mają coś w sobie". Lubiła typ mało efektownych mężczyzn roztaczających wokół aurę pewności siebie, wpajanej przez matki, które późno wydały ich na świat. Interesujący mężczyźni. Mężczyźni z własnymi opiniami i pomysłami. Mężczyźni, którzy lubią rozmawiać. Poważni mężczyźni. Wykształceni. Inteligentni. Tacy, dla których chodzenie z dziewczyną wyższą od nich nie stanowi problemu. Mężczyźni, którzy nie podobają się innym kobietom.

Którzy zazwyczaj wyglądają na lekko niedożywionych, a ich skóra nie chce się opalać. Często ze szczupłymi nadgarstkami i dziwnie pełnymi ustami. Mężczyźni, którzy nie plotkują i nie obrabiają innym tyłka.

Mężczyźni tacy jak Hugh.

Do college'u chodzili dobrze wyglądający kolesie, którzy podobali się wszystkim dziewczynom, ale ona nigdy nie patrzyła na nich w ten sposób. Według Any atrakcyjni mężczyźni pochodzili z innej planety i podobali się jej tak samo jak pasterz owiec z Tybetu.

Ale Flint jest — Flint jest — dobry Boże, nie miała pojęcia, jaki jest Flint. Uznała, że interesujący. Coś tam się dzieje, coś się dzieje pod tym całym zwalistym cielskiem, bliznami i bezpośredniością. Coś, co wytrąca Anę z równowagi i wprawia w dezorientację jej funkcje poznawcze. Jej zdolność formułowania rozsądnych odpowiedzi na proste pytania. Na przykład na takie, które usłyszała przed chwilą. Co ona lubi robić nad morzem? Wzruszyła ramionami. Postanowiła się poddać.

— Cokolwiek — rzekła wreszcie, a jej głos był ochrypłym szeptem, który przypominał kaszel teriera.

— Powiem ci w takim razie, co ja lubię tu robić. Lubię chodzić do salonów gier.

Ach tak, pomyślała Ana, wyobrażając go sobie, jak walczy przy automacie z najeźdźcami z kosmosu albo daje w kość wirtualnym Żółwiom Ninja. Albo robi coś w tym stylu.

— Czy masz jakiekolwiek moralne obiekcje wobec hazardu? Tak ogólnie?

Potrząsnęła głową.

— Masz przy sobie pieniądze?

Ana poklepała swój kolorowy plecak i przytaknęła.

— Super — odparł. — Chodźmy więc.

Broadstairs było ładniejsze niż przeciętne nadmorskie miasteczko, ładniejsze niż Bideford, pomyślała Ana, gdzie zimą chodziła na plażę z Tommym i swoim ojcem. Rzucali psu patyki, otrzepywali piasek z butów przed wejściem do samochodu, a w drodze powrotnej wcinali paszteciki. Od bulwaru odchodziły strome uliczki, wzdłuż których stały koślawe domy z wykuszowymi oknami.

— Wiedziałaś, że Dickens napisał tutaj *Magazyn osobliwości*? W Broadstairs?

— Naprawdę?

— Aha.

— Skąd o tym wiesz?

Flint uśmiechnął się szeroko.

— A bo ja wiem? — Wzruszył ramionami. — Sądziłem, że wszyscy o tym wiedzą.

— Och. No tak.

Zerknęła na mijających ich ludzi i zastanowiła się, co oni sobie myślą, była ciekawa, jaką ona i Flint stanowią parę. Pewnie przyciągają uwagę, ona taka wysoka, a on potężny, oboje z kaskami motorowymi w rękach. Była przekonana, że nikomu by teraz nie przyszło do głowy, że jest ona jedynie starą, nikomu niepotrzebną Aną Wills, nieatrakcyjną i rozczarowującą drugą córką Gay Wills, naiwnym wiejskim kmiotkiem i prawdopodobnie na nowo dziewicą. Pewnie wyglądała, jakby mieszkała w jakimś odlotowym, wyłożonym nielakierowanym drewnem apartamencie, miała masę luzackich przyjaciół, z którymi upijała się i chodziła na imprezy, i jakieś dwadzieścia razy na dzień uprawiała seks z Flintem, jednocześnie pijąc tequilę prosto z butelki i słuchając dudniącej muzyki.

Ana nagle poczuła się jak bohaterka filmu. Wzdłuż jej kręgosłupa przebiegł delikatny dreszcz.

To uczucie się ulotniło, gdy tylko weszli do salonu gier. Ten zapach. Ta woń należących do nastolatków adidasów, zimnego metalu i przybrudzonych pieniędzy. No i ten hałas — nie tylko brzęki, trzaski i uderzenia pamiętające stare czasy, ale także nowe dźwięki: tubalne głosy Amerykanów, nagłe strzały, eksplozje, huki, stęknięcia i jęki japońskich wojowników. To był dom. To było Devon. To było Bideford i wszystko, czego tam nienawidziła. Znudzone nastolatki i agresja przenoszona na automaty do gier.

Do maszyny rozmieniającej pieniądze włożyła banknot pięciofuntowy i wsłuchiwała się w brzęk monet. Potem rozejrzała się w poszukiwaniu Flinta, ale nigdzie nie mogła go dojrzeć. Popatrzyła na automaty Tekkana, na samochodziki wyścigowe Segi, ustawione jeden przy drugim w odległym końcu sali. Omiotła wzrokiem automat do gry we flipera i jakąś dużą machinę, która przypominała czołg, ale nigdzie go nie widziała. Lekko zmartwiona Ana obeszła cały salon gier, ściskając w dłoniach spocone dziesięciopensówki, i nagle zatrzymała się, gdyż przed jej oczami pojawił się jeden z najbardziej ujmujących i uroczych widoków, jakie zdarzyło jej się oglądać. To był Flint. Stał odwrócony do niej bokiem, miał bardzo poważny wyraz twarzy i do kaskady z drobniakami cierpliwie wkładał dwupensówki. Gdy Ana podeszła bliżej, chwiejąca się góra monet przechyliła się i wpadła z hałasem do metalowej rynienki tuż przed oczami Flinta, który uniósł pięści w triumfującym geście, a po chwili zgarnął pieniądze i przeliczył je.

— Dwadzieścia cztery pensiaki. — Uśmiechnął się do niej szeroko. — Dwadzieścia cztery pensiaki! Jestem dziesięć do przodu!

W ubraniu, które przypominało dziecięce stroje z Gapa, wyglądał jak mały chłopiec. Ana zapragnęła go objąć, uściskać i wtulić głowę w zgięcie jego szerokich ramion. Jeszcze raz się do niej uśmiechnął, po czym odwrócił się z powrotem do automatu z garścią dwupensówek.

Ana oderwała od niego wzrok i udała się w kierunku ustawionego w rogu jednorękiego bandyty, gdzie cienie ukryją jej szkarłatne rumieńce, a metalowa dźwignia ochłodzi spocone dłonie.

Rozdział osiemnasty

Znaleźli pizzerię, ale otwierano ją dopiero za pół godziny.

— Masz ochotę iść gdzieś na drinka? — zapytał Flint.

Kilka ulic dalej znaleźli dużą, hałaśliwą knajpę i Ana zaproponowała, że to ona postawi kolejkę. Przynajmniej tym mogła się odwdzięczyć Flintowi, który przecież wlał benzynę do baku. Flint usiadł przy małym stoliku w rogu i obserwował, jak Ana stoi przy barze, szuka w swoim starym plecaku portmonetki, czekając na swoją kolej nieświadomie pociera łokcie, uśmiecha się sztywno do barmana, po czym bardzo ostrożnie wraca do stolika z kuflami piwa w obu dłoniach, starając się nie wylać ani kropli i nie patrzeć na Flinta.

— Wzięłam też dla nas jakieś chipsy — rzekła, wypuszczając spod ramienia paczkę na stół.

— Aha — uśmiechnął się Flint. — Moja bratnia dusza. Kufel piwa i paczka chipsów. Wyśmienicie.

Ana podniosła kufel do ust i wlała do gardła przynajmniej jedną czwartą jego zawartości.

— Tego mi było trzeba — oświadczyła.

— Taa — zaśmiał się Flint. — Właśnie widzę. Nie jesteś taka jak twoja siostra, wiesz?

Ana także się roześmiała.

— Naprawdę?

— Naprawdę. Twoja siostra była dziewczyną raczej koktajlową. Drogą w utrzymaniu.

— Tak — odparła Ana. — Mogę to sobie wyobrazić.

— I była też wyszczekana. Jak Lol. Wyobrażasz to sobie? Kiedy się obie spotkały? — Skrzywił się i zgodnie się zaśmiali. A potem zamilkli i na chwilę zapanowała smutna cisza. Flint odkaszlnął. — A więc — zaczął — co takiego robiłaś w Londynie razem z Lol?

— Och. Byłyśmy w kilku klubach. W Ladbroke Grove.

— To znaczy w jakichś pedziowatych lokalach?

— Niezupełnie. To chyba bardzo modne miejsca.

— Taa. Znam tego rodzaju kluby. Parszywy wystrój i sąsiedztwo obrzydliwych kanałów.

— Tak — uśmiechnęła się Ana. — Coś w tym rodzaju.

— Nie gniewaj się, Ano, że to mówię, ale tego typu miejsca jakoś do ciebie nie pasują. To znaczy już na pierwszy rzut oka widać, że jesteś dziewczyną, która woli puby, zgadza się?

Ana ponownie uśmiechnęła się.

— Uznam to za komplement — oświadczyła.

— Kiedy już wrócimy do Londynu, któregoś wieczoru musisz wyjść ze mną. Zabiorę cię do porządnych londyńskich lokali. W mieście jest kilka niesamowitych pubów. I najlepsze piwo. Zobaczyłaś już kawałek Londynu Lol, teraz ja chcę ci pokazać swój.

— Pewnie — zgodziła się nieśmiało Ana. — Byłoby miło. Dziękuję.

Flint przyjrzał jej się, gdy podnosiła kufel i pociągała kolejny łyk. Podobał mu się ten krótki pobyt nad morzem razem z Aną. Przyjemnie było uciec na chwilę od niezmordowanej Lol. Lol jest świetna, ale należy do tego typu ludzi, którzy w żadnej sytuacji nie pozostawiają miejsca na twoją własną interpretację wydarzeń. Zawsze przyjmuje się wersję Lol, czy się tego chce, czy nie. Ale z Aną był w stanie wdychać dziwną atmosferę angielskiego wybrzeża, obserwować zachód słońca, wsłuchiwać się w różne odgłosy. To jest jak bycie samemu, ale jednocześnie w czyimś towarzystwie.

Pomyślał też, że Ana ma w sobie coś, co nie pozwala mu jej dotknąć. Była dosyć wytworna, ale nie ekskluzywnie wytworna, żadne tam prywatne szkoły, wspaniałe blond włosy i zdobyta na stokach narciarskich opalenizna. Nie ten rodzaj wytworności, który zazwyczaj tak bardzo mu się podobał. Po prostu dyskretna, skromna, lekko hipisowska wytworność. I nie chodziło tu tylko o jej wygląd. I nie o to, co miała, ale raczej czego nie miała. Na przykład doświadczenia. Wyrafinowania. Pewności siebie. I o sposób, w jaki się zaczerwieniła, gdy zaproponował to piwo. Prawie był w stanie odczytać jej myśli: „Jeżeli pójdę z tobą do pubu, będziemy musieli ze sobą rozmawiać, a to oznacza, że będę zmuszona do obnażenia się przed tobą, a to z kolei prowadzi do tego, że się denerwuję". Na razie niczego nie wyjawiła. Było to przyjemnie odświeżające w świecie pełnym ludzi gotowych bez wahania otwierać swoje dusze.

Flint mieszkał w Londynie przez większość życia. Urodzony i wychowany w Enfield, teraz osiadł w Turnpike Lane. Poznawał jedynie londyńskie dziewczyny bądź te, które wybrały Londyn z powodu możliwości, jakie oferowało im to miasto. Ale Ana nie przyjechała do Londynu dobrowolnie. Znalazła się tutaj z powodu splotu okoliczności, a nie ambicji, chciwości bądź chęci przygód.

— Czy kiedykolwiek myślałaś o zamieszkaniu w Londynie, Ano? O wyprowadzeniu się z Devon?

Potrząsnęła głową.

— Nie. Nigdy.

— Boże, wiesz co, nazwij mnie małostkowym, ale naprawdę nie potrafię tego zrozumieć.

— Czego?

— Mieszkania w małym mieście i braku pieprzonej ochoty wyrwania się stamtąd. Co cię tam właściwie trzyma?

Ana wzruszyła ramionami.

— Tak naprawdę to nigdy się nad tym nie zastanawiałam.

— Co robisz?

— To znaczy?

— W Devon. Z kim mieszkasz? W jaki sposób zarabiasz na

swoje utrzymanie? Kim są twoi przyjaciele? Chłopak? No wiesz, opowiedz mi o swoim życiu.

Ana uśmiechnęła się cierpko i pociągnęła kolejny łyk piwa.

— Nie masz ochoty tego słuchać — oświadczyła.

— A właśnie, że mam.

— No cóż — zaczęła, uśmiechając się z zakłopotaniem. — Kiedyś miałam własne życie. I było ono całkiem znośne.

— Czyżby?

— Tak. Miałam ładne mieszkanie w Exeter. I pracę.

— Czym się zajmowałaś?

— Pracowałam w sklepie muzycznym. Byłam zastępcą kierownika.

— W jakiego rodzaju sklepie muzycznym?

— No wiesz — gitary, organy, perkusje. Tego typu sprzęt. Nie była to może jakaś wielka kariera ani nic takiego, ale lubiłam tę pracę. Miałam mały samochód. Miałam przyjaciół. Miałam chłopaka.

— Który miał na imię?

— Który miał na imię Hugh.

— Jaki on był?

— Hugh? No cóż, on był, jest, świetny. To naukowiec. Niewiarygodnie inteligentny. I zabawny. Jest też dobrym kucharzem. Taa, Hugh był świetny.

Flint obserwował ją, gdy opisywała Hugh, obserwował sposób, w jaki spąsowiały jej policzki, i to, jak nagle znalazł się tuzin rzeczy, które mogła robić z dłońmi.

— Więc co się stało?

— Och. No wiesz. Oddaliliśmy się od siebie.

— Jak to możliwe?

— Cóż, wszystko się zmieniło po tym, jak zmarł mój tata.

— Cholera, zapomniałem, że umarł ci także i on.

— Uhu.

— Jak?

— Zawał. Nic szczególnie ekscytującego. Nie tak jak Gregor. Ale miał osiemdziesiąt dwa lata, więc to, no wiesz...?

— Mimo to wielka szkoda.

— To prawda — zgodziła się. — Szkoda. Był najmilszym człowiekiem na świecie. I moim najlepszym przyjacielem. Wiem, że to brzmi dziwnie. Ale on różnił się od ludzi z jego pokolenia, no wiesz, z pokolenia wojennego. Był inny. Czasami nawet wychodził do pubu razem ze mną i moimi przyjaciółmi i wszyscy go uwielbiali. Należał do tych starszych ludzi, których współczesny świat nie przeraża — kręciły go nowe technologie, nowa muzyka, nowe sposoby działania i myślenia. Wydawało się, że dla niego to, co nowe, jest ożywcze i emocjonujące, a nie odstraszające. Myślę, że ja to sprawiłam, to znaczy posiadanie dziecka w tak późnym wieku. I mimo że od zawsze wiedziałam, iż szybko odejdzie, kiedy ja ciągle jeszcze będę młoda, i tak przeżyłam ogromny wstrząs. Więc po jego śmierci wszystko zaczęło się po trochu rozpadać. — Zarumieniła się, odkaszlnęła i napiła piwa.

— No i?

— No i co?

— No i co się stało z Hugh?

— Ach. Cóż, no wiesz, w pracy dostałam urlop okolicznościowy, który przeciągał się i przeciągał, a im dłużej trwał, tym mniej radziłam sobie z myślą o powrocie do sklepu i kontakcie z klientami. Złożyłam więc wymówienie. A potem moja matka zaczęła cierpieć na agorafobię i musiałam przeprowadzić się do domu. By się nią opiekować. Stało się to dziesięć miesięcy temu. Przez jakiś czas ja i Hugh staraliśmy się utrzymać nasz związek. Ale sądzę, że w końcu miał tego dość.

— Dość czego?

— No cóż, chyba po prostu takiego ponuraka jak ja. Tego, że nie byłam już takim dobrym towarzystwem i że się nie starałam. Po prostu się poddał i nie rozmawiałam z nim już od wielu tygodni.

— Trochę brutalne, nie sądzisz?

— Co?

— Hugh. Porzucenie ciebie, kiedy naprawdę go potrzebowałaś.

Ana wzruszyła ramionami i ponownie potarła łokcie.

— Tak naprawdę to nigdy nie myślałam o tym w ten sposób. Zawsze byłam dla niego pewnym ciężarem i sądzę, że to był tylko...

— Co masz na myśli, mówiąc, że byłaś ciężarem? — Flint wszedł jej w słowo.

— To znaczy, że on jest naprawdę bardzo, bardzo inteligentny, podobnie jak jego przyjaciele — wszyscy są naukowcami, inżynierami i tak dalej, wszyscy kilka lat ode mnie starsi, a ja zawsze w ich towarzystwie trochę chyba traciłam grunt pod nogami. Nie byłam zbyt dobra. Nie umiałam gotować i nie wiedziałam niczego o polityce ani o stosunkach międzynarodowych, ani o winach, ani... ani o teoriach spisku i tym wszystkim, o czym oni lubili rozmawiać. Zawsze uważałam, że on zasługuje na kogoś nieco bardziej wyrafinowanego niż ja, bardziej dojrzałego. Sądzę, że nieco obniżałam jego poziom...

Flint wydmuchnął wstrzymywane przez chwilę powietrze.

— No, no, no, biedny, stary Hugh, no nie? — rzekł, zdążywszy już uznać, że ten koleś jest kompletnym piździelcem.

— Taa. Pewnie tak. Biedny, stary Hugh.

— Ale co ty robisz, Ano? — zapytał Flint. — To znaczy, czym się tak naprawdę zajmujesz przez cały dzień?

Dziewczyna wzruszyła ramionami, a na jej twarzy pojawiło się zakłopotanie.

— Opiekuję się mamą. Robię dla niej zakupy.

— Tak, ale co z resztą czasu, co wtedy robisz? Masz jakąś pracę?

Potrząsnęła głową.

— Planowałam zacząć rozglądać się za czymś. Ale jakoś nie mogłam się zebrać.

— A co z twoimi dawnymi przyjaciółmi z Exeter? Czy nadal się z nimi spotykasz?

— Nie — odparła bardzo cicho. — Niezupełnie. Oni próbowali. Ale myślę, że też wreszcie się poddali. Po śmierci taty naprawdę nie byłam zbyt dobrym towarzystwem. Ale wystarczy —

rzekła z mocą. — Dość już o mnie. I tak już za dużo powiedziałam. No a co z tobą? — Popatrzyła na niego. — Jaki wygląda twoje życie?

Interesujące, pomyślał Flint, sposób, w jaki na chwilę się otworzyła, po czym znowu zamknęła w sobie, niczym pułapka na muchy. Wyraźnie widać, że jest w depresji, mimo że sama przed sobą jeszcze tego nie przyznała. To znaczy, zakładając, że o tym wie. Zignorował jej ostatnie pytanie.

— No więc tak. Pozwól, że podsumuję. Od prawie roku nie pracujesz. Mieszkasz razem ze swoją mamą. Nie masz przyjaciół i nigdzie nie bywasz.

— Tak.

— Chryste. To jest tragiczne. To jedna z najbardziej tragicznych historii, jakie słyszałem. Ile ty masz lat?

— Dwadzieścia pięć.

— Dwadzieścia pięć. Jezu, co ja bym dał, żeby znowu mieć dwadzieścia pięć lat. Poczekaj, pewnego dnia będziesz miała tyle lat, co ja, trzydzieści sześć, i będziesz się zastanawiać, co do cholery, stało się z twoją młodością, gdzie się ona podziała. Powiedzieć ci, jaki jest najgorszy aspekt starzenia się? Mówią, że polega ono na zdobywaniu. Zdobywaniu doświadczenia, mądrości, szczęścia i tak dalej. To kłamstwo. Starzenie się polega na stracie. Traceniu rzeczy. Traceniu włosów, figury, urody. Traceniu wzroku. Traceniu słuchu. Traceniu matki, traceniu ojca. Traceniu czasu, który pozostał na doświadczanie nowych rzeczy. Traceniu kontaktu z ludźmi, traceniu rozsądku. A najgorsze z tego wszystkiego jest tracenie wspomnień. Im więcej przeżyłeś lat, tym mniej z nich pamiętasz. Z twojej głowy umykają całe dnie, tygodnie, miesiące. Ludzie, z którymi spędzałeś dużo czasu, z którymi przez wiele miesięcy pracowałeś, z którymi spałeś, imprezowałeś... Kurwa, Ana. Powinnaś cieszyć się życiem. Nie marnować młodości. Pewnego dnia będziesz tego żałować, oj, będziesz...

Ana uśmiechnęła się z przymusem i ku przerażeniu Flinta jej oczy nagle wypełniły się łzami. Odkaszlnęła i natychmiast odwróciła wzrok.

— Przepraszam — rzekł. — Przepraszam. Nie miałem zamiaru ci dokuczyć, naprawdę. Po prostu... Wnerwiają mnie ludzie, którzy nie wykorzystują danego im czasu. Strasznie mnie coś takiego drażni. Nie wierzę w Boga, Ano, ani w Biblię, ale jeśli miałoby istnieć jedno, zesłane z góry przykazanie, brzmiałoby ono tak: „I będziesz korzystał z tego, co ci ofiarowano”.

— Ach tak. A co ja właściwie takiego mam, z czego mogłabym robić użytek?

— Chcesz, bym zaczął wymieniać?

— Tak.

— W takim razie w porządku. Proszę bardzo. Młodość.

— Nie taka przyjemna, jak się zapowiadała.

— Uroda.

— Taa. Jasne.

— Co? Nie uważasz, że jesteś piękna?

— Eee, nie. Ani trochę.

— A to czemu?

— To ten mój nos...

— Nie lubisz swojego nosa?

— Nie cierpię go. Popatrz. — Odwróciła się bokiem, by zademonstrować Flintowi swój profil. — Wyglądam jak... myszołów albo coś takiego. Ten nos przypomina dziób. Jest odrażający.

Flint potrząsnął głową i roześmiał się głośno.

— Kobiety! Boże. O co ci chodzi? Cóż, ja osobiście uważam, że to bardzo piękny nos. Jest elegancki. Dostojny. Królewski. Taki, jak ty.

Zaczerwieniła się. Mocno.

— No i oczywiście nie zapominaj o tym, że wyglądam jak ogromny wieszak na płaszcze.

— Czy to znaczy, że nie jesteś zadowolona ze swojego wzrostu?

— Cóż, nie chodzi mi tak bardzo o samą wysokość, ale o wzrost połączony z chudością.

— Jezu — rzekł Flint. — Czy ty wiesz, że Londyn aż kipi od

dziewczyn, które sprzedałyby własne płuca, by mieć twoje wymiary?

— Taa. Jasne.

— Nie. Naprawdę. Dla większości kobiet twoja figura stanowi absolutny ideał.

— Ale to jest śmieszne. Dlaczego?

Flint wzruszył ramionami.

— Pewnie dlatego, że tak wyglądają modelki i niektóre aktorki.

Ana nie sprawiała wrażenia przekonanej.

— No, kontynuuj. Inne rzeczy, z których mogę korzystać...

— Twoja wolność.

— Ja nie mam wolności.

— Oczywiście, że masz.

— Nie mam. Moja wolność jest w rękach mojej matki.

— Ach tak. A co ona z nią robi?

— Trzyma ją w małym pudełku pod schodami. — Ana uśmiechnęła się cierpko.

— Twoja matka wydaje się być naprawdę koszmarna, jeśli się nie gniewasz, że tak mówię.

— Ona taka jest.

— Więc dlaczego z nią mieszkasz?

Wzruszyła ramionami.

— Ponieważ mnie potrzebuje.

Flint odetchnął głęboko.

— A jesteś pewna, że nie dlatego, że to ty potrzebujesz jej?

— Słucham? — Oczy Any rozszerzyły się ze zdumienia.

— By się chować za jej plecami.

— Nie bardzo rozumiem, o co ci chodzi.

— Chodzi mi o to, czy jesteś pewna, że nie używasz agorafobii swojej matki jako wymówki, by trzymać się z dala od prawdziwego świata? Ponieważ nie umiesz sobie dać w nim rady?

— Jezu — jęknęła Ana. — Co to ma być? Program Anthony'ego Clare'a?

— Nie. Tak naprawdę, to właśnie tak opisywała cię twoja siostra.

— Co takiego? Bee?

— Aha. Bardzo się o ciebie martwiła.

— Żartujesz, prawda?

Flint potrząsnął głową.

— Rany — rzekła Ana. — Odkąd tu przyjechałam, ciągle słyszę, za jaką wspaniałą osobę uważała mnie Bee.

— Cóż, bo tak właśnie myślała.

— Ale przecież ona nawet mnie nie znała.

— Znała wystarczająco. I pamiętaj, że także mieszkała kiedyś z twoją matką.

— Tak, ale nie miała pojęcia o wszystkim innym, nie wiedziała niczego o Hugh, mojej pracy i moim życiu.

— To prawda — zgodził się Flint. — Ale zdawała sobie sprawę, co to znaczy stracić ojca i jak to jest mieszkać z twoją matką, i wiedziała, jaka ty jesteś. To te spotkania, które kiedyś organizowaliście, w Bristolu i tego typu miejscach...?

— Tak?

— Czasami wracała z nich spłakana. Zazwyczaj przez waszą matkę. Ale innym razem było jej smutno z twojego powodu. Mówiła, że jesteś jak ten blady, piękny duszek, że pragnęła po prostu cię unieść, wcisnąć pod ramię i zabrać ze sobą do Londynu. I mówiła, że czuje się naprawdę fatalnie, ponieważ nigdy nie wiedziała, o czym ma z tobą rozmawiać i w jaki sposób. Nie była może obdarzona wybujałym instynktem macierzyńskim, ale zawsze miała do ciebie słabość.

— Nie pieprz głupot. Nawet nie patrzyła na mnie, chyba że robiła sobie jaja. — Ana ponownie spojrzała na zegarek. — Siódma. Ta pizzeria powinna być już otwarta. Musimy wracać. Lol umrze nam z głodu. — Zdążyła już zarzucić plecak na ramię. Rozmowa skończona. Na razie.

Dopili piwo, zabrali kaski i udali się w kierunku pizzerii.

Rozdział dziewiętnasty

wrzesień 1999

Bee zeszła po schodach swego mieszkania w Belsize Park w satynowym szlafroku, z kubkiem herbaty Earl Grey w jednej dłoni, i Johnem w drugiej. Do tej pory lato powinno było się już skończyć, ale tak się nie stało. Po ponurym sierpniu słońce pojawiało się na bezchmurnym niebie każdego ranka, a temperatura nie spadała poniżej dwudziestu stopni. To był upominek od bożków pogody i Londyn w pełni to doceniał. Słońce sączyło się przez szklaną taflę nad drzwiami wejściowymi, rzucając promienie kolorowego światła na jasną, drewnianą podłogę w przestronnym korytarzu. Wendy, specjalistka w dziedzinie refleksologii, która mieszkała na parterze, słuchała jakiejś muzyki etnicznej — bardzo głośno. Bee była przekonana, że Wendy Refleksologistka tak naprawdę nie przepada za muzyką etniczną, ale uznaje, że pasuje ona do jej wizerunku.

Na wycieraczce leżał cały stos listów. Bee schyliła się, by je podnieść i pospiesznie pozwoliła Johnowi zeskoczyć na podłogę, gdy zauważyła przeznaczoną dla siebie kopertę — zaadresowaną pismem jej matki. Bee nie miała żadnych wiadomości od matki od dnia, kiedy to Gay napisała, by jej przekazać, iż podważa ona ważność testamentu Gregora. Było to prawie dziesięć lat temu. Musiało się wydarzyć coś poważnego. Rozdarła kopertę i wyjęła z niej starannie złożony list, napisany ręcznie na niebieskim papierze.

Droga Belindo! — tak się zaczynał.

Nie spodziewam się, iż ta wiadomość w jakikolwiek sposób Cię zainteresuje, ale za stosowne uznałam poinformować Cię, że w niedzielę odszedł mój ukochany Bill. To była szybka i względnie bezbolesna śmierć, a on miał dobre, zdrowe, długie i szczęśliwe życie. Powinnam być wdzięczna za to, czym obdarzył mnie los, ale nic nie mogę poradzić na to, że czuję się okradziona i bardzo, bardzo rozgoryczona. Najpierw Gregor, potem ty (równie dobrze mogłabyś nie żyć), a teraz mój wspaniały, wspaniały Bill. Moje życie to doprawdy jedna długa tragedia... Pogrzeb odbędzie się we czwartek w kościele świętego Gilesa (Bill zawsze kochał ten kościół i miał bardzo dobre kontakty z ojcem Bonifacym), ale nie oczekuję, iż będziesz miała jakąkolwiek ochotę wziąć w nim udział. Mimo to uznałam, że powinnaś o tym wiedzieć.

Twoja matka
Gay

Bee osunęła się na dolny schodek i otuliła ciasno połami szlafroka. Ana, pomyślała natychmiast. Biedna Ana. Jej głowę wypełniły wspomnienia bladej, małej Any z kościstymi kolanami i niezdarnymi ruchami, siedzącej podczas tych koszmarnych rodzinnych spotkań w latach osiemdziesiątych, takiej cichej i zawsze doskonale się zachowującej. I tak bardzo podobnej do swego ojca.

Przez chwilę patrzyła przed siebie, z roztargnieniem głaszcząc Johna i starając się zdecydować, co zrobić. Była środa. Pogrzeb odbędzie się jutro. Nie miała na ten dzień niczego zaplanowanego. Mogła jechać. Mogła wsiąść na motor i pojechać. Do Devon. Mogła to zrobić. Zacisnęła powieki i spróbowała wyobrazić sobie najbardziej prawdopodobny scenariusz. Już widziała siebie stojącą na cmentarzu, matkę ubraną od stóp do głów u Escady i szlochającą dramatycznie u jej boku smutną, tyczkowatą Anę. Następnie wyobraziła sobie powrót do wypieszczonego domu Gay przy Main Street, wielkie, miękkie sofy przykryte olbrzymimi, żakardowymi poduszkami z lśniącymi frędzlami, z których każda, to Bee akurat wiedziała, kosztuje osiemdziesiąt pięć funtów. Snucie się ze smutkiem po drogim, kremowym dywanie od Wiltona w świetle niewielkich lamp. Prowadzenie uprzejmych, przyciszonych rozmów wokół stolika do kawy zastawionego kosztownymi drobiazgami, niewielkimi kawałkami rzeźbionego marmuru i pięknie inkrustowanymi srebrnymi pudełeczkami, które wydawały się nie spełniać żadnej funkcji poza tą, że trzeba je było odkurzać, polerować i ustawiać. Stanie i popijanie sherry przed wykutym w ścianie kominkiem, otoczonym koszami zasuszonych róż i lśniącymi, mosiężnymi sprzętami służącymi do podsycania ognia. I pamiętanie przez cały czas o wściekłości jej matki, gdy któryś z tych bezsensownych, nieskazitelnie czystych przedmiotów został przesunięty o więcej niż milimetr.

Próbowała wyobrazić sobie matkę, przemieszczającą się w swoim uroczym domu od gościa do gościa, wycierającą delikatnie nos i wchłaniającą współczucie i uwagę niczym delikatna gąbka. Gay miała w Torrington swój fanklub, ludzi, którzy nie widzieli u niej żadnej złej cechy. Ludzi, którzy uważali ją za anioła. Ludzi, którzy święcie wierzyli w jej zapewnienia, iż jej zaczarowane życie to „jedna długa tragedia".

A potem spróbowała sobie wyobrazić, co by się działo, gdy dom opuściliby już wszyscy goście, kiedy usunięto by resztę tartinek, a ludzie z obsługi zapakowaliby już wszystko do swojego vana, i zostałaby tylko ona, jej matka i Ana. I musiałaby szczerze powiedzieć, co o tym wszystkim myśli. Wiedziała, że tak by się stało. „Nie zasługiwałaś na tego mężczyznę" — oto, co musiałaby powiedzieć. — „Był dla ciebie o wiele za dobry, a ty traktowałaś go jak śmieć, tak jakbyś się go wstydziła. Nigdy go nie doceniłaś, kiedy jeszcze żył, a teraz, kiedy leży w grobie, jedyne, co cię interesuje, to wykorzystanie tej sytuacji dla własnych korzyści, dla zwrócenia na siebie uwagi. Dokładnie tak, jak to zrobiłaś w przypadku Gregora. Spieprzyłaś życie mnie, a teraz robisz to samo biednej Anie. Rzygać mi się chce na twój widok". Oto, co by powiedziała. I każde słowo byłoby szczerą prawdą. Dlatego właśnie nie może jechać. Nie może zrobić tego matce. Nie na pogrzebie jej męża. To nie jest właściwa pora i miejsce.

Bee wzięła na ręce Johna i wróciła na górę do swego mieszkania. Z sypialni wyłonił się właśnie Ed, drapiąc się po głowie i ziewając.

— Już myślałem, że zostałaś uprowadzona przez kosmitów — rzucił, kierując się do kuchni.

— Nie — odparła. — Nie. Otrzymałam złe wiadomości. Pocztą.

— Jakie złe wiadomości? — Z kuchni dobiegł głos Eda. Bee usłyszała także dźwięk otwieranej lodówki.

— Chodzi o mojego ojczyma. Zmarł.

— Nie wiedziałem, że miałaś ojczyma. — Ed pojawił się, trzymając w dłoni karton soku pomarańczowego i zimną kiełbaskę.

— Drugi mąż mojej matki. Tata Any. Był bardzo stary.

— Pojedziesz więc na pogrzeb?

Wzruszyła ramionami.

— Powinnam — odparła. — Choćby dla Any. Ale naprawdę, naprawdę nie sądzę, bym to zniosła.

— Co? Swoją matkę? — Wsadził kiełbaskę do ust i tak ją pozostawił.

— Tak. Moją matkę. Ale także Anę. Tak mi jej szkoda. Będzie się czuła bardzo samotna i naprawdę strasznie chciałabym się z nią spotkać. Ale się boję, ponieważ nie mam pojęcia, co jej powiedzieć. Jak po dziesięciu latach zacząć rozmowę?

— Dlaczego po prostu nie napiszesz do niej listu albo coś w tym stylu? — Wolną ręką podrapał się po tyłku i udał się z powrotem do sypialni, pozostawiając za sobą zapach mężczyzny, który dopiero co wstał z łóżka.

List, pomyślała Bee. To nie jest zły pomysł. Wzięła prysznic i zjadła śniadanie, po czym o ósmej odprowadziła Eda do drzwi.

— Jedziesz w ten weekend do Broadstairs? — zapytał, wiążąc krawat i włączając telefon komórkowy.

— Aha. Ale będę z powrotem wcześnie w niedzielę. Masz ochotę przyjść do mnie? Moglibyśmy zjeść późną kolację.

— Eee, nie jestem pewny. Będę musiał to uzgodnić.

— Z kim? Tiny przecież nie ma.

— No cóż, ale może być. Ma przylecieć w poniedziałek rano, ale wiesz, jaka ona jest. Jeżeli uda jej się złapać wcześniejszy samolot, zrobi to na pewno. Upewnię się, w porządku?

— W porządku — odparła Bee, wydymając usta. — Ale postaraj się, dobrze? Proszę.

Pocałował ją mocno w usta i uśmiechnął się.

— Zawsze się staram, Bee. Wiesz o tym. Życzę ci udanego weekendu i pozdrów ode mnie Zandera.

Bee westchnęła, gdy zamknęły się za nim drzwi i usłyszała odgłos jego kroków na schodach, przeskakującego dwa stopnie naraz, uciekającego od niej do swojego drugiego życia — prawdziwego życia.

Potem zrobiła sobie kolejny kubek Earl Grey i podeszła do stojącego pod oknem biurka. Zapaliła papierosa i przeszukała szuflady. Papier. Papier listowy. Musi gdzieś mieć jakąś papeterię. Wreszcie znalazła kilka zawieruszonych arkuszy papieru kancelaryjnego. Położyła jeden przed sobą i wzięła do ręki niebieski długopis żelowy. Wpadające przez okno promienie słońca oświetlały kartkę i sprawiały, że wydawała się bardzo biała i bardzo pusta. Od wieków nie pisała listów. Jak się to do cholery robi? Jezu. Poszła do kuchni i zrobiła sobie kanapkę.

Potem nakarmiła kota.

Potem opiłowała paznokcie.

Potem otworzyła resztę poczty i wykonała kilka telefonów. Następnie wyniosła śmieci i pod drzewami, w blasku słońca ucięła sobie pogawędkę z Wendy Refleksologistką.

A potem była już prawie pora lunchu. Zrobiła więc sobie jeszcze jedną kanapkę.

Wreszcie wróciła do biurka, skąd wpatrywała się w nią pusta

kartka. Usiadła i zmierzyła ją wzrokiem. Chciała napisać ten list na ładnym papierze. Włożyła sandały i okulary przeciwsłoneczne, posmarowała się pod pachami antyperspirantem i udała do sklepu papierniczego na Haverstock Hill, gdzie spędziła prawie pół godziny, przeglądając niewielki wybór papeterii. Wreszcie zdecydowała się na blok śliskiego, fiołkowego papieru z kontrastującymi, jaskrawopomarańczowymi kopertami. I kupiła także kartę z serii „Z wyrazami współczucia", na której widniało zdjęcie pojedynczej, białej lilii.

Kiedy zrobiła niewielkie zakupy, kupiła trochę kwiatów i odebrała rzeczy z pralni, była już prawie trzecia. Przygotowała sobie kolejny kubek Earl Grey, zapaliła kolejną fajkę, rozłożyła przed sobą fiołkowy papier i zaczęła się wpatrywać w pusty arkusz. Wpatrywała się w niego i wpatrywała, i wpatrywała.

— Jezu! — zawołała, zrywając się z frustracją z krzesła. — Dlaczego to jest tak cholernie trudne? — Ale dokładnie wiedziała, dlaczego tak właśnie jest. Chodziło o Anę, do której pisała, małą Anę. Małą Anę, która teraz jest dużą Aną, dużą Aną prowadzącą własne życie, o którym ona niczego nie wie. Małą Anę, którą porzuciła dwanaście lat temu, kiedy zerwała kontakty z matką. Małą Anę, z którą nigdy nie stworzyła więzi. Małą Anę, która na miłość boską jest jej siostrą. Jej jedyną siostrą. Nie wystarczy napisać krótkich kondolencji. Ana zasługuje na więcej. Na wyjaśnienie. Tło. Trochę historii. Bee wzięła do ręki długopis i wreszcie zaczęła pisać.

Kiedy skończyła, przeczytała list jakieś trzynaście razy i dopiero wtedy złożyła go i wsunęła do środka karty „Z wyrazami współczucia".

To było ciężkie, wiedziała o tym. Ale takie musiało być. Wyjawianie półprawd nie miało sensu. Wszystko inne brzmiałoby banalnie, brzmiałoby jak Bee, którą Ana prawdopodobnie zapamiętała z tych okropnych spotkań, jak odszykowana, płytka, ambitna Bee. Bee, która uważała, że nie potrzebuje nikogo, kto nie potrafi pomóc jej w karierze. Bee, którą bardziej obchodziło robienie wrażenia na modnych ludziach, jakimi kiedyś się otaczała, niż uczucia jej niezdarnej, dorastającej siostry. Strzelisty Patyczak. Tak właśnie ją kiedyś nazywała. I śmiała się. Głośno. Bee zaczerwieniła się na samo wspomnienie. Biedna Ana. A teraz jest pewnie olśniewająca, pomyślała. Dwadzieścia pięć lat, nogi do nieba i te niesamowite, żółtoorzechowe oczy. Zaadresowała kopertę, przykleiła znaczek i zaniosła list do znajdującej się na rogu skrzynki. Chciała go od razu wysłać. Zanim będzie miała okazję, by zmienić zdanie.

A potem wróciła do mieszkania i przygotowała sobie margaritę i czekała, aż wieczór przemieni się w jutro. Dzień, w którym Ana otrzyma list. Dzień, kiedy coś może się wreszcie zmienić i wydarzyć coś dobrego. Może. Po raz pierwszy od lat miała na co czekać. Może. Na list od Any. Może. Albo telefon. Na szansę uporządkowania wszystkiego. Tak się stało z Zanderem. Uporządkowała sprawy z Zanderem. Może tak samo będzie w przypadku Any.

Może.

Rozdział dwudziesty

— Popatrzcie, co znalazłem. — Flint stał w salonie w domu Bee i triumfalnie trzymał przed sobą niewielki telefon komórkowy.

Lol porzuciła swój kawałek pizzy i zabrała mu go z rąk.

— To telefon Bee! — zawołała. — Gdzie go znalazłeś?

— W schowku pod siodełkiem motoru.

— Boże, nie wierzę, że tak po prostu go tam zostawiła. Była uzależniona od tej małej, pieprzonej zabawki. — Zaczęła przyciskać klawisze telefonu, aż zabuczał, a ekranik się podświetlił.

— Jest jeszcze trochę baterii — oświadczyła. — Przyjrzyjmy mu się bliżej, dobrze? — Usiadła, a Ana wślizgnęła się za sofę, by zaglądać jej przez ramię.

— Co robisz?

— Przeglądam jej książkę telefoniczną, by sprawdzić, czy są tam jakieś nazwiska, których nie rozpoznaję... Aha! — wykrzyknęła. — Kim jest ET? ET dom? 0208 341 6565? Czy to nie Highgate? Tak, prawda? Czy Bee znała kogoś z Highgate, Flint?

Wzruszył ramionami.

— Ja przynajmniej nic o tym nie wiem.

— OK, a ET praca? 0207 786 2218? To West End, no nie? Soho? Cóż, jest tylko jeden sposób, by się dowiedzieć, do kogo należy ten numer. — Zaczęła wystukiwać cyferki, po czym wyprostowała się i odkaszlnęła.

— Co robisz?

— Dzwonię, kretynie, a myślisz, że co?

— Tak, ale co dokładnie powiesz?

— Jeszcze nie wiem — odparła. — Pewnie będę improwizować.

— OK — rzekła Ana, wtrącając się między tych dwoje, zanim ponownie zaczęli się sprzeczać. — Powinniśmy najpierw uzgodnić, gdzie zadzwonimy najpierw i co mamy zamiar powiedzieć.

— Dobra — zgodziła się Lol, wyłączając komórkę. — Mamy niedzielę, a ten numer z Soho jest pewnie do biura, więc zatelefonujmy do Highgate, w porządku?

Flint i Ana zgodnie kiwnęli głowami.

— A co powiesz?

Lol wzruszyła ramionami.

— A bo ja wiem. Jak myślisz, Ano, co powinnam powiedzieć?

— Wiesz co, a może po prostu bądź szczera? Wyjaśnij, kim jesteś, jak znalazłaś ten numer i dlaczego dzwonisz.

— Wyśmienicie! — Lol rozpromieniła się, po czym podała telefon Anie. — Ty to zrób — oświadczyła. — Ludzie lepiej reagują na wytworny akcent.

— Nie jestem wytworna! — zawołała Ana.

— Nie, ale wiesz, o co mi chodzi.

Ana wzruszyła ramionami i wzięła komórkę od Lol.

— Dobra — zgodziła się, po czym wybrała numer. — Jest sygnał.

Gdy czekała, aż ktoś odbierze, odetchnęła głęboko. To może być to, pomyślała. Wreszcie. Po całym tym szukaniu wiatru w polu i ślepych uliczkach wreszcie porozmawiają z kimś, kto może mieć jakieś pojęcie o ostatnich trzech latach życia Bee.

Odebrał mężczyzna.

— Słucham?

Ana popatrzyła szeroko otwartymi oczami na Flinta i Lol, by dać im znać, że udało jej się dodzwonić.

— Och. Eee. Cześć — zaczęła.

— Witam.

— Cześć. Eee. Nazywam się Ana Wills. Nie wiem, czy słyszał pan o mnie.

— Nie — odparł zwięźle.

— Cóż, jestem siostrą Bee, to znaczy przyrodnią siostrą, jeżeli chodzi o ścisłość. Bee Bearhorn?

— Och.

— I, no cóż, dzwonię właśnie z jej telefonu komórkowego.

— Rozumiem. Dobrze.

W zachowaniu tego mężczyzny było coś niezwykle denerwującego.

— Tak, a pański numer był ostatnim, który zapisał się w pamięci jej telefonu. — Ana ponownie głęboko odetchnęła.

— OK.

Jezu, to najbardziej monosylabiczny człowiek, jakiego Ana miała okazję poznać.

— I dlatego do pana dzwonimy. Aby… eee… chcieliśmy… eee… To znaczy chcieliśmy… kim pan jest?

— Słucham?

— Nie. Przepraszam. Nie miałam zamiaru być taka bezpośrednia. Chciałam tylko, cóż, kim pan jest dla Bee? Dokładnie?

— Tak. Rozumiem. Myślę, że mógłbym to załatwić.

Ana skrzywiła się z konsternacją. O czym on u licha mówi?

— Wiem, że zabrzmi to dziwnie, ale my naprawdę musimy wiedzieć, kim pan jest. To znaczy oczywiście, że może być pan jej hydraulikiem albo kimś w tym rodzaju. Jest pan?

— Co takiego?

— Nic. Przepraszam. Po prostu muszę… Kim pan jest? — z desperacją powtórzyła to pytanie, myśląc o tym, jak beznadziejnym narzędziem komunikacji potrafi być czasami telefon.

— Tak — odparł śmiertelnie poważny mężczyzna. — Jutro mi odpowiada. Może w południe?

— Co?

— W moim biurze. Tak. Czy zna pani adres mojego biura?

— Eee, nie.

— Poland Street 52. Na domofonie napisane jest Tewkesbury. Ed Tewkesbury Productions.

— Długopis! — Ana zawołała bezgłośnie do Lol, która natychmiast jej go rzuciła. — Poland Street 52? — powtórzyła po nim.

— Zgadza się.

— Ed Tewkesbury Productions?

— Tak.

— Jutro w południe?

— Tak.

— A więc chce się pan ze mną spotkać jutro w południe w pańskim biurze?

— Tak, proszę. Byłoby doskonale.

— A nazywa się pan?

— Ed Tewkesbury Productions. Tak. Zgadza się.

— A więc to pan jest Ed?

— Zgadza się. Tak.

— A skąd właściwie znał pan moją siostrę?

— Świetnie. W takim razie doskonale. Do zobaczenia jutro. Do widzenia.

— Nie, proszę zaczekać! Proszę chwilę zaczekać! — Ale jego już nie było. Odłożył słuchawkę.

— Jezu — jęknęła, wyłączając telefon, po czym opadła na sofę. — To był zdecydowanie najdziwniejszy człowiek, z jakim miałam okazję rozmawiać.

— Co powiedział? Co powiedział? — pisnęła Lol.

Ana wzruszyła ramionami.

— Zupełnie nic. Tylko, żeby jutro spotkać się z nim w jego biurze. W południe.

— I nie powiedział, kim jest?

— Ed Tewkesbury.

Flint i Lol popatrzyli na siebie, po czym odwrócili się do Any i potrząsnęli głowami.

— Nigdy o nim nie słyszałam — oświadczyła Lol.

— Ja też nie — dodał Flint.

— Cóż — westchnęła Ana. — Jutro o tej porze będziemy już go znali.

Rozdział dwudziesty pierwszy

Około jedenastej następnego dnia Flint i Ana wysadzili Lol pod jej mieszkaniem. O trzeciej miała lot do Nicei, a chciała jeszcze wziąć prysznic i się spakować. Zatrzymali się przed jej domem na Bevington Road.

— Słuchaj — rzekła do Any. — Będę miała przy sobie komórkę, więc zadzwoń do mnie, dobrze? Chcę znać rozwój wypadków. Chcę wiedzieć, co się dzieje. Nie mogę uwierzyć w to, że muszę jechać. Teraz. Właśnie teraz, kiedy jesteśmy o krok od rozwiązania zagadki. A ty, Lennard! — nachyliła się w stronę przepierzenia. — Opiekuj się tą dziewczyną, jasne? Nie pozwól, by przytrafiło jej się coś złego i się zachowuj. — Pocałowała go w policzek, po czym uśmiechnęła się do Any. — Wrócę w czwartek i zadzwonię do ciebie od razu, jak tylko znajdę się na miejscu. I obiecaj mi, Ano, obiecaj mi, że cokolwiek się stanie, nie wrócisz do domu. OK? — Chwyciła jej dłonie i popatrzyła głęboko w oczy.

— Obiecuję — odparła Ana.

— Dobrze — uznała Lol, biorąc Anę w ramiona i mocno ją ściskając. Po chwili chwyciła swoją torbę i wysiadła z samochodu. Ana poczuła, że jej żołądek ściska się nagle z niepokoju. Lol odjeżdża. Lol, która się nią opiekowała i zabierała ze sobą, i upewniała się, że nie czuje się przerażona i samotna w wielkim, obcym mieście — jej nowa przyjaciółka Lol.

Usiadła na tylnym siedzeniu samochodu Flinta i ze smutkiem przyglądała się, jak Lol wchodzi po schodach do jaskrawozielonego domu. Wystawiła głowę przez okno, gdy ta wkładała klucz do drzwi.

— Baw się dobrze! — zawołała ze smutkiem. — Zadzwonię do ciebie.

Lol otworzyła drzwi wejściowe i posłała jej całusa. A potem zniknęła. A Ana znowu została na świecie sama. Nagle zachciało jej się płakać.

Odetchnęła głęboko, kiedy zobaczyła, że odwraca się do niej Flint.

— Czy miałabyś ochotę usiąść z przodu? — zapytał, wskazując wzrokiem na fotel pasażera i miło się uśmiechając.

Ana skinęła głową.

— Dzięki — odparła z wdzięcznością.

Wzięła plecak i wsunęła się na przednie siedzenie. Flint przyjrzał się jej z troską.

— Wszystko w porządku? — spytał.

— Tak — odpowiedziała. — Tylko... Sądzę, że może mi brakować Lol.

— O nic się nie martw, Ano — rzekł, uśmiechając się do niej szeroko. — Zaopiekuję się tobą. Obiecuję.

Biuro Eda Tewkesbury'ego mieściło się w szerokim, pięciopiętrowym, nowoczesnym budynku wciśniętym — niczym *Wojna i pokój* między dwie nowele — pomiędzy bar kanapkowy i włoską restaurację. Gdy zabuczał domofon, Flint przytrzymał przed Aną drzwi wejściowe. Umundurowany strażnik skierował ich na piąte piętro, na które dostali się niewielką, wyłożoną lustrami windą.

— Wiesz, on prawdopodobnie nie wie, że Bee nie żyje — zauważył Flint. — Możemy więc być zwiastunami złych nowin.

Winda brzdęknęła i otworzyła się bezszelestnie, a oni znaleźli się w luksusowo urządzonej recepcji. Siedząca za biurkiem ze szklanym blatem dziewczyna o platynowobiałych włosach z czarnymi pasemkami popatrzyła na nich pogodnie. Na głowie miała słuchawki, podobne do tych, jakie w swoich teledyskach nosi zespół Steps.

— Witam — odezwała się radośnie. — W czym mogę pomóc? — Gdy się zbliżyli, Flint poczuł, że recepcjonistka intensywnie pachnie truskawkami.

— Chcieliśmy spotkać się z Edem Tewkesburym — odrzekła Ana.

— A czy są państwo umówieni?

— Tak. Powiedział, żebyśmy przyszli do biura o dwunastej. W samo południe.

Cała trójka popatrzyła na wielki, chromowany zegar na ścianie po lewej stronie. Jego wskazówki pokazywały dokładnie godzinę dwunastą.

— Zaraz się z nim skontaktuję. Kogo mam zaanonsować?

— Anę Wills i Flinta Lennarda, dziękuję.

Oboje stali ramię w ramię i uśmiechali się do niej, gdy wystukiwała jakiś numer na swojej centralce.

— Cześć, Shona, tu Amber. Państwo Ana Flint i Leonard Wills czekają, by spotkać się z Edem. Super. Super. Super. Aha. Super. OK.

— Witam! — rozpromieniła się ponownie. — Ed właśnie kończy zebranie. Potrwa to jeszcze pięć minut. Może państwo usiądą? — Wskazała na znajdującą się za nimi pokrytą dżinsem sofę z kontrastującymi szwami i nitami i wielkimi kieszeniami na oparciach. Na szklanym stoliku rozłożono w kształcie wachlarza czasopisma branżowe. Flint wziął do rąk egzemplarz „Broadcast" i zaczął go kartkować. Nie lubił biur. Odczuwał w nich skrępowanie. Nigdy w życiu nie musiał pracować w biurze z wyjątkiem jednego tygodnia — no, w zasadzie trzech i pół dnia — podczas programu YOP*, kiedy miał szesnaście lat i zatrudniono

* YOP (Youth Opportunities Programme) — program rządu brytyjskiego pozwalający zdobyć doświadczenia i zarobić niewielką sumę pieniędzy młodym ludziom, którzy opuszczali szkołę w wieku szesnastu lat.

go w biurze rachunkowym w Palmers Green. Musiał chodzić tam w garniturze, który należał do jego kuzyna Paula. Paul był drobnym chłopcem, co najmniej dziesięć centymetrów niższym od Flinta i, sądząc po skorupie, którą Flint musiał zdrapać nożem, zanim w ogóle rozważył możliwość włożenia marynarki, miał zwyczaj wkładać mankiety do jedzenia. Nie mogąc przetrawić wizji noszenia także cuchnącej, nylonowej koszuli Paula, Flint nałożył jedną ze swoich wystrzępionych, szkolnych, a jego matka próbowała ujarzmić sterczące włosy syna starą brylantyną ojca ze słoiczka, który od dziesięciu lat stał kompletnie zapomniany w łazience. Wyglądał zupełnie jak klaun i był stosownie do wyglądu traktowany, zwłaszcza przez snobistyczne sekretarki w bluzkach z żabotami i ze sztywnymi od lakieru włosami. Kazały mu przyklejać znaczki na kopertach, czyścić lodówkę, co pięć minut posyłały go po coś na pocztę i kazały robić sobie herbatę w napuszonych małych filiżankach ze spodkami. Nienawidził każdej spędzonej tam sekundy. Na biurku jednej z sekretarek rozsypał paczkę herbaty — liściastej, nie w torebkach — nazwał ją „pieprzoną, tłustą, starą wiedźmą" i wypadł stamtąd jak burza, kiedy udzieliła mu ostrej reprymendy za wykonanie prywatnego telefonu, a gdy wyszedł z zalatującego stęchlizną budynku i poczuł świeże powietrze styczniowego popołudnia, poczuł się jak facet w *Midnight Express*. Tego samego dnia wstąpił do wojska.

— Cześć. — Przed nimi stanęła anorektycznie wyglądająca kobieta w turkusowych rybaczkach i czarnym, szydełkowanym topie wiązanym na szyi. W jednej wychudzonej dłoni trzymała jakiś folder, a na wardze miała opryszczkę. — Jestem Shona, asystentka Eda. Ed czeka już na was. Proszę za mną.

Flint i Ana zgodnie wstali i uśmiechnęli się najpierw do Shony, a po chwili do siebie nawzajem. Nareszcie. Nie odzywali się ani słowem, gdy podążali za denerwująco chudą sylwetką Shony wzdłuż cichego korytarza. Zapukała do podwójnych drzwi na samym jego końcu, a szorstki, męski głos powiedział:

— Wejść.

To było ogromne biuro z oknami po obu stronach, wychodzącymi na ulicę i podwórze. Rozejrzeli się, dostrzegając ciężkie, lniane zasłony, sofy obite jasnobrązową, cielęcą skórą, ręcznie robione stalowe żyrandole, półtorametrowe, cynowe świeczniki i płócienne sitodruki. Pomieszczenie to przypominało bardziej apartament mieszczuchowatego chłoptasia niż biuro.

— Witaj, Ano, miło cię poznać. — Z boksu w rogu pomieszczenia wyłonił się niewysoki mężczyzna, ledwie dostrzegalnie się uśmiechając. Szczupły i dobrze ubrany, miał krótko obcięte, siwe włosy i okulary w metalowych oprawkach.

Był facetem ze zdjęć Bee z Indii.

— Ed Tewkesbury.

— Dzień dobry — odparła Ana, odwracając się, by uchwycić spojrzenie swego towarzysza. — To jest Flint Lennard. Był bardzo dobrym przyjacielem Bee.

— Witam — rzucił ponuro, wsuwając wiotką, małą dłoń w wielką łapę Flinta. — Miło cię poznać, Flint.

Flint popatrzył na niego z góry. Nie spodobał mu się ten gość. Opuścił dłoń i wsadził ją do kieszeni.

— A więc — rzekł Ed, składając ręce i starając się wyglądać na rozluźnionego — coś do picia? Herbata? Kawa?

Zgodnie potrząsnęli głowami.

— Jesteście pewni? OK. Ja poproszę herbatę, Shono. Jaśminową. Dzięki. — Shona opuściła pomieszczenie, a Ed odwrócił się i uśmiechnął smutno do Any i Flinta. — Więc jesteś siostrą Bee, tak?

Ana skinęła głową i przysiadła skrępowana na brzegu skórzanej sofy.

— Naprawdę bardzo, bardzo mi przykro z powodu tego, co się stało.

— A więc słyszał pan o tym?

— Tak. W „Timesie" zamieszczono notatkę. Byłem wstrząśnięty. Absolutnie wstrząśnięty. Kiedy spotyka się kogoś tak pełnego życia jak Bee, nie jest się w stanie nawet przypuszczać, że może stać się coś takiego. To prawdziwa tragedia.

Ana ponownie skinęła głową. Na chwilę zapadła cisza. Ed ostentacyjnie zasiadł w swoim fotelu.

— Muszę przyznać, że twój telefon nieco mnie zaintrygował. Był niezwykle tajemniczy. Co właściwie mogę dla was zrobić? — Na jego twarzy ciągle widniał okropny, fałszywy uśmiech i było najzupełniej jasne, że pod tą łagodną, gładką powierzchnią kryje się popaprane wnętrze.

Flint otworzył usta, by coś powiedzieć, ale Ana go ubiegła. Odwrócił się i obserwował ją. Jej uszy wystawały z prostych, czarnych włosów niczym małe, białe uchwyty. Były lekko odstające. I niewiarygodnie urocze.

— Cóż — zaczęła. — Chodzi o to, że w domu Bee w Broadstairs znaleźliśmy jej telefon komórkowy...

— Rozumiem.

— Wiedział pan — zapytała Ana ze zdziwieniem — że Bee miała dom w Broadstairs?

Uśmiechnął się.

— Owszem, wspominała o tym. Tak sądzę...

— I przejrzeliśmy jej książkę telefoniczną, a pańskie numery były jedynymi, których nie rozpoznaliśmy.

Nagle zesztywniał.

— Skąd wiedzieliście, że mój numer jest w Highgate?

Ana wzruszyła ramionami i popatrzyła na Flinta.

— Rozpoznaliśmy kod dla tego rejonu — odparł.

— Och. Rozumiem. OK.

— Więc, co pana łączyło z Bee?

— Cóż — rzekł Ed, przeciągając się na swoim skórzanym fotelu. — Mój związek z Bee był raczej... eee... luźny, tak by to można określić. Nie sądzę, bym okazał się dla was wielką pomocą.

— Dobrze — wtrącił Flint, tracąc wreszcie cierpliwość — a jak pan ją poznał?

— Na gruncie czysto zawodowym. Pracowaliśmy nad serią nostalgicznych programów dla Kanału 4, no wiecie, hity, programy telewizyjne i reklamy pochodzące z konkretnego roku. Poprosiliśmy Bee, by wystąpiła w programie o roku 1985. Odmówiła. Zaprosiłem ją na lunch i próbowałem przekonać do tego pomysłu. I cóż, jeśli mam być zupełnie szczery, zrobiłem to także dlatego, iż bardzo pragnąłem ją poznać. Widzicie, ciężko się w niej durzyłem, kiedy byłem młodszy. Zabrałem ją więc na lunch, a ona oświadczyła, że nie ma mowy i koniec. Przeszłość to przeszłość, powiedziała, i tam właśnie chciała ją pozostawić. Odniosłem wrażenie, że nie jest szczególnie dumna ze swojej popowej spuścizny. Wydała mi się osobą, która woli patrzeć przed siebie, niż oglądać się wstecz. A więc niczego wtedy nie wskórałem. Zrobiliśmy nasz nostalgiczny program bez niej. Ale później, w styczniu, zostaliśmy poproszeni przez Sky o wyprodukowanie podobnej serii, tym razem jednak mniej dokumentalnej, a bardziej w stylu szaleńczych teledysków z MTV, i od razu przyszło mi do głowy, że Bee mogłaby się okazać fantastyczną prezenterką. Była piękną kobietą i w dodatku taką charyzmatyczną. Zdziwiło mnie, że nikt jej jeszcze nie zaproponował czegoś podobnego. Zatelefonowałem więc do niej, ale nie mogłem się dodzwonić na komórkę. To było naprawdę frustrujące. Wiecie, mieliśmy ostateczny termin, musieliśmy zatwierdzić projekt i potrzebowałem deklaracji od Bee, że jest tym zainteresowana. Ale nie udało mi się z nią skontaktować. A nie miała agenta ani nikogo takiego. Musiałem więc sobie odpuścić. Dać szansę komuś innemu. A następne, co usłyszałem o Bee, to to, że ona... nie żyje. — Bezradnie podniósł dłonie.

Flint popatrzył na niego, a jego oczy zwęziły się z gniewu. Czuł to. Każdym fragmentem swego ciała. Od chwili, gdy wczoraj rano zobaczył go na zdjęciu, wiedział, że ten facet jest oślizłym draniem. A teraz się to potwierdziło. Kłamał. Kłamał jak z nut. Ręka Flinta powędrowała do klamry przy plecaku Any, gdzie aktualnie znajdował się plik zdjęć. Spojrzenie Any pomknęło ku jego dłoni, a po chwili ku oczom. Niedostrzegalnie skinęła głową.

— A więc — zaczęła Ana, patrząc Edowi prosto w twarz — twierdzi pan, że tak naprawdę tylko raz spotkał Bee?

— Niestety tak. — Oderwał spojrzenie od jej oblicza i popatrzył na Shonę, która właśnie weszła z wielkim, żółtym kubkiem wypełnionym parującą, jaśminową herbatą. — O, Shona, cudownie. Dziękuję. Tak, tylko raz, mimo że, jak mówię, żałuję, iż nie poznałem jej lepiej.

— Jest pan pewny, że nic więcej z nią pana nie łączyło? — zapytała Ana, obserwując jak Flint wyjmuje z jej plecaka zdjęcia.

— Całkowicie — skrzywił się, popijając łyk herbaty, zdecydowanie zbyt szybko, i parząc sobie wargi. — O cholera — syknął, odstawił z hałasem kubek na biurko i przysłonił usta dłonią.

— W takim razie to bardzo dziwne, nie sądzi pan, gdyż wygląda na to, iż był pan razem z nią na wakacjach, prawda? W Indiach? — Flint wstał i położył zdjęcia na biurku przed Edem. Flint przyglądał mu się z uwagą i prawie widział, jak przez głowę mężczyzny przelatują różne opcje, dopóki nie uświadomił sobie, że cokolwiek teraz powie i tak będzie jasne, iż wcześniej kłamał.

— Ooooch — rzekł wreszcie, biorąc w dłonie zdjęcie i oglądając je. — Rozumiem.

— OK — rzucił Flint, wracając na sofę. — Czy możemy, proszę, zacząć tę rozmowę od początku?

Ed westchnął i skrył twarz w dłoniach.

— To był jej pomysł — zaczął. — Nalegała, aby trzymać wszystko w tajemnicy. Kilka miesięcy wcześniej chciałem, żebyśmy się ujawnili, ale ona mi nie pozwalała. Jeżeli można powiedzieć coś o Bee, to lubiła, by jej życie było uporządkowane.

— A więc — ponagliła niecierpliwie Ana — co się działo?

— Cóż, my. My się działiśmy. Ale ja byłem — jestem — żonaty. Dlatego tak ostrożnie wczoraj z panią rozmawiałem. Tuż obok stała moja żona. I zostawiłbym ją — Tinę — byłem gotowy zostawić ją w chwili, kiedy poznałem Bee, ale ona mnie od tego odwodziła i nie pozwalała.

— Jak długo? — zapytała Ana. — Jak długo wy dwoje…?

Ed westchnął, otworzył szufladę, wyjął paczkę papierosów, poczęstował ich, zapalił jednego, zaciągnął się.

— Trzy lata.

— Trzy lata? — powtórzył z niedowierzaniem Flint.

— Tak.

— Więc byliście razem, kiedy mieszkała w Belsize Park?

— Tak. Tak właściwie to ja opłacałem czynsz.

— Naprawdę?

— Tak. No cóż, spędzałem tam dużo czasu, a jej zawsze brakowało pieniędzy, więc... wiecie, to nie było tak, jakbym jej płacił czy coś w tym stylu. To rozwiązanie okazało się po prostu praktyczne.

— Czy dlatego się wyprowadziła?

Ed wzruszył ramionami.

— Nie wiem. Pewnie przez pieniądze. A może pragnęła zacząć wszystko od początku. Albo coś w tym rodzaju...

— A jak się poznaliście?

— I w tym właśnie cały problem, widzicie. W tym problem...

— Jaki problem? — zapytała niecierpliwie Ana.

— Sposób, w jaki się poznaliśmy. On właśnie miał wpływ na to, że nie pozwoliła mi wejść do swego życia, że nie pozwoliła mi zostawić żony.

— A jak to było?

Ed potrząsnął głową.

— Nie mogę — odrzekł. — Nie mogę tego powiedzieć. Przysiągłem Bee, przysiągłem, że nigdy nikomu tego nie wyjawię. Nie mogę...

Flint poczuł, że traci cierpliwość, a zazwyczaj był człowiekiem naprawdę spokojnym. Ponownie podniósł się z sofy.

— Niech pan posłucha — oznajmił, używając raczej swego potężnego ciała zamiast podniesienia głosu, by onieśmielić i przestraszyć Eda. — Bee nie żyje. A my nie mamy pojęcia dlaczego. A pan wydaje się wiedzieć o wiele więcej o jej życiu niż jej najbliżsi przyjaciele i rodzina. — Kiwnął głową w kierunku Any. Jeżeli ma pan choć odrobinę szacunku dla nas i Bee, powie nam pan to, co wie.

Ed potrząsnął głową i zgasił wypalonego do połowy papierosa.

— Nie — odparł krótko. — Nie mogę. Obiecałem jej to.

— Czy miała coś wspólnego z panem? Śmierć Bee? — Flint poczuł, że wzbiera w nim wściekłość i starał się ją powstrzymać. Poczuł dłoń na swoim nagim ramieniu. To była Ana.

— Proszę posłuchać — zaczęła uspokajająco, zwracając się do Eda. — Czy ma to coś wspólnego z Zanderem?

Eda wyraźnie to zaskoczyło.

— Co? — zapytał. — Wiecie? Wiecie o Zanderze?

Flint usłyszał, jak Ana wciąga powietrze.

— Tak. Wiemy o Zanderze.

Flint wstrzymał oddech. Doskonale, pomyślał z uznaniem. Co za rewelacyjne posunięcie.

— Cóż, w takim razie nie trzeba, bym cokolwiek jeszcze dodawał, prawda? — Po skroniach Eda spływał pot. Najwyraźniej ta rozmowa wyjątkowo go stresowała.

Flint popatrzył na Anę.

— Tak właściwie to potrzebujemy. Na przykład dowiedzieć się, w jaki sposób możemy go znaleźć? Jak moglibyśmy z nim porozmawiać?

— Nie — odparł krótko Ed. — Nie ma mowy. Spotkałem go tylko raz. Syn Bee to była jej prywatna sprawa, a ona nienawidziła, jak ktokolwiek się w to wtrącał. A więc nie, zostawmy to. Uwierzcie mi. Zander jest trudnym chłopcem — bardzo gniewnym, bardzo... okrutnym. Nie spodobałoby mu się, gdyby został odnaleziony. Dobrze mu tam, gdzie jest. Zostawcie go w spokoju. Naprawdę. Uwierzcie mi...

Flint usiadł. Ana popatrzyła na niego, a potem ponownie na Eda.

— Bee nie miała syna — oświadczyła.

— Spróbujcie powiedzieć to Zanderowi — westchnął Ed.

— Nie, ona naprawdę nie miała syna.

— Posłuchajcie, przed chwilą powiedzieliście mi, że o twojej siostrze nie wiecie praktycznie niczego. Uwierzcie mi więc. Miała syna. Na imię mu Zander. Ma czternaście lat.

— Nie, nie, nie — rzucił Flint, podnosząc się z sofy. — To brednie. Totalne brednie. Znałem Bee przez ponad piętnaście lat.

Znałem ją, widzi pan, i ona nigdy nie była w ciąży. Nigdy. — Flint zaczął się pocić, gdy w jego głowie pojawiły się wątpliwości co do swojej pamięci na temat głównych wydarzeń w życiu jego najbliższych przyjaciół.

Ed wzruszył ramionami.

— Cóż mogę powiedzieć? Miała syna. Raz go spotkałem. Istniał. Czasami niemożliwością jest wiedzieć wszystko o swoich przyjaciołach.

— Tak, ale przecież czym innym są tajemnice, a zupełnie czym innym dziewięć miesięcy z wielkim brzuchem. Chodzi mi o to, że Bee była taka drobna. Zauważyłbym.

— Może wyjechała? Może urodziła dziecko gdzie indziej?

— Nie — odparł Flint. — Nie, ponieważ nigdzie nie wyjeżdżała. Nigdzie nie wyjeżdżała na dłużej niż kilka tygodni i nie, ponieważ to był rok 1986, a w tym roku... cóż... Nie ma mowy, absolutnie nie ma mowy...

Ed ponownie wzruszył ramionami i westchnął, a Flint zapragnął go uderzyć. Jak ten mały, zadowolony z siebie mężczyzna siedzący w tym swoim paniczykowatym biurze, ta gnida, która znała Bee przez jakieś dwie sekundy, może w ogóle myśleć, że ma coś do powiedzenia na temat Bee Bearhorn? A szczególnie na temat Bee Bearhorn około 1986, o którym Flint wiedział, że był najgorszym rokiem w jej życiu i okresem, kiedy prawie się nie rozstawali.

Ana ponownie położyła dłoń na jego ramieniu. Delikatną, dygocącą dłoń.

— Co się z nim stało? Z Zanderem? — zapytała Eda. — Dlaczego był niepełnosprawny?

Mężczyzna wzruszył ramionami.

— Już taki chyba przyszedł na świat, tak sądzę. Od urodzenia przebywał w domu dziecka, o ile mi dobrze wiadomo. Bee odnowiła z nim kontakt zaledwie trzy lata temu. Mniej więcej wtedy, kiedy ją poznałem.

— A gdzie dokładnie ją pan poznał?

— W domu dziecka. Tam, gdzie mieszkał Zander. Kręciłem

program dokumentalny, a Bee przyjechała odwiedzić Zandera. Wtedy go poznałem. I był to jedyny raz, kiedy go widziałem. Posłuchajcie — dodał. — Nie mam zamiaru zdradzić wam, gdzie go znaleźć, ale powiem wam wszystko inne. O Bee. I Zanderze. Wszystko, co wiem. OK?

Ana zerknęła na Flinta, po czym skinęła głową.

— Pewnie — odparła. — OK.

Ed wyprostował się w fotelu i zgasił kolejnego papierosa.

— Chodźmy na jakiś lunch. Może być kuchnia japońska?

Rozdział dwudziesty drugi

czerwiec 1997

Bee zatrzymała motor i zsiadła z niego. Wyjęła torbę z przyczepionego z tyłu kosza i skierowała się w stronę budynku. To było piękne miejsce i z tymi swoimi wieżyczkami wyglądało na nieco zaczarowane. Przeszła niepewnie po żwirowanym podjeździe i dotarła do głównego wejścia.

— Dzień dobry — zwróciła się do ubranej na niebiesko pielęgniarki w recepcji. — Nazywam się Belinda Wills. Mam umówione spotkanie z doktor Chan. W sprawie Alexandra Ropera.

Pielęgniarka uśmiechnęła się.

— Tak, oczywiście. Proszę usiąść. — Wskazała na stojący za nią rząd plastikowych krzeseł.

— Tak właściwie — rzekła Bee — to miałam nadzieję, że najpierw będę mogła się przebrać. Wie pani, pozbyć się tej skóry. Nie chciałabym go przestraszyć ani nic w tym rodzaju. — Zaśmiała się nerwowo, a pielęgniarka uśmiechnęła się do niej i wskazała na drzwi do damskiej toalety.

Gdy już się tam znalazła, Bee poczuła, że robi jej się niedobrze z nerwów. Co ona wyprawia? Co na miłość boską ona właściwie wyprawia? To był absurdalny pomysł. Bee w swoim czasie miała kilka absurdalnych pomysłów, ładnych kilka razy się wygłupiła, ale to, co robi teraz, naprawdę nie może się równać z niczym dotychczasowym. Jej serce waliło, a ręce się trzęsły, gdy próbowała odpiąć skórę.

— Cholera — mruknęła pod nosem. — Cholera.

Gdy wreszcie udało się jej wyślizgnąć z kombinezonu, sięgnęła do przywiezionej ze sobą torby po strój Belindy Wills. Dopasowane, czarne spodnie, szary golf, płaskie, wiązane buty. Wyglądała w nich jak Pigmej. No i golf — fuj. W golfie wyglądała, jakby miała jedną, połączoną pierś, niczym mały chłopiec z upchniętą pod bluzą wielką roladą. Ubrała się w znienawidzone ciuchy, po czym spróbowała zrobić coś z włosami, coś, by nie wyglądać na kokainistkę z branży reklamowej, ale na nauczycielkę, za którą się zresztą podawała. Czesała je, aż zupełnie przyklapły, po czym musnęła usta odrobiną perłowej pomadki. Jej oczy bez grubej, czarnej obwódki, którą zwykle malowała, wyglądały jak dwie porzeczki wepchnięte do białego ciasta jej twarzy zupełnie pozbawionej podkładu czy różu. Fuj, fuj, fuj. Jednak nie znalazła się tutaj, by ją podziwiano, przyjechała tutaj, by zostać zaakceptowaną, a to był jedyny sposób. Jedyny sposób.

Bee odetchnęła głęboko i jeszcze raz popatrzyła w lustrze na Belindę Wills, po czym zatknęła włosy za uszy i udała się z powrotem do recepcji.

Doktor Chan okazała się drobną kobietą, drobniejszą nawet od Bee. Miała krótkie, czarne włosy, okulary i duży pieprzyk na policzku, z którego wyrastał jeden wijący się włos.

— Dzień dobry, pani Wills.

— Doktor Chan. Dziękuję, że zgodziła się pani ze mną spotkać. I bardzo proszę mówić mi po imieniu — uśmiechnęła się i uścisnęła dłoń lekarki.

Okna w gabinecie doktor Chan wychodziły na wspaniały ogród angielski, w którym roiło się od pielęgniarek i bawiących się dzieci, niektórych na wózkach, niektórych o kulach, a niektórych biegających wokół bez żadnych ograniczeń.

— Uroczo tutaj — stwierdziła Bee.

Doktor Chan obejrzała się za siebie i przytaknęła.

— To zdecydowanie najładniejsze miejsce, w jakim pracowałam. A więc, jak się czujesz?

— Jestem zdenerwowana — przyznała Bee, lekko się krzywiąc.

— Wcale się nie dziwię. Wiem, że rozmawiałaś już szczegółowo z doktor Whitaker o problemach Zandera.

— Zandera?

— Tak. Chce, by tak właśnie się do niego zwracano.

— Och — odparła Bee. — Rozumiem.

— Jest bardzo gniewnym, pogrążonym w depresji dzieckiem. Ma oczywiście swoje powody, ale nie pozwól, by jego użalanie się nad sobą sprawiło, iż będziesz myślała, że nikt nie zwraca na niego uwagi. To dość przystojny chłopiec i niezwykle przy tym inteligentny. Odkąd odeszła jego babcia, naprawdę wiele par wyraziło chęć zaadoptowania go, ale on odrzucił każdą możliwość ułożenia sobie życia poza murami tego domu. Potencjalni rodzice byli, według Zandera, za grubi, za głupi, za brzydcy, za spokojni, za starzy, za młodzi. Nie chciał mieszkać w Oxfordshire, w Cheshire, w Londynie, w Yorku. Nie podobały mu się ich pozostałe dzieci, nie podobały mu się ich meble, nie podobał mu się ich pies. Dowolna wymówka, dowolny powód. Nie żałuj go więc za bardzo. Masa ludzi w tym domu i poza nim zrobiła więcej dla Zandera przez te wszystkie lata, niż można by tego oczekiwać. I ani przez chwilę nie możesz myśleć, że on uważa twoją wizytę za ekscytującą czy też choć odrobinę interesującą, jeżeli już o to chodzi. Nie spodziewaj się więc z jego strony żadnych ciepłych uczuć. Będzie prawdopodobnie robił wszystko, by cię zignorować. Będzie próbował podkopać cię intelektualnie. Będzie chciał cię przetestować, sprawdzić, jak daleko może się posunąć, a może nawet cię upokorzyć, jasne?

Bee skinęła głową.

— Jesteś tego pewna, Belindo? Jesteś pewna, że chcesz to zrobić?

Bee ponownie skinęła głową. A potem nią potrząsnęła. Następnie się roześmiała.

— Przepraszam — parsknęła. — To po prostu takie przerażające.

— Tak — zgodziła się doktor Chan. — To prawda. Ale gdybym naprawdę nie wierzyła, że istnieje możliwość pozytywnego wyniku, nigdy nie pozwoliłabym, by to się stało. Potrzebna ci wytrwałość. Jeśli masz zamiar to zrobić, musisz przez cały czas być o tym w pełni przekonana. Tak?

— Tak — Bee pokiwała głową z większą energią. — Tak. Przez cały czas. Tego właśnie chcę. Zdecydowanie.

Doktor Chan uśmiechnęła się.

— Dobrze. To dobrze. A więc — zaczęła wychodzić zza biurka — idziemy?

— Tak. — Bee wzięła swoją torbę i kask. — Czy mogę zostawić to tutaj?

— Jasne.

Udały się wzdłuż długiego, wyłożonego drewnem korytarza. Bee starała się nie dostrzegać spojrzeń mijanych przez nie dzieci. Uważała kalectwo za niesamowicie przerażające. I wtedy, gdy skręciły za róg, ujrzała coś jeszcze bardziej przerażającego. Stos aluminiowych pojemników. Kable. Reflektor na statywie. Młodą dziewczynę ze słuchawkami na uszach, która trzymała podkładkę do pisania. Kamerę.

Zatrzymała się w miejscu.

— Eee... doktor Chan. Co tu się właściwie dzieje?

— Och — uśmiechnęła się lekarka. — Nic strasznego. To tylko ekipa telewizyjna. Kręcą program dokumentalny.

— Program dokumentalny? O czym?

— O Wysokich Cedrach. O nas. Dla dziennej telewizji, chwytające za serce historie i tak dalej. Nie jest to może coś, czego bym pragnęła, ale daje świetny rozgłos. Dyrekcja nalegała. Udziałowcy i tym podobni.

— Tak, ale ja nie chcę być filmowana. To znaczy naprawdę bardzo, ale to bardzo nie chcę być filmowana.

— Proszę się nie martwić — uśmiechnęła się ciepło doktor Chan. — Wszystko zostało już wcześniej ustalone i zaakceptowane. Nie mogą nagrywać nikogo, kto nie udzielił im pisemnej zgody. A Zander ma swój własny pokój, gdzie będziecie zupełnie sami, obiecuję.

— Jest pani pewna?

— Najzupełniej. — Uśmiechnęła się ponownie i ruszyła dalej. Bee podążyła za nią korytarzem w kierunku windy. Drugie piętro zostało w większym stopniu zmodernizowane niż parter, wyglądało bardziej jak szpital, a nie jak szkoła z internatem.

— OK. Jesteśmy na miejscu. — Zatrzymały się przy drzwiach. — To pokój Zandera. Gotowa?

Bee obciągnęła golf i przygładziła włosy, po czym wytarła spocone dłonie o materiał spodni. Serce waliło jej tak szybko, iż myślała, że zaraz ogarnie ją jeden z tych jej ataków paniki.

Po dwunastu latach poczucia winy i myślenia, i wyobrażania, i planowania, i nadziei nareszcie nadeszła ta chwila. Wreszcie. Zaraz pozna Zandera. Jezu. Pozna Zandera. Za kilka sekund znajdzie się w jednym pomieszczeniu z Zanderem i spojrzy mu w oczy.

Co w nich ujrzy?

Była przerażona.

Głęboko odetchnęła.

— Tak — odparła. — Tak. Jestem gotowa.

Rozdział dwudziesty trzeci

Pokój był mały, słoneczny i nowocześnie urządzony. W jednym rogu znajdował się telewizor, playstation i komputer, a na ścianach wisiały plakaty. To był pokój normalnego, młodego chłopca. Z wyjątkiem hydraulicznego łóżka i unoszącego się w powietrzu zapachu środków dezynfekujących.

— Zander. Dzień dobry — odezwała się pogodnie doktor Chan.

Drobny chłopiec odwrócił się do nich od komputera, przy którym akurat siedział. Jego proste, brązowe włosy były niezbyt atrakcyjnie obcięte i zasłaniały mu połowę twarzy. Nosił okulary i za dużą koszulę w kratkę. Ale miał delikatną twarz, piegowaty, kształtny nos i szeroko osadzone, bystre niebieskie oczy.

— Dzień dobry, doktor Chan — odparł, omiatając spojrzeniem Bee, po czym natychmiast odwrócił się z powrotem do komputera.

— Masz gościa, Zander.

Bee przybrała wyraz twarzy, który, miała nadzieję, nie okaże się onieśmielający. Jej wszystkie mięśnie mimiczne były sztywne i zdrętwiałe.

— To jest Belinda, twoja ciocia — ciągnęła doktor Chan. — Pamiętasz? Rozmawialiśmy o Belindzie.

223

— Tak, doktor Chan. Pamiętam, że rozmawialiśmy o Belindzie.

— Belinda przyjechała aż z Londynu, by się z tobą spotkać. Nie sądzisz, że byłoby uprzejmie przynajmniej się przywitać?

Odwrócił się powoli na krześle i zmierzył Bee uważnym spojrzeniem.

Serce Bee zamarło na chwilę, po czym znowu zaczęło walić w szaleńczym tempie. Spodziewała się, że będzie wątły, bezradny, smutny. Ale ten chłopiec wyglądał na tak bardzo... silnego. Pewnego siebie. Tak chłodnego. Nie miał wyglądu dziecka. Wyglądał jak dorosły.

— Witaj, Belindo — rzucił sarkastycznie, po czym ponownie się odwrócił.

— Zander... — zaczęła doktor Chan.

Bee wyciągnęła dłoń i położyła ją na ramieniu lekarki.

— Proszę się nie martwić — wyszeptała bezgłośnie. A potem podeszła do Zandera i usiadła na brzegu łóżka, w zasięgu jego wzroku. Nad jej górną wargą pojawiło się kilka kropli potu i czuła wilgoć także pod pachami. — Cześć, Zander — zaczęła. — Co robisz? — pokazała oczami ekran monitora.

— Badam nielogiczną teorię arytmetyczną Roberta K. Meyera.

— Ooch — odparła Bee. — Jasne.

— Tak, widzisz, Meyera bardziej interesował los teorii logicznej, ale okazało się, że istnieje cała kategoria nielogicznych teorii arytmetycznych, na przykład Meyera i Mortensona z 1984 roku. Meyer upierał się, że te teorie zapewniają jądro dla odżyłego na nowo Programu Hilberta.

— Aach.

— Tak. Uważano, że Program Hilberta został poważnie naruszony przez Drugie Twierdzenie Niepełności Gödela, według którego stałość arytmetyki jest niemożliwa do udowodnienia na gruncie tejże arytmetyki. Ale konsekwencją założenia Meyera było to, że na gruncie jego arytmetyki...

— Wystarczy, Zander. Popisujesz się i tyle. I wyłącz natychmiast ten komputer. — Doktor Chan podeszła do niego i skierowała palec w stronę przycisku wyłączającego komputer.

— Nie! — zawołał. — Nie. Nie zdążyłem zrobić zapasowej kopii mojego arkusza kalkulacyjnego. Sam go wyłączę. — Z pochmurną miną uderzył w kilka klawiszy. — Proszę bardzo. Zrobione. Jest pani teraz zadowolona?

— Tak, dziękuję, Zander. A teraz zostawię ciebie i twoją ciocię, byście mogli pogawędzić. Wrócę za jakąś godzinę i wspólnie pójdziemy na lunch. W porządku?

— Czy mam jakiś wybór?

— Nie. Nie masz wyboru.

— Cóż, w takim razie po co sobie zawracać głowę pytaniem mnie?

— Świetnie — rzekła zwięźle doktor Chan, rzucając Bee znaczące spojrzenie. — Spotkamy się zatem za godzinę. A w razie potrzeby proszę po prostu to nacisnąć. — Wskazała na dzwonek na ścianie.

— Do kogo pani mówi, do niej czy do mnie?

Doktor Chan uniosła brwi i wyszła z pokoju.

Bee pragnęła, by otworzyła się ziemia i ją pochłonęła. Obecność doktor Chan w pewien sposób izolowała ich od siebie. Teraz nie było już żadnej ochrony.

Zander podjechał do niej na wózku i nagle zatrzymał się kilka centymetrów od jej stóp. W pokoju panowała cisza. Wpatrywał się w nią z głową przechyloną na bok, pocierając palcami jedno ucho.

— No więc — zaczęła Bee, próbując złagodzić złowrogą atmosferę — masz tutaj całkiem przyjemny pokój.

— Nie wierzę, że jesteś moją ciotką — oświadczył.

Bee zbladła i przełknęła ślinę. On wie, pomyślała, on wie.

— Słucham?

— To, że jesteś moją ciotką, to stek kłamstw.

— A co dokładnie sprawia, że tak uważasz?

— Cóż, wszyscy w mojej rodzinie byli brzydcy jak noc. Jesteś zdecydowanie zbyt ładna jak na moją krewną.

Bee starała się kontrolować mięśnie twarzy i wyglądać na niewzruszoną. Trzymaj się tej wersji wydarzeń, Bee, powiedziała do siebie w duchu, po prostu trzymaj się tej pieprzonej wersji wydarzeń.

— Tak. Cóż. Miałyśmy różne matki, twoja mama i ja. Nigdy zresztą nie poznałam twojej mamy.

— Gówno prawda.

— Naprawdę. To znaczy, dopiero niedawno się dowiedziałam, że ona w ogóle żyła i...

— Gówno. Prawda. Wielka, parująca kupa gówna. — Zamachał palcami, by zademonstrować parę, unoszącą się znad tego gówna.

Bee wcisnęła palce za golf, próbując zwalczyć ogarniającą ją klaustrofobię.

— Słuchaj. Nie wiem, co jeszcze mam powiedzieć. To znaczy...

— Ogromne, potężne góry gorącego, parującego, zjełczałego, rojącego się od much gówna... Całe tony. Góry tak wielkie jak Himalaje. Wszędzie. Uch... uch... uch... — Przyłożył dłoń do gardła i udawał, że się dusi. — Amoniak, trujące, obrzydliwe, duszące gazy, unoszące się z tych gór gówna... Pomocy, duszę się, zaraz umrę... uch...

I gdy Bee patrzyła na tego mizernego, niepełnosprawnego, małego chłopca z przywiędłymi nogami, w za dużej koszuli i głupich okularach, tego małego chłopca, któremu tak wiele była winna, któremu zabrała tak wiele i o którym myślała przez tyle lat, przestała być zdenerwowana, a zaczęła czuć irytację i nagle ogarnęła ją przemożna ochota, by uderzyć go w twarz. Naprawdę mocno.

— W takim razie w porządku, Panie Wszechwiedzący — parsknęła, podnosząc się z łóżka. — Jeżeli nie jestem twoją ciotką, to kim w takim razie, do cholery, jestem?

— Hm, to bardzo dobre pytanie. Wręcz doskonałe. Może ty mogłabyś na nie odpowiedzieć? Ja sądzę jednak, że jesteś albo a) dziennikarzem w przebraniu — ma to coś wspólnego z tymi wszystkimi ptasimi móżdżkami z telewizji, którzy kręcą się tutaj

— ale muszę przyznać, że mało prawdopodobne jest, byś wymyśliła tak wyrafinowany podstęp po to tylko, by porozmawiać z małym, starym mną. Albo b) że jesteś chorym zboczeńcem seksualnym, który ma ochotę wsadzić mi rękę do majtek i poczuć mojego małego, bezwładnego ptaszka.

— Jezu Chryste! — rzekła Bee. — To odrażające. Ile ty masz lat?

— Dwanaście, w lipcu skończę trzynaście. Ale mój intelekt i zasób słownictwa jest godny trzydziestolatka. Jeżeli o to właśnie pytasz... A więc? Zgadłem? Czy jesteś chorym zboczeńcem? — Posłał jej lubieżne spojrzenie. — Ponieważ nie widziałbym naprawdę problemu, gdyby tak było. Seksowne nogi...

— Och. Jezu. Jesteś obrzydliwy. — Bee skrzyżowała ręce na piersi i zmierzyła go pogardliwym spojrzeniem. — Czy w taki sam sposób rozmawiasz z lekarzami i pielęgniarkami?

— Nie. Dla nich jestem po prostu niegrzeczny. Ale one nie są tak ładne jak ty. I mnie nie okłamują.

— Nie okłamuję cię, jak mogę ci to udowodnić? To znaczy jak... — Przerwała w połowie zdania, gdy usłyszała pukanie do drzwi.

— Wejść — rzucił Zander, podjeżdżając do drzwi.

— Och. Cześć. Przepraszam — odezwał się niewysoki mężczyzna z krótko obciętymi, siwymi włosami. — Szukam pokoju Tiffany Rabbett.

— Dwoje drzwi dalej. Nie można go nie zauważyć. Jest bardzo różowy. Życiową ambicję Tiffany stanowi to, by pewnego dnia zostać lalką Barbie. Nie, by móc chodzić ani długo i zdrowo żyć, ani nic takiego. Po prostu być lalką.

Zaskoczony mężczyzna popatrzył na Zandera.

— Eee, jasne. OK. Dzięki. — Zaczął wycofywać się z pokoju.

— Hej, hej, proszę zaczekać. Proszę chwilę zaczekać! — zawołał Zander za oddalającymi się plecami nieznajomego.

— Tak?

— Czy pan należy do ekipy telewizyjnej?

— Tak. Jestem producentem.

— Chce pan naprawdę dobrą historię do pańskiego programu?
Mężczyzna uśmiechnął się i wszedł ponownie do pokoju.

— Zawsze interesuje mnie dobra historia.

— W takim razie w porządku. Posłucha pan tego. Ta kobieta — wskazał na Bee — jest moją matką.

— Co takiego? — zawołała Bee, zrywając się na równe nogi.

— Tak — potwierdził Zander. — Ale za bardzo się wstydzi, by to przyznać, ponieważ nie sprawdziła się jako rodzic.

— On kłamie — oświadczyła Bee, zwracając się do producenta. — Tak naprawdę jestem jego ciotką.

Zander zacmokał z przesadą.

— Tak, no cóż, taką sobie obmyśliła historyjkę. Ciężko się przyznać, nieprawdaż, że się oddało swoje własne dziecko, ponieważ nie okazało się doskonałe, ponieważ jego małe nóżki nie były takie, jak należy.

— On kłamie. Kłamie. Naprawdę. Kłamie. Może się pan spytać lekarzy. Powiedzą panu. Został sparaliżowany w wypadku…

— Więc ta kobieta oddaje swojego kalekiego, maleńkiego chłopczyka, a on trafia do domu dziecka i nikt go nie chce. Nikt nie chce dziecka, które nie potrafi chodzić, które nie potrafi załatwić się do nocnika, prawda? I wtedy pewnego dnia, powiedzmy dwanaście lat później, ta kobieta uświadamia sobie, że jest zupełnie sama i zaczyna się starzeć, więc postanawia odnaleźć swoje dziecko. I oto jesteśmy. Nasze pierwsze spotkanie. Nasze pojednanie. Czyż nie jest radością ujrzenie czegoś takiego? Nie wzruszył się pan? Nie sądzi pan, że pańscy widzowie zakochaliby się w tej uroczej scence?

— Nie jestem jego matką. Jestem jego ciotką. Dlaczego tak kłamiesz, ty mały gówniarzu? — syknęła Bee.

— Ał — odparł Zander. — Widzi pan? Czyż to nie słodkie?

— Przepraszam — mruknął mężczyzna. — Najwyraźniej w czymś przeszkodziłem. Pójdę lepiej do pokoju Tiffany.

— Nie. Proszę nie iść — zaprotestował Zander. — Chcę być w telewizji. Mógłbym? Proszę? Proszę, Panie Ważniaku Producencie, chcę, by zrobił pan ze mnie gwiazdę. — Skrzyżował ręce na piersi i zatrzepotał rzęsami.

— Przykro mi, synu. Kręcimy Tiffany i to wystarczy. Poza tym myślę, że ty i twoja matka musicie ze sobą porozmawiać, prawda?

— Nie jestem jego matką! — wrzasnęła Bee. — Nie jestem jego pieprzoną matką!

— Hej — rzekł mężczyzna, nagle się zatrzymując i posyłając Bee dziwne spojrzenie. — Czy nie jest pani przypadkiem Bee Bearhorn?

— Kim jest Bee Bearhorn? — zapytał Zander.

Bee opadła szczęka. Sytuacja stawała się coraz gorsza. Gorsza, niż mogła to sobie wyobrazić w najczarniejszych snach. Z przerażeniem wpatrywała się w mężczyznę.

— Nie — sapnęła. — Nie jestem Bee Bearhorn. I nie jestem także matką tego małego potwora. A teraz proszę mi wybaczyć, ale muszę zaczerpnąć świeżego powietrza.

— Kim jest Bee Bearhorn? — powtórzył Zander.

Bee przemknęła jak burza koło chłopca i wypadła na korytarz.

— Pytałem kim jest Bee Bearhorn? — Ścigał ją głos Zandera.

— Jest pani, prawda? — rzekł mężczyzna, który ochoczo ruszył za nią. — Pani jest Bee Bearhorn?

— Proszę mnie zostawić w spokoju.

— Byłem fanem. Błagam, niech się pani zatrzyma…

Bee zignorowała go i dalej szybko szła.

Potrzebowała fajki. Natychmiast.

A fajki miała w torbie. W gabinecie doktor Chan.

Cholera.

— Pali pan? — zapytała, odwracając się do niego na pięcie.

— Eee, tak.

— Mógłby mnie pan jednym poczęstować?

— Tak — odparł. — Pewnie. — Zaczął przeszukiwać kieszenie koszuli. — Ale tutaj nie wolno. Będzie musiała pani wyjść na zewnątrz. Niedaleko stąd jest balkon. — Poprowadził ją przez następny korytarz.

Na tarasie podał jej papierosa i obserwował ją uważnie, gdy

go dla niej zapalał. Dłonie jej się trzęsły, gdy wyjęła papierosa z ust, by odetchnąć.

— Cholera! — zawołała, opierając się o balustradę i patrząc przed siebie. — Cholera. To był koszmar. Co za gnój z tego dzieciaka.

— Trochę to za mocne, prawda? Przecież to tylko dziecko.

— Nie, nieprawda. To szatan. To pieprzone dziecko Rosemary.

— A kim w takim razie jest pani? Rosemary?

— Nie. Nie jestem matką tego małego kutasa i koniec.

Mężczyzna uniósł ręce w geście poddania.

— Przepraszam. Jasne. Ani słowa więcej. Ale pani to Bee Bearhorn, prawda? Wszędzie bym panią rozpoznał. Byłem naprawdę zagorzałym fanem. Kupiłem nawet pani trzeci singiel.

Bee wypuściła ustami dym i odwróciła się do niego z uśmiechem.

— Aha — rzekła. — A więc to pan, tak?

Uśmiechnął się szeroko i wzruszył ramionami.

— Cóż mogę powiedzieć? Należałem do wielkich fanów. Sam jeden pragnąłem wspomóc pani karierę.

— Cóż za frajer — stwierdziła Bee, uśmiechając się do niego.

— Taa — odparł. — Chyba tak. A tak przy okazji to jestem Ed. Ed Tewkesbury.

— Cześć, Ed. — Odwróciła się i uścisnęła jego rękę. Miał drobne, chłodne dłonie.

— Cześć, Bee. Wow — uśmiechnął się szeroko. — Jestem nieco zafascynowany gwiazdami ekranu. To niesamowite, to znaczy...

— Posłuchaj, Ed. Wszystko to, co działo się tam... — machnęła ręką w kierunku, gdzie się powinien znajdować pokój Zandera. — Nie zrobisz z tego użytku, prawda? Chodzi mi o to, że to są naprawdę sprawy prywatne i nie chcę...

Ed przyłożył palec do ust.

— Nie wyjdzie to poza ten balkon. Przyrzekam.

— Naprawdę?

— Tak. Czy rzeczywiście sądzisz, że mógłbym w coś takie-

230

go wrobić Bee Bearhorn? Nie ma mowy. Moje usta milczą. — Zasznurował je palcami. — I aby to potwierdzić — dodał, wyciągając z kieszeni mały kartonik, który następnie jej podał — oto mój numer. I adres. I jeśli kiedykolwiek i gdziekolwiek znajdziesz dowód, że puściłem parę z gęby, masz moje przyzwolenie, by przyjść i wyciąć mi najważniejsze organy. W porządku? Wzięła od niego wizytówkę i ponownie się uśmiechnęła.

— W porządku. I zrobiłabym to, wiesz? Z przyjemnością.

— Och, nie wątpię... Nie wątpię. Posłuchaj. Lepiej będzie, jak tam wrócę. Jestem tutaj tylko przez jeden dzień i czeka na mnie cała ekipa. Powodzenia, Bee Bearhorn. We wszystkim. Poznanie ciebie było dla mnie zaszczytem.

— I wzajemnie. I dziękuję ci za, no wiesz... — Zasznurowała usta palcami.

— I słuchaj, gdybyś kiedyś była w Londynie i chciała zjeść coś naprawdę dobrego, wiesz, żadnych zobowiązań, tylko żarcie — masz mój numer. Tak?

— Tak — odparła, a potem on się odwrócił i odszedł, a Bee słuchała skrzypiącego odgłosu kroków Eda na pokrytym linoleum korytarzu, dopóki zupełnie nie ucichł.

Odwróciła się z powrotem do balustrady i przez chwilę przyglądała się ogrodowi i majaczącym w oddali widokom. Daleko, daleko widać było niewielkie skupisko szarych i brązowych budynków — miasteczko Ashford. Obserwowała pociąg Eurostar pędzący w kierunku stacji i jednocześnie powoli paliła papierosa, rozkoszując się każdą chwilą z dala od pokoju Zandera. To prawda, ostrzeżono ją. Powiedziano jej, że jest trudny, nad wiek rozwinięty i przepełniony gniewem. Ale i tak nie była przygotowana na coś takiego. Marzyła o tej chwili od tak dawna, że stało się to bez mała romantyczne. Miała nadzieję, że przebije jego gniewną skorupę i złamie w nim opór. Oczekiwała czułości, głębokich uczuć, być może nawet i łez. Przewidywała, że będzie to jeden z najbardziej poruszających, monumentalnych dni w jej życiu. W żadnym wypadku nie spodziewała się, że poczuje coś takiego: irytację i zwykłą, staromodną niechęć.

Bee nie zamierzała się jednak poddać — nie ma mowy. Postanowiła, że doprowadzi to do końca, bez względu na wynik. Zgasiła papierosa na metalowej balustradzie i wyprostowała się. Poradzi sobie z tym małym chłopcem. Nie pozwoli mu wejść sobie na głowę. Mimo, że często tego nie czuje, jest dorosła. A Zander to tylko dziecko. Poradzi sobie.

Bee poszła z powrotem w kierunku jego pokoju, bardzo głęboko odetchnęła, po czym otworzyła drzwi.

Rozdział dwudziesty czwarty

Zander siedział przy komputerze i kiedy usłyszał dźwięk otwieranych drzwi, odwrócił się na wózku. Uśmiechnął się do niej szeroko. Kiedy się uśmiechał, wyglądał całkiem słodko.

— To wszystko robi się coraz ciekawsze — rzucił wesoło.

— Co to, do diabła, miało znaczyć? — zapytała gniewnie. — Jak śmiesz opowiadać naokoło, że jestem twoją matką?

— Cóż — odparł Zander. — Jak śmiesz opowiadać naokoło, że jesteś moją ciotką?

— Bo jestem...

— Nie jesteś. I dzięki twemu wazeliniarskiemu przyjacielowi z telewizji zdobyłem na to dowód.

— O czym ty mówisz? — Bee przysiadła na oparciu krzesła.

— Poznajesz to? — odwrócił się do komputera i wcisnął klawisz.

Przez kilka sekund nic się nie działo, ale po chwili rozległa się jakaś muzyka. Gdy rozpoczął się wstęp, Zander zamknął oczy i zaczął kiwać głową. Bee natychmiast ją rozpoznała. Oczywiście. To była jej piosenka. To było *Groovin' for London*. Pieprzone *Groovin' for London*.

— Skąd, do diabła...?

— Aaa — rzekł Zander. — Cuda nowoczesnej technologii.

— Odwrócił się i przez chwilę bawił myszką. — To też rozpoznajesz?

I puścił *Space Girl*, jej szokująco słaby drugi singiel.

— Ale gdzie...?

— Pliki WAV. Właśnie ściągnąłem je z sieci.

Bee spojrzała na niego wzrokiem bez wyrazu. O komputerach nie wiedziała kompletnie nic.

— Technologiczna lalunia?

— Słucham?

— Tak? Jesteś technologiczną lalunią? To znaczy twoje doświadczenie w zakresie komunikacji cyfrowej ogranicza się do kartkowania żółtych stron w poszukiwaniu numerów telefonu sklepów z sukienkami?

Ponownie spojrzała na niego z tępym wyrazem twarzy.

— Popatrz — rzekł, posuwając się lekko, tak by mogła razem z nim obserwować monitor. — Wrzuciłem w wyszukiwarkę hasło „Bee Bearhorn" i oto, co znalazłem.

— A co to jest?

— To są strony internetowe. — Zander kliknął dwa razy myszką i ekran się zmienił. Powoli, fragment po fragmencie, zaczęła się pojawiać fotografia. To była Bee. Zdjęcie reklamowe z okresu, kiedy promowano jej pierwszy singiel. Pod spodem wyświetlił się jakiś napis. Kolorowe, wielkie litery łączyły się w słowa: NIEOFICJALNA STRONA BEE BEARHORN.

— Hmm. — Zander pogładził się po brodzie i odwrócił od monitora, by popatrzeć na Bee, a potem znów na zdjęcie. — Zupełnie jak ty, zgodzisz się ze mną? Z wyjątkiem tego, oczywiście, że ty wyglądasz dużo starzej.

Bee spojrzała na niego z ukosa. Ten chłopiec naprawdę wiedział, w jaki sposób jej dopiec.

— Tak, w czasie, kiedy ty wypalałaś fajkę...

— Skąd...?

— Czuję to w twoim oddechu. Śmierdzisz, wiesz o tym? Jak stara, brudna popielniczka. W każdym razie, w czasie, kiedy ty wypalałaś fajkę i skracałaś swoje życie o kolejną minutę, mnie udało się odkryć wszystko, co jest wiadome o Bee Bearhorn. — Zaczął przeglądać stronę. — Tak, popatrzmy. Urodzona w 1964 roku w Devon. Jedyna córka Gay i Gregora Bearhornów. Przeprowadziłaś się do Londynu w 1979, kiedy miałaś piętnaście lat i szybko zafascynowała cię rozkwitająca, londyńska scena klubowa. Myślę, że byłaś kimś w rodzaju „dzikiego dziecka". Między 1979 a 1984 założyłaś kilka zespołów, głównie w stylu new wave, new romantic i punk, z których wszystkie zniknęły bez śladu. Ale ty byłaś obrzydliwie ambitna i nigdy się nie poddałaś. W 1985 roku wysłałaś kasetę demo jednego z tych zespołów, The Clocks, świetna nazwa, tak przy okazji, podoba mi się — mrugnął do niej, a ona pokazała mu środkowy palec — do Dave'a Donkina z Electrogram Records. Spodobałaś mu się ty, ale nie reszta kolesi z zespołu, więc się ich pozbyłaś i podpisałaś kontrakt jako artystka solowa. Jesteś naprawdę kochana. Wtedy też właśnie twoim znakiem firmowym stały się czarne, równo obcięte włosy. — Rzucił jej pogardliwe spojrzenie. — Co się więc z nimi stało? — zapytał, wskazując na jej fryzurę.

— Wyglądało to cholernie głupio, więc się ich pozbyłam.

— Hmm. No więc tak. Twój pierwszy singiel, *Groovin' for London*, ukazał się w październiku 1985 roku i pięć tygodni spędził na pierwszym miejscu, aż został strącony przez *The Power of Love* Jennifer Rush. Sprzedano ponad 750 000 egzemplarzy tego singla. Dochodząc do wniosku, że więcej kasy można zbić na pisaniu piosenek niż na wdzięczeniu się w głupich ciuchach w *Top of the Pops*, odrzuciłaś proponowany przez twoją wytwórnię płytową utwór i uparłaś się, by jako drugi singiel ukazała się napisana przez ciebie *Space Girl*. W marcu 1986 roku dotarła ona na listach przebojów do trzynastego miejsca i sprzedała się w liczbie 150 000 egzemplarzy. Trzeci singiel, także twojego autorstwa, *Honey Bee*, został wypuszczony w lipcu 1986, znalazł się na miejscu czterdziestym ósmym, a sprzedano go 24 000 sztuk. Wytwórnia Electrogram Records natychmiast się ciebie pozbyła, a twoja kariera gwiazdy pop dotarła do zgrzytliwego końca. Jednak i potem nie było nudno, prawda? Twój ojciec, uznany reżyser teatralny Gregor Bearhorn, zachorował na pełno-objawowe AIDS wkrótce po tej okropnej klapie, którą okazała się *Honey Bee*, a ty poświęciłaś się opiece nad nim podczas jego ostatnich dni. Gregor odszedł wreszcie pod koniec 1988 roku, a ty odziedziczyłaś kupę kasy. Wystrzegłaś się tych wszystkich tradycyjnych dróg, które obierają eksgwiazdy pop — żadnych muzycznych przedstawień gwiazdkowych, żadnego ślubu z bogatym producentem płytowym ani pracy jako prezenterka w VH1. Ty po prostu... zniknęłaś. Zupełnie się rozpłynęłaś. Prawdopodobnie po to, by w spokoju wydać tatusiowe pieniążki. Pewnie na kokainę albo coś w tym stylu. Albo, jeżeli mam uwierzyć w tę absurdalną historię, którą opowiedziałaś personelowi, by się do mnie dobrać — zostałaś nauczycielką i uznałaś, że jesteś krewną mojej zmarłej matki.

Bee westchnęła. OK. Plan A nie wypalił. Planu B nie miała.

— A tak w ogóle, to kto pisze te bzdury? — zapytała, wskazując pogardliwie na ekran.

— Te akurat bzdury zostały napisane przez... — przejrzał stronę do samego jej końca — jakiegoś smutnego nieudacznika, który nazywa się Stuart Crosby. Jest wyraźnie twoim „wielkim fanem" — nakreślił palcami w powietrzu cudzysłów. — Jakie to smutne, prawda? Być „wielkim fanem" jakiejś skończonej, starej gwiazdy jednego przeboju, zdziry, o której od więcej niż dekady nikt nie słyszał. Ech... Ludzie...

Bee miała ogromną ochotę go uderzyć. Prosto w twarz. Naprawdę mocno. Tak, by jej dłoń pozostawiła ślad na jego policzku. Tak, by zaczął płakać. Jak wielkie dziecko. Boże, tak bardzo tego pragnęła.

— Nieważne. Mam teraz na twój temat nową teorię. Nie jesteś moją ciotką. Ani moją matką. I, żeby być zupełnie szczerym, guzik mnie obchodzi, kim jesteś. Według mnie jesteś po prostu bogata i samotna i czujesz się winna, że niczego nie wniosłaś do tego świata z wyjątkiem kilku miernych — i to naprawdę miłe z mojej strony, kiedy tak je określam — miernych piosenek. Jesteś po prostu płytką ekssławą z Londynu z wielką, ziejącą pustką w życiu. I zapragnęłaś być dobra. Podejrzewam także, że to ty przysyłałaś mi te wielkie, anonimowe paczki na każdą gwiazdkę. Dzięki za nie, tak przy okazji, są niezwykle przydatne — ruchem głowy wskazał komputer, telewizor i playstation. — Taka jest moja teoria, panno Bee Bearhorn, i nie obchodzi mnie, czy mam rację, czy też nie, tak po prostu myślę, i kropka.

Bee otworzyła usta, by ostro zaprotestować, ale po chwili je zamknęła, gdy uświadomiła sobie, że jego teoria jest doskonała. Po prostu doskonała. Opuściła ramiona w geście poddania. Wzruszyła ramionami i pociągnęła nosem.

— Cóż — rzekła. — Nie dokonałam w życiu wielu rzeczy, z których mogłabym być dumna.

Uśmiechnął się do niej triumfująco.

— Wiesz — oświadczył — sądzę, że to może wypalić. Podoba mi się pomysł stania się twoim małym przedsięwzięciem. Podoba mi się to, że byłaś kiedyś sławna. I to, że nie masz własnych dzieci. Podoba mi się to, że jesteś parszywie bogata. I że czujesz się winna za swoją bezużyteczną egzystencję, i że chcesz użyć mnie, by ukoić to poczucie winy. Super. To wszystko stawia mnie w niezwykle komfortowej sytuacji. I tak właściwie to cię lubię...

Bee z zadowoleniem zauważyła, że ten pewny siebie, mały gówniarz ma na tyle przyzwoitości, by się zaczerwienić. Zdziwiło ją także to, że we własnym brzuchu poczuła przyjemne łaskotanie.

— No więc — ciągnął — wchodzę w to całe „ciotkowanie". A ty?

Bee popatrzyła na niego zmrużonymi oczami.

— Czego — zapytała podejrzliwie — czego oczekujesz ode mnie?

— Chcę, byś mnie stąd zabrała.

— Co takiego?!

— Mówię poważnie. Chcę, byś mnie stąd zabrała. Nie na stałe. Tylko od czasu do czasu. No wiesz.

— Dokąd?

Zander przez chwilę patrzył w oczy Bee, po czym odwrócił się i dojechał do okna.

— Do domu — zaczął. — Jakiegoś małego, przytulnego. Ciepłego. Gdzieś na uboczu. W pobliżu morza. Z ogrodem. I karmnikiem dla ptaków. Gdzieś, gdzie nikt nie będzie o mnie wiedział. Jestem tutaj od dziesięciu lat — rzekł, ponownie się do niej odwracając. — Wiesz o tym? Tak właściwie to spędziłem tutaj całe życie. I jedyne miejsce, które poza tym odwiedzałem, to szpital. No i jeszcze głupie wycieczki z innymi tutejszymi kretynami. I wszyscy się na ciebie gapią, kiedy pojawia się taką gromadą. Mają cię po prostu za głupiego połamańca, warzywo z martwym mózgiem. To miejsce jest bardzo przyjemne, widzę to. Moja babcia sama je wybrała przed śmiercią, a obejrzała naprawdę masę ośrodków. I ten był zdecydowanie najlepszy. To jest ładny budynek i starają się, by żyło się w nim tak miło, jak to możliwe. Ale to nie jest normalny dom, prawda? Nie chcę, by to co teraz powiem, zabrzmiało jak użalanie się nad sobą ani coś w tym rodzaju, ale ja nikogo nie mam. Żadnej rodziny. Nikogo, kto by czasami mnie stąd zabrał i sprawił, bym czuł się... wyjątkowy. Chcę mieć własne życie. Wyjątkowe, małe, własne życie. Daleko stąd. Rozumiesz?

Przez chwilę wpatrywali się w siebie. Na skroni chłopca pulsowała niewielka żyła, a dłonie miał zaciśnięte w pięści. Pozbył się swojej maski i po raz pierwszy, odkąd Bee przekroczyła próg tego pokoju, poczuła, że rozmawia z prawdziwym Zanderem.

W kącikach jej ust błąkał się uśmiech.

— Co?

— Och, nic takiego.

— To nie jest zabawne. Czemu się śmiejesz?

Uśmiechnęła się do niego szeroko.

— Czy ktoś kiedykolwiek ci powiedział, że wyglądasz naprawdę uroczo, kiedy o coś prosisz? — zapytała.

— Och, odwal się, ty podstarzała eksgwiazdo pop — odparł, ale jednocześnie także szeroko się uśmiechnął.

Rozdział dwudziesty piąty

Ed zabrał Flinta i Anę do szokująco drogiej japońskiej restauracji, mieszczącej się tuż za rogiem budynku, w którym miał swoje biuro. Tłoczyli się w niej biznesmeni obsługiwani przez drobną kobietę w niebieskim kimonie. Ed zamówił dla ich trójki najdroższy zestaw sushi i nalegał, by Ana zjadła nawet to, co nieźle ją przestraszyło — kawałki wypełnione wielkimi kuleczkami jaskrawopomarańczowej ikry, kęsy owinięte parą cienkich, gołych krewetek z wciąż przyczepionymi główkami i paciorkowatymi oczami wpatrującymi się w nią z dezorientacją albo otoczone lśniącymi, szmaragdowymi wodorostami czy gumowate macki ośmiornicy. Anie wcześniej tylko raz zdarzyło się jeść sushi. Pochodziło ono z Sainsbury's i nie zrobiło na niej większego wrażenia. Dopiero teraz zrozumiała, o co to całe zamieszanie.

— Smakuje ci, Ano? — zapytał Ed, wskazując pałeczkami na jej pięknie przybrany półmisek.

— Tak — odparła. — Jest niesamowite. Dużo smaczniejsze niż z supermarketu.

— O Boże — rzucił lekceważąco. — Sushi z supermarketu to prawdziwa aberracja. Sushi nigdy nie powinno się wkładać do lodówki. Kluczem do sushi, magią sushi jest ciepło dłoni kucharza, który je przygotowuje. Ryba jest ważna, ryż także jest bardzo istotny, ale włóż nawet najbardziej wykwintne sushi do lodówki i ono umiera, Ano. Po prostu umiera.

Ana zerknęła na Flinta. Robił pogardliwe i szydercze miny w kierunku nieświadomego niczego Eda. Nienawidził go. Naprawdę go nie cierpiał. Dłonią zamaskowała uśmiech.

— A tobie smakuje, Flint? — zapytała, po czym odkaszlnęła i ponownie zakryła usta dłonią.

Flint chrząknął i skinął głową.

Ana ponownie się uśmiechnęła, po czym włożyła do ust coś, co wyglądało jak wilgotny język szczeniaczka i leżało na prostokącie z ziarenek ryżu.

— Ooooch… — wymruczała nagle z pełnymi ustami. — To jeszt rzefyszne, czo to jeszt?

— Eee… — Ed wziął do rąk ilustrowane zdjęciami menu i zaczął szukać tego właśnie składnika. — To jest… eee…

— To jest toro — rzekł cicho Flint.

Ana popatrzyła na niego w sposób, który zdradzał lekkie zdziwienie.

— Mięso z brzucha tuńczyka. Nie ma go wiele, więc jest prawdziwym rarytasem. Powinno smakować… maślanie?

— Ooooch — wyjęczała Ana, kiwając głową, po czym przełknęła i pociągnęła łyk piwa. — Dokładnie tak smakuje. Jak świeżo ubite masło.

Ed spojrzał ze zdziwieniem na Flinta.

— Widzę, że trochę wiesz o kuchni japońskiej, co, Flint? — zapytał.

— Taa. Cóż. — Flint wsunął do ust perłoworóżowy kawałek marynowanego imbiru. — Mieszkałem tam jakiś czas. Takie rzeczy się zapamiętuje.

— Byłeś w Japonii? — zapytała Ana, nie potrafiąc ukryć zdziwienia.

— Tak. Pojechałem tam w 1984. Na rok.

— Naprawdę?

— Aha. Mieszkałem w Tokio.

— Zajmując się czym?

— Głównie nauczaniem.

— Nauczaniem czego?

— Angielskiego.

— Wow.

— Taa. — Wzruszył ramionami i zamoczył w soi zwinięty kawałeczek łososia. — Stare dzieje.

Ana przyglądała mu się ze zdumieniem. Flint mieszkał w Japonii. Przez rok. Był nauczycielem. Zastanawiało ją, czym jeszcze się zajmował. Wcześniej założyła po prostu, a było to myślenie raczej ograniczone, że on w jakiś sposób urodził się za kierownicą swojej limuzyny i że w ogóle nie istniał przed poznaniem Bee. Spróbowała wyobrazić sobie Flinta jako rumianego dwudziestojednolatka, nauczającego angielskiego grupę skośnookich, japońskich dzieci, które słuchały go z nabożnym skupieniem, przemierzającego ulice Tokio, górującego wzrostem nad wszystkimi przechodniami. Do tej pory tak naprawdę niczego o nim nie wiedziała. Ani także o jego związku z jej siostrą. Właśnie miała zamiar zadać mu kolejne pytanie związane z Japonią, ale Flint ją uprzedził, zwracając się do Eda.

— Więc tak naprawdę to nigdy pan nie słyszał, by Bee przyznała, że Zander jest jej synem?

— Cóż. Nie, niezupełnie. Ale zawsze mówiłem o nim jako o jej dziecku, a ona nigdy mnie nie poprawiała.

— A co z ojcem? Czy kiedykolwiek wspomniała coś o ojcu Zandera?

— Nie. Pytałem ją. Ale ona nie chciała mi niczego powiedzieć o Zanderze. Nie zgadzała się, by o nim rozmawiać, koniec, kropka.

— Czy to nie trochę dziwne? Jeśli był pan jedyną osobą w jej życiu, która wiedziała o istnieniu Zandera, cóż mogła stracić, mówiąc panu o nim? Nie rozumiem.

— Posłuchaj — rzekł stanowczo. — Mam taki sam mętlik w głowie jak i wy. Nigdy nie mogłem zrozumieć, dlaczego Bee nie zgadza się, by o nim rozmawiać. Ale koniec końców szanowałem jej potrzebę prywatności, potrzebę tajemnicy, jakiekolwiek miała ku temu powody. A tak przy okazji, dlaczego ten chłopiec miałby kłamać? Dlaczego Bee miałaby spędzać z nim cały ten czas, kupować dla niego dom? To straszny, mały drań, nie mogła więc robić tego z sympatii. Inne wytłumaczenie nie istnieje.

Flint i Ana wymienili spojrzenia. Ten mężczyzna miał rację.

— A więc co się stało z panem i Bee? — zapytała Ana. — Dlaczego się rozstaliście?

Ed momentalnie się skrzywił i otarł usta serwetką.

— Och — rzekł. — To długa historia. Może po jeszcze jednym piwie?

Rozdział dwudziesty szósty

styczeń 2000

Bee pozwoliła pierścionkowi na serdecznym palcu połyskiwać w przytłumionym świetle. Uśmiechnęła się. Był bardzo tradycyjny, klasyczny, nie taki, jaki sama by sobie wybrała, ale i tak urzekająco piękny. I przynajmniej wykonano go z platyny, a nie ze złota. Nie cierpiała złota.

— Cześć. — Ed wrócił z toalety i wsunął się na swoje miejsce. Bee uśmiechnęła się do niego. To niesamowite, pomyślała, że kiedy po raz pierwszy spotkała się z Edem — tak właściwie to właśnie w tej restauracji — sądziła, że jest obrzydliwą, żałosną, wciągającą kokę gnidą medialną. Myśl o uprawianiu z nim seksu przyprawiała ją o mdłości. Zjedzenie z nim kolacji było czymś, co musiała zrobić, by mieć pewność, że nie wygadał się nikomu na temat Zandera. Ale w ciągu tego pierwszego wieczoru niezauważalnie coraz bardziej i bardziej zaczął się jej podobać. Przestała uważać go za zadowolonego z siebie, aroganckiego i bezbarwnego mężczyznę, a dostrzegła w nim kogoś słodkiego, zdezorientowanego i uprzejmego, kto tak naprawdę nie jest szczęśliwy. Kogoś, kto chciał jedynie być kochany. Bezwarunkowo. Kogoś, kto nie wiedział, jak okazać swoją wrażliwość i bezbronność. Tak właściwie to dostrzegła w nim kogoś takiego jak ona.

Do chwili, kiedy zameldowali się w hotelu, wypili kolejnego szampana i hałaśliwie i niezdarnie upadli razem na łóżko, obrót spraw niesłychanie się jej podobał. A kiedy po ich następnym spotkaniu Ed wyznał jej miłość i powiedział, że chce zostawić dla niej swoją żonę, zamiast uciekać w przeciwnym kierunku, jak to zawsze robiła, kiedy mężczyźni wyznawali jej miłość, uznała, że to słodkie.

Gdy mijały miesiące, odkryła, że z coraz większym entuzjazmem wyczekuje jego telefonów i odwiedzin. I wtedy, w jakimś nieokreślonym momencie, zakochała się w nim. Zakochała się w niskim, łysym, żonatym facecie. Zabawny, stary świat.

A teraz oto byli, prawie trzy lata później, zaręczeni i gotowi się ujawnić. I wrócili właśnie z pierwszych, porządnych, wspólnych wakacji. W Goa. To były najbardziej niesamowite dwa tygodnie w jej życiu, dwa tygodnie normalności, bycia prawdziwym człowiekiem i dwa tygodnie, podczas których dla Bee stało się oczywiste, że potrzebuje tego mężczyzny w swoim życiu. Na stałe. Nie jedynie na pół etatu.

Więc kiedy Ed na lotnisku wręczył jej pierścionek, nerwowo i niepewnie, Bee ujęła go w obie dłonie i uśmiechnęła się od ucha do ucha. Poślubienie Eda nagle przestało być niedorzecznością, a wydało się najdoskonalszym pomysłem na świecie. Kiedy dotrą do domu, zostawi żonę. Miał już dość. Tina była cudowną osobą, jak powtarzał Bee, ale ich związek zniszczyło jej pragnienie posiadania dziecka. W ciągu ostatniego roku trzy razy przechodziła kurację mającą na celu przywrócenie płodności, pomimo faktu, że ginekolog oświadczył jej, iż szansa poczęcia i donoszenia dziecka jest jak jeden do tysiąca. Teraz zaczęła mówić o znalezieniu zastępczej matki.

Ed nie mógł znieść tej myśli: jego dziecko w łonie innej kobiety. Nie wspominając już o potencjalnych kłopotach i bólu. A co będzie, jeżeli zastępcza matka zmieni zdanie i zatrzyma dziecko? To by zupełnie zniszczyło Tinę. A oprócz nieustannej obsesji na punkcie reprodukcji, wizyt u lekarza, termometrów, probówek, łez i nie kończącego się czekania, gdy miesiączki Tiny stały się najważniejszym punktem ich życia, nie pozostawało nic... Zupełnie nic.

Ed przekonał siebie — i Bee, której nigdy nie podobał się

pomysł zostawienia przez niego żony — że jego odejście jest w najlepszym interesie Tiny. Bez niego będzie szczęśliwsza. Ma dopiero trzydzieści lat i mnóstwo czasu, by poznać kogoś, kto może być przygotowany na te zabiegi z zastępczą matką albo na przejście jeszcze raz przez całą kurację. Chciał więc ją zostawić. W chwili, kiedy wróci z Goa. A dzisiejszego wieczoru miało się odbyć ich pierwsze spotkanie jako legalnych kochanków, świętowanie ich wolności.

Przyniesiono szampana, którego zamówiła Bee, podczas gdy Ed był w toalecie. Popatrzył na niego dziwnie.

— Zamówiłaś to? — zapytał.

Bee uśmiechnęła się promiennie i przytaknęła.

Westchnął i potarł dłońmi twarz.

— Niepotrzebnie to zrobiłaś, Bee — rzekł.

Poczuła, jak jej żołądek kurczy się boleśnie.

— Muszę ci coś powiedzieć. — Ed skrzyżował ręce na piersi i popatrzył na Bee. — Wszystko się zmieniło — rzekł bez owijania w bawełnę.

Bee na chwilę przestała oddychać, poczuła ogarniającą ją panikę. Zmusiła się do uśmiechu.

— A co to dokładnie oznacza, panie Tewkesbury?

— Tina jest w ciąży.

Bee uśmiechnęła się z wyższością.

— Och. Nie bądź głupi.

— Nie jestem głupi, Bee. To prawda. Tina jest w ciąży.

— Ale — jak? Ostatnią kurację przechodziliście wiele miesięcy temu.

— Wiem.

— Więc — jak?

Ed opuścił wzrok na obrus.

Bee skierowała swój w stronę sufitu.

Głupie pytanie.

— Będzie miała trojaczki.

— To najbardziej absurdalna rzecz, jaką kiedykolwiek słyszałam.

— Tak. To prawda, no nie? To szaleństwo. Ale to prawda. To... to cud, Bee. Tak właśnie powiedział lekarz. W jakiś sposób te jej wszystkie kuracje — cóż, najwyraźniej zrobiła się superpłodna. A teraz jest w ciąży. I będziemy mieli trojaczki. — Z każdym zdaniem jego głos podnosił się o oktawę. Machał dłońmi. Na jego twarzy malowało się ożywienie. Był podekscytowany. Bardzo się starał, by to ukryć, ale widać było, że nie posiada się z radości.

— Ale sądziłam, no wiesz, że ty i Tina...? — Miała właśnie zamiar powiedzieć: „Ale sądziłam, że ty i Tina nie uprawiacie już spontanicznego seksu, myślałam, że robicie to tylko z probówkami i wziernikami", ale w chwili, gdy otworzyła usta, wiedziała już, jak to zabrzmi. Głupio. Głupio przez wielkie, grube G. Jest głupia jak te całe tysiące innych kobiet, które wierzą swym żonatym kochankom, którzy im mówią, że nie uprawiają seksu ze swoimi żonami.

Poczuła mdłości. Paskudne mdłości. Czuła, jak zupa pomidorowa z bazylią, którą zjadła na obiad, kołysze się w jej żołądku razem z żółcią, podczołgując się do jej gardła. Pociągnęła spory łyk szampana.

— Więc co... co masz zamiar zrobić? To znaczy masz zamiar zostać?

— Z Tiną?

— Tak, z Tiną — warknęła.

Ed westchnął i przesunął dłonie po obrusie w stronę jej rąk. Wyrwała je i położyła na kolanach.

— No więc?

— Cholera, Bee, nie wiem. To znaczy chciałem być z tobą od pierwszej chwili, kiedy cię ujrzałem. Byłem gotów odejść od Tiny i zostać z tobą, ale ty trzymałaś mnie na odległość ramienia. A teraz... to tak, jakby... to znaczy... troje dzieci, Bee, troje dzieci. Zrobiłem troje dzieci. My zrobiliśmy troje dzieci. Ja i Tina. Nie potrafię... to... to takie niesamowite. To cud.

— Ale ty nie kochasz Tiny.

— Nie kocham. Nie. Cóż, to znaczy nie kochałem. Nie kochałem tej Tiny, która nade wszystko przedkładała pragnienie posiadania dziecka. Tiny, która przypominała sobie o moim istnieniu jedynie wtedy, kiedy była pora, bym spuścił się do słoika. Ale ta Tina, ta Tina z trójką dzieci w sobie... Powinnaś ją zobaczyć, Bee. Ona jest szczęśliwa. Promienieje. To tak, jakby urodziła się na nowo i...

— O Boże, przestań, Ed, proszę, po prostu przestań... — Bee ukryła twarz w dłoniach.

Oboje zamilkli. Kelner dolał do ich kieliszków szampana.

— Czy są państwo gotowi, by...? — zaczął.

— Nie — warknął Ed. — Nie. Przepraszamy. Jeszcze nie. Dzięki.

— Oczywiście, proszę pana.

Ed westchnął i przez chwilę patrzył Bee prosto w oczy. Zanosiło się na to, że zaraz powie coś strasznego.

— Chcę prawdziwego zerwania, Bee. — Aha, pomyślała. Zaczęło się. — Chcę zacząć jeszcze raz, z Tiną. A to oznacza... wiesz?

— Tak, Ed. Wiem, co to oznacza.

— No i mieszkanie. Nie mogę już dłużej za nie płacić. To nie znaczy, że żałuję, iż to robiłem. Chodzi o to, że nie mam zamiaru niczego więcej ukrywać. Rozumiesz? Przed Tiną? Chcę...

— Pragniesz zupełnie wymazać mnie ze swojego życia.

Ed przerwał na chwilę i popatrzył na nią.

— Tak — przyznał wreszcie, opuszczając głowę.

Takie chwile, pomyślała Bee, takie chwile w życiu, rodem z opery mydlanej, wydają się tak bardzo eksytujące, kiedy oglądasz je w telewizji albo w kinie. Ale gdy naprawdę bierzesz w nich udział, są po prostu okropnie płytkie i puste. I w pewien sposób, cóż... bezbarwne i mdłe.

— Nigdy nie chciałem, by stało się coś takiego, Bee. Nigdy nie miałem zamiaru cię porzucić. Pragnąłem już zawsze się tobą opiekować. Już zawsze być z tobą. Tak bardzo cię kocham, Bee...

Popatrzyła w oczy Eda, jego zabawne, małe oczy. I to prawda. On ją naprawdę kochał. Nie kłamał. A ona chciała być na niego wściekła za to, że ją kocha, a mimo to zostawia, ale nie potrafiła. Ponieważ uświadomiła sobie nagle, jakby budziła się ze snu, że to nigdy nie mogło się udać. Oczywiście, że nie. Oszukiwała samą siebie. I w pewien sposób jedynym powodem, dla którego pozwoliła sobie zakochać się w Edzie, było właśnie to, że on był żonaty, to, że nigdy nie będzie go mogła mieć jak należy. Gdyby tylko poznali się w innych okolicznościach, gdyby tylko to, co wydarzyło w 1986 roku, się nie wydarzyło i nie byłoby Zandera, a jej egzystencja nie przekształciłaby się w jeden wielki zlepek kłamstw i oszustw, jeden przyprawiający o zawrót głowy labirynt oddzielnych pomieszczeń, mogłaby wyjść za Eda. Mogłaby mieć zwyczajne życie, z weekendami spędzanymi w domu wśród przyjaciół; utrzymywałaby kontakty z rodziną, a każdy, kogo znała, znałby wszystkich innych. Ale 1986 rok się wydarzył, Zander istniał i ona nigdy nie będzie wiodła normalnego życia. I winić za to mogła jedynie siebie.

Po jej policzkach zaczęły spływać łzy i desperacko starała się je powstrzymać. Nie cierpiała, gdy ludzie widzieli, jak płacze. I nigdy wcześniej nie robiła tego w obecności Eda.

Popatrzył na nią z niepokojem.

— Cholera, Bee, przykro mi. Tak bardzo mi przykro.

— Nie, proszę. — Pociągnęła nosem, wycierając oczy serwetką. — To nie twoja wina. To przeze mnie. I rozumiem. Nie chciałabym, żebyś teraz zostawił Tinę, odrzucił szansę posiadania rodziny i normalnego życia. Naprawdę. Nie pozwoliłabym ci na to.

— Och, Bee. — Ponownie wyciągnął rękę i tym razem ona nie wyszarpnęła swoich dłoni.

— Tak poplątałam sobie życie, Ed. Miałam wszystko. A ja to spieprzyłam. W przeciągu trzydziestu sekund zniszczyłam wszystko.

— Jakich trzydziestu sekund?

— Och, nic. Nic takiego. Po prostu. Boże. Cholera. To okropne, prawda? To znaczy, czy to nie jest po prostu okropne? — Ponownie pociągnęła nosem i zaśmiała się, a Ed uścisnął jej dłoń.

— Posłuchaj — rzekła Bee, odzyskując panowanie nad sobą. — Lepiej tak będzie, wiesz? Myślę, że oszukiwałam się, uważając, iż wszystko się ułoży, ale tak nie mogło się stać. Naprawdę. Nigdy nie byłoby jak należy. Zawsze byłoby trochę... no wiesz, poplątane. Lepiej, że tak się stało. Lepiej.

— Będzie mi ciebie bardzo brakowało, Bee Bearhorn. Tak bardzo, że nawet sobie z tego nie zdajesz sprawy.

— Akurat — oświadczyła, podnosząc kieliszek z szampanem. — Poczekaj tylko, aż trzy małe gnojki zaczną ci biegać po domu rano, w południe i w nocy. Nie będziesz miał ani jednej wolnej chwili, by za mną zatęsknić.

— Bee. — Jeszcze mocniej ścisnął jej dłoń. — Będzie mi ciebie brakowało aż do dnia, w którym umrę. Jesteś najwspanialszą osobą, jaką kiedykolwiek poznałem.

Potrząsnęła głową i uśmiechnęła się gorzko.

— Nie — zaprotestowała. — To nieprawda. I gdybyś naprawdę mnie znał, gdybyś naprawdę wiedział, jakim jestem człowiekiem, odszedłbyś stąd natychmiast i głośno odetchnął z ulgą. Ponieważ jestem zła, Ed. Jestem Z.Ł.A.

— Nie, nie wierzę — oświadczył z mocą. — Jesteś kimś więcej niż sumą wydarzeń twego życia, Bee. Gdzieś pod tym całym pancerzem pozostałaś nadal tą samą osobą, którą byłaś jako dziecko, zanim miałaś okazję popełnić jakiekolwiek błędy. I powinnaś o tym pamiętać. Nie pozwól, by przytłaczało cię poczucie winy za to, co według ciebie zrobiłaś źle. Przestań być ofiarą własnych niedoskonałości. Powinnaś tak uczynić. Twoje całe życie po prostu... po prostu... no wiesz, pogrąży się w marazmie, jeżeli nie pójdziesz dalej. Jeśli nie zaczniesz od początku. Bee. Proszę. Proszę, spróbuj być szczęśliwa. Dla mnie.

Bee popatrzyła na Eda i zmusiła się do uśmiechu.

— Nie martw się o mnie, mój uroczy Teddy Tewkesbury. Wszystko będzie w porządku. Naprawdę. W porządku i już.

Uścisnęli sobie dłonie i uśmiechnęli się ponuro i oboje zdawali sobie sprawę z tego, że Bee kłamie jak z nut.

Rozdział dwudziesty siódmy

— Jezu — rzekł Flint, nakładając na nos okulary przeciwsłoneczne, gdy wychodzili z japońskiej restauracji i kierowali się do samochodu, który zostawili na parkingu przy Brewer Street.

— To znaczy — zaczęła Ana, a wszystko, co usłyszała, spowodowało taki zamęt w jej głowie, że aż bolało. — Co…? To wszystko jest takie… takie… Jezu. — Miała lekko spóźniony refleks, gdyż jej spojrzenie przyciągnęła wystawa z chromowanymi i skórzanymi przedmiotami służącymi do praktyk sadomasochistycznych i zdjęciami półnagich mężczyzn z lśniącymi torsami i kolczykami na całym ciele. Dobry Boże.

— Chryste, ten koleś to kapcan.

— Co? — zapytała, drażniąc się z nim. — Nie spodobał ci się?

— On? Boże. Nie. Ja… Och, bardzo zabawne — rzekł, kiedy dostrzegł, że Ana uśmiecha się do niego. — Czy to było aż tak oczywiste?

— Aha. To było aż tak oczywiste. — Rozłożyła szeroko ramiona.

— Nie ufam mu, ani trochę. I zwróciłaś uwagę, jak blisko siebie są osadzone jego oczy? I jaki był… no… oślizły?

Ana ponownie się uśmiechnęła.

— Według mnie jest w porządku — oświadczyła.

— Akurat. Naprawdę?

— Tak. Uważam, że po prostu okropnie się denerwował. Bee powierzyła mu wielki sekret i był przerażony tym, iż może go wyjawić. Myślę, że naprawdę kochał Bee, po prostu ją chronił.

— Hmm. — Flint najwyraźniej nie dał się przekonać. — A uwierzyłaś w to, co mówił o chłopcu?

— To znaczy?

— To znaczy, dlaczego Bee miałaby powiedzieć, że to jest jej syn, podczas gdy ja na pewno wiem, że to niemożliwe?

Ana wzruszyła ramionami.

— Może prościej było skłamać, niż wyznać prawdę? I jesteś naprawdę pewny, że nie mogła być... no wiesz?

— Najzupełniej. W 1986 roku Bee przytrafiła się kupa gówna. Wielkiego gówna. I mogę cię zapewnić, że ciąża nie była jego częścią.

— Jaki rodzaj gówna?

— Och, no wiesz. Klapa dwóch singli. Zerwanie kontraktu przez Electrogram. Obsmarowanie w ogólnokrajowych gazetach. Publiczne upokorzenie. Wykrycie u jej ojca HIV. Ten rodzaj gówna.

Dotarli do parkingu i udali się w kierunku poplamionych moczem schodów.

— Masz ochotę na coś do picia?

Ana zatrzymała się w pół kroku.

— Słucham?

— Coś do picia. Masz ochotę?

— Och. Jasne. Tak. Ale co z twoim samochodem? To znaczy wypiłeś już kilka piw i...

— Nie, nie tutaj. W Turnpike Lane.

— Gdzie?

— W Turnpike Lane. Tam właśnie mieszkam. Możemy odstawić samochód, a ja zabiorę cię do mojego lokalu. Co o tym myślisz?

— Och — odparła Ana. — No tak.

— A więc? Tak czy nie?

— Eee. — Z jakiegoś niewytłumaczalnego powodu zerknęła na zegarek. — Eee...

Flint zatrzymał się i odwrócił w stronę Any.

— Słuchaj. To nic wielkiego. I tak jadę do domu i pomyślałem sobie, że przyjemnie byłoby się czegoś napić, to wszystko. Żadnego nacisku... nic wielkiego...

Ana przygryzła wargę. Założyła wcześniej, że po spotkaniu z Edem Flint będzie chciał się jej pozbyć, wyrzucić ją pod domem Gill i wrócić do swojego życia. To zaproszenie wprawiło ją w kompletną dezorientację. Co jednak innego ma do roboty wieczorem? Zostanie w domu? Będzie siedzieć na futonie i gapić się w cztery ściany?

— Nie, nie. To znaczy tak. Pewnie. Czemu nie? A tak przy okazji, gdzie jest to Turnpike Lane?

— Och — odparł Flint, odwracając głowę i lekko się uśmiechając. — To połyskująca oaza w zaczarowanych lasach północnego Londynu. Zielony, romantyczny zakątek, zamieszkany przez poetów, artystów i intelektualistów...

— Naprawdę? — zapytała Ana z rozszerzonymi oczami.

— Nie — odparł Flint. — To kompletne zadupie. Ale to moje zadupie i kocham je.

Ana zaskoczona była tym, jak długo trwało, nim dotarli do Turnpike Lane. Jechali już niemal wieczność — czy to możliwe, że jeszcze są w Londynie? Widok za oknem zmieniał się podczas jazdy i stawał się stopniowo i nieuchronnie coraz brzydszy i brzydszy. Turnpike Lane stanowiła kompletne przeciwieństwo jakiejkolwiek uliczki*, jaką Ana wcześniej widziała — była to szeroka i nieciekawa droga, wzdłuż której usytuowano bary z kebabami, tureckie supermarkety, budki z hamburgerami i pralnie.

Upał nie osłabł ani odrobinę. Czarnoskóre dziewczyny w srebrnych adidasach krzyczały do telefonów komórkowych, samochody z przyciemnianymi szybami przejeżdżały, dudniąc od głośnej

---

* *Lane* (ang.) — uliczka.

muzyki, mężczyźni z oliwkową skórą i w cienkich T-shirtach stali na chodniku, paląc i obserwując mijający ich świat. Zaparkowali limuzynę Flinta w garażu za stacją benzynową i udali się na jego ulicę. Flint zajmował niewielkie mieszkanie przy małej, jednokierunkowej, ślepej uliczce. Było coś bardzo dziwnego i intymnego w odwiedzaniu czyjegoś mieszkania, kiedy do tej pory znało się tego kogoś tylko w jednym kontekście i szczególnie wtedy, kiedy ta osoba spodziewała się, że wróci do domu sama. Flint otworzył kluczem drzwi i wpuścił Anę do środka.

— Masz ochotę na szybkie piwko przed wyjściem? — zapytał, prowadząc ją w kierunku kuchni i ściągając po drodze T-shirt.

Ana przytaknęła i odwróciła wzrok, nagle zaczerwieniona i wytrącona z równowagi. Nagi tors Flinta opalony był na kolor mocnej herbaty, a wokół szerokiej szyi wisiał srebrny łańcuszek z identyfikatorem. Miał niewiarygodne ciało jak na mężczyznę trzydziestosześcioletniego. Odwrócił się, by zaprowadzić ją do ogrodu, prezentując przy tym gładkie, umięśnione plecy. Na jego łopatkach rosło kilka pojedynczych włosów, a od kręgosłupa do boku biegła długa, cienka blizna. Przecisnęli się przez zagracony dużymi przedmiotami przedpokój. Stał tam rower, lewarek do samochodu, kilka dużych kartonów, odkurzacz i komplet kijów golfowych.

— Grasz w golfa? — zapytała ze zdziwieniem Ana.

— Aha. Jedna z zalet nie posiadania dziennej pracy. Ma się wtedy czas na tego rodzaju cywilizowane sporty. Może być niecywilizowane piwo? — spytał, kucając w małej, funkcjonalnej kuchni, by wyjąć z lodówki puszkę Heinekena, po czym podał ją Anie. Kiwnęła głową, wzięła ją od niego i delektowała się lodowatym chłodem metalu w jej gorących dłoniach. Podczas gdy Flint wyjmował więcej piw ze stojącej na podłodze reklamówki i puszka po puszce wkładał je do lodówki, ona rozejrzała się.

Kuchnia była urządzona skromnie i tanio. Jedyną wolną ścianę tego pomieszczenia zajmował bojler, pozostawiając artykułom spożywczym Flinta miejsce na blacie: krojone pomidory z ziołami, krojone pomidory z czosnkiem, krojone pomidory z bazylią, nieduże, podłużne pomidory w całości, makaronowe rurki i świderki, hiszpańskie cebulki, folia aluminiowa, ziemniaki Desiree, marchew, główki czosnku w siatce, uschnięta bazylia na parapecie. A potem dostrzegła niewielki stos herbat tuż przy czajniku — mięta, dzika róża, rumianek, mango i jabłko — i z jakiegoś powodu sprawiły one, że poczuła się tak jak wtedy, kiedy zobaczyła go w salonie gier w Broadstairs, wciskającego dwupensówki do kaskady z drobniakami. Tak, jakby chciała go zatulić na śmierć. Ana zawsze odnajdywała coś głupio, cudownie bezbronnego w męskich zakupach. Tak samo działo się z rzeczami Hugh — szła do jego mieszkania i roztkliwiała się nad masłem, puszkami makaronu spaghetti, pianką do golenia i mydłem, które sam wybrał.

Podążyła za Flintem w kierunku drzwi na drugim końcu mieszkania. Zerknęła pospiesznie na zapchaną książkami półkę w korytarzu, gdzie zdążyła dojrzeć *Północ w ogrodzie dobra i zła*, biografię Hugh Hefnera, scenariusz *Pulp Fiction*, *Karierę Jean Brodie* i *Oksfordzki słownik cytatów*. Kolejna wpadka, pomyślała Ana. Ona założyłaby się, że znajdzie tam powieści Andy'ego McNaby'ego i Johna Grishama oraz Księgę rekordów Guinnessa z roku 1989. Doprawdy musi skończyć z wyciąganiem na jego temat pochopnych wniosków.

Na biurku przy drzwiach do ogrodu znajdował się stary komputer, stos publikacji encyklopedycznych i kilka segregatorów.

— Studiujesz coś? — zapytała Ana, wskazując na biurko.

Flint podrapał się po głowie.

— Taa. Ja... eee... tak właściwie to robię studia dyplomowe. — Wyglądał na nieco zmieszanego.

— Och — rzekła Ana, starając się, by w jej głosie nie pobrzmiewało tak wyraźne zdziwienie. — A konkretnie jakie?

— Psychologia. To... eee... tylko kurs korespondencyjny, ale pasuje do mojego stylu życia, no wiesz: zajęte noce, wolne dni...

— Który rok?

— Właśnie zaczynam trzeci. Taa... — Z roztargnieniem wziął do rąk jeden z podręczników, po czym z powrotem go odłożył. A potem odwrócił się i skierował do drzwi.

Za nimi znajdował się niewielki, zarośnięty skrawek ziemi.

Tuż za ogrodzeniem biegły tory, a wszędzie rozbrzmiewało echo głosów dzieci, które bawiły się w porzuconym wagonie. W sąsiednim ogrodzie dwójka młodszych dzieciaków wrzeszczała, raz po raz wspinając się i zjeżdżając po plastikowej zjeżdżalni.

— Pieprzone wakacje — mruknął Flint, wyciągając się na wytartym, brązowym fotelu obitym tapicerką, zrzucając przy tym buty i otwierając puszkę z piwem.

Ana nie mogła nie zauważyć, że miał najpiękniejsze stopy, jakie zdarzyło jej się widzieć: brązowe, gładkie, jakby nigdy nie pociły się w źle dopasowanych butach, jakby całe życie spędziły na miękkim piasku. A jego skóra prześlicznie, satynowo połyskiwała. A uda... Wystarczy! Ana oderwała spojrzenie od krocza Flinta i zaczęła przypatrywać się wyjątkowo pięknemu pączkowi róży na rosnącym tuż za nim krzaku. Czy tak właśnie rzecz się miała z mężczyznami, zastanawiała się, nieustannie dręczonymi widokiem nagiego kobiecego ciała? Zakłopotanie, pożądanie, wszystkie te myśli w twojej głowie, które w ogóle nie powinny się pojawić. Niemożliwym było zignorowanie jedwabistej gładkości jego opalonej skóry. Tak trudno było oderwać wzrok. Ana uświadomiła sobie, że, podobnie jak mężczyźni, na których narzekają kobiety hojnie obdarzone przez naturę, iż mówią wyłącznie do ich biustu, ona zwraca się do skóry i mięśni swego towarzysza.

— A więc — rzekł Flint, brzdękając metalowym kółkiem na wieczku puszki — co dalej?

— Słucham?

— Z Wielką Nierozwiązywalną Zagadką Bee Bearhorn. Co teraz zrobimy?

— Znajdziemy Zandera?

— Znajdziemy Zandera. Jasne. OK. Jak?

Ana wzruszyła ramionami.

— Nie mam pojęcia. Znamy jedynie jego wiek i imię. I wiemy, że może mieszka w domu dziecka w Kent i...

— Nie! — przerwał jej Flint, pstrykając palcami, i nagle zrobił się wyjątkowo jak na niego ożywiony. — Nie! Już wiem! Ten program dokumentalny. Ten, który kręcił Ed.

— Oczywiście! On nam może pomóc.

— Tak. Musi być jakieś archiwum ze starymi programami telewizyjnymi.

— Tak. Zdecydowanie. Musi być. Jutro mogę to sprawdzić.

— Czy wiesz — rzekł Flint — że doszliśmy do etapu, kiedy prawie nie jestem w stanie sobie wyobrazić, byśmy kiedykolwiek odkryli, co przydarzyło się Bee? Rozumiesz, o co mi chodzi? Tak, jakby na zawsze miało to pozostać tajemnicą.

Ana pokiwała głową.

— Flint? — zapytała po krótkiej chwili milczenia, przysuwając się do niego. — Czy mogę cię o coś zapytać?

— Pewnie.

— Czy... czy ty sądzisz, że ona sama się zabiła?

— Nie — odparł natychmiast ku zdziwieniu Any. — Nie ma mowy.

— Dlaczego jesteś tego taki pewny?

— Dlaczego ktoś taki jak Bee miałby odbierać sobie życie?

— A dlaczego ktoś taki jak Bee wypił tak dużo tequili i połknął tak wiele tabletek, że przeniósł się na tamten świat? I dlaczego tak długo trwało, nim ktoś ją znalazł? I dlaczego miała tak mało własnych rzeczy? Spędziłam cały dzień w mieszkaniu Bee i z tego, co zauważyłam, nie miała zbyt udanego życia. Przez ostatnie dziesięć lat wyobrażałam sobie świat mojej siostry. Myślałam o niej jako o kimś, kto zapuścił korzenie, jest w szczęśliwym związku, ma piękny dom i setki przyjaciół. Oczami wyobraźni widziałam, jak chodzi na przyjęcia i do klubów i jest... kimś. A... no cóż... jakie tak naprawdę było jej życie? I jak wiele o nim wiedziałeś? Kim byli jej przyjaciele? Gdzie się wszyscy podziali, kiedy umarła? Gdzie oni byli? — Ana urwała, gdy zdała sobie sprawę z tego, że krzyczy i prawie zerwała się z krzesła. Co jej się, do diabła, stało? Uśmiechnęła się przepraszająco do Flinta.

— Wybacz — rzekła. — Nie chciałam krzyczeć. Ja tylko... Potrzebuję kogoś, kto byłby w stanie wytłumaczyć mi, jak to się mogło stać. Wyjaśnić jej postępowanie.

Flint potarł kilkudniowy zarost i przyjrzał jej się z uwagą.

— OK — zgodził się. — Od czego mam zacząć?

— Może od tego, jakim była przyjacielem. Dla ciebie.

Mężczyzna westchnął i oparł się wygodniej.

— Bee była... Bee była dobrym przyjacielem. Takim, jakich lubię. Samowystarczalnym. To najbardziej niezależna osoba, jaką kiedykolwiek znałem. I brała ludzi takimi jacy są. Żadnych nierzeczywistych nadziei. Mówiła, że to klucz do szczęścia — brak oczekiwań wobec innych — w ten sposób nigdy nie dozna się rozczarowania. Wydawało się, że nikogo nie potrzebuje. Nie płakała. Nie opowiadała o sobie. Mogłem nie rozmawiać z Bee przez kilka tygodni, ale później dzwoniłem do niej, a ona była po prostu szczęśliwa, że mnie słyszy. Żadnych oskarżeń. Nigdy nie wywoływała w ludziach poczucia winy. Ale z drugiej strony, potrafiła zapomnieć o twoich urodzinach, o sprawach, o których rozmawialiście podczas waszego ostatniego spotkania. Ale to mnie nie martwiło, ponieważ jestem taki sam.

— A co dokładnie robiła podczas ostatnich kilku lat, po śmierci Gregora?

Wzruszył ramionami.

— Nic takiego. Przez jakiś czas zajmowała się pracą w fundacji, której dochód przekazywany był na badania nad AIDS, organizowała bale i imprezy dobroczynne, tego typu rzeczy. A potem przez pewien okres pobierała lekcje gry na gitarze, planowała powrócić do przemysłu muzycznego. Kilka razy spotkała się nawet z producentami i muzykami i wydawało się, że wszystko może jeszcze wypalić, ale tak się jednak nie stało. Myślę, że dużo czytała, oglądała filmy na wideo, pisała piosenki. I wygląda na to, że przez ostatnie trzy lata utrzymywała w tajemnicy dwie znajomości. — Lekko potrząsnął głową z niedowierzaniem. — I po prostu z dzikuski przekształciła się w odludka.

— Ale czy nie martwiłeś się o nią?

Flint potrząsnął głową.

— Nie — odparł. — Tak właśnie miały się sprawy z Bee. Robiła wszystko, by mieć pewność, że nikt się nigdy o nią nie martwi. Nienawidziła myśli, że może być dla kogoś ciężarem.

Należała do tych ludzi, którzy w jakiś sposób dryfują po powierzchni życia, którzy nigdy nie dotykają dna — rozumiesz, o co mi chodzi? Zawsze roztaczała wokół siebie aurę dobrego samopoczucia, tak mi się przynajmniej wydaje. Bee była zawsze OK. Bee była zawsze chłodna. Emocje nie miały do niej dostępu. Zachowywała powściągliwość.

— A co z mężczyznami? Co z jej życiem uczuciowym? Czy był ktoś oprócz Eda?

Flint odetchnął i poprawił się na fotelu.

— Według mnie Bee była osobą, którą można nazwać aseksualną. Nie uprawiała seksu. Nie wikłała się w związki.

— Co? Nigdy?

— Po śmierci ojca nie. Mężczyźni zupełnie przestali ją interesować. Powiedziała mi kiedyś, że nie dba o to, czy jeszcze kiedykolwiek w życiu będzie się z kimś kochać.

— A jak było wcześniej? Zanim umarł jej ojciec?

— Przygody i przelotne fascynacje. Tu i tam. Nic ważnego. Sądzę, że Bee nigdy nie była w porządnym, dorosłym, spełnionym związku.

Przez chwilę siedzieli w ciszy, gdy docierał do nich ten fakt. Chudy kot szybko przemknął przez ogrodzenie, oświetlany przez promienie zachodzącego słońca. W mieszkaniu na górze zapaliła się lampa, zalewając ogród ostrą, nieprzyjemną poświatą. Temperatura zaczęła spadać i Ana zadrżała w bawełnianym topie bez rękawów.

— Idziemy stąd? — zapytał Flint. — Zmiana scenerii dobrze mi zrobi.

Kiwnęła głową.

— Chcesz, bym pożyczył ci coś do ubrania? Zmarzniesz w tej bluzeczce.

Gdy przechodzili obok sypialni, Flint rzucił jej niebieski polar, którym natychmiast się otuliła. Był wielki i bardzo miękki. Kiedy Flint się odwrócił, Ana podniosła rękaw do nosa i powąchała go. Pachniał nim i miał dokładnie taki sam zapach, jaki czuła wczoraj na motorze Bee. Wsadziła rękę do kieszeni i wy-

jęła z niej stary bilet autobusowy i purpurową, jednorazową zapalniczkę.

Flint westchnął i wziął ją z dłoni Any.

— Ha — zaczął. — Wiesz, nie wypaliłem w moim życiu ani
jednej fajki, ale zawsze miałem przy sobie zapalniczkę. Dla lady
Bee. Zawsze używała zapałek, ale czasami pod koniec wieczoru,
kiedy trochę, no wiesz, fatalnie wyglądała, nie chciałem, by znajdowała się w pobliżu ognia, jeśli rozumiesz, o co mi chodzi. Raz
prawie podpaliła sobie grzywkę. Nosiłem je więc przy sobie. Dla
niej. — Przez kilka sekund podrzucał zapalniczkę, wpatrując się
w nią z napięciem, po czym przyciągnął do siebie dłoń Any,
odgiął jej palce, opuścił niewielki przedmiot na jej dłoń i ponownie ją zamknął, tak jakby na nowo pakował prezent.

— Nie chcesz jej?

— Nie — odparł. — Nie. Będę je wszędzie znajdował, te
pieprzone zapalniczki, poczekaj, a się przekonasz...

Ana dotknęła dłonią jego nagiego ramienia i Flint uśmiechnął
się do niej w stylu małego, odważnego żołnierzyka, po czym wyszli z domu i udali się w kierunku głównej ulicy.

Rozdział dwudziesty ósmy

— A więc — zaczął Flint, gdy szybko przechodzili przez ulicę — ile tak naprawdę masz wzrostu?

— Metr osiemdziesiąt jeden i pół.

— O rety.

Lokal Flinta był brzydką, starą, wiktoriańską knajpą zwaną Freemasons Arms. Reprezentował sobą typ pubu, który Ana zazwyczaj omijała z daleka. Miał zasłonięte okna, a wzdłuż baru siedziała grupa milczących, czerwonych na twarzy mężczyzn w pozaciąganych swetrach i starych butach. Flint kupił dla siebie i Any po piwie i szklaneczce whisky i poprowadził ją do niewielkiego pomieszczenia na tyłach, gdzie kilkoro młodszych facetów grało w bilard i rozmawiało ze sobą, zamiast gapić się przed siebie. A Ana zastanowiła się, kiedy pojawia się ten moment, gdy mężczyzna od picia w pubie razem z kumplami, przechodzi do picia w tym samym pubie, co jego kumple.

Samotna kobieta siedząca w rogu piłowała bardzo długie paznokcie i popijała z butelki Smirnoff Ice. Najpierw przelotnie popatrzyła na wchodzącą Anę, po czym wolno zmierzyła ją wzrokiem od góry do dołu.

Flinta momentalnie otoczyli mężczyźni, którzy poklepywali go po plecach, potrząsali jego dłonią i pytali, gdzie, do cholery, się podziewał.

— Po prostu nie wychylałem się, stary, no wiesz... — odparł, uśmiechając się do każdego z nich. Przedstawił im Anę, oni skinęli głowami, a ona poczuła się mile połechtana tym, że Flint nie czuł potrzeby, by usprawiedliwiać jej obecność, przedstawiając ją jako siostrę Bee, i że był wyraźnie zadowolony, iż jego kumple sądzą, że jest „z" nią.

Zaprowadził Anę do stolika w najdalszym rogu, trzymając ją za łokieć, co przywiodło jej na myśl te zdjęcia z plotkarskich magazynów, ukazujące chłopaka Madonny, oprowadzającego ją jakby była lekko zramolałą starą babcią, która bez jego pomocy może wpaść na ścianę, a nie najzadziorniejszą kobietą na świecie. Ale za każdym razem, gdy Flint ją dotykał, w głowie Any pojawiał się ten sam fragment filmu: obraz jej, rozpinającej guziki przy rozporku Flinta, jeden po drugim, i wsuwającej do środka swe długie palce i...

— Mam pewną propozycję — rzekł, stawiając z hałasem opróżnioną szklankę na stół.

Ana podskoczyła.

— Ach tak.

— Jest dosyć radykalna.

— Jasne.

— Co byś powiedziała na to, i daj mi znać, jeśli uznasz to za absurdalny pomysł, co byś powiedziała, gdybyśmy ty i ja dzisiejszego wieczoru porządnie się upili i nie rozmawiali o Bee? No wiesz. Po prostu prowadzili normalną rozmowę. O normalnych sprawach.

— Na przykład jakich?

— Boże. Bo ja wiem. O telewizji. Wiadomościach. Sławnych ludziach. Lubisz rozmawiać o sławnych ludziach?

Ana potrząsnęła głową.

— Szkoda. Jestem bardzo dobry w plotkowaniu na temat sław. Kobiety mówią, że moja encyklopedyczna wiedza o błahostkach związanych z gwiazdami stanowi najbardziej atrakcyjną część mnie. Miałem nadzieję, że będziesz miała ochotę to sprawdzić.

— Przykro mi. — Ana przepraszająco wzruszyła ramionami. Poczuła, że się czerwieni i natychmiast opuściła głowę w kierunku kufla z piwem. Czy to nie był flirt? Czy on z nią przypadkiem nie flirtował? Z jakiego innego powodu powiedziałby, że chce, by sprawdziła jego wiedzę o gwiazdach, zdążywszy wcześniej oświadczyć, iż to właśnie podoba się w nim innym kobietom? To było prawie tak, jakby powiedział: „Kobietom bardzo podoba się mój olbrzymi fiut — masz ochotę, bym go w ciebie wsunął?" Prawie.

Ale nie. Nie ma mowy. Niemożliwe, by ktoś taki jak Flint z nią flirtował. Oczywiście, że nie. Flint był mężczyzną. Prawdziwym mężczyzną. Z potrzebami i pragnieniami, których Ana nigdy nie potrafiłaby zaspokoić. Przez chwilę próbowała wyobrazić sobie typ kobiety, która mogłaby spełniać oczekiwania Flinta i w jej głowie pojawił się obraz kogoś tak bardzo różniącego się od niej, że aż zachciało się jej płakać.

— Więc — rzekł Flint, spoglądając na nią z zaskakująco szelmowskim błyskiem w oku — o czym porozmawiamy?

— O tobie — odparła Ana, głośniej i gwałtowniej, niż miała pierwotnie zamiar. Zniżyła głos. — Porozmawiajmy o tobie.

— Ooch — Flint wciągnął powietrze i uśmiechnął się do niej. — W zasadzie nie jest to mój ulubiony temat.

— A to dlaczego?

— Och, no wiesz. Trupy. Szafy. Tego typu sprawy.

Ana wróciła myślami do ostrzeżeń, których udzieliły jej zarówno Lol, jak i Gill i poczuła, że jej ciekawość natychmiast wzrasta.

— Wczoraj dowiedziałeś się wszystkiego o mnie — rzekła. — Uczciwie by było, gdybyś teraz ty opowiedział mi choć trochę o sobie.

Uśmiechnął się.

— Wiesz co?

— Co?

— Bee miała pewną teorię. Na temat ludzi. Zawsze porównywała ich do ubrań. Niektóre ciuchy, jak twierdziła, przymierzasz i w przeciągu kilku sekund wiesz, czy do ciebie pasują, czy też nie. Inne zdają się być dobre, ale potem zabierasz je do domu i uświadamiasz sobie, że nie komponują się z żadnymi innymi. Ale najlepsze rzeczy to takie, które zawsze ci odpowiadają, nigdy nie wychodzą z mody i sprawiają, że dobrze się czujesz za każdym razem, gdy masz je na sobie, nawet jeżeli skurczą się w praniu. Powiedziała, że ja i Lol jesteśmy jej ulubionymi, starymi ubraniami. Ale że wciąż uwielbia przymierzanie nowych. Dokonywanie zakupów pod wpływem impulsu. Rozumiesz, o co mi chodzi?

— Nie — odparła szczerze.

— Cóż, chodzi o to, że Bee uważała, iż właściwie każdy może być interesujący przez pół godziny. Co będzie później, to nieistotne. Ale zawsze miała ochotę rozmawiać z nowymi ludźmi. To była jej specjalność. Zawsze powtarzała, że najważniejsze są pytania, że trzeba zadawać te właściwe. Jeżeli zadaje się nudne pytania, wtedy otrzymuje się nudne odpowiedzi. Mamy — wychylił się za róg, by sprawdzić godzinę na zegarze nad barem — za pięć ósma. Od teraz aż do dwadzieścia pięć po, wolno ci pytać mnie o wszystko, co chcesz.

Ana popatrzyła na niego.

— Śmiało — drażnił się z nią.

— OK — odpowiedziała. — OK. Opowiedz mi o... Japonii.

— Co chciałabyś wiedzieć?

— Jak to się stało, że tam pojechałeś? Dlaczego wróciłeś?

— Cholera — rzekł Flint, wciągając powietrze. — To dobre pytania. Otwierają puszkę Pandory. No tak. Cóż. Byłem w wojsku...

— Naprawdę?

— Aha. Przez trzy lata. Nienawidziłem tego. Więc je opuściłem. Kiedy miałem dwadzieścia lat. A potem... no wiesz, nie jest łatwo wyjść z woja. Nie posiadałem żadnych pożytecznych umiejętności ani doświadczenia, które mogło zainteresować potencjalnego pracodawcę. Więc poszedłem na zasiłek dla bezrobotnych, a potem, jak to się mówi, wpadłem w niewłaściwe towarzystwo.

— Jakie towarzystwo?

— Och. No wiesz. Złe towarzystwo.

— W jakim sensie?

Flint uśmiechnął się znacząco i pociągnął łyk piwa.

— To zabawne — oświadczył — ale z jakiegoś powodu czuję się naprawdę zakłopotany, rozmawiając z tobą o tym wszystkim.

— Dlaczego?

— Czy ja wiem? Po prostu... ty jesteś taka... nie zepsuta. Pewnie dlatego, że pochodzisz ze wsi. Nigdy nie mieszkałaś w mieście...

— Exeter było miastem.

— Tak, ale wiesz, o co mi chodzi. Nie jesteś po prostu mieszczuchem. Sprawiasz, że myślę o polach kukurydzy, wiejskich festynach i rękawicach do garnków z makramy...

— Och, dzięki!

— Nie, ale wiesz, ty jesteś czysta. A to, jak wyglądało wtedy moje życie... Ono było brudne. Ja jestem do tego przyzwyczajony i każdy, kogo znam, też jest przyzwyczajony i dopiero, gdy siedzę i rozmawiam z kimś takim jak ty, uświadamiam sobie, jak bardzo było w rzeczywistości obrzydliwe. Taa. Narkotyki — rzekł nagle, jakby chciał mieć to już za sobą. — Ćpałem.

— Co konkretnie?

Wzruszył ramionami.

— Heroina. Prochy. No i alkohol. I kilka drobnych przestępstw. Tak właściwie to wszystko po trochu. Byłem śmieciem, naprawdę. Wszystko się porąbało. Ludzie umierali i tak dalej. A potem, znasz tę scenę z *Trainspotting*, kiedy matka i ojciec zamykają go w jego pokoju? Cóż, coś takiego zrobiła mi moja mama. I kiedy siedziałem w zamknięciu, przechodząc piekło, w mojej głowie zaświtał ten pomysł. To było po tym, jak zobaczyłem w wiadomościach coś o Tokio, nie pamiętam już, o co chodziło. Ale pamiętam, że uderzyło mnie, jak czyste jest to miasto. Jak czyści wydawali się ludzie. Wszystko wyglądało tak higienicznie, niczym jakiś wielki szpital czy coś w tym rodzaju. I to się stało moją obsesją. Zacząłem czytać wszystko, co się dało o kulturze i historii, i tak dalej. Każdy dzień spędzałem w bibliotece. Wszystko związane z tym miejscem wydawało mi się kompletnym przeciwieństwem mojego życia w Londynie. A potem moja mama — niech Bóg ma w opiece jej duszę — ona stała się moim zbawicielem. Brała nadgodziny, mówiąc mi, że oszczędza na swoje wakacje, a potem pewnego dnia przyszła do domu z prezentem dla mnie: biletem w jedną stronę do Tokio. Więc pojechałem.

— Naprawdę? I jak tam było?

— Jeden pieprzony koszmar.

— Żartujesz.

— Taa. Na początku. O jednej rzeczy nie wiedziałem, zanim się tam nie znalazłem, a mianowicie, jak koszmarnie drogie jest to miejsce. Mieszkanie takie jak moje, no wiesz, obskurne, małe pudełko po butach, ponad piętnaście kilometrów od centrum, kosztowało około dwustu pięćdziesięciu funtów tygodniowo. Musiałem więc bardzo szybko poszukać jakiejś pracy, a jedyne, co mogłem znaleźć, to stanie w drzwiach. No wiesz, jako bramkarz, co nie było spełnieniem moich marzeń. Ci japońscy biznesmeni... Jezu, ile oni potrafią wypić. I kompletnie się wtedy zalewają. My przy nich wyglądaliśmy jak abstynenci. Wszczynali bójki. Rzygali. Przewracali się. Ale i tak było czysto, bez narkotyków, o których warto by wspominać. No i te kobiety... Boże, no wiesz, po prostu piękne...

— Och — rzekła Ana, natychmiast zaliczając Flinta do tej samej kategorii, co starych i brzydkich mężczyzn, którzy jeżdżą do Tajlandii i na Filipiny, by tam kupić sobie młode, piękne żony, i poczuła się w jakiś niewytłumaczalny sposób rozczarowana.

— Tylko do patrzenia, rzecz jasna. Nie dotykałem. W ogóle. One są takie delikatne i bezbronne, te ich kobiety. I takie malutkie. Strach było, że się je skrzywdzi. A poza tym lubię, jak kobieta ma trochę więcej... uch.

Ana uśmiechnęła się.

— Zapisałem się więc na kurs i zacząłem w dzień uczyć angielskiego, a wieczorami nadal pracowałem jako bramkarz.

— Co jeszcze robiłeś?

— Jadłem sushi. Piłem zieloną herbatę. Chodziłem na siłownię. Uczyłem się kendo.

— Tak? Jak daleko udało ci się zajść?

— Mam czarny pas.

— Nie!

— Aha. To był okres, kiedy byłem w szczytowej formie fizycznej. Hera i gorzałka zostały wypłukane z mego organizmu kilka miesięcy wcześniej, w moim pokoju w Londynie, ale dopiero pobyt w Tokio oczyścił moją duszę. Cholera, ale bzdety, no nie?

Ana potrząsnęła głową.

— Nieprawda. Ani trochę.

Wyglądał na zadowolonego z takiej odpowiedzi.

— No więc po upływie dziesięciu miesięcy uznałem, że czas wracać. To było takie dziwne miejsce, to Tokio, wszyscy tam byli tacy jacyś szaleni. Wiedziałem, że jestem lepszy, kiedy zobaczyłem, jak popieprzone jest to ich społeczeństwo, kiedy mogłem spojrzeć na nie obiektywnie. A poza tym tęskniłem za domem, za mamą, tęskniłem za Londynem. Tak naprawdę to brakowało mi brudu. Ironia losu. Ale odkryłem, że kiedy jest się czystym w środku, brud na zewnątrz jest w pewien sposób... uspokajający. Rozumiesz, o co mi chodzi?

— Nie jestem pewna.

— Nie. Pewnie nie rozumiesz.

— Więc czym się zająłeś, kiedy wróciłeś do domu?

— No cóż, naprawdę spodobała mi się praca nauczyciela i pomyślałem, że w Londynie też mógłbym się tym zająć, uczyć angielskiego studentów z zagranicy. Ale tutaj nie miałem wystarczających kwalifikacji. Zacząłem więc pracować w firmie wynajmującej limuzyny. Jako kierowca.

— Dlaczego właśnie ta praca?

— Sam nie wiem, naprawdę. Tak właściwie to nigdy się nad tym nie zastanawiałem. Ta robota wydawała się po prostu w porządku. No wiesz: izolacja, ładny pojazd, elegancki mundur. Odpowiadało mi to. Właściwe zajęcie dla nawróconego. Czułem się jak Robert de Niro — uśmiechnął się szeroko — zwłaszcza, kiedy jeździłem po mieście w nocy. Wiesz, ta praca potrafi być czasami bardzo romantyczna. Bee zawsze powtarzała, że to najlepsze uczucie na całym świecie być wożoną ulicami Londynu moim samochodem, gdy gra muzyka i nie ma potrzeby się odzywać, i niczego nie trzeba robić. Po prostu się siedzi i obserwuje mijany świat, pogrążając się we własnych myślach. Mówiła też, że kiedy siedzi w moim samochodzie, Londyn zawsze wydaje się być filmem, pięknym snem, a wszyscy ludzie na ulicach wyglądają jak aktorzy. To było niczym warstwa izolacji pomiędzy tym, jakie według niej powinno być życie, a jakie było w rzeczywistości. Na tylnym siedzeniu mojego wozu nigdy nie doznawała rozczarowań, tak mi zawsze powtarzała...

Zamilkł na chwilę i bawił się podkładką pod piwo.

— Brakuje ci jej?

— W każdej sekundzie każdego dnia. — Głos mu nie zadrżał, ale Ana dojrzała w jego oczach łzy. Flint odkaszlnął i napił się piwa.

— Opowiedz mi o waszym pierwszym spotkaniu. Opowiedz mi o tym, jaka ona była.

Ponownie wychylił się za róg, by sprawdzić godzinę na zegarze nad barem.

— Jak tam nasze pół godziny? — zapytał żartobliwie.

— Zostało nam jeszcze mnóstwo czasu — zapewniła go Ana. — Minęła dopiero połowa.

— No dobrze. Według Bee po raz pierwszy spotkaliśmy się wtedy, kiedy odebrałem ją z lotniska po jej powrocie z Niemiec. Ale ja twierdzę, że wtedy wyjechał po nią inny kierowca. Ta babka miała koszmarną pamięć. Moje pierwsze wspomnienie o Bee wiąże się z dniem, kiedy musiałem zabrać ją do dentysty. Ta kobieta, mówię ci, ta kobieta miała po prostu obsesję na punkcie swoich pieprznych zębów. To było aż nierzeczywiste. Przysięgam na Boga, że połowa jej pieniędzy skończyła w kieszeniach tych miłych Żydów z Harley Street. Powiedziała, że boli ją ząb, więc zawiozłem ją tam, a dwie godziny później ona wyszła cała roztrzęsiona. Dentysta usunął jej pieprzone zęby mądrości. — Flint skrzywił się. — Jej twarz była cała opuchnięta z tej strony i prawie nie mogła mówić, a po brodzie ciekła jej ślina. No i siedzi ta drobna kobietka w czarnym skórzanym płaszczu i czarnych błyszczących butach, z cyckami wylewającymi się z ciasnego gorsetu czy czegoś tam, z opuchniętą twarzą i śliną na brodzie. A potem zaczyna też i płakać, więc po jej policzkach spływa tusz do rzęs i mówi — przybrał afektowany akcent — „Och, Flint, boli mnie, Flint, boli mnie tak bardzo, że chciałabym umrzeć". I powtarzała to w kółko jak zdarta płyta. Więc w końcu zatrzymałem samochód, odwróciłem się do niej i rzekłem: „Co, do cholery, chcesz, żebym w związku z tym zrobił?" A ona siedzi tam zaszokowana i wygląda tak, jakbym ją uderzył w twarz albo coś takiego — skrzywdzona i pełna urazy. A potem prostuje się, o tak, starając się wyglądać na wyższą i mówi: „Powiem ci, co możesz w związku z tym zrobić, Flint. Możesz zabrać mnie do baru i kupić mi osiem tysięcy pieprzonych margarit, i zostać ze mną, dopóki ich wszystkich nie wypiję. OK?" I wtedy oboje zamilkliśmy, a ona wpatrywała się we mnie, aż nie mogłem już wytrzymać tego ani sekundy dłużej. I zapytałem: „Czy mogę się teraz z ciebie śmiać?" A ona popatrzyła na mnie, nadęta i poważna, i odparła: „Tak, możesz się teraz śmiać". I coś ci powiem. Straciłem wtedy nad sobą panowanie. Kompletnie. Nie sądzę, bym kiedykolwiek prędzej czy później tak długo i głośno się śmiał. W każdym razie udaliśmy się do tego baru i wiedziałem, jak musimy razem wyglądać — wielki facet z blizną na policzku, podtrzymujący drobną, zataczającą się kobietę od stóp do głów odzianą w skórę, która była tak zamroczona, że nie potrafiła nawet iść prosto. Więc, rzecz jasna, wszyscy się na nas gapili i wiesz co? Wtedy właśnie przekonałem się, że Bee jest wyjątkowa i że pragnę ją lepiej poznać. Była tą sławną gwiazdą pop, a tak naprawdę gówno ją obchodziło to, że ludzie ją oglądają, kiedy wygląda jak naćpana dziwka. Jej wytwórnia płytowa zainwestowała naprawdę kupę forsy w stworzenie i utrzymywanie jej wizerunku, a jej to wszystko zwisało. Podobało mi się to... No więc spędziliśmy w tym barze całe popołudnie i ona chciała wiedzieć o mnie wszystko — o mojej rodzinie, dzieciństwie, mojej dziewczynie, nadziejach i marzeniach. Tak łatwo rozmawiało się z tą kobietą, była tak bardzo podekscytowana ludźmi i życiem, i wszystkim... nie wiem, tymi wszystkimi drobiazgami. Lubiła szczegóły. Nie znaczy to, że o nich później pamiętała. — Flint uśmiechnął się. — Nigdy nie mogłeś powiedzieć jej po prostu, że poznałeś w barze dziewczynę i poszedłeś z nią do łóżka. Pojawiały się wtedy pytania: W jakim barze? Kto pierwszy zagadał? Co piliście? U kogo wylądowaliście? Jaki kolor miała pościel? Jakiego pieprzonego koloru było jej pieprzone futerko? Naprawdę raz mnie o to zapytała... — roześmiał się, po czym zamilkł, wpatrując się w brudny wzór na wykładzinie. — Cholera. Będzie mi jej brakowało. Tak bardzo będzie mi jej brakowało. Jednak — rzekł, wyrywając się z zadumy — łamiemy teraz zasady, prawda? Mieliśmy nie rozmawiać o Bee. I — o, popatrz — moje pół godziny minęło. Pora na odwrócenie ról. Taki sam czas?

O jedenastej Ana i Flint opuścili pub i natychmiast znaleźli się w objęciach nieco chłodnego, nocnego powietrza. Flint zaproponował Anie swoją sofę, ale ona się nie zgodziła, więc czekali teraz na taksówkę, która zabierze ją z powrotem do Ladbroke Grove.

— Więc jutro — rzekł Flint. — W dzień. Poszukamy trochę, nie? Może przyjdę do Gill. Ona ma Internet, prawda?

— Aha.

— Pracuję jutro wieczorem, ale jeśli tylko masz ochotę, to możesz jechać ze mną.

— Co masz na myśli?

— Mam na myśli siedzenie razem ze mną z przodu, na miejscu dla pasażera.

— Ale czy twoi klienci nie będą mieli nic przeciwko?

— Skąd. Nawet nie będą wiedzieli, że tam jesteś. A poza tym to mój samochód. Mogę w nim wozić, kogo mi się żywnie podoba.

— W porządku. Może. — Ana nie chciała, by Flint pomyślał, że przyssała się do niego jak pijawka. — Ale jutro zdecydowanie będziemy szukać dalej.

— OK. Zadzwonię do ciebie. Jutro. Tak?

— Tak. Jutro.

— Dobrze. Cóż, to było kolejne doświadczenie, prawda?

— Boże, to mało powiedziane. Niedziela rano wydaje się odległa o całe lata świetlne, no nie?

— Aha. O, patrz, taksówka. — Flint wyszedł na ulicę z podniesioną jedną ręką. Samochód zatrzymał się tuż przy nim. Podał kierowcy adres. — Więc — rzekł, pomagając Anie wsiąść do taksówki — do zobaczenia jutro. I śpij dobrze. — Zatrzasnął za nią drzwi i nachylił się do okna, które miało opuszczoną szybę. — I dziękuję ci.

— Za co? — roześmiała się Ana.

— Za tak świetne towarzystwo. Naprawdę dobrze się bawiłem.

— Serio?

— Tak. Serio. — Cofnął się na chodnik i zaczął się oddalać, ale Ana nagle poczuła się w obowiązku, by go o coś zapytać.

— Flint? — zawołała, chwytając za krawędź otwartego okna.

— Tak, skarbie? — zapytał, odwracając się z powrotem w jej kierunku.

— Czy ty… Czy byłeś kiedyś zakochany w Bee?

Zaśmiał się.

— Nie — odparł. — Nie. Nigdy nie byłem w nikim zakochany.

I wtedy, zanim miała szansę sprawdzić wyraz twarzy Flinta, taksówka ruszyła i powiozła ją w kierunku domu Gill. Podczas jazdy Ana zastanawiała się, w jaki sposób ktoś, kto ma za przyjaciela kogoś takiego jak Flint, może w ogóle myśleć o popełnieniu samobójstwa, kiedy jedyne, co musi zrobić, była tego pewna, to zadzwonić i porozmawiać z nim, a wszystko będzie wtedy w porządku…

Rozdział dwudziesty dziewiąty

— Osiemnaście sześćdziesiąt, skarbie.

Oczy Any rozszerzyły się lekko ze zdziwienia, ale tak czy siak wyciągnęła portfel i wyjęła z niego banknot dwudziestofuntowy.

— Jasna cholera — mruknęła pod nosem, gdy wyszła już z samochodu i ruszyła w stronę domu Gill. Dwadzieścia funciaków! Za taksówkę. To miasto naprawdę potrafi dopieprzyć.

Gdy Ana zmierzyła spojrzeniem niewielki domek przy Latimer Road, nagle poczuła się, jakby nie było jej tutaj całe wieki. I w dziwny, pokrzepiający na duchu sposób to miejsce prawie wydawało się być domem. Otworzyła drzwi i weszła do środka. Tak jak i poprzednim razem dom pogrążony był w ciemności. Poszła do kuchni i nalała sobie kilka szklanek wody, by rozcieńczyć wypitą wcześniej tego wieczoru whisky, a potem w lodówce znalazła, ku uciesze, kilka tac z pysznościami: imprezowe żarełko z M&S, maleńkie kiełbaski, kawałki łososia i resztki jakiejś innej ryby. W zmywarce stały brudne kieliszki do szampana, a w koszu leżała masa opakowań po chipsach i pustych puszek. Gill musiała mieć wcześniej gości. I doprawdy w jej stylu było natychmiastowe uprzątnięcie każdej okruszki i papierka. Ana nałożyła sobie na talerz jakieś przekąski i zabrała go ze sobą

271

na górę. I, prawie jak w *déjà vu*, gdy dotknęła klamki drzwi do swojego pokoju, usłyszała jęki. I postękiwanie. I uderzanie ciała o ciało. I chichotanie. Nie, pomyślała, nie ma mowy. To się nie może dziać naprawdę. Nie znowu. I z pewnością nie w poniedziałkowy wieczór.

Bezszelestnie wślizgnęła się do pokoju i odetchnęła z ulgą, gdy rzuciła plecak na podłogę i wyciągnęła się na futonie. Poczuła się kompletnie wykończona, psychicznie i fizycznie. Miała wrażenie, że wyssano z niej każdą kroplę energii, jaką kiedykolwiek posiadała, i jakby już nigdy nie była w stanie podnieść się z łóżka. A naprawdę przydałaby jej się kąpiel — po raz ostatni siedziała w wannie w zeszłym tygodniu, w Torrington. Marzyła o zanurzeniu się w gorącej, pełnej piany wodzie, zamknięciu za sobą drzwi i czytaniu kryminału o seryjnych mordercach, aż jej skóra zrobi się pomarszczona niczym suszona śliwka. Ale nie mogła tego uczynić. Ponieważ mieszkała w jednym domu z nimfomanką i bała się otworzyć drzwi od swojego pokoju, by nie natknąć się na kogoś za nimi.

Powoli i z bólem zaczęła ściągać z siebie ubranie, a wydawało jej się, że nosi je bez przerwy od jakichś trzech lat. Właśnie zdejmowała przez głowę bluzkę, kiedy usłyszała delikatne pukanie do drzwi. Na ułamek sekundy jej serce przestało bić.

— Tak? — zawołała ostrożnie.

— Ana, tu Gill. Mogę wejść?

O Boże, pomyślała Ana. O nie. Czego ona chce?

— Tak — odpowiedziała, z powrotem naciągając bluzkę. — Pewnie.

Drzwi powoli się uchyliły i do środka wślizgnęła się Gill.

— Och — rzekła tylko Ana, podskakując lekko i przyciskając dłoń do klatki piersiowej. Jej gospodyni miała na sobie jedynie fioletowe satynowe figi i dopasowany kolorystycznie stanik, którego jedno ramiączko zwisało z jej ramienia, obnażając tym samym prawie całą pierś. Na twarzy Gill rozmazana była rudawa szminka, a z włosów zwisały kawałki serpentyny. I nie miała, czego Ana nie mogła nie zauważyć, wydepilowanych okolic bikini.

— Cześć — uśmiechnęła się krzywo, kołysząc się z boku na bok. — Słyszałam, jak wchodzisz i pomyślałam sobie, że sprawdzę, co u ciebie.

— Och — odparła Ana, zakrywając połowę twarzy dłonią i czując niewiarygodną klaustrofobię. — Och. Wszystko w porządku. Naprawdę.

— To dobrze. Trochę się o ciebie martwiłam.

— Och. Nie musiałaś się martwić. Byłam...

— Powinnaś była wrócić szybciej, Ana. Ominęła cię niezła impreza.

— Och?

— Taa. Urządzałam wieczór panieński dla mojej przyjaciółki Cathy. Było nieziemsko. Mieliśmy striptizera i w ogóle. Spodobałoby ci się.

— Och. Tak. Jaka szkoda...

— A jak tam było w Broadstairs? Dowiedzieliście się czegoś interesującego?

— Taa — zaczęła Ana, uświadamiając sobie jednocześnie, że taka odpowiedź doprowadzi do długiej rozmowy, a myśli o pogawędce w zaistniałych okolicznościach nie była w stanie strawić. — Cóż, trochę. Niezupełnie. Nie... — Potrząsnęła z lekceważeniem głową. — No wiesz... — urwała.

— No cóż — wymamrotała niewyraźnie Gill. — Warto było spróbować. A jak tam się sprawował przepyszny Flint? — zapytała głosem, w którym pobrzmiewały seksualne podteksty poparte groteskowym mrugnięciem oka.

— To znaczy?

— Zadziorny Flint? — zachichotała. — Czy dobrze się zachowywał?

— Nie wiem, o czym mówisz.

— Przestań, dobrze wiesz, o czym mówię. Czy próbował... no wiesz?

— Co?

— Dobrać się do twoich majtek, a cóż by innego?

— Nie! — sapnęła Ana. — Oczywiście, że nie. Słuchaj —

dodała — co właściwie jest nie tak z Flintem? To znaczy, czemu ty i Lol tak się na niego uwzięłyście?

— Och, wcale się na niego nie uwzięłyśmy. Lubimy robić sobie jaja, to wszystko.

— Tak, ale dlaczego? Mnie on się wydaje w porządku.

— Tak. Ale o to właśnie chodzi. Zawsze sprawia takie miłe wrażenie. Nic błędniejszego. Jest skończoną dupencją.

— Dupencją?

— Och. Prawdziwą starą łajzą. Zerżnie wszystko, co się rusza.

— Flint?

— Jasne, że Flint. Jeżeli coś ma tętno i szparę, on już tam jest. I tak właściwie to niepotrzebne mu nawet do tego tętno. Wystarczy szpara.

Twarz Any wykrzywiła się z niedowierzaniem.

— Wszystkie go miałyśmy, wiesz?

— Słucham?

— Flinta. Każda z nas. Ja. Cathy. Lol.

— Lol?

— Aha. I Bee.

Ana nagle poczuła się tak, jakby w klatkę piersiową kopnął ją koń. Przełknęła ślinę, a przez jej głowę przebiegła wizja drobnej Bee, wijącej się pod wielkim, nagim Flintem.

— Nie... — udało jej się wychrypieć.

— Ależ tak.

— Ale... to znaczy... skąd o tym wiesz?

— Bo mi o tym powiedziała. To właśnie robią dziewczyny, co nie? Gadają o tym. Taa. Bee i Flint mieli swoje momenty. Kapujesz? Trzymaj się od niego z daleka. Jesteś miłą dziewczyną i jeśli tylko mu pozwolisz, to on cię wykorzysta...

— No cóż — rzekła sztywno Ana, odzyskując panowanie nad sobą. — Nie mam zamiaru na nic mu pozwolić. Naprawdę nie interesuje mnie w ten sposób.

— Dobrze — odparła Gill, wreszcie zauważając, że zwisa jej ramiączko od stanika i poprawiając je. — To dobrze. Ale coś ci powiem. Jeśli trzeba ci sympatycznego bzykanka bez zobowiązań, mogłabyś trafić znacznie gorzej. Flint jest cholernie dobry w te klocki. A jego klejnoty są dość proporcjonalne, jeśli łapiesz, o co mi biega.

Trzask po drugiej stronie korytarza odwrócił ich uwagę od klejnotów Flinta i skierował w stronę sypialni Gill.

— Och, Lloyd, sorki. Rozmawiałam tylko z moją współlokatorką. — W drzwiach pojawił się czarnoskóry mężczyzna. Miał krótkie dredy, pociągłą twarz i wyjątkowo szczupłe nogi. — Lloyd, to jest Ana. Ana, to jest Lloyd. — Uśmiechnęli się do siebie uprzejmie i powiedzieli cześć. — Lloyd był dzisiaj naszym striptizerem. — Odwróciła się i uśmiechnęła do niego zalotnie. — Ale widzisz, porwałam go. Zagarnęłam go całego dla siebie. Nieważne, pozwolę ci wreszcie iść do łóżka. Musisz być wykończona. — Wspięła się na palce i złożyła na policzku Any porządnego, wilgotnego całusa. — Śpij dobrze.

— Tak — rzekła Ana, próbując ukradkiem wytrzeć policzek. — Tak. Ty też. — Miała właśnie zamknąć drzwi, kiedy Gill nagle ponownie się odwróciła.

— Och — rzekła. — Mało brakowało, a zapomniałabym ci o tym powiedzieć. Dzwoniła twoja matka.

— O Boże. Kiedy? Czego chciała?

— Och, potrzebowała tylko twojego adresu. Powiedziała, że musi ci przesłać jakąś pocztę. Ona jest taka miła, ta twoja matka, no nie? Naprawdę przyjacielska. No dobra. W sąsiednim pokoju czeka na mnie seks. Branoc.

Pomachała ręką i zamknęła za sobą drzwi, a Ana opadła na łóżko w stanie totalnego osłupienia. O co chodziło jej matce? To przesyłanie dla niej poczty wydawało się niezwykle podejrzane — Ana nie otrzymywała żadnej korespondencji. No i jeszcze Flint. Jezu. Straszne. On po prostu nie był już... nie był już Flintem. Nie wydawał się być opiekunem, ale sępem. Uprawiał seks właściwie z każdym, kogo Ana poznała od chwili przyjazdu do Londynu. Robił to z Bee. I okłamał ją. Powiedział, że

Bee była aseksualna. Na jaki jeszcze temat skłamał albo też co przemilczał?

Ściągnęła ciuchy, wsunęła się pod koc i natychmiast zapadła w głęboki sen.

Rozdział trzydziesty

Flint obudził się następnego dnia o dziewiątej pełen dziwnej chęci do działania. Było to naprawdę zaskakujące, ponieważ rano zazwyczaj czuł się jak dziewięćdziesięcioszcześcioletni starzec z rozedmą płuc.

Przygotował sobie szklankę miętowej herbaty i miskę płatków Alpen, zabrał z wycieraczki „Independent" i ubrany jedynie w bokserki wyszedł do ogrodu, gdzie usiadł w fotelu, by napawać się porannymi promieniami słońca. Popatrzył przed siebie na krzesło, które zeszłego wieczoru wyniósł z domu dla Any. Stało nadal tam, gdzie je wczoraj zostawiła, dokładnie naprzeciwko niego, a tuż obok leżała jej pusta puszka po piwie i prawie że widział, jak tam siedzi — zgarbiona i niezdarna, z okręconymi wokół siebie nogami, dłubiąca w paznokciach, co kilka sekund zakrywająca twarz dłońmi, nieustannie się czerwieniąca. Uśmiechnął się do siebie, przypomniawszy sobie ten widok.

Właśnie miał podnieść do ust łyżkę z płatkami, kiedy coś uderzyło go w kark. Coś mokrego, zimnego i ciężkiego. Rozejrzał się w poszukiwaniu wielkiego ptaka, ale żadnego nie dostrzegł. Odstawił miskę na trawę i ostrożnie dotknął szyi. Dotknął i wzdrygnął się. Coś tam było. Coś maziowatego, mokrego i obrzydliwego. Skrzywił się i bardzo, bardzo delikatnie uchwycił to coś między dwa paznokcie. Był to spory kawałek wilgotne-

277

go, różowego papieru toaletowego. I w tej samej chwili, kiedy rozszyfrował, co to takiego, kolejna różowa kulka wylądowała na trawie u jego stóp, a do jego uszu dobiegły parsknięcia i odgłosy tłumionego śmiechu. Ponownie spojrzał w górę. Dwie małe głowy w oknach mieszkania na najwyższym piętrze natychmiast zniknęły.

— Widziałem was, wy małe pojebusy! — wrzasnął.

Kolejne parsknięcia.

Flint uznał, że się z nimi zabawi. Udał, że wraca do czytania gazety i jedzenia płatków. I, co było do przewidzenia, po upływie kilku sekund dwie małe głowy znowu pojawiły się w oknie, a jedna mała dłoń ściskała kolejną kulę z mokrego papieru. Flint natychmiast zerwał się z fotela, dał dwa wielkie kroki w tył i cisnął swoim pociskiem. Uderzył on mniejszego chłopca prosto w twarz, po czym wylądował na znajdującym się niżej parapecie.

Chłopcy przestali chichotać, za to zaczęli się krzywić.

— Zadzieracie z niewłaściwym człowiekiem. Jestem wyszkolonym snajperem.

— Twoja matka — rzekł jeden z nich.

— Słucham? — zapytał Flint.

— Twoja matka.

— Co?

— Twoja matka, twoja matka, twoja matka.

— Co takiego moja matka?

Chłopcy zamilkli na chwilę i wymienili pełne konsternacji spojrzenia.

— Twoja matka ma krosty na odwłoku — oświadczył wreszcie ten mniejszy, po czym obaj wybuchnęli histerycznym śmiechem, cofnęli głowy i zatrzasnęli okno.

— Jezu — mruknął pod nosem Flint. — Jezu Chryste. — Zaniósł płatki i gazetę do kuchni i tam dokończył śniadanie.

Później zadzwonił do swojej matki, by jej powiedzieć, że ma krosty na odwłoku, a ona śmiała się tak bardzo, że mało brakowało, by się posiusiała.

✍

— Gdzie jesteś? — krzyknęła Ana do słuchawki.

— Popijam espresso w blasku słońca, a widok psuje mi jedynie parszywy stary fagas z Liverpoolu. — Głos Lol był brzęczącym echem po drugiej stronie linii telefonicznej.

Ana słyszała w tle, jak jakiś mężczyzna przeklina, a Lol zaczęła trajkotać:

— Odpieprz się, kanalio. Idź i znajdź sobie samochód do porysowania czy coś w tym stylu. No więc opowiadaj, Ano. Powiedz mi, co się dzieje. Co mnie ominęło?

Ana zaznajomiła ją ze wszystkimi wydarzeniami ubiegłego dnia.

— Jezu — odetchnęła Lol. — To niewiarygodne. To znaczy ona spotykała się z tym kolesiem przez trzy lata? Ale kiedy? Jak? Nie rozumiem.

Rozmawiały przez chwilę także o Zanderze i o domu dziecka. I wkrótce pojawiło się oczywiste pytanie.

— Flint odrzuca możliwość, by Zander był dzieciakiem Bee — oświadczyła Ana.

— Cóż, choć raz muszę przyznać, że się z nim w pełni zgadzam. To znaczy wiem, że spędzam dużo czasu za granicą i w ogóle, ale nawet ktoś tak tępy jak ja zauważyłby ciążę. Co więc macie zamiar zrobić? Co dalej?

— No więc tak — zaczęła Ana. — Za godzinę przyjdzie Flint i trochę poszperamy w Internecie. Może dowiemy się, w jakim domu dziecka mieszka Zander.

— Wyśmienity pomysł — pochwaliła Lol. — Dobra robota. A jak tam Flint? Odpowiednio się tobą zajmuje?

— Och tak. Doskonale. Wczoraj wieczorem zabrał mnie...

— Och, zabrał cię gdzieś, tak? I mam szczerą nadzieję, że zachowywał się przyzwoicie...

Ana zaczerwieniła się mimo dzielących ich ośmiuset kilometrów i akwenu wodnego.

— Oczywiście, że tak — mruknęła. — Naprawdę nie sądzę, by tak mnie traktował, no wiesz. Nie myślę, bym była w jego typie...

Lol wydała dziwny odgłos w stylu Marge Simpson* i Ana prawie usłyszała, jak jej przyjaciółka sznuruje usta.

— Bądź po prostu ostrożna, to wszystko. Masz wystarczająco dużo spraw do załatwienia i nie powinnaś martwić się jeszcze o to, że stary, napalony Flint próbuje zaciągnąć cię do łóżka.

Ana mruknęła coś w odpowiedzi, a na jej policzkach wykwitł jeszcze bardziej intensywny rumieniec.

W tle rozległ się jakiś głos.

— Hmm — rzuciła Lol, hałaśliwie dopijając espresso. — Muszę lecieć. Moje złote migdałki są potrzebne w studiu. Zadzwoń do mnie jutro, dobrze? I trzymaj się ciepło. — Przesłała jej przez telefon całusa i po chwili już jej nie było, a Ana stała, zastanawiając się z dziwnym poczuciem zarazem wstydu i podekscytowania, dlaczego właściwie stary, napalony Flint nie próbował zaciągnąć jej do łóżka i co tak właściwie jest z nią nie tak.

Flint pojawił się w domu Gill o dwunastej. Po drodze, tuż za mostem na Golborne Road kupił pudełko małych portugalskich ciasteczek. Gdy wręczył Anie w drzwiach kartonowe pudełko, poczuł się jak Tony Soprano**.

— Cześć — przywitała się z nim. Miała na sobie te same dżinsy i top, które nosiła zeszłego wieczoru i przez cały weekend, jeżeli już chodzi o ścisłość. Flint nigdy wcześniej nie spotkał kobiety, która najwyraźniej tak mało interesowała się ciuchami. Miała bose stopy, a włosy związała w koński ogon. Do twarzy było jej w takim uczesaniu. Nadawało jej to trochę wygląd baleriny.

— Masz ładną fryzurę — rzekł, chowając do kieszeni kluczyki od samochodu i podążając za nią do salonu. — Pasują ci włosy związane u góry, tak jak teraz.

---

* Marge Simpson — bohaterka serialu animowanego dla młodzieży *Simpsonowie*, o charakterystycznym, skrzekliwym głosie.

** Tony Soprano — główny bohater serialu sensacyjno-komediowego *Rodzina Soprano*.

Nie odezwała się ani słowem.

— Gill nie ma? — zapytał, rozglądając się po pustym pokoju.

— Nie — odparła. — Poszła na siłownię.

— Aha. To dokładnie w stylu naszej Gill.

— Czy ty... czy chcesz może herbatę albo coś? — zapytała Ana, bawiąc się uchem.

— Tak. Chętnie. Możemy zjeść do niej te małe ciasteczka.

Przytaknęła z roztargnieniem i cicho poszła do kuchni, ostrożnie trzymając pudełko, jakby niosła brudną pieluszkę.

Flint usiadł. Coś jest nie tak. Z Aną. Wydawała się dziwna. Cóż, tak właściwie to zawsze była osobliwa, to nic nowego. Ale dziś sprawiała wrażenie wyjątkowo dziwnej.

Weszła do salonu z tacą, na której ustawiła kubki z herbatą i talerz z ciasteczkami.

— Więc jak się dogadujesz z Gill? Jesteś zadowolona?

Ana wzruszyła ramionami.

— Jestem tu tak krótko, że nie zdążyłam jeszcze wyrobić sobie zdania. Ale chyba w porządku. Gill jest... miła.

— Tak. — Flint pochylił się i poczęstował ciastkiem. — Też lubię Gill. Jest trochę zbikowana, ale ją lubię.

Ugryzł ciastko i w pokoju zapanowała cisza. Nie przychodziło mu do głowy nic, co mógłby powiedzieć.

— Wszystko w porządku? — udało mu się wreszcie z siebie wydusić.

— Tak — odparła. — W najlepszym. Super.

Przyjrzał jej się i poczuł, jak nagle zalewa go fala ciepła i współczucia. Biedna dziewczyna. W jednej chwili wiodła tą swoją zabawną egzystencję w Devon, uważając, że siostra jej nienawidzi, a w następnej została wyrwana z korzeniami i przesadzona do jednego z największych, najbardziej hałaśliwych miast na świecie, mieszkała z obcymi i odkrywała, że całe życie jej siostry było jednym wielkim kłamstwem.

Odłożył ciastko i podszedł do niej. Siedziała na czymś niskim, przypominającym poduszkę. Ukucnął i objął ją ramieniem.

Wzdrygnęła się. Drugą dłoń położył na jej kolanie i uścisnął je. Zesztywniała.

— Tęsknisz do domu? — zapytał.

Podskoczyła lekko i popatrzyła mu prosto w oczy.

— Boże. Nie — odparła. — Ani trochę. Jestem po prostu zmęczona, to wszystko.

Flint zdjął rękę z jej kolana i spojrzał na nią.

— Słuchaj — zaczął. — Wiem, że to wszystko musi być dla ciebie naprawdę trudne. I chcę tylko, byś wiedziała, że jestem przy tobie. Gdy będziesz mnie potrzebować. Gdy będziesz chciała pogadać. Albo wypłakać się. Albo cokolwiek innego. OK?

Ana tym razem nie spojrzała mu w oczy, tylko wzruszyła ramionami i kiwnęła głową. A potem, zanim miał szansę, by cokolwiek dodać, rozległ się dzwonek. Ana popatrzyła na Flinta, a potem na drzwi.

— Spodziewasz się kogoś? — zapytał, wstając i podchodząc do okna, by przez nie wyjrzeć.

Potrząsnęła głową.

— Kto to? — zapytała.

— A bo ja wiem — odparł Flint. — Jakiś dziwny koleś.

— Jak wygląda?

— Jak palant. Jest chudy. I ma na sobie naprawdę zabawne ciuchy.

Ana podniosła się i także podeszła do okna. Odsunęła na bok zasłonę, zerknęła przez szybę i nagle podskoczyła i przykleiła się płasko do ściany.

— O mój Boże — wyszeptała. — To Hugh!

— Co za Hugh? — zapytał Flint, ponownie zerkając na dwór.

— No wiesz. Hugh Hugh.

— Och. Jasne. Ten Hugh. Twój Hugh. Hugh, Hugh — zanucił teatralnie, udając, że do niego macha.

— Przestań! — nakazała mu Ana, odciągając jego rękę od okna. — I nie otwieraj przypadkiem drzwi. Proszę. Nie chcę się z nim widzieć.

— Chyba już na to trochę za późno — odparł, uśmiechając

się szeroko i machając do mężczyzny, który teraz wpatrywał się w nich przez szybę. Był niski. To Flint zauważył od razu. Nie jedynie niższy od Any, ale naprawdę niski. I jego głowa miała dziwny kształt — tak, jakby ktoś zawiązał wokół niej pasek, naprawdę ciasno, kiedy był jeszcze niemowlęciem. I sprawiała wrażenie nieco za dużej w stosunku do jego drobnych, opadających ramion. Włosy dziwnie mu się kręciły, czemu próbował zapobiec, krótko je obcinając. I miał bardzo wypukłe czoło, które całe było upstrzone piegami.

Co więcej, jakby Bóg nie dał mu już wystarczających powodów do zmartwień na froncie fizycznym, był koszmarnie ubrany. Miał na sobie nieprzemakalny płaszcz z kapturem. W taką pogodę. Biało-czerwony. I obcisłe, czarne dżinsy. Na nogach miał masywnie wyglądające wiązane buty wykonane z czegoś brązowego i dziurkowanego, co przypominało skórę. Przez ramię przerzucił mały plecak i, co było jeszcze dziwniejsze, w jego lewym uchu tkwił kolczyk, który absolutnie nie pasował do reszty. Prawie tak, jakby mówił: „Hej, jestem niezłym luzakiem. Nie wysilam się jedynie, żeby na takiego wyglądać, OK?"

Omijał spojrzeniem Flinta i patrzył prosto na Anę.

— O Boże — mruknęła, krzyżując ręce na piersi i podchodząc do drzwi. Flint usadowił się na sofie i czekał.

— Hugh — usłyszał, jak Ana mówi bez tchu. — Co, do diaska, tutaj robisz? — A potem Flint usłyszał coś, co brzmiało, jakby facet udawał kobietę — niczym ktoś z trupy *Monty Pythona*. Zasłonił usta dłonią, by powstrzymać się przed wybuchnięciem głośnym śmiechem.

— Flint — rzekła Ana, wchodząc do pokoju, a jej twarz była szkarłatna. — To jest Hugh. Hugh, to jest Flint. Flint był najlepszym przyjacielem Bee.

— Miło cię poznać. — Hugh uśmiechnął się, odsłaniając krzywe, żółte zęby. Czy on specjalnie mówił takim głosem? Stroił sobie żarty? Flint nie wiedział, czy ma się śmiać, czy też nie. Uznał, że lepiej nie.

— Flint, tak ci na imię? — Hugh zmarszczył swoje wielkie, piegowate czoło i wyciągnął rękę w jego kierunku. Miał wyjątkowo owłosione dłonie i bardzo silny uścisk i nie wydawał się robić na nim wrażenia fakt, że Flint jest prawie trzydzieści centymetrów od niego wyższy. Flint zauważył już kiedyś, że istnieją na świecie dwa typy nieatrakcyjnych mężczyzn: ci, którzy są boleśnie świadomi tego faktu i robią wszystko, by nie ściągać na siebie uwagi, i ci, którzy kroczą przez życie tak, jakby George Clooney był ich nieładnym, młodszym bratem lub coś w tym rodzaju. A ten facet — cóż — on zdecydowanie zaliczał się do tej drugiej kategorii. Nie zdawał sobie sprawy, że jest brzydki. Miał pewność siebie i butę przystojnego, włoskiego playboya. Uważał, że jest fantastyczny. I brawo mu za to, pomyślał Flint, uśmiechając się i mocno ściskając jego dłoń, brawo mu za to.

— Co tutaj robisz, Hugh? — zapytała Ana, opadając na sofę.

— No cóż, tak właściwie to poprosiła mnie o to twoja matka.

Uniosła brwi i cmoknęła z niezadowoleniem.

— Powinnam była zgadnąć. Jezu.

— Ona martwi się o ciebie, Ano. To wszystko. Poprosiła mnie jedynie, bym wpadł do ciebie, sprawdził, gdzie mieszkasz. Dowiedział się, co porabiasz. Właśnie straciła córkę. Nie sądzę, by chciała utracić także i drugą.

— Ona mnie nie traci, na miłość boską. Próbuję się jedynie dowiedzieć, co się przytrafiło Bee.

— Co chcesz przez to powiedzieć? Bee nie żyje. Czy to nie koniec historii?

— Nie — sapnęła. — Nie, to zdecydowanie nie koniec historii. Słuchaj — dodała z westchnieniem — musisz być wykończony. Masz ochotę na filiżankę herbaty albo coś takiego?

Posłał jej osobliwie zalotny uśmiech.

— Z przyjemnością, Bellsie. Dziękuję ci.

Ana szybko zerknęła na Flinta. Uniósł pytająco brwi. Bellsie? Wstała z sofy.

— Flint, zaznajomisz go z tym, co się wydarzyło do tej pory?

— Taa. Jasne. — Ana wyszła z pokoju, a on przedstawił go-

284

ściowi najważniejsze fakty: dom na wsi, Zander, Ed. Hugh przez cały ten czas utrzymywał z nim intensywny kontakt wzrokowy, co jakiś czas pocierał brodę i mruczał: „Hmm", jakby był pieprzonym Herculesem Poirotem. Wyglądało na to, że uważa, iż Flint i Ana czekali na jego pojawienie się i rozwiązanie tej zagadki.

— No więc tak — zaczął. — Pierwsze, co powinniście zrobić, to odnaleźć program dokumentalny, którego producentem był ten cały Ed.

— Aha — odparł cierpliwie Flint. — Też doszliśmy do takiego wniosku.

— Prawdopodobnie wszystko, czego szukacie, jest w sieci.

— Aha. Taa. Dlatego dziś tutaj jestem. — Wskazał na stojący w rogu komputer Gill.

— Wow! — zawołał Hugh, podnosząc się z sofy. — Popatrz tylko na tego dinozaura. Fantastyczny.

— Tak — ciągnął Flint, nagle i z niewiadomych powodów odczuwając potrzebę zrobienia wrażenia na tym pewnym siebie, młodym mężczyźnie. — Mieliśmy zamiar sprawdzić strony telewizyjne, wiesz, zobaczyć, czy jest coś takiego jak archiwum lub…

Hugh potrząsnął głową i usiadł za biurkiem.

— Nie, nie, nie — przerwał lekceważąco, w irytująco pewny siebie sposób wciskając klawisze. — Marnowanie czasu. Nawet gdyby istniało coś takiego, nigdy nie bylibyście w stanie tego odnaleźć. Dużo prościej jest poszukać firmy tego kolesia Eda. O Boże — mruknął. — Ona nie ma włączonego modemu. Masz może pojęcie, gdzie on jest, Flint? — zapytał, cofając się na krześle i zaglądając pod biurko.

Flint nie wiedział nawet, co to takiego ten modem.

— Eee, nie — odparł. — Nie mam pojęcia. Ana! — zawołał.

— Słucham? — Ana wyłoniła się z kuchni z kubkiem herbaty.

— Wiesz może, gdzie Gill ma modem?

— Gdzie ma co? — zapytała, patrząc na Flinta.

Wzruszył ramionami za plecami Hugh.

— Modem — odparł Hugh, pompatycznie cierpliwym głosem.

— Jest to urządzenie, które łączy komputer z Internetem. Takie niewielkie pudełko. Ono... aaa... — Znalazł coś pod biurkiem i schylił się, by to uruchomić. — Doskonale. OK. Możemy zaczynać.

Flint i Ana pochylili się nad nim, trzymając w dłoniach swoje kubki z herbatą, a ich gość uderzał w klawiaturę. Flint wpatrywał się w czubek jego ogromnej głowy i próbował sobie wyobrazić Anę i Hugh kotłujących się razem w łóżku, piękne, długie palce Any przeczesujące szorstką, brązową strzechę, którą stanowiły włosy Hugh. Wyobraził sobie cichy falset, gruchający czule: „Bellsie, Bellsie", gdy eksplodował wewnątrz niej, i nagle zebrało mu się na wymioty. Jezu, pomyślał, Ana mogła doprawdy znaleźć sobie kogoś lepszego.

— Dobra, OK — oznajmił Hugh. — Ed Tewkesbury Productions, proszę bardzo. — Nacisnął jakiś klawisz i pojawiła się lista filmów. — Hmm — uśmiechnął się kpiąco. — Klasa.

Wyglądało na to, że firma Eda specjalizuje się w produkcji programów o pijanych Anglikach przynoszących wstyd narodowi w różnych miejscach tego globu, o ludziach mających naprawdę nudną pracę, za którymi przez cały dzień podążały kamery, a także o wieczorach kawalerskich i panieńskich i osobach z dziwacznymi upodobaniami seksualnymi mieszkających w Berkhamsted.

— To musi być to — rzekła Ana, podekscytowana, wskazując na dział zatytułowany *Wysokie Cedry*. Program o Wysokich Cedrach, jak było napisane, po raz pierwszy pojawił się w BBC1 latem 1997 roku. Stanowił nowatorski dokument, który kręcono przez ponad dwanaście tygodni w domu opiekuńczo-wychowawczym dla dzieci w Ashford, w hrabstwie Kent. Urzekał emocjonalnie naród przez cały sezon, codziennie oglądany średnio przez 3,3 miliona osób, ustalił kanon kolejnych telenowel dokumentalnych.

— No cóż — stwierdził Hugh, a w jego głosie pobrzmiewała satysfakcja. — W takim razie znaleźliśmy. Macie ten swój dom dziecka. Dowiedzmy się o nim czegoś, dobrze?

Wpisał w okienko nazwę tego domu, po czym wcisnął „Enter". Na ekranie pojawiło się ozdobione herbem logo i nagłówek: Wysokie Cedry.

— Proszę bardzo — rzekł zadowolony z siebie Hugh. — Jest do waszej dyspozycji.

Na stronie widniał numer telefonu.

— I co? — zapytała Ana, odwracając się do Flinta.

Wzruszył ramionami i popatrzył na telefon.

— Co mam im powiedzieć?

Flint prychnął.

— Zapytaj, czy nie mogłabyś porozmawiać z Zanderem.

Ana uroczo się skrzywiła, opuszczając kąciki ust i nerwowo rozszerzając oczy.

— Ja mogę to zrobić — rzekł.

— Nie — zaprotestowała i Flint dostrzegł, że bierze głęboki oddech. — Nie. Ja to zrobię. OK. A co jeśli go tam nie ma? To znaczy, jeśli nie będę mogła z nim porozmawiać? Co wtedy?

Flint zobaczył, że Hugh otwiera usta, by coś powiedzieć, więc pospiesznie wszedł mu w słowo:

— Umów się — zaproponował. — Albo coś w tym stylu. — Wysunął wyzywająco szczękę i kątem oka dojrzał, że Hugh unosi jedną brew.

— No dobrze — rzekła Ana. — OK. — Podeszła do telefonu i w pokoju zapanowała kompletna cisza, gdyż dwaj mężczyźni bez słowa obserwowali, jak wybiera numer. Flint wstrzymał oddech. To chyba to. Ana za chwilę być może porozmawia z Zanderem.

— Och — zaczęła. — Dzień dobry. Czy mogłabym mówić z Zanderem Roperem? — Odwróciła się i posłała Flintowi uśmiech, który natychmiast ogrzał jego serce. — Eee, tak, właśnie z nim. Tak. Kto dzwoni? — Ponownie się odwróciła i popatrzyła z paniką na Flinta. — Och, ja... eee... — gestykulowała szaleńczo w jego kierunku, by pomógł jej coś wymyślić. — Ja... eee...

— Ciotka — wyszeptał do niej bezgłośnie.

— Ciotką — rzekła. — Jestem ciotką Zandera. Tak. Wills. Zgadza się. Nazywam się Wills. — Rzuciła błagalne spojrzenie w kierunku Flinta, a on uniósł pokrzepiająco w górę obydwa kciuki. — Och. No tak. Rozumiem. OK. Ale właściwie dlaczego? Rozumiem. Tak. Nie. Nie. W porządku. OK. I bardzo dziękuję pani za pomoc. Tak. Do widzenia.

— Co się stało? — zapytał Flint, nie mogąc powstrzymać ciekawości. — Co ona powiedziała?

Ana opadła na sofę i pomachała dłonią, by choć trochę schłodzić swoje rozpalone policzki.

— On nie odbiera telefonów od pani Wills.

— Słucham?

Wzruszyła ramionami.

— Nie wiem. Tyle tylko mi powiedziała. Zander poprosił, by nie przełączano do niego telefonów od pani Wills.

— A więc on nie wie, że ona… nie żyje. Jezu. — Flint przeczesał palcami włosy i głośno wypuścił powietrze.

— Myślisz, że powinnam była powiedzieć to recepcjonistce? O Bee?

— Nie. — Flint potrząsnął głową. — Nie. Jeżeli chcemy poinformować o tym Zandera, musimy to zrobić osobiście. No wiesz. I sądzę, że będzie lepiej, gdy taką wiadomość przekażesz mu ty, a nie pielęgniarka.

— A więc, co dalej? — zapytała Ana.

— No cóż — zaczął Hugh. — Powinniśmy najpierw…

Flint nie pozwolił mu dokończyć.

— Czy mówiła coś o gościach?

Ana potrząsnęła głową.

— Myślę, że powinniśmy się udać z małą wizytą. A co ty o tym sądzisz?

— Kiedy?

— Jutro. Nie pracuję w dzień. Czy tobie by to pasowało?

Ana kiwnęła głową. Hugh zakaszlał.

— Niestety muszę już dziś wyjechać. Spotkanie jutro wcześnie rano. Obawiam się więc, że…

— Sądzisz, że pozwolą nam się z nim zobaczyć? Bez wcześniejszego umówienia się? — zapytała Ana.

— Porozmawiamy o tym wieczorem, dobrze? W samochodzie?

Hugh, z niezadowoleniem dostrzegając nić porozumienia między Aną i Flintem oraz to, że jest im całkowicie zbędny, wziął swój kubek z herbatą i oddalił się nieśpiesznie w kierunku sofy, gdzie zaczął przeszukiwać obszerne kieszenie swego płaszcza. Wreszcie znalazł niewielką paczkę trawki i woreczek z tytoniem i zaczął starannie przygotowywać sobie zupełnie profesjonalnego skręta.

— Więc — odezwał się, zapalając go i zaciągając się głęboko, po czym zdjął z języka okruszek tytoniu. — Bellsie. Masz zamiar zadzwonić do swojej matki?

Ana oderwała spojrzenie od monitora i ostentacyjnie popatrzyła na Hugh. Prychnęła.

— Tak — odpowiedziała. — Pewnie tak zrobię.

— Wiesz, ona się naprawdę bardzo o ciebie martwi.

— Taa. Jasne, że tak. Ona nie martwi się o mnie. Ona martwi się o siebie. O zakupy…

— No cóż, nie uważasz, że to by było właściwe? To znaczy przyznać, że jest naprawdę zupełnie sama?

— A czyja to wina?

— Och — rzekł Hugh, zaciągnął się skrętem i zmarszczył brwi. — Trochę to ostre, nie sądzisz? Ta biedna kobieta straciła w przeciągu roku męża i córkę. To trudne dla każdego.

— Powinna była być dla obojga nieco milsza, kiedy jeszcze żyli, nieprawdaż? Naprawdę uważam, że jeśli nie doceniało się ludzi za ich życia, nie ma się prawa rozpaczać po ich śmierci.

— Ona cię kocha, wiesz?

— Nieprawda. Ona nie kocha nikogo.

— Ależ kocha. Ona płakała, Bellsie. Naprawdę. Płakała. — Przebiegł palcami po policzkach, by zademonstrować spływające po nich łzy.

— Jezu, o co w tym wszystkim chodzi? Bee ignoruje mnie przez dziesięć lat, wyrzuca ze swego życia, a nagle całe towarzystwo oświadcza mi, że darzyła mnie wielkim uczuciem. Teraz ta moja diabelna matka, która nawet nie pozwoli się dotknąć, zalewa się łzami i zapewnia o dozgonnej miłości. Już dawno temu powinnam była przyjechać do Londynu...

Hugh oparł swojego skręta o popielniczkę i podszedł do Any.

— Bellsie — rzekł, masując jej gołe ramiona swymi zabawnym, małymi, umięśnionymi dłońmi, co przyprawiało Flinta o dreszcze. — Wróć do domu. Wróć teraz ze mną do domu, dobrze?

— Nie — odparła Ana i było to najbardziej stanowcze stwierdzenie, jakie Flint usłyszał do tej pory z jej ust. — Zostaję. I nie wrócę do domu, dopóki się nie dowiem, dlaczego umarła Bee.

— Och. — Hugh cofnął się do swojego płaszcza. — To jeszcze jeden powód, dla którego twoja matka mnie tutaj przysłała. — Wyjął z jednej z kieszeni jakieś dokumenty i podał je Anie. — To raport koronera. Dotyczący Bee — dodał niepotrzebnie.

Flint zerwał się z krzesła i stanął obok Any, podczas gdy ona lekko drżącymi dłońmi otwierała kopertę.

— O Boże — rzekła, a Flint, jeszcze zanim miał szansę o tym pomyśleć, objął jej ramiona i pokrzepiająco je uścisnął. Po raz pierwszy dotknął jej nagiego ciała i bardzo mu się to podobało. Wydawała się tego nie zauważać. Rozłożyła arkusz papieru i przytrzymała tak, by oboje mogli go przeczytać. Flint przeleciał wzrokiem napisany na maszynie raport, szukając ostatniej linijki, werdyktu.

— Samobójstwo — powiedziała Ana, dotykając palcem tego słowa. — Cóż, no to teraz już chociaż wiemy... — Usiadła ciężko na sofie. Hugh klapnął koło niej i zaczął ją gładzić po włosach.

Flint poczuł, że popada w odrętwienie. Bee się zabiła. Ale — przecież nie mogła. Oczywiście, że nie. To znaczy. Po prostu. Nie mogła. Wziął raport z odrętwiałych dłoni Any i ponownie go przejrzał, szukając czegoś, co mógł wcześniej przeoczyć, czegoś, co by mu powiedziało, że tak naprawdę nie popełniła samobójstwa, że to był wypadek, że nie istniało nic, co Flint mógł zrobić, by ją przed tym powstrzymać. Ponieważ tak długo, jak traktował to jako tragiczny wypadek, nie musiał brać na siebie żadnej odpowiedzialności. Tak długo, jak uważał, że Bee nie chciała umrzeć, ból, który czuł, był związany z poczuciem bezsensowności, a nie winy i świadomością, że nie okazał się dla niej wystarczająco dobrym przyjacielem, że nie dzwonił do niej od ponad dwóch tygodni przed śmiercią, że od dawna nie odwiedzał jej u niej w mieszkaniu, że po prostu założył, iż jest z nią wszystko w porządku, że daje sobie radę, że to przecież Bee, a Bee zawsze jakoś sobie radzi. Nawet, kiedy opuściła ukochany Belsize Park i przeprowadziła się do straszliwie przygnębiającego mieszkania, które w ogóle do niej nie pasowało. Nawet mimo to, że od lat nie miała chłopaka. Nawet mimo to, że nie miała pracy ani celu w życiu. Mimo to, że przez pół życia brała środki antydepresyjne. Mimo że nie potrafił sobie przypomnieć ostatniego razu, kiedy Bee odrzuciła do tyłu głowę i śmiała się tak głośno, iż odgłos ten płoszył ptaki z drzew. Że pomimo wszystkich tych znaków ostrzegawczych, ta jego tak zwana najlepsza przyjaciółka była nieszczęśliwa i spadała w jakieś ciemne i samotne miejsce, gdzie ją zostawił.

Uniósł raport i jeszcze raz go przeczytał:

„Diazepam 150 mg, Temazepam 300 mg, Paracetamol 310 mg, alkohol 25 jednostek". Jezu, pomyślał, to nie mógł być wypadek. Połknęła co najmniej osiemdziesiąt tabletek i dobre pół butelki tequili.

Czytał dalej: „Zawartość żołądka według największych ilości: surowa ryba, ryż, płatki zbożowe, chleb, gotowana ryba, wodorosty, mleko, herbata, czekolada". O Boże, pomyślał Flint, to jest treść żołądkowa Bee. To właśnie Bee zjadła w dniu, w którym umarła, w dniu, w którym uznała, że nie chce doczekać jutra. Flint poczuł w oczach piekące łzy. Płatki zbożowe. Jadła płatki. I czekoladę. I wodorosty. I surową rybę. Sushi. Jadła sushi. Przełknął ślinę. To była ich wspólna pasja. On pierwszy poczęstował ją sushi jeszcze w latach osiemdziesiątych, kiedy w Londynie znajdowało się chyba tylko pięć restauracji z kuchnią japońską. Nauczył ją, jak podnosić sushi i moczyć je tak, by soja nie dotknęła ryżu. Pamiętał, jak chwyciła pałeczkami dużą kulkę jaskrawozielonej pasty wasabi, mrucząc: „Co to takiego, to zielone?", po czym włożyła ją do ust, zanim Flint zdążył ostrzec Bee, by tego nie robiła. Stała się purpurowa, kiedy chrzan dotarł do jej gardła i przeniknął do nosa, dyszała i parskała niczym spocony koń, a z oczu ciurkiem płynęły jej łzy i przeklinała, nie zważając na to, że wpatrują się w nią wszyscy obecni w restauracji ludzie. Pamiętał, jak uderzyła go swoją małą torebką i miała pretensje o to, że jej nie powiedział, i uśmiechnął się do siebie na to wspomnienie.

Jak mógł pozwolić jej to zrobić? Byli tak bardzo sobie bliscy, zwłaszcza po wydarzeniach roku 1986. Jak mógł dopuścić, by ich więź zredukowała się do czegoś tak mało znaczącego? Ponieważ był egoistą, oto dlaczego. Egoista, egoista, egoista. Obchodził go jedynie jego samochód i kendo, i jego studia, i utrzymywanie życia w ładzie i porządku. Dlatego właśnie przyjaźnił się z Bee — ponieważ ta znajomość nie była absorbująca i droga w utrzymaniu. I dlatego też nie miał wielu innych prawdziwych przyjaciół. Ponieważ kontakty z nimi wymagały zbyt dużo pracy. Wysuwali żądania, a — Flint nagle to sobie uświadomił — on odciął się od jakichkolwiek związków, w których musiałby się udzielać emocjonalnie. Ale to nie jest wytłumaczenie. Nie i kropka. Był złym człowiekiem. Proste.

— Dobrze się czujesz? — Ana i Hugh przyglądali mu się z troską. Flint popatrzył w dół i spostrzegł, że raport koronera leży zgnieciony w jego dłoni. A potem zdał sobie sprawę, że płacze. Puścił papier i wierzchem dłoni otarł łzy.

— Cholera — mruknął. — Przepraszam. To tylko... ja tylko... Biedna Bee — rzekł, patrząc z desperacją na Anę. — Rozumiesz, o co mi chodzi? Biedna, biedna Bee.

Ana kiwnęła głową, ujęła jego wielką dłoń, pogładziła ją i uścisnęła, a on spojrzał na nią i uznał, że w tej chwili narodził się nowy Flint. Od teraz miał zamiar być dobrym człowiekiem.

— Zabawny stary świat, prawda? — stwierdził Hugh, wyjmując delikatnie raport z otwartej dłoni Flinta, jakby zabierał broń zamachowca, który właśnie się poddał.

Flint popatrzył na Starego Łysolca i przytaknął.

Hugh spędził w domu Gill całe popołudnie. Flint naprawdę chciał go polubić, byłby zadowolony, gdyby stopniowo coraz bardziej mu się podobał. Tak się jednak nie stało. Zamiast tego każda spędzona w jego towarzystwie chwila w zawrotnym tempie powiększała tę antypatię. Nie była to taka sama niechęć, jaką odczuwał wobec Eda — tamta wiązała się z wazeliniarstwem Eda i generalnym brakiem zaufania do niego. Brak sympatii wobec Hugh łączył się z tym, że nie okazał się on wystarczająco dobry dla Any, ale najwyraźniej uważał, że jest od niej dużo lepszy. Traktował ją protekcjonalnie. Zachowywał się tak, jakby Ana była najszczęśliwszą dziewczyną na świecie tylko dlatego, że go zna, i powinna być wdzięczna, iż spakował ten swój okropny, mały plecak i przejechał tę całą drogę, by sprawdzić, co u niej słychać. I tak naprawdę oglądanie Any w towarzystwie Hugh tylko pomogło Flintowi skrystalizować uczucia, jakie w nim drzemały, odkąd zobaczył ją po raz pierwszy. Widząc ją z kimś tak niewłaściwym, uświadomił sobie, co jest dla niej odpowiednie. I nagle już wiedział — on jest dla niej odpowiedni. Jakie to dziwne. Siostra Bee. Dziewczyna, która się nie maluje. Dziewczyna z półcentymetrową szczeciną pod pachami. Dziewczyna, która przez trzy dni z rzędu chodzi w tych samych ciuchach. Bardzo wysoka dziewczyna. Bardzo nieśmiała dziewczyna. Dziewczyna tak bardzo różniąca się od jego dotychczasowych sympatii, że to prawie komiczne.

Flint miał kumpla o imieniu Terry, który zawsze działał niejako wbrew naturze. W *Przyjaciołach* zamiast Rachel podobała mu się Phoebe. W *Buffy, postrachu wampirów* to nie Buffy, ale Willow zwróciła jego uwagę. W *Rodzinie Soprano* wolał Carmellę zamiast dr Melfi. Ale teraz, poznawszy Anę, Flint prawie zrozumiał o co chodzi Terry'emu. Było coś fascynującego w tej „drugiej", aktorce drugoplanowej, mniej oczywistym wyborze. Przez całe lata jego kumple docinali mu w związku z Bee, nie mogąc zrozumieć, jak może się tylko „przyjaźnić" z taką stuprocentową ślicznotką. A on nawet nie próbował im tego wyjaśniać, ponieważ tak naprawdę sam tego nie wiedział. A gdyby powiedział tym samym kolegom, że teraz fantazjuje na temat osobliwej, młodszej siostry Bee, umieściliby go w szpitalu psychiatrycznym.

Zapytał siebie, czy te uczucia są w jakiś sposób związane ze śmiercią Bee — jakaś dziwna, odruchowa reakcja na stratę i żałobę. Ale odpowiedź brzmiała: „nie". Po prostu ją lubił. Bardzo. W różnych aspektach. Koniec, kropka.

Koło czwartej z siłowni wróciła Gill razem z przyjaciółką o imieniu Di i Hugh nagle przeniósł swoją uwagę z nieświadomej niczego Any na te dwie kobiety. Ani Gill, ani Di nie olśniewały szczególną urodą, ale i tak Hugh znajdował się w sytuacji, w której niewiele mógł zdziałać. Nie był jednak w najmniejszym nawet stopniu świadomy swoich ograniczeń ani tego, że Di i Gill żartowały sobie z niego, gdy wyszedł z pokoju, by skorzystać z ubikacji.

O wpół do szóstej Hugh wreszcie ich opuścił. W nagłym i absolutnie niealtruistycznym odruchu Flint zaproponował, że odwiezie go na stację Paddington. I celowo nie poprosił Any, by im towarzyszyła, przeczuwając, że taka perspektywa niespecjalnie by się jej spodobała, ale także dlatego, iż podczas drogi na stację, która miała niewiele ponad kilometr długości, chciał wyciągnąć z Hugh trochę informacji na temat Any.

Hugh spodobał się jego samochód. Nawet Pan Totalny Luzak nie był w stanie udawać obojętności na widok wydłużonego mercedesa z przyciemnianymi szybami.

— Ależ on musi chłeptać zupy — rzekł, jedną ręką dotykając delikatnie maski.

— Dwadzieścia osiem litrów na setkę. W mieście.

Hugh wciągnął powietrze.

— Ale pewnie płacą za to klienci? — zapytał.

— I za resztę także — odparł ze śmiechem Flint i otworzył dla niego drzwi pasażera.

— No więc — rzekł Hugh w żałosnej próbie stworzenia męskiej więzi — czy wiozłeś kiedyś pasażerkę, która nie miała przy sobie wystarczającej sumy pieniędzy? — Mrugnął lubieżnie.

Flint doskonale wiedział, do czego on zmierza, ale uznał, że nie będzie w tym uczestniczył.

— Nie — odparł zwięźle. — Wszystko jest przelewane na konto przez firmy zarządzające i wytwórnie płytowe. Nie bawię się w gotówkę.

— Och — rzekł Hugh, wycierając dłonie w dżinsy. — Jasne.

— Odwrócił się, by wyjrzeć przez okno.

— A więc — zaczął Flint po chwili milczenia — jak długo znasz Anę?

Jego pasażer wzruszył ramionami, najwyraźniej nadal boleśnie odczuwając zniewagę, jaką było zignorowanie jego komentarza w stylu „my, mężczyźni, powinniśmy się trzymać razem".

— Siedem lat — odparł. — Osiem. Coś koło tego.

— Naprawdę? — zapytał ze zdziwieniem Flint. — A więc odkąd miała osiemnaście lat? Albo nawet i mniej?

— Tak. Pierwsza miłość — uśmiechnął się.

— To znaczy, że byłeś pierwszym chłopakiem Any?

— Aha. Nauczyłem ją wszystkiego, co teraz umie.

O rany, pomyślał Flint. Jeśli to prawda, tej dziewczynie potrzebna jest terapia, natychmiast. Z pewnością nosi w sobie uraz.

— Mówiła mi, że kiedyś mieszkała w Exeter?

— Zgadza się. Ulicę ode mnie. Wyjechała z Exeter, kiedy zmarł jej ojciec.

— Tak. Wspominała mi o tym. Wygląda na to, że przeżywała wówczas ciężki okres.

Hugh wzruszył ramionami.

— Czy ja wiem — stwierdził. — Bill był bardzo stary. Miał osiemdziesiąt cztery lata czy coś koło tego. Ana musiała się tego spodziewać. — Westchnął i obrócił szyję, by zmierzyć wzrokiem dwie chude dziewczyny w rybaczkach i kusych topach, przemierzające Clarendon Road w towarzystwie małego rottweilera.

— Tak, ale każdy przecież kiedyś umrze. Świadomość tego wcale nie ułatwia sprawy, kiedy tak się staje. A wydaje mi się, że Ana była bardzo związana z ojcem.

— Tak, to prawda. Niezdrowo związana, jak uważałem.

— Dlaczego tak mówisz?

— Nie wiem. Tyle że jakoś nie wydawało się to właściwe: młoda dziewczyna spędzająca tyle czasu z takim starym człowiekiem. Mimo że Bill był bardzo czarującym, bardzo eee... zakręconym starym człowiekiem. Ale ja uważam, że zbyt mocno się od niego uzależniła.

— A ty?

— Co ja?

— Czy była też uzależniona od ciebie? To znaczy... osiem lat... to szmat czasu.

Hugh podrapał się po karku.

— Tak — odparł. — Tak, była. Niestety. Zawsze starałem się zachęcać Anę do zachowywania niezależności. Ustania na własnych nogach. Myślę, że za dużo ode mnie oczekiwała podczas tych tygodni po odejściu jej ojca. Chciała, bym jakoś podtrzymał ją na duchu.

— Cóż — rzekł Flint. — A czy to nie jest normalne? Przecież byłeś jej chłopakiem, prawda?

Hugh lekceważąco wzruszył ramionami.

— Nie lubię czuć się wykorzystywany — oświadczył, a Flint zapragnął go uderzyć. — I nie mam szacunku wobec ludzi, którzy emocjonalnie nie potrafią się sami sobą zająć. Jeśli nie zrobisz tego sam, to nigdy nie staniesz się dorosły. Nigdy się nie rozwiniesz. A Ana naprawdę pilnie potrzebowała dorośnięcia.

— Co chcesz przez to powiedzieć?

— No cóż, jest raczej niedojrzała. Jak na swój wiek.

— Nieprawda.

— Ależ jest. I wybacz mi, jeśli to zabrzmi niegrzecznie, ale nie znasz dobrze Any, no nie? Jedynym powodem, dla którego w ogóle miała jakiekolwiek własne życie z dala od rodzinnego domu, byłem ja. Sama nigdy by tego nie osiągnęła. Ja załatwiłem jej pracę. Ja pomogłem jej znaleźć mieszkanie. Wszyscy nasi przyjaciele byli moimi przyjaciółmi. Uznałem, że śmierć jej ojca, radzenie sobie z jego odejściem doprowadzi do tego, że Ana dorośnie. Przykro mi, ale tak się nie stało. W chwili, gdy zabrakło mnie, gdy przestałem ją podtrzymywać, pozwoliła, by wszystko się rozpadło. Cofnęła się do poziomu nastolatki i wróciła do domu.

Flint otworzył usta, by coś powiedzieć, po czym z powrotem je zamknął. Chciał rzec: „Czy powinno dziwić to, że Ana się nie rozwinęła, kiedy miała chłopaka takiego jak ty? Czy powinno dziwić to, że porzuciła wszystko po śmierci ojca, kiedy jedyna osoba na świecie, która stała po jej stronie, ją opuściła? I skończ z tymi bredniami o niezależności. Powodem, dla którego pozwoliłeś, by Anie rozpadło się życie, było to, że miałeś ochotę rżnąć się na prawo i lewo. Chciałeś się kurwić, a nie miałeś jaj, by samemu ją rzucić, więc zaczekałeś, aż będzie najbardziej bezbronna i pozwoliłeś jej zrobić to za ciebie. Ty płaczliwy, mały sukinsynu…"

Nieoczekiwanie historia życia Any otworzyła się przed Flintem niczym książka. Upokarzana przez próżną, odszykowaną, neurotyczną matkę. Porzucona przez olśniewającą, nieosiągalną starszą siostrę. Jej osobowość stłamszona przez apodyktycznego pierwszego chłopaka. Jedyna osoba, która naprawdę ją kochała, była starsza od niej o sześćdziesiąt lat, a teraz już nie żyje. Całkowicie ją od siebie uzależniwszy, jej chłopak odcina się od niej wtedy, kiedy potrzebuje go najbardziej, a Ana zamiast próbować poradzić sobie z własnym żalem, wraca do rodzinnego domu i spełnia zachcianki swojej rozchwianej psychicznie matki. Matki, która nie interesuje się rozwojem emocjonalnym ani spełnieniem własnej córki.

Jezu.

Po ich lewej stronie pojawiła się stacja Paddington i Flint zatrzymał samochód.

— No cóż — rzekł Hugh, wyciągając dłoń. — Miło było cię poznać.

Flint zawahał się, po czym podał mu rękę.

— I dzięki za podwiezienie. Doceniam to. — Zbliżył dłoń do czoła i zasalutował.

— Nie ma za co.

Hugh podniósł plecak, który wcześniej postawił sobie przy nogach, i wysiadł z samochodu.

— I powodzenia — rzekł, zanim zamknął drzwi. — Jutro. Zadzwońcie do mnie, jeśli będzie wam potrzebna jakaś pomoc. — Po czym oddalił się nieśpiesznie z plecakiem zwisającym nonszalancko z ramienia, krocząc dumnie w stronę hali niczym jakiś Clint pieprzony Eastwood.

Flint potrząsnął głową, wrzucił bieg i zawrócił w kierunku Latimer Road.

Rozdział trzydziesty pierwszy

— Chodziłaś kiedyś z nim? — zapytała Gill, spoglądając z niedowierzaniem na swoją lokatorkę.

— Tak — odparła Ana w lekko nadęty sposób. — Chodziliśmy ze sobą przez jakieś osiem lat.

— Naprawdę?

— Co? — chciała wiedzieć Ana, przeczuwając, że Gill o coś chodzi.

— No... on jest trochę, no wiesz... on nie jest...

— On jest straszny, Ano — stwierdziła Di, podnosząc puszkę dietetycznej coli do ust i dopijając ostatnie krople.

— Cóż — rzekła obronnie Ana. — Wygląd to jeszcze nie wszystko, prawda?

— Nie mówię o jego wyglądzie, skarbie. Mówię o nim.

— A co jest z nim nie tak?

— Wprost kocha samego siebie. I nie zrozum mnie źle. Zazwyczaj mam słabość do mężczyzn, którzy kochają siebie. Ale tylko wtedy, kiedy mają ku temu powód. A ten facet nie ma, do diabła, absolutnie żadnego powodu.

Gill zaczęła chichotać jak szalona i upuściła na podłogę pół pasztecika.

— Skąd ty do diabła go wytrzasnęłaś? — ciągnęła Di, wyraźnie wykorzystując fakt, że dopiero co poznała Anę, jako dostateczną wymówkę, by zachowywać się tak obcesowo, jak tylko ma ochotę.

Ana cała się najeżyła.

— Poznałam go w college'u — odparła. — Jest niezwykle inteligentny.

— Taa — odrzekła Di. — Pan Spock* także. Ale to niekoniecznie musi oznaczać, że jest dobrym materiałem na chłopaka.

— Hugh to dobry człowiek — broniła go nieprzekonująco Ana. — Wiele dla mnie zrobił. Jest dobrym przyjacielem i...

— Wybacz nam — rzekła Gill, wycierając palce z okruchami pasztecika w ręcznik kuchenny. — Nie chcemy być dla ciebie niemiłe, naprawdę. Ale chodzi o to, że ty, taka piękna dziewczyna, wiesz, i taka słodka, i w ogóle... Po prostu spodziewałam się, że każdy, z kim chodziłaś jest... sama nie wiem. Miłym gościem. Uroczym facetem. Kimś uprzejmym i delikatnym. Takim jak ty...

Żołądek Any zaburczał mile połechtany. Uprzejma i delikatna? Piękna?

— Ale ja nie jestem...

— Ależ jesteś. Jesteś olśniewająca. Czyż ona nie jest olśniewająca, Di?

Di entuzjastycznie pokiwała głową.

— Mogłabyś być modelką — rozpływała się w zachwycie.

Ana przyjrzała im się podejrzliwie.

— Obie robicie sobie jaja, prawda? Drażnicie się ze mną.

— No coś ty — odparła Di. — Naprawdę uważam, że jesteś w stu procentach olśniewająca. Serio. I założę się, że z odrobiną makijażu i w odlotowych ciuchach...

— Już to przerabiałam. Lol odszykowała mnie w zeszłym tygodniu, kiedy tu przyjechałam.

— I?

Ana wzruszyła ramionami.

---

* Mr. Spock — bohater serialu *Star Trek* charakteryzujący się brakiem urody i ludzkich uczuć oraz zdolnością logicznego myślenia.

— Założę się, że wyglądałaś zachwycająco, no nie? — zapytała z podekscytowaniem Di. — Było tak?

Na ustach Any pojawił się nieśmiały uśmiech.

— No cóż — odparła. — Nie powiedziałabym od razu, że zachwycająco. Ale wyglądałam, no wiecie, w porządku.

— Ooch — rzekła Di, zerkając przez okno. — Skoro już mowa o olśniewaniu, wraca piękny Flint. — Stanęła na palcach, by na niego patrzeć, jak po drugiej stronie ulicy parkuje samochód.

— Siadaj, ty stara zdziro — rzuciła Gill, pociągając ją za skraj koszulki. — Jest za dobry dla kogoś takiego jak ty.

Ana zesztywniała, gdy usłyszała zbliżające się kroki Flinta. Wciąż jeszcze nie doszła do siebie po wczorajszych pijackich rewelacjach Gill, dotyczących właśnie jego i jego seksualnych przygód, i tego, że jakoś zapomniał powiedzieć, iż kiedyś coś łączyło go z Bee. Jej żołądek skręcało także niejasne ukłucie zazdrości. O co w tym wszystkim chodzi? O co chodzi temu dokuczliwemu, nieustannemu, wewnętrznemu głosowi, który powtarza: „Dlaczego Gill? Dlaczego Lol? Dlaczego Bee? Dlaczego każda kobieta w południowo-wschodniej Anglii, ale nie ja?" Kiedy po raz pierwszy ujrzała Flinta, wydzielał z siebie fluidy „jestem nieosiągalny". Wydawał się być mężczyzną, który tylko wtedy zwróciłby uwagę na kobietę, gdyby była ona siostrą bliźniaczką Christy Turlington. Odkrycie, że przespałby się z kozą, jeśli tylko udałoby mu się ją przekonać, by przez jakiś czas stała nieruchomo, bardzo ją rozczarowało.

Ale dzisiaj pojawił się w południe z pudełkiem ciastek, w tych swoich za dużych szortach i ze zmierzwionymi włosami i wszystkie negatywne myśli natychmiast się rozproszyły. A potem, kiedy ją dotknął — fizycznie i emocjonalnie — musiała walczyć z pokusą przytulenia głowy do jego ogromnej klatki piersiowej i objęcia go tak mocno, że prawie by go udusiła. I wtedy pojawił się Hugh i gdy w pewnej chwili Ana weszła do pokoju i ujrzała ich obu tuż obok siebie, o Boże — Hugh wydawał się taki mały, nieistotny i jakoś tak… smutny. Prawie wybuchła płaczem, widząc mężczyznę, którego przez tak wiele lat ślepo kochała i od którego tak bardzo była zależna, jak na jej oczach skurczył się do takich nieodpowiednich rozmiarów. I nie tylko się skurczył, ale także zdewaluował — to prawie tak, pomyślała Ana, jakby się spotkało idola, którego do tej pory dane było oglądać jedynie na błyszczących fotografiach.

Ale obecność Hugh doprowadziła do jeszcze jednego — stworzyła więź między Flintem a Aną jako wspólnikami. Po raz pierwszy poczuła się tak, jakby ona i Flint byli równorzędnymi partnerami. Aż do przybycia Hugh nie potrafiła pozbyć się wrażenia, że Flint jej po prostu ustępuje — że w jakiś sposób ona mu przeszkadza. Nawet po tym, jak zaprosił ją do siebie do Turnpike Lane, nawet gdy już przedstawił ją swoim kolegom w pubie, nawet po jego porannym telefonie, nawet po tym, jak jej zaproponował, by towarzyszyła mu dzisiejszego wieczoru w samochodzie, wciąż uważała, że Flint stara się po prostu być uprzejmy. Dzisiaj nagle zdała sobie sprawę, że to nie jedynie uprzejmość, ale że naprawdę chciał, by z nim była.

Flint wszedł do środka i od razu skierował swój wzrok na Anę. Popatrzył na zegarek.

— Dziesięć minut — rzucił, uśmiechając się szeroko.

— Dziesięć minut na co?

— Założenie superciuchów i wypad stąd. Ruszaj się. Za pół godziny muszę być na Chepstow Road.

— Po co?

— Do pracy. A teraz pospiesz się.

— Ale dlaczego muszę się przebrać?

— Bez powodu — odparł, odpinając pokrowiec na garnitur i kierując się w stronę łazienki na parterze. — Będziesz się po prostu lepiej bawić, jeżeli się odszykujesz. Zaufaj mi.

— No dobra — zgodziła się Ana, rumieniąc się na widok mrugania Gill i Di, i poszła na górę.

Otworzyła swoją kraciastą walizkę i wyrzuciła jej zawartość na futon. Jaki w ogóle mam wybór, pomyślała, podnosząc po kolei absurdalnie, bez mała komicznie zestawione ze sobą części garderoby i rzucając je na bok. Miała dwie pary indyjskich szara-

warów Bee, jeden T-shirt, top z lycry w kolorze khaki, który odrzuciła na podłogę, kiedy uświadomiła sobie, że tak właściwie to
on śmierdzi, diamentową biżuterię, czarną marynarkę z cekinami, trzy bawełniane, indyjskie topy w jaskrawych kolorach i piża-
mę. Kurwa, pomyślała, przypominając sobie te wszystkie piękne sukienki i inne stroje, które spakowała w mieszkaniu Bee
i odesłała do Devon. Ale potem spojrzała na swoje nogi i zdała
sobie sprawę z tego, że i tak nie mogłaby założyć sukienki — wi-
doczny był na nich tygodniowy zarost, może nie jakaś czarna
szczecina, ale porządny, lesbijski zarost. No więc tak. Spodnie.
Musi tak być. Zdjęła bawełnianą bluzeczkę i narzuciła na siebie
indyjski top. Ładnie, pomyślała, przeglądając się w lustrze, ale
nie efektownie. Ściągnęła go. Potem pozbyła się dżinsów i włożyła szarawary. Gdy przyjrzała się swemu odbiciu w lustrze, nagle uświadomiła sobie, że szarawary są po prostu głupie. Ten typ
ubrań może się wydawać dobrym pomysłem, kiedy się włóczy
po Indiach z bindi na czole i je palcami soczewicę, ale gdy się
dotrze do domu, człowiek szybko się przekonuje, że jest to ciuch
wyjątkowo nietwarzowy, który sprawia, że wygląda się tak, jakby się zrobiło w majtki porządną kupę.

A potem przypomniała sobie Lol. Lol przez cały czas chodzi
w dżinsach, ale zawsze wygląda olśniewająco. Z powrotem wciągnęła więc swoje. A potem zmierzyła wzrokiem marynarkę z cekinami. Ubrała ją na gołe ciało i zapięła. Przybierała przed lustrem
najdziwniejsze pozy, by sprawdzić, czy jej piersi nie wydostaną
się na zewnątrz, po czym założyła diamentowy naszyjnik Bee i należące do Lol szpilki z wężowej skóry. Jezu, pomyślała, ponownie przeglądając się w lustrze, albo wyglądam świetnie, albo jak
kompletna palantka. Jak dostrzec różnicę, zastanawiała się. Mogłaby? Naprawdę mogłaby tak pójść? Bez stanika? Bez topu? No
cóż, będzie musiała — nie było innej alternatywy.

Miała właśnie zamiar rozpuścić i rozczesać włosy, kiedy nagle przypomniała sobie, że Flint powiedział wcześniej, iż ładnie
jej w kitce, więc przygładziła fryzurę tylko palcami, założyła
diamentowe kolczyki w kształcie łez, podeszła do drzwi, uświa-

domiła sobie, że zapomniała o dezodorancie, nadrobiła to przeoczenie, przygładziła śliną brwi i rzęsy i zeszła na dół, stukając przy tym głośno obcasami.

— Gotowa! — zawołała, zdejmując plecak ze stojaka na płaszcze, po czym weszła do salonu.

— O. Mój. Boże — wyrzuciła z siebie Gill, wstając powoli, a z jej kolan spadł na podłogę egzemplarz „Now!" — Wyglądasz niesamowicie.

Szczęka Di opadła aż do podłogi.

— Mówiłam. Czyż nie mówiłam ci? Fantastycznie, zupełnie odjazdowo.

I wtedy z kuchni wyłonił się Flint ze szklanką wody w dłoni, a Ana prawie zemdlała. Miał na sobie czarny garnitur, białą koszulę i cienki, czarny krawat. Wyglądał jak Michael Madsen we *Wściekłych psach*. Był największym przystojniakiem, jakiego w życiu widziała.

— Wow — rzekł, będąc najwyraźniej pod wrażeniem. — Ana, wyglądasz… wow.

Oboje stali i przez chwilę wpatrywali się w siebie z zachwytem. Przypominało to pauzę w filmie na wideo, aż wreszcie ktoś włączył „Play" i Flint spojrzał na zegarek, a Ana odezwała się:

— Chodźmy już, bo się spóźnimy.

I w obłoku zakłopotania, gwizdów i głupich komentarzy ze strony Gill i Di wyszli z domu i udali się do samochodu, desperacko starając się nie patrzeć na siebie nawzajem, i jednocześnie pragnąc tego równie desperacko.

Rozdział trzydziesty drugi

Klientką Flinta była modelka, która nazywała się Liberty Taylor. Razem z nią jechał jej chłopak o szczurzej twarzy, ziemistej cerze i dziwnych, zaczesanych na czoło włosach, który według Flinta był „nikim". Jakie to dziwne, pomyślała Ana, być „nikim" tylko dlatego, że twoja dziewczyna jest chuda i ładna, i płaci się jej za pozowanie do zdjęć. Ana obserwowała, jak razem wyłonili się z dużego, białego domu z balkonami z kutego żelaza, bez cienia uśmiechu i w celowo wyglądających na sfatygowane ciuchach. Ona to ma, pomyślała, wpatrując się z ciekawością w Liberty, cokolwiek potrzeba, aby stać sławnym, ona to ma. Jej kruczoczarne włosy były za pomocą żelu ułożone w fale nad czołem, nosiła cienką, szyfonową sukienkę i buty składające się z tak cieniutkich paseczków, że ledwie można je było dostrzec. Miała niewiarygodnie bladą cerę, a na środku obu policzków widniały różowe plamy. Jej chłopak wyglądał jak krnąbrny, nastoletni brat, którego zmuszono do wystrojenia się. Nie rozmawiali ze sobą, gdy wychodzili z domu, lekko i cicho zbliżyli się do samochodu i profesjonalnie wsunęli na tylne siedzenie limuzyny, podczas gdy Flint przytrzymywał dla nich drzwi. Usłyszała, jak będący „nikim" chłopak mruczy: „Dzięki, kolego".

— Dokąd ich zabieramy? — zapytała szeptem Ana, gdy już ruszyli.

— Nie musisz być cicho — wyszeptał w odpowiedzi Flint, odwracając się do niej i uśmiechając. — Oni nas nie słyszą.

— Och. No tak. — Odpowiedziała mu z szerokim uśmiechem, myśląc: „Jesteś chrupiącym hamburgerem z cieniutko pokrojonymi frytkami i mam ochotę cię schrupać".

— Jedziemy na premierę filmu — odparł. — Jakaś zwariowana komedia. Gra w niej Sunny Moore.

— Kim jest Sunny Moore?

— Kolejną modelką. Sądzę, że kiedyś musiały razem mieszkać czy coś w tym stylu.

— Skąd to wiesz?

— Mówiłem ci — uśmiechnął się znacząco. — O sławnych osobach wiem absolutnie wszystko.

— Co? Nawet o takich sprawach jak współlokatorki?

— Aha. Nawet o takich sprawach jak współlokatorki. Czasami przeraża mnie, jak wiele miejsca w moim małym mózgu zajmują takie rzeczy, jak nazwisko nowego chłopaka Liz Hurley.

— Och — Ana uśmiechnęła się z zadowoleniem. — Nawet ja to wiem. Hugh Grant, prawda?

Flint rzucił jej pełne litości spojrzenie.

— Ty biedne, biedne, małe stworzenie — oświadczył. — Ty naprawdę nie masz pojęcia, co w trawie piszczy, nie?

— No co? — zaprotestowała Ana. — Ale to prawda, tak? Liz Hurley naprawdę chodzi z Hugh Grantem?

— Nie, moje dziecko. Liz i Hugh zerwali ze sobą kilka miesięcy temu, a teraz Liz spotyka się z facetem, który nazywa się Steve Bing i jest jakimś ważniakowatym producentem filmowym z Hollywood. Postawny gość, trochę taki jak ja. Czeka na niego także jakieś czternaście miliardów czy coś koło tego, kiedy jego tatuś wykituje. Po raz pierwszy zostali razem sfotografowani w podobny sposób jak Jennifer Aniston i Brad Pitt, na balkonie podczas charytatywnego koncertu rockowego.

— O mój Boże, Flint. To chore. Posiadanie tak dużej wiedzy o dwójce obcych ludzi jest nienormalne.

— Wiem — odparł. — Zgadzam się. Ale najbardziej przeraża mnie, jak łatwo mój mózg przyswaja tego rodzaju informacje, a jak trudno jest mi zapamiętać naprawdę ważne rzeczy.

— Masz na myśli swoje studia?

— Aha. Mówi się, że pamięć jest w szczytowej formie, kiedy ma się dwadzieścia sześć lat, a potem już idzie z górki. Ale jeżeli to istotnie prawda, w jaki sposób zapamiętuję tyle błahostek? To wszystko są przecież informacje, prawda? Korzystają z tej samej części mózgu. I doskonale zachowuję je w pamięci. Jednak spróbuj mi podać jakiś ważny fakt, a zapomnę o nim w przeciągu kilku sekund, o tak. — Pstryknął palcami. — To stanowi dla mnie prawdziwą zagadkę. Och. Poczekaj. Jaśnie pani wzywa. — Popatrzył na deskę rozdzielczą, na której paliło się małe światełko.

— Tak? — rzucił poważnie w kierunku niewielkiego mikrofonu.

— Och — odezwał się lekko chropawy, młody głos. — Taa. Cześć. Kierowco. Czy moglibyśmy... eee... zatrzymać się, proszę. Koło apteki. Muszę tylko... taa...

— Nie ma sprawy, panno Taylor — odparł Flint, po czym zaparkował przy wielkim, efekciarsko wyglądającym lokalu zwanym Bliss, który wyglądał bardziej na nocny klub niż aptekę.

Liberty wyłoniła się z tyłu samochodu niczym mały, przerażony ptak. Właśnie zaczęły się godziny szczytu i mijały ją tysiące samochodów z ludźmi wracającymi do domów. Wyglądała na słabą i zagubioną, niczym dziewczynka z zapałkami w wytwornej sukience, i Ana nagle poczuła, że z niewytłumaczalnych powodów jest jej szkoda tej dziewczyny. Zanim zdążyła pomyśleć o tym, co robi, otworzyła drzwi i stanęła koło Liberty.

— Cześć — odezwała się. — Jestem przyjaciółką kierowcy. Czy chciałabyś, abym poszła tam za ciebie? Ubrałam się pewnie bardziej odpowiednio na bieg do apteki.

Uśmiechnęła się szeroko, a zabiedzona Liberty odpowiedziała jej bladym uśmiechem.

— Poszłabyś? — zapytała. — Naprawdę?

— Jasne — odparła Ana. — Powiedz mi, czego chcesz, a ja ci to przyniosę.

— Boże, to naprawdę słodkie z twojej strony — rzekła Liberty, szperając w małej, satynowej torebce w poszukiwaniu jeszcze mniejszej portmonetki z tak maleńkim zapięciem, że ledwie mogła je uchwycić. Otworzyła ją i wyjęła zgnieciony banknot pięciofuntowy, po czym podała go Anie. — Właśnie zaczął mi się pieprzony okres, a nie wzięłam ze sobą żadnych tamponów. To jest taaaaak cholernie wnerwiające. A ten tam Pan Jestem-facetem-i-nie-mogę-kupować-czegoś-takiego-jak-tampony — wskazała na tył samochodu — odmówił pójścia po nie. Nie masz nic przeciwko? SuperPlus? Bez aplikatora? Dziękuję ci. Jesteś prawdziwym aniołem. — A potem wsunęła się z powrotem do samochodu i zamknęła za sobą drzwi.

Ana zrobiła zakupy, myśląc o tym, jaki ten stary świat jest zabawny — w jednej chwili kupujesz w Devon organiczną kaszę jęczmienną dla swojej cierpiącej na agorafobię matki, w następnej płacisz w Marble Arch za olbrzymie tampony dla supermodelki.

Liberty otworzyła drzwi, gdy Ana w nie zapukała.

— Och, ty aniele — powtórzyła, biorąc z rąk Any reklamówkę i resztę. — Boże, nie wiem, jak mam ci dziękować. — Jej chłopak siedział po drugiej stronie samochodu, wpatrując się przed siebie, głośno pociągając nosem i cmokając z niezadowoleniem. Nogi miał rozłożone, a jedną stopą poruszał w rytm rozlegającej się z tyłu muzyki. — A tak przy okazji, masz fantastyczną marynarkę. Od kogo ona jest?

— Vivienne Westwood — odparła Ana, zadowolona, iż ma na sobie coś markowego, a potem poczuła się zła na siebie za to, że jest taka płytka. — Należy do mojej siostry. Należała do mojej siostry.

— Cóż, powinnaś ją zatrzymać. Naprawdę ci pasuje. Wyglądasz rewelacyjnie.

Przez chwilę obie dziewczyny przyglądały się sobie nawzajem. Ana wpatrywała się w oczy Liberty i zastanawiała, jak to by było, być nią, Liberty Taylor. I gdy patrzyła, dostrzegła z totalnym zdziwieniem, że Liberty przypatruje się jej, czyniąc dokładnie to samo. Ana poróżowiała, uśmiechnęła się i zamknęła delikatnie drzwi, po czym usiadła z przodu samochodu, czując się dziwnie ważna i znacząca.

— Czy wiesz — zaczął Flint, odwracając się do niej z uśmiechem — że supermodelka, dziewczyna, która była na okładce „Elle" i „Vogue" i którą uważa się za jedną z najpiękniejszych kobiet na tej planecie, właśnie ci powiedziała, iż wyglądasz fantastycznie?

— Tak — odrzekła.

— Czy teraz w to wierzysz? — zapytał.

— Wierzę w co?

— Że jesteś piękna?

— Och — odparła drwiąco. — Wyglądać rewelacyjnie to jedno. Być pięknym to coś zupełnie innego. A poza tym ona mówiła o marynarce. Nie o mnie. — Ale nawet, gdy wypowiadała te słowa, wiedziała, iż nie jest to cała prawda. Ponieważ nagle i po raz pierwszy w życiu naprawdę poczuła się tak, jakby może była piękna. Naprawdę mogła taka być. Cóż, może nie piękna w dosłownym tego słowa znaczeniu, ale, no wiecie, nieźle wyglądająca. Uśmiechnęła się i odwróciła głowę do okna, obserwując hordy pędzących do domu urzędników, i poczuła się cudownie zadowolona.

Zaparkowali w bocznej uliczce na tyłach Leicester Square, wzięli na wynos jedzenie z KFC i usieli na przednich siedzeniach samochodu, obserwując mijający ich świat. Po premierze zawieźli Liberty, jej „nikogo" i kilkoro innych pięknych, smutnie wyglądających ludzi do klubu w Soho na popremierową imprezę. Gdy Liberty wysiadła z auta, zapukała w szybę po stronie Any.

— Cześć — uśmiechnęła się promiennie. — Weź to. — Podała jej mały, biały kartonik. — Moja znajoma Rosa jest skautką w Models One. Skontaktuj się z nią. Sądzę, że naprawdę chciałaby cię poznać. Dobra?

— Ja? — zapytała Ana, przykładając dłoń do piersi. — Ale ja nie jestem... to znaczy... ja... mój nos — wyrzuciła z siebie.

— Tak. Jest super. Szukają teraz takich, wiesz, jakie jest to słowo... eee... gniewnych, to znaczy gniewnych dziewczyn. No wiesz. Niezwykłych. Ty wyglądasz świetnie. Spodobasz się jej. Zadzwoń do niej. Dobrze?

— Och. Boże. Tak. Dobrze. Tak. Dziękuję. — Wzięła kartonik i przez chwilę mu się przyglądała. Kiedy ponownie podniosła głowę, Liberty i jej przyjaciele znajdowali się już w połowie prowadzących do klubu schodów, a przed wejściem do niego co chwila odpinano aksamitny sznur, by wpuścić nadchodzących gości.

— Taa — rzekł Flint, mierząc Anę sceptycznym spojrzeniem. — To nie chodziło o ciebie. Chodziło o marynarkę. Jasne. — Pogładził Anę po głowie. — Patrzcie no, patrzcie — zaśmiał się chrapliwie, po czym sprawnie odjechał sprzed klubu i skierował się w stronę Piccadilly. — Patrzcie no, patrzcie.

— A więc — zapytała Ana, przepełniona taką jakąś absurdalną i doskonałą radością — dokąd teraz jedziemy?

Było wpół do dwunastej.

— Masz ochotę na tylne siedzenie?

— Słucham? — drażniła się Ana.

— Tylne siedzenie — powtórzył Flint. — Powożę cię trochę po mieście. To najlepszy sposób na obejrzenie Londynu.

— Dobra — uśmiechnęła się szeroko Ana.

Usadowiła się na samym środku pokrytej czarną skórą kanapy i z przyjemnością pogładziła dłońmi miękkie obicie.

— Usiądź wygodnie, poczęstuj się szampanem, słuchaj muzyki i po prostu przyglądaj się światu — polecił Flint. — Po prostu przyglądaj się i czuj...

Otworzyła znajdującą się z boku szafkę i wyjęła z niej opróżnioną do połowy butelkę szampana. Napełniła kieliszek, po czym przejechała palcem po mahoniowym blacie stolika. Proszę bardzo, pomyślała, przyglądając się uważnie białej warstwie proszku: jedyne w swoim rodzaju miejskie doświadczenie. Uniosła palec do ust i posmakowała, tak jak to milion razy widziała na filmach. Smakowało gorzko, słono. Koniuszek jej języka zdrętwiał. Pociągnęła łyk częściowo zwietrzałego szampana i skierowała uwagę na świat zewnętrzny. Czuła się tu naprawdę odizolowana, z tymi przyćmionymi światełkami, czarną tapicerką i przyciemnianymi szybami.

Jechali właśnie szeroką, dwupasmową jezdnią, po obu stronach której znajdowały się imponujące biurowce, minęli wielki, gotycki kościół z nowoczesną dobudówką, biuro kierownictwa Woolwortha, Muzeum Figur Woskowych Madame Tussaud, planetarium. A potem skręcili w prawo i wjechali w uliczkę z rzędami nienagannie utrzymanych białych domów. W dużych, odsłoniętych oknach migotało światło. Ana dostrzegła przyjęcie, kobietę w białej sukni odrzucającą głowę do tyłu i na całe gardło śmiejącą się z czegoś, co właśnie powiedział starszy pan z monoklem na nosie, a potem obrysowującą palcem brzeg kieliszka z winem.

Przejechali obok siedziby BBC — rozpoznała ją z fotografii — a potem skręcili w boczną uliczkę i przez chwilę kluczyli. Minęli sklepy z ubraniami i pasmanterie, i zadaszone restauracje, gdzie ludzie siedzieli przy wystawionych na chodnik stolikach. Zobaczyła czarnowłosego mężczyznę całującego wnętrze dłoni dziewczyny w niebiesko-białej sukience. Ona się uśmiechnęła i włożyła mu frytkę do ust. On ją pogryzł i wystawił na języku. Ona się roześmiała.

Grupa dziewcząt z pasemkami we włosach przechadzała się ulicą, obejmując się wzajemnie ramionami i śpiewając na cały głos *Tragedy*, a po chwili skręcając się ze śmiechu. Jedna z nich wokół gołej talii zawiesiła łańcuszek z diamentów, który połyskiwał w pomarańczowym świetle ulicznych lamp. Afrykańczyk w haftowanej czapeczce na głowie zatrzymał taksówkę i wsiadł do niej za swoją żoną z zasłoniętą twarzą. Przed sobą Ana widziała Post Office Tower.

Popatrzyła w górę, ponad wystawami sklepów i restauracjami, na bogato zdobione piętra, pojedyncze, witrażowe okna bądź gotyckie wieżyczki, nadłamane gargulce i okna wykuszowe. Dojrzała kogoś chodzącego po mieszkaniu z wysokimi sufitami, rozmawiającego przez telefon, palącego papierosa. Przeżywającego swoje życie w samym środku scenografii filmowej.

Mieszana grupa pijanych młodych ludzi potykała się na Tottenham Court Road. Nadal mieli na sobie ubrania biurowe, a ich policzki zaróżowione były od podekscytowania i taniego wina z All Bar One. Przy wejściu do Heals siedziała dziewczyna w śpiworze i wpatrywała się bezmyślnie w przechodniów, którzy przyspieszali, gdy ją mijali. We wnętrzu włoskiej restauracji w stylu lat siedemdziesiątych, grupa przyjaciół przypatrywała się z uśmiechem pulchnemu, opasanemu fartuchem kelnerowi, który coś opowiadał, ilustrując swoją historię rękami i brwiami.

Portier przed hotelem zatrzymał taksówkę dla pary odzianej w odblaskowe płaszcze nieprzemakalne. Ana zobaczyła, jak mu dziękują, gdy przytrzymywał dla nich otwarte drzwi. A potem ujrzała, jak portierowi rzednie mina, gdy przyjrzał się napiwkowi, który zostawili w jego dłoni.

Samochód z powrotem skierował się w stronę Soho. Jechali przez wyludnione place otoczone ogromnymi, georgiańskimi rezydencjami. Na ograniczonym barierkami skwerze, oświetlonym przez pojedynczą latarnię, kłócili się kobieta i mężczyzna. Następnie Flint przewiózł Anę przez dzielnicę czerwonych latarni. Samochód prawie się zatrzymał, gdy na wąską ulicę wylegli przechodnie, a przy klubach samochody zaparkowane były w dwu rzędach. Mijała prawie północ z wtorku na środę, ale wyglądało tak, jakby każdy mieszkaniec Londynu znajdował się teraz na ulicach Soho. Potężny mężczyzna z tatuażami zajrzał do samochodu przez przyciemniane szyby i wystawił szeroki, szary język. Ana wzdrygnęła się, zanim sobie nie przypomniała, że on jej przecież nie widzi.

Wpatrywała się w puste oczy ciemnoskórej dziewczyny, siedzącej z nogą założoną na nogę na wysokim taborecie przy wejściu do klubu ze striptizem i zastanawiała się, jak to się stało, że tu skończyła, a potem pogubiła się w myślach na temat przeznaczenia, przyczyny i skutku i tego, że może gdyby ta dziewczyna nie pracowała teraz w tym barze, nie siedziała dokładnie w tej chwili na taborecie, może ktoś inny po drugiej stronie globu nie byłby w stanie wymyślić lekarstwa na raka. Albo coś w tym stylu...

Przemknęli ponownie przez Piccadilly i Hyde Park, Knightsbridge i Sloane Street. Chanel. Ralph Lauren. Christian Dior. Versace. Nazwiska, które do tej pory Anie kojarzyły się jedynie z reklamami wciśniętymi pomiędzy artykuły w „Marie Claire". I oto wszystkie znajdowały się tuż przed jej oczami — lśniące, jasne, nieosiągalne niczym gwiazdy filmowe.

Gdy krążyli po Sloane Street i w dół King's Road, Ana poczuła, że ponownie opuszcza swoje ciało, tak jak się to stało w mieszkaniu Bee, kiedy się wystroiła i piła szampana i słuchała Blondie. Nic innego nie istniało — jedynie jej myśli, muzyka i poruszająca sceneria. Ale nie chodziło tylko o otoczenie. Nie chodziło tylko o mieszaninę różnych, niełączących się ze sobą czynności i postaci. Tu chodziło o spójność. O życie. O te wszystkie budynki, samochody i obcych ludzi. Oni byli życiem. I magią.

Wyjechali z King's Road i ruszyli w kierunku rzeki. Ponownie zmieniła się piosenka. *Perfect* zespołu Lightning Seeds. I kiedy na horyzoncie pojawiła się rzeka, kiedy zobaczyła most Alberta, Ana westchnęła z zachwytem nad jego prawie przesłodzoną urodą i drżącym odbiciem świateł w pomarszczonej, ciemnej wodzie Tamizy. Oparła się o miękką skórę, a na jej twarzy błądził delikatny uśmiech, podczas gdy do podświadomości sączyły się słowa piosenki, które nagle wydawały się wyjaśniać absolutnie wszystko.

Gdy melodia dobiegła końca, Ana przełknęła ślinę. W jej sercu wzbierało szczęście, które sprawiało, że w oczach pojawiły się łzy. Poczuła się pokonana przez intensywne uczucia. Przez miłość. Przez pragnienie, by czuć tę piosenkę, by przeżyć tę piosenkę. Muzyka zawsze wyczarowywała w niej wrażenie innego życia, innych, lepszych uczuć, istnienia i bycia. A teraz po raz pierwszy wydawało jej się, że mogła wziąć jedną z tych piosenek i przemienić ją w rzeczywistość.

— Flint — rzuciła chrapliwie do intercomu.

— Tak, jaśnie pani?

— Jedźmy — usłyszała, jak mówi to głosem innej osoby.

— Dokąd?

— Do ciebie — odparła. — Jedźmy do ciebie.

Rozdział trzydziesty trzeci

Najpierw powąchał jej włosy. Leżały rozrzucone na jego poduszce. Czarne, długie i potrzebujące szamponu. Ujął palcami jedno pasmo i potarł nim nos. Były miękkie jak satynowe majteczki.

Flint przekręcił się powoli na bok i popatrzył na nią. Mocno spała, jej długie rzęsy rzucały cienie na policzki, usta miała lekko rozchylone. Opuścił wzrok na nagą pierś Any. Była mała. Ale spełniała wszystkie wymagania, jakie się stawia kobiecej piersi. Miała drobną brodawkę w ładnym, karmelowym kolorze i rozmiarze proporcjonalnym do całej piersi. Sama pierś była okrągła i jędrna, a brodawka delikatnie skierowana do góry, nadając jej odpowiednią dozę zuchwałości. Otoczył ją dłonią i poczuł, jak pod spodem bije serce — były to powolne, relaksacyjne uderzenia zgodne z rytmem wypuszczanego ustami powietrza.

No, no, no, pomyślał w duchu, uśmiechając się do siebie. Jestem w łóżku z siostrą Bee. Jak to wczoraj pięknie ujął Stary Łysol — cóż za zabawny, stary świat.

Puścił jej pierś, a potem bardzo cicho wstał z łóżka i udał się do kuchni. Było wpół do dziewiątej. Dzieciaki z naprzeciwka zdążyły już zacząć wrzeszczeć. Do irytującego, hałaśliwego ustrojstwa ogrodowego został jeszcze dodany nadmuchiwany basen. Flint przygotował dwa kubki herbaty i wrócił z nimi powoli do sypialni, gdzie Ana właśnie się budziła. Uśmiechnął się do niej szeroko, podczas gdy ona przecierała oczy.

— Cześć — rzekł, podając jej herbatę.

— Cześć — odparła, biorąc od niego kubek i podciągając kołdrę aż po pachy.

— A to dopiero — stwierdził.

— Mmm — mruknęła w odpowiedzi, popijając herbatę.

— Jak się czujesz?

— Eee... — Ana uśmiechnęła się szeroko i odstawiła herbatę na znajdujący się tuż przy łóżku stolik. — Dobrze. Czuję się dobrze. — A potem posłała mu jeszcze jeden promienny uśmiech — szeroki, ukazujący wszystkie zęby i migdałki, i wtedy po raz pierwszy Flint dostrzegł w niej coś z Bee.

— To właśnie chciałem usłyszeć.

— Wiesz, Gill powiedziała mi, żebym przypadkiem tego nie robiła.

— Czego?

— Nie uprawiała z tobą seksu.

Flintowi spodobało się to, że nazwała to uprawianiem seksu, a nie kochaniem się, które to wyrażenie nie było szczególnie lubiane przez mężczyzn.

— A właściwie dlaczegóż nie?

— Ostrzegała mnie, że jesteś starą zdzirą. Że przespałbyś się ze wszystkim, co ma szparę.

— Co takiego?

— Że nie jesteś taki miły, na jakiego wyglądasz. Że nie można ci ufać.

— A na czym dokładnie Gill opiera swoje poglądy?

— Na fakcie, że z nią spałeś. I z Lol. I z Cathy, kimkolwiek ta Cathy, do cholery, jest.

Flint uniósł brwi i jęknął.

— Och — rzekł. — Na miłość boską. Nie mogę uwierzyć, że ci to powiedziała. To takie niesprawiedliwe.

— Ale prawdziwe?

— Tak, prawdziwe. Ale to się działo pieprzone wieki temu.

315

Wszyscy byliśmy wtedy młodzi. Mieliśmy po dwadzieścia kilka lat. Traktowaliśmy seks jak wielką zabawę. A przez jakiś czas, kiedy wróciłem z Japonii i już nawet nie piłem, to pozostało moją jedyną słabością. Kiedy byłem młodszy, puszczałem się na prawo i lewo, to prawda, i nie spałem jedynie ze znajomymi kobietami.

— A Bee?

— Co z Bee?

— Z Bee także spałeś...

— Och. Boże. — Ukrył twarz w dłoniach. — Tak — westchnął. — Spałem z Bee. Raz. Jakiś tydzień po naszym pierwszym spotkaniu. I to było wszystko.

— Dlaczego?

— Dlaczego co?

— Dlaczego spałeś z nią tylko raz?

Flint przez chwilę zastanawiał się nad odpowiedzią.

— Ponieważ to wydawało się niewłaściwe.

— Niewłaściwe?

— Tak. Było krępujące. Nienaturalne. Błąd.

— A teraz?

— Co?

— Czy dalej... się puszczasz na prawo i lewo?

Wzruszył ramionami.

— Nie — uśmiechnął się. — Nie tak jak kiedyś. To znaczy nadal miewam swoje chwile, no wiesz. Ale jestem teraz starym człowiekiem, to już nie moja *raison d'être*.

— A kiedy był ostatni raz?

— Jakiś miesiąc temu.

— I to była...?

— I to była Angela. Miała dwadzieścia dziewięć lat. Wynajęła samochód na swój wieczór panieński.

— Pamiętasz, jak w poniedziałek zapytałam cię o Bee? O to, czy kiedykolwiek byłeś w niej zakochany? A ty odpowiedziałeś, że nigdy nie byłeś w nikim zakochany? Czy naprawdę właśnie to miałeś na myśli?

— Aha.

— Ale... Naprawdę tego nie rozumiem. To znaczy... Masz trzydzieści sześć lat. Jak to możliwe, że dożyłeś takiego wieku, nie zakochując się w nikim?

— Ach, tu cię mam. Powiedziałem, że nigdy nie byłem zakochany. Nie, że się nigdy nie zakochiwałem. Zakochiwałem się kilka razy.

— A jaka jest różnica?

— Cóż, jedno jest procesem. Drugie stanem. Przechodziłem przez sam proces, ale nigdy nie osiągałem stanu. Na pewnym etapie mego życia przekonywałem siebie, że być może proces jest stanem i nawet się ożeniłem.

— Co takiego?!

— Aha. Trwało to czternaście miesięcy.

— Kim ona była?

— Klientką. Miała na imię Ciara. Była tancerką. Pochodziła z Irlandii.

— A więc co poszło nie tak?

— Nie lubiliśmy się nawzajem.

Ana roześmiała się.

— Tak po prostu?

— Tak po prostu. Obudziliśmy się pewnego ranka i oboje uznaliśmy, że naprawdę nie możemy znieść swojej obecności.

— Więc... jak się dowiedzieć, że to proces, a nie stan?

— Musisz umieć odróżnić szaleństwo od rozsądku. Ponieważ taka jest właśnie różnica między zakochaniem się a byciem zakochanym. Pierwsze to stan totalnego i kompletnego szaleństwa, drugie to poczucie czystej jasności i spokoju. A przynajmniej tak mi mówiono — uśmiechnął się znacząco.

Ana odwzajemniła uśmiech i oparła brodę na kolanach.

— Przepraszam — rzekła.

— Za co?

— Za takie przesłuchanie. Po prostu Gill ujęła to w taki obrzydliwy sposób...

— Tak, no cóż, Gill nie jest... — urwał. — ...Nic takiego.

— Gill nie jest co?

— Nic — odparł Flint. — Zapomnij, że cokolwiek powiedziałem.

— Nie ma mowy! Gill nie jest co?

Westchnął.

— Gill nie jest... osobą, która dobrze znosi odrzucenie.

— Co? To znaczy, że próbowała, a ty powiedziałeś nie?

— Aha.

— Kiedy?

— Och. Dość regularnie. Zazwyczaj wtedy, gdy jest zalana. Kiedy Gill się urżnie, przekształca się w kompletnie stukniętą nimfomankę.

— Tak — uśmiechnęła się Ana. — Przekonałam się już o tym. Ale z tego, co zdążyłam zauważyć, nie jesteś w jej typie, no nie?

— Masz na myśli czarnoskórych facetów?

— Aha.

— No tak. Gill kocha tych swoich Murzynków. I tak naprawdę oni wydają się kochać ją. To znaczy, nie zrozum mnie źle. Ja naprawdę lubię Gill. Wiesz, znam ją przez połowę mego życia. Ale kiedy chodzi o seks, ona jest trochę popieprzona. Nie zwracałbym większej uwagi na to, co mówi, gdyż ma nieco wypaczony obraz seksu. Najwyraźniej uważa, że to jakaś dyscyplina olimpijska.

Flint napił się herbaty i popatrzył na Anę.

— A oto pytanie do ciebie — rzekł. — Jak to możliwe, że dopiero teraz wypytujesz mnie o to wszystko? Dlaczego nie chciałaś wiedzieć tego zeszłej nocy, zanim... no wiesz?

Ana uśmiechnęła się do niego szeroko.

— Ponieważ — odparła — zeszłej nocy naprawdę nie byłam w nastroju do rozmowy.

Flint odpowiedział uśmiechem i ponownie napił się herbaty.

— Pewnie myślisz, że jestem straszna.

— Co takiego? — zaśmiał się Flint.

— Zeszła noc. Naprawdę nie wiem, co się stało. To po prostu... przejęło nade mną kontrolę. Nie znaczy to, że wcześniej tego nie chciałam i w ogóle. Pragnęłam tego od chwili, kiedy cię poznałam... och. — Zasłoniła usta dłonią, a na jej twarzy pojawiło się zakłopotanie.

Flint głośno się roześmiał.

— Ty stara zbereźnico. A ja byłem przekonany, że z ciebie taka grzeczna dziewczynka.

— Bo to prawda — upierała się. — Jestem bardzo grzeczną dziewczynką. Tak naprawdę byłeś dopiero drugim mężczyzną, z którym spałam.

— Wiem.

— Co?! Skąd?

— Powiedział mi o tym rozkoszny Hugh. Poinformował mnie, że nauczył cię wszystkiego, co umiesz. I muszę powiedzieć, choć trudno mi to przyznać, a nawet o tym myśleć, że odwalił kawał dobrej roboty.

— Zeszła noc — oświadczyła Ana — nie miała nic wspólnego z Hugh, mogę cię o tym zapewnić.

— Nie? — zapytał Flint, odstawiając herbatę i chwytając ją w talii.

— Nie — odparła, obejmując dłońmi jego pośladki. — Wydarzenia zeszłej nocy to nieunikniony skutek bycia wożoną o północy po Londynie w wydłużonej limuzynie przez potężnego, przystojnego faceta w garniturze, picia przy tym szampana i słuchania dobrej muzyki. Winić możesz jedynie siebie.

— Czy w takim razie to właśnie muszę robić za każdym razem, kiedy mam ochotę iść z tobą do łóżka? Zabrać cię na przejażdżkę?

— Nie — odparła, patrząc mu pewnie w oczy. — Tylko pierwszy raz. Potem musisz jedynie poprosić.

Flint popatrzył na nią uważnie. Kim jest ta osoba? Ta osoba z błyszczącymi oczami i wilgotnymi ustami? Ta osoba, której ciało czuje pod swoim, długie, jędrne i przychylne? Ta osoba, która wygląda jak Ana, ale wydaje się jednak inna? Kimkolwiek jest, podoba mu się, podoba mu się nawet bardziej niż ta druga Ana.

— Czy mógłbym się z tobą pokochać, Ano? — zapytał.

— Ależ oczywiście, że tak — odparła, przyciągając go do siebie, a gdy dotknęła ustami jego warg, Flint zapragnął jedynie wyrzucić pięść w powietrze i zawołać: „Przebyłaś długą drogę, skarbie..."

Rozdział trzydziesty czwarty

Wyruszyli do Ashford około jedenastej. Gdy jechali przez autostradę M25, a przez przednią szybę wdzierało się do środka słońce, nadając skórzanym siedzeniom konsystencję ciepłego ciała, Flint trzymał dłoń na kolanie Any i dziękował Bogu za automatyczną skrzynię biegów. Zerknął przelotnie na swoją pasażerkę. Klimatyzacja rozwiewała delikatny puszek, który wyrastał na linii włosów i Ana pogodnie się uśmiechała. Popatrzyła na niego i uścisnęła jego udo, odgarniając jednocześnie kosmyk z policzka.

Teraz, pomyślał Fint, czuję, że wszystko jest na miejscu. Naprawdę na miejscu.

Zazwyczaj, kiedy budził się w łóżku z dziewczyną, jakaś maleńka jego część jakby umierała. Było to uczucie podobne do tego, gdy wracasz do swojego auta i widzisz mandat za wycieraczką. Wiedziałeś, że parkujesz nielegalnie, wiedziałeś, że są spore szanse na to, że tak właśnie się stanie, ale to miejsce — cóż — było właśnie tam, chciałeś je i zająłeś i tak. Obudzenie się obok Any było zbliżone do pozostawienia samochodu na ulicy z zakazem parkowania i cofnięcia się, by znaleźć kogoś, kto za darmo woskuje auta i odstawia je na parking.

Ashford leżało około trzydziestu kilometrów od M25. Wysokie Cedry były usytuowane tuż za nim, na peryferiach miejscowości zamieszkanej przez ludzi dojeżdżających do pracy gdzieś dalej.

— Wow — rzekła Ana, gdy zbliżyli się do rezydencji z czasów Jakuba, do której prowadził żwirowany podjazd. Przejechali przez zdobioną, kamienną bramę wjazdową i minęli teren wysadzany cedrami i jodłami. — To wygląda bardziej na pięciogwiazdkowy hotel na wsi niż na dom dziecka.

Gdy weszli do środka, recepcjonistka z błyszczącą twarzą i w rozpinanym swetrze uśmiechnęła się do nich zapraszająco.

— Dzień dobry.

Flint spojrzał na Anę, która przez chwilę wyglądała na zdenerwowaną, jednak zaraz pewnie podeszła do biurka.

— Dzień dobry — rzekła. — Nazywam się Ana Wills. Moja siostra, to znaczy tak właściwie moja przyrodnia siostra, była krewną jednego z państwa... eee, dzieci. Zandera Ropera.

— Tak — odparła. — Pani Wills, tak właściwie to nawet wczoraj dzwoniła.

— No cóż, to byłam ja. Chodzi o to, że — widzi pani — moja siostra nie żyje.

Recepcjonistka podniosła dłoń do ust.

— O nie — rzekła. Oczy miała rozszerzone przerażeniem i wyglądała na prawdziwie wstrząśniętą. — Jak to się stało?

— Obawiam się, że to samobójstwo.

— O nie. To takie straszne. Była taką piękną kobietą, taką troskliwą ciotką. Nie mogę w to uwierzyć. Czy Zander wie o tym?

Ana potrząsnęła głową.

— Dlatego tutaj jesteśmy. Pomyśleliśmy, że będzie dla niego najlepiej, gdy usłyszy to od kogoś bliskiego Bee.

Recepcjonistka poprosiła ich, by chwilę zaczekali, a ona w tym czasie zadzwoniła do lekarki, a następnie po upływie kilku minut zaprowadziła ich do dużego gabinetu na parterze, gdzie ciepło powitała ich drobna Chinka z włochatym pieprzykiem na policzku. Nazywała się doktor Chan i wiedziała wszystko o Belindzie Wills, poznała ją w 1997 roku, kiedy przyjechała ona do Wysokich Cedrów, by po raz pierwszy odwiedzić Zandera. Ogromnie się zmartwiła, gdy usłyszała, co przytrafiło się Bee, i niezwykle wstrząsnęła nią wiadomość, iż było to samobójstwo.

— Ale dlaczego? — zapytała płaczliwie.

Zander i Belinda jakiś miesiąc temu najwyraźniej o coś się pokłócili i od tamtej pory on nie chciał się z nią widzieć ani rozmawiać. Próbowano nakłonić Zandera, aby opowiedział o tym podczas sesji terapeutycznych, ale nie wydusił z siebie ani słowa na ten temat. Co, według doktor Chan, odzwierciedlało jego charakter. Był „bardzo trudnym dzieckiem".

— A więc mówi pani, że jest siostrą Belindy?

— Tak właściwie to przyrodnią siostrą.

— A Belinda była przyrodnią siostrą Jo Roper, matki Zandera. W dzisiejszych czasach kwestie rodzinne są naprawdę skomplikowane, prawda? — Doktor Chan uśmiechnęła się i podniosła słuchawkę. — Zander musi dowiedzieć się o tym tak szybko, jak to możliwe. Zaraz sprawdzę, co teraz porabia.

Po chwili odłożyła słuchawkę i ponownie się uśmiechnęła.

— Macie szczęście — oświadczyła. — Jest właśnie na terenie ośrodka. Maluje. Zabiorę was do niego.

Udali się za doktor Chan przez skąpane w słońcu, wyłożone drewnem korytarze, minęli jadalnię, skąd dolatywał zapach sosu do pieczeni, i wyszli do wielkiego ogrodu.

— Jest tam w dole, przy stawie — rzekła, wiodąc ich po zalanej betonem ścieżce do rzucającej cień niewielkiej kępki drzew. — Zostawię was, byście mogli powiedzieć Zanderowi o Bee, ale jeżeli będziecie czuli, że sytuacja wymyka się wam spod kontroli, zawołajcie po prostu: „Siostro!", i ktoś wtedy do was dołączy.

— Co ma pani dokładnie na myśli, mówiąc, że sytuacja może wymknąć się spod kontroli? — zapytała Ana.

Doktor Chan zatrzymała się i odwróciła do nich.

— Zander jest sierotą. Nie tylko sierotą, ale także jedynym żyjącym członkiem swojej rodziny. Nie ma braci, sióstr, dziadków. Tylko on. Miał straszny, ale to straszny życiowy start i zanim nie odnalazła go Belinda, był naprawdę zupełnie sam. Na początku bardzo niechętnie odnosił się do Belindy i pomysłu posiadania rodziny. Ale na swój własny, niekonwencjonalny sposób powoli mocno się do niej przywiązał. Kupiła dla niego dom. Wiedzieliście o tym?

Przytaknęli.

— Tak, spędzali wspólnie większość weekendów. A on wydawał się z miesiąca na miesiąc zmieniać na lepsze. Nie mam pojęcia, o co się w zeszłym miesiącu pokłócili, ale jestem przekonana, że Zander traktował to jako sytuację przejściową. Czasami lubi karać tych, którzy starają się mu pomóc. Trzymać ludzi w karbach — oto jego metody działania. Ale kiedy się dowie, że ona nie żyje, sądzę, że nikt naprawdę nie jest w stanie przewidzieć jego reakcji. Może podejść do tego zupełnie spokojnie. Może się też bardzo zdenerwować. Po prostu bądźcie przygotowani na wszystko, dobrze?

— Dobrze. — Ana i Flint zgodnie przytaknęli.

Na końcu ścieżki znajdował się zarośnięty staw, pokryty liliami wodnymi i muskany wąsami wierzby płaczącej. Panował tam cień i było przyjemnie chłodno. Młody chłopak na wózku inwalidzkim siedział odwrócony do nich plecami i mieszał pędzlem w szklanym słoiku z miętowozieloną wodą.

— Zander! — zawołała doktor Chan.

Chłopak nie odwrócił się. Dalej poruszał pędzlem w wodzie i kontemplował rozciągający się przed nim widok.

— Zander.

— Tak — odparł ze znużeniem, wciąż się nie odwracając.

— Zander, masz gości.

— Aha. — Zanurzył pędzel w spoczywającym na jego kolanach pojemniczku z akwarelą.

— Przepraszam za to — rzekła cicho doktor Chan. — To nie ma żadnego związku z wami, mogę was zapewnić.

Udali się za nią w stronę Zandera, a potem stanęli przed nim. Był całkiem przystojnym chłopcem, może nieco zbyt drobnym jak na swój wiek, ale miał ostre, zdecydowane rysy twarzy i gęste, szatynowe, dość długie, opadające na szyję włosy zatknięte za uszy. Nosił T-shirt z logo Fanklubu Nastolatków, dżinsy i reeboki. Jego oczy, co dojrzeli, kiedy podniósł na nich wzrok, były bardzo jasnoniebieskie. Zmierzył ich oboje najbardziej intensywnym spojrzeniem, jakiego Flint kiedykolwiek doświadczył.

— Co to jest? — zapytał Zander, otaczając lilię na grubym papierze rysunkowym odrobiną zielonej farby. — Zjazd olbrzymów?

Ana nagle parsknęła. Flint popatrzył na nią. Śmiała się.

— Przepraszam — odezwała się. — Przepraszam.

— Ach — rzekł Zander, nieoczekiwanie podnosząc głowę i patrząc prosto na Anę. — Kobieta, która docenia moje infantylne poczucie humoru. Może powinniśmy się pobrać?

Ana uśmiechnęła się i zarumieniła.

— Ana — oświadczyła doktor Chan — jest przyrodnią siostrą Belindy. A Flint jest przyjacielem Any. Był, jest także bardzo dobrym przyjacielem Belindy. Chcieliby o czymś z tobą pomówić. Wolałbyś porozmawiać z nimi tutaj czy też w swoim pokoju?

— Nie widzę powodu, by rozmawiać z kimkolwiek i gdziekolwiek o mojej byłej „ciotce". Dziękuję bardzo.

— Zander — rzekła doktor Chan. — Sądzę, że będziesz chciał usłyszeć to, co muszą ci przekazać Ana i Flint.

— Czyżby? Naprawdę? W takim razie dobrze. Skoro wygląda na to, że wie pani dokładnie, czego nie chcę słuchać, zakładam, że nie ma sensu się kłócić.

Zaczął jechać na wózku w kierunku ławki.

— Siadajcie — rzucił do Flinta i Any tonem bankowca w średnim wieku, pełniącego funkcję kierowniczą. Popatrzył na doktor Chan. — Może nas pani teraz zostawić — polecił. Doktor Chan cmoknęła z niezadowoleniem i uniosła brwi.

— Nie zapomnij — rzekła, pukając w swój zegarek — że za czterdzieści pięć minut jest obiad. — Następnie wsunęła dłonie w kieszenie białego fartucha, odwróciła się na pięcie i udała się z powrotem w kierunku ośrodka.

Zander zaczekał, aż znikła im z oczu, po czym odwrócił się do Flinta i Any.

— No tak — zaczął. — Trzy sprawy. Po pierwsze, kim wy,

u diabła, jesteście? I nie wylatujcie tu z bredniami o przyrodnich siostrach. Przerabiałem już niewydarzone siostry, zidociałe ciotki i przybranych wujków, OK? Wiem, że Bee nie jest moją krewną, więc możecie przestać wciskać mi ten kit. Po drugie, zanim zaczniecie mówić o Bee, powinniście wiedzieć, że nie istnieje nic, co mogłaby powiedzieć ona bądź wy w jej imieniu, czego chciałbym słuchać, teraz czy kiedykolwiek indziej. I po trzecie, czy któreś z was ma może przy sobie fajki?

Wzruszyli ramionami i potrząsnęli głowami.

— Ach tak. Warto było przynajmniej zapytać. Więc — kontynuował — czy jest coś, co chcielibyście mi przekazać, mając na uwadze moje poprzednie słowa? — zapytał i popatrzył na nich z przesadną uprzejmością.

— Taa — odparł Flint, nie będąc w stanie skrywać dłużej swojej irytacji wobec tego zadowolonego z siebie, aroganckiego młodego człowieka, nieważne, czy na wózku inwalidzkim, czy też nie. — Taa, tak właściwie to jest. Ona nie żyje. — Ana posłała mu szybkie spojrzenie. Zacisnął zęby.

Zander natychmiast się uśmiechnął, a Flint zapragnął go uderzyć.

— Słucham? — zapytał, a na jego twarzy nadal obecny był irytujący uśmieszek.

— Bee nie żyje — powtórzył Flint.

Uśmieszek zaczął powoli znikać, a zamiast niego na twarzy Zandera pojawiło się niedowierzanie.

— Żartujecie, co?

Flint potrząsnął głową.

— Ale kiedy? Jak? — W jego wyniosłej skorupie zaczęły się tworzyć pęknięcia.

— Miesiąc temu. Dwudziestego ósmego lipca, jeżeli chodzi o ścisłość.

— Moje urodziny... — urwał na chwilę, z roztargnieniem pocierając wierzchem dłoni brodę. Spojrzał na Flinta tymi swoimi lodowato niebieskimi oczami. — Co się stało?

— Zabiła się.

Zander wzdrygnął się i opuścił wzrok.

— Jak?

— Tabletki i alkohol.

— Cholera.

Zapadła cisza. W tle cykał świerszcz, a w gałęziach wierzby płaczącej hulał wiatr.

— Czy zostawiła list?

— Nie.

— Więc czy... czy wiecie dlaczego? — zapytał wreszcie Zander.

— Nie — odparła Ana. — Nie. Nie widzimy w tym żadnego sensu.

— Ja wiem — oświadczył, opuszczając głowę na piersi.

Flint i Ana popatrzyli na siebie.

— Co?

— Ja wiem.

— Wiesz? — powtórzyła Ana.

— Tak. — Ciężko kiwnął głową. — Dokładnie wiem, dlaczego to zrobiła.

— Dlaczego? — chciał wiedzieć Flint.

— Dlaczego co? Dlaczego wiem czy dlaczego to zrobiła?

— I to i to, na miłość boską — syknął Flint. — I to i to.

Zander westchnął i ukrył twarz w dłoniach.

— Chodźcie ze mną na górę — zaproponował. — Chodźcie do mojego pokoju. Tam wam wszystko wyjaśnię.

— Proszę — rzekł Zander i odjechał od biurka, trzymając w dłoni kilka arkuszy fioletowego papieru. — To dostałem od Bee. Przesłała mi ten list razem z prezentem urodzinowym. Trochę nieodpowiedni, myślę, że się ze mną zgodzicie po jego przeczytaniu. — Podał Anie fioletowe kartki. — Przysłała mi także to. — Wręczył Flintowi arkusz białego papieru. To był testament, podpisany przez Bee i świadka, pannę Taka Yukomo.

— Kim, do diabła, jest Taka Yukomo? — zapytał Flint.

Ana wzruszyła ramionami.

— Nie mam pojęcia.

— Sushi — rzekł Flint, pstrykając palcami. — W raporcie koronera napisane było, że w ostatnich godzinach swego życia jadła sushi. Musiała tamtego wieczoru zabrać ze sobą testament do restauracji. Poprosiła kelnerkę, by została świadkiem. Wysłała to wkrótce potem.

— Tak — zgodziła się Ana. — Amy mówiła, że wyszła tamtego wieczoru około dziewiątej. Zdecydowała, że pójdzie zjeść swój ostatni posiłek. Sama... — urwała, gdy poczuła w oczach łzy. Cóż za niezwykle smutna myśl.

— Twojej matce, Ano, nie spodoba się to.

— Dlaczego? — Ana zajrzała Flintowi przez ramię.

Według testamentu Bee wszystko miał odziedziczyć Zander. Dom. Pieniądze z kont bankowych. Jej tantiemy. Książki i płyty. 7 000 funtów schowane pod łóżkiem w pudełku po cygarach.

— Ale ja byłam u jej prawnika — oświadczyła Ana, przebiegając wzrokiem kartkę papieru. — Powiedział, że nie sporządziła testamentu. Że jej to doradzał, ale odmówiła. Czy może on mieć moc prawną bez złożonej u notariusza kopii?

Flint i Zander wzruszyli ramionami.

— Jednak teraz nie martwiłbym się o to — odezwał się Zander. — Najpierw przeczytajcie ten list. Przeczytajcie go, a potem spróbujcie połączyć ze sobą wszystkie zdarzenia. Jest on dość rozwlekły i chaotyczny. Można powiedzieć, że składa się na niego lawina myśli...

Ana przysiadła na skraju łóżka Zandera i zaczęła czytać.

28 lipca 2000

Najdroższy Zanderze,
we wtorek poszłam na zakupy w poszukiwaniu urodzinowego prezentu dla Ciebie. Udałam się do Hampstead. To był piękny dzień. Weszłam na lunch do francuskiej kafejki i usiadłam przy stoliku na zewnątrz. Zamówiłam sobie zupę z porów na zimno. Była świeżo przyrządzona. Przepyszna. Następnie wypiłam mrożoną kawę, podaną w szklanym kubku z bitą śmietaną na wierz-

chu. Po lunchu poszłam do Gapa i kupiłam Ci ubrania, które
dołączam. Mam nadzieję, że Ci się spodobały. A potem powłó-
czyłam się trochę, delektując się słońcem, obserwując ludzi i mi-
jane wystawy. Kupiłam sobie parę butów z Pied à Terre i sukien-
kę od Ronita Zilkhy.

Zastanawiasz się pewnie, dlaczego opowiadam Ci o tym wszyst-
kim. Cóż — jest pewien powód. Ponieważ teraz, z perspektywy
dzisiejszego dnia, widzę, że wtorek był punktem zwrotnym w mo-
im życiu. I to włóczenie się po Hampstead tamtego popołudnia
stanowiło dla mnie koniec pewnej ery. I może gdybym wiedziała
o tym wtedy, bardziej bym się cieszyła tym dniem.

Ponieważ — i naprawdę nie oczekuję, że to zrozumiesz, masz
może intelekt i sposób bycia trzydziestolatka, ale emocjonalnie
wciąż jesteś szesnastoletnim chłopcem — ponieważ jakieś dzie-
sięć minut po tym, jak kupiłam buty, zobaczyłam Eda. Eda i Tinę
razem z trójką maluchów. Trójką maleńkich niemowlaków w wiel-
kim wózku. Tina przymocowywała właśnie do niego parasol,
a Ed trzymał te wszystkie dziecięce rzeczy. A potem nachylił
się do wózka i dojrzałam, jak się uśmiecha, i był to uśmiech bez-
granicznego i absolutnego uwielbienia. Następnie ruszyli dalej
i wszędzie, dokąd się udali, ludzie uśmiechali się do nich, zu-
pełnie obcy ludzie, ponieważ mieli doskonałe, identyczne dzieci,
a oni dwoje wyglądali na tak dumnych i spełnionych.

Byłam ubrana w różowe rybaczki z jedwabiu, za które za-
płaciłam 140 funtów i czarną, siatkową bluzeczkę, która koszto-
wała 85 funtów. Na nogi włożyłam różowe szpilki od LK Benneta
za 115 funtów. Rano spędziłam pół godziny na robieniu makijażu
— to, co zwykle, no wiesz — czarna kredka, czerwone usta, centy-
metr podkładu. Dzień wcześniej podcinałam włosy u Johna Frie-
dy'ego. Kosztowało mnie to 90 funtów. Wpięłam w nie wielką, je-
dwabną różę z Rosie Loves Johnny. 18 funtów.

Tina była ubrana w workowate legginsy i wielki podkoszulek,
a na nogach miała stare sandały. Włosy spięła w koński ogon,
a na jej twarzy nie było ani odrobiny makijażu. Wyglądała na
wykończoną i miała ogromny brzuch.

Możesz zgadnąć, która z nas wyglądała piękniej.

Wtedy coś we mnie umarło, Zanderze. Nie dlatego, że czułam, iż to powinnam być ja, ani dlatego, że pragnęłam trójki dzieci czy coś w tym stylu. Dawno temu przebolałam stratę Eda, o czym zresztą wiesz, i nie jestem obdarzona największym instynktem macierzyńskim na świecie. Ale moje pragnienie, by iść tą samą ścieżką, którą kroczyłam od piętnastu lat, po prostu w tamtej chwili gdzieś uleciało. Ostatnie piętnaście lat spędziłam na zagłuszaniu, naprawianiu sytuacji, mówieniu jednego kłamstwa, by ukryć kolejne, by ukryć kolejne, by ukryć kolejne... Minione piętnaście lat powinno było polegać na budowaniu życia, dojrzewaniu, rozwijaniu się, przyjmowaniu tego, co zsyła mi przeznaczenie. Ale nie byłam w stanie robić tego wszystkiego, ponieważ każdy uczyniony przeze mnie ruch, każda podejmowana przeze mnie decyzja rozbijała się o jeden moment z mego życia, który nigdy nie może zostać wymazany i nigdy, teraz to sobie uświadamiam, nie może zostać naprawiony.

Tamtego popołudnia wróciłam do domu i jedyne, czego pragnęłam, to zwinąć się w kulkę i płakać. Ale był tam pan Arif. W moim mieszkaniu. Siedział sobie na mojej sofie. W zeszłym tygodniu Johnowi udało się wydostać z mieszkania. Portier znalazł go, jak się wałęsał po trzecim piętrze. Wyszłam go szukać i znalazłam na biurku dozorcy, który karmił Johna tuńczykiem z puszki. Pewnie to on powiedział o nim panu Arifowi.

Pan Arif dostał szału. Jego twarz zrobiła się purpurowa, a oczy wychodziły mu z orbit i krzyczał, nazywając mnie kłamczuchą i oszustką, oświadczył, że powinien mnie teraz wyrzucić. Przestraszył mnie, a wiesz, że niełatwo jest tego dokonać. Zmusił mnie, bym wsadziła Johna, tu i teraz, do klatki i pozbyła się go. Zabrałam go tamtego popołudnia do naszego domu. Spędziłam tam z nim noc, ale około szóstej nad ranem obudził mnie atak paniki. Po raz pierwszy od wielu lat. Serce mi waliło, pociłam się i myślałam, że to zawał. Słyszałam hałasy w ogrodzie. Miałam paranoję. Wydawało mi się, że umieram, Zanderze. Byłam przerażona. Narzuciłam więc na siebie byle jakie ciuchy, zapakowałam Johna do klatki i wyjechałam. Pojechałam pociągiem, zostawiłam mój motor — byłam zbyt roztrzęsiona, by włożyć choćby kluczyk do stacyjki — i udałam się prosto do Lol. Poprosiłam ją, by wzięła na jakiś czas Johna do siebie, co nie było idealnym rozwiązaniem, gdyż ona nie cierpi kotów, ale jaki miałam wybór?

Właśnie rozmawiałam przez telefon z Lol. John zniknął. Zostawiła w mieszkaniu uchylone okno, a on zwiał. Jestem zrozpaczona. Czuję się tak, jakby nadszedł koniec wszystkiego. Wiem, co ty byś powiedział — to tylko kot. Tylko wielki, stary, głupi kot. Ale on był dla mnie kimś więcej. Znacznie więcej. To znaczy — jakie właściwie mam obowiązki, Zanderze? Żadnych — zgadza się. Nie posiadam dzieci, kredytu hipotecznego, pracy, rodziny. Tak naprawdę nie jestem nawet odpowiedzialna za Ciebie. Wysokie Cedry są za Ciebie odpowiedzialne. A kiedy przyjdzie wrzesień, w ogóle już mnie nie będziesz potrzebował. Jedyna istota na tej ziemi, za którą ponoszę odpowiedzialność, która mnie potrzebuje, zniknęła. John leży pewnie rozjechany gdzieś w ciemnej, pustej uliczce. Albo ktoś go ukradł. Ukradł i sprzedał jakiejś grubej kobiecie, która będzie go karmiła bułeczkami maślanymi i doprowadzi do ataku serca.

Jestem załamana, Zanderze, i czuję się tak bardzo winna.

Teraz, kiedy zaczynasz nowe życie i już mnie nie potrzebujesz, i kiedy już nie mam nawet Johna, by się o niego martwić, nie widzę żadnego powodu, by dłużej kłamać. W tym tygodniu coś sobie uświadomiłam — mam dosyć. Mam dosyć naprawiania błędów, ciągłych kompromisów, życia na pół gwizdka. I aby przestać się tak czuć, muszę zrobić coś, czego nigdy nie miałam zamiaru zrobić. Coś, co będzie oznaczało koniec Ciebie i mnie. Na zawsze. Chcę opowiedzieć Ci o roku 1986...

Rozdział trzydziesty piąty

Bee nie cierpiała tego całego zamieszania z prowadzeniem samochodu prawą stroną. Zwłaszcza nocą. Zwłaszcza, kiedy była zmęczona. Zwłaszcza wynajętego auta, którym jechała zaledwie od godziny. I zwłaszcza wtedy, kiedy widzenie utrudniały jej łzy.

Wylądowała na lotnisku w Bordeaux o dziewiątej, a teraz zmierzała niesamowicie cichymi drogami w kierunku domu jej ojca niedaleko Angoulême. Małe, granitowe miasteczka, wybudowane równolegle do drogi, były zupełnie wyludnione, nawet wyjątkowo oświetlona kafejka czy też bar ziały pustką.

Gregor kupił ten stary dom w miasteczku jakieś cztery lata temu, wyłożył wielkie pieniądze na jego renowację i teraz spędzał w nim większość czasu. Bee osobiście nie rozumiała, w czym tkwi jego atrakcyjność. Nie przepadała za Francją: francuskim jedzeniem, francuską architekturą, francuską wsią, francuską muzyką — ani także za samymi Francuzami. Wolała Włochy. Albo Hiszpanię. Albo Holandię. Albo jakikolwiek właściwie kraj na kontynencie europejskim z wyjątkiem Francji. Jej ojciec natomiast przekształcił się w kompletnego frankofila. Biegle mówił po francusku i cieszył się popularnością w swoim zaadoptowanym rodzinnym miasteczku, po którym jeździł na rowerze w berecie i apaszce, w pasiastej koszulce i warkoczem czosnku wokół szyi. Ale każdy lubi to, co lubi.

Skręciła pandą w lewo, wjechała na brudną drogę, która biegła obok domu Gregora, i zatrzymała się tuż za jego alvisem rocznik 1961. Wszystkie światła w domu były włączone i pośród tej zimnej, ciemnej nocy wyglądał on ciepło i zapraszająco.

— Cześć! — zawołała, wyciągając swoją weekendową walizkę z tylnego siedzenia i kierując się w stronę tylnych drzwi. Jej ojciec stał właśnie w kuchni, miał na sobie pasiasty fartuch rzeźnicki i mieszał coś w wielkim, niebieskim, żaroodpornym garnku. Popatrzył na nią przez zaparowane okna i na jego twarzy pojawił się szeroki uśmiech. Odłożył na bok drewnianą łyżkę, wytarł ręce w fartuch i podszedł do drzwi.

— Witaj, kochanie — rzekł, dusząc ją w mocnym, aromatycznym uścisku. Pachniał wodą kolońską i czosnkiem. Bee także go uścisnęła, ledwie będąc w stanie objąć jego szeroki tors.

— Witaj, tato.

— Śmierdzisz jak papieros — oświadczył, chwytając jej głowę i wąchając włosy. — Jak mały, czerwony marlboras. Kiedy masz zamiar je rzucić?

Bee zignorowała to pytanie i położyła torbę i płaszcz na czerwonym szezlongu. Podał jej duży kieliszek czerwonego wina.

— Co się gotuje? — zapytała, zrzucając buty na wysokich obcasach i drepcząc w stronę kuchenki.

— Och — odparł Gregor, uśmiechając się do niej ponad kieliszkiem wina. — Tylko takie małe coś, nad czym ślęczałem przez cały dzień, co wymagało ode mnie odwiedzenia trzech różnych bazarów i przekupienia rolnika na końcu drogi litrem czerwonego.

— Nie ma tam żadnych świńskich kawałków, co? — zapytała, zerkając do garnka.

— Co takiego?

— No wiesz: nóżki, uszy, ryj?

Roześmiał się głośno, a Bee uśmiechnęła się do niego. Był znacznie bardziej odprężony, odkąd w zeszłym roku odszedł na emeryturę i odkąd wykończono ten dom. Uwielbiał reżyserować, ale nienawidził odpowiedzialności finansowej, z którą wiązała się jego profesja, i zawsze ciężko znosił presję pracy nad opłacalną produkcją. Otaczała go wtedy aura kogoś, kto zbyt mocno się stara, by wyglądać na odprężonego. Jego uśmiechy zawsze wydawały się nieco sztuczne i cierpiał na ciągły ból kręgosłupa. Teraz był prawdziwie zrelaksowany i stanowiło to źródło radości dla Bee. Razem z Joe spędzał większość czasu tutaj, w Dordogne, robiąc zakupy, gotując, czytając i pijąc. Z domu wychodził, by coś zjeść, widywał się z przyjaciółmi, zasiadał w zarządzie kilku organizacji charytatywnych zbierających fundusze na badania nad AIDS i w jeszcze jednej, opiekującej się zubożałymi aktorami. Był wreszcie, w wieku sześćdziesięciu jeden lat, pogodnym i prawdziwie szczęśliwym człowiekiem.

Bee popatrzyła na tego swojego potężnego ojca, na jego policzki zaróżowione od pary i czerwonego wina, gęste, przyprószone siwizną włosy, szorstką brodę i modną bluzę Lacoste, wetkniętą niemodnie w ogromne sztruksy. Na stopach rozmiaru czterdzieści pięć miał miękkie, pastelowe skarpetki w kratkę, a wokół lekko obwisłej szyi apaszkę, będącą jego znakiem rozpoznawczym. Wyglądał jak nieboskie stworzenie. Wielkie, szczęśliwe, urocze nieboskie stworzenie. Poczuła, jak ogarnia ją fala miłości, i złożyła pocałunek na jego gorącym policzku.

— Gdzie jest Joe? — Zerknęła do salonu. Joe od dziesięciu lat był partnerem Gregora. Pracował jako projektant dekoracji i miał piętnaście lat mniej od jej ojca. Gregor mógł przebierać w ambitnych, przystojnych, napakowanych młodych aktorach, ale zakochał się w nieco głupawo wyglądającym projektancie dekoracji o imieniu Joe, który nosił kozią bródkę, miał chudą klatkę piersiową i chodził w rozsądnych, wiązanych butach. Kiedy Joe i Gregor szli gdzieś razem, wyglądali jak ojciec i jego lekko opóźniony w rozwoju syn. Ale Joe był tak naprawdę niezwykle inteligentny i kochał wszystko to, co kochał Gregor: Francję, jedzenie, ludzi, Bee. Uwielbiał Bee, tak naprawdę to bez mała ją czcił. Kiedy ukazał się jej pierwszy singiel, cały weekend spędził w HMV w Kensington przy High Street, zmuszając zupełnie obcych ludzi do zakupu krążka. Miał zeszyt z wycinkami, w który wklejał każde zdjęcie i wzmiankę o Bee, jakie się ukazywało w prasie, czasami pisał nawet do gazet, prosząc o archiwalne numery, jeżeli zdarzyło mu się coś przeoczyć. Joe był jej największym fanem, większym nawet niż Gregor. Bee traktowała go jak nieco kopniętego, ale kochanego starszego brata.

— Och. Joe nie ma tutaj.

— A gdzie jest?

— W Angoulême.

Czekała na dalsze wyjaśnienia. Jej ojciec i Joe zazwyczaj byli nierozłączni. Bee tak właściwie nie potrafiła sobie przypomnieć, kiedy po raz ostatni widziała jednego bez drugiego. Ale Gregor nie dodał ani słowa, zaczął po prostu siekać pęczek czegoś zielonego i liściastego.

— Czy to przeze mnie? — zapytała żartobliwie.

— Och. Nieee. Nie bądź głupia, Bee. Nie, on... eee... wypadło mu coś nieoczekiwanego.

— Och — odparła Bee. — Jasne. — Zwalczyła w sobie chęć dalszego wtrącania się w ich sprawy. Działo się tutaj coś nieprzewidzianego i niemiłego. Ale na razie to zostawi. Mogą porozmawiać o tym przy kolacji.

— No więc — rzekł Gregor, wracając do garnka — co porabia moja mała gwiazda pop? Zdradź mi wszystko...

Bee uniosła brwi i opadła na szezlong.

— Nie chcesz tego wiedzieć — odparła.

— Oczywiście, że chcę. Teraz, kiedy przeszedłem na emeryturę, nie mam już własnego życia. Muszę żyć pośrednio przez moją córkę. Opowiedz mi o wszystkich swoich przygodach.

Bee poczuła, że zaczyna jej drżeć dolna warga. Ojciec był jedyną osobą na świecie, przy której mogło to się zdarzyć, jedyną osobą, przy której mogła być sobą. Spotkanie z Davem Donkinem odbyło się we wtorek i do tej pory nikomu o tym nie powiedziała. Ani Flintowi, ani Lol, nikomu, ponieważ pragnęła poczekać i najpierw porozmawiać o tym z ojcem.

— Zrywają ze mną kontrakt, tato — załkała. — Te dranie zrywają ze mną kontrakt.

— Co takiego? — Odwrócił się do niej.

— Electrogram. Wstrzymują pracę nad albumem. Nie odnawiają ze mną kontraktu. Wyrzucają mnie.

— Ale... ale co z twoją umową, kochanie? Podpisałaś z nimi umowę. Oni nie mogą...

— Mogą.

— Ale są przecież z pewnością zobligowani do wydania i dystrybucji twojego albumu — przynajmniej do tego.

— Nie. — Bee potrząsnęła głową i wydmuchała nos w kawałek kuchennego ręcznika, który właśnie podał jej ojciec. — Nie. Przerabiałam już to z moim prawnikiem, z ich prawnikiem, ze wszystkimi. Niczego nie muszą robić. Ich działanie jest najzupełniej legalne.

Gregor przysiadł delikatnie na skraju szezlonga i otoczył ją ramieniem.

— Ale... dlaczego?

— Różnice w pomysłach na współpracę.

— A co to do diabła oznacza?

— To oznacza, że ja chcę sama pisać dla siebie piosenki, ale one najwyraźniej nie są dla nich wystarczająco „komercyjne" i jeżeli nie zgodzę się na bycie małą, słodką idiotką ubieraną przez nich, kreowaną przez nich i śpiewającą te ich szmatławe kawałki, oni nie chcą o mnie słyszeć...

— Piździelce — oświadczył Gregor, ściskając jej ramię i przeczesując dłonią swoje włosy. — Cóż za pieprzone piździelce...

Bee pociągnęła nosem i niczym bibuła chłonęła współczucie ojca. Wiedziała, że to nie wszystko wina Electrogramu, i wiedziała też, że jej ojciec także o tym wie. Wiedziała, że oboje wiedzą, iż była krótkowzroczną manipulantką i lubiła rządzić innymi, i że wykorzystała cierpliwość Electrogramu do granic możliwości. Ale oboje wiedzieli także, że teraz nie pora na wzajemne oskarżenia, że teraz jest czas na to, by ojciec przytulał swoją córkę i zgadzał się z nią, iż cały świat jest wielkim, tłustym draniem.

Bee pozwoliła opaść swej głowie na miękkie, ciepłe ramię ojca i poczuła, jak się odpręża, gdy jego usta złożyły na czubku jej głowy wielki, soczysty pocałunek, prawie tak, jakby próbował wyssać z niej smutek i samemu go połknąć. Wtuliła się mocniej w jego wielkie, uspokajające ramiona i poczuła, jak opuszcza ją przynajmniej część rozczarowania i głębokiego, płonącego upokorzenia z ostatnich kilku dni. Życie było tutaj prostsze, w mocnym uścisku jej ojca życie było do zniesienia, życie było słodkie.

— W mgnieniu oka podpiszesz następny kontrakt. — Gregor pstryknął palcami. — Wiesz o tym, prawda?

Pociągnęła nosem i coś mruknęła.

— Kiedy to się rozejdzie, wszystkie wytwórnie w Londynie, w kraju, będą się ustawiać w kolejce, by podpisać z tobą kontrakt. Wiesz, że wszystko się ułoży, prawda? Wiesz, że jesteś najlepsza?

Bee ponownie pociągnęła nosem i niewyraźnie coś wymruczała. Nie chciała rozmawiać, chciała jedynie tak siedzieć i słuchać, jak jej ojciec zapewnia ją, że wszystko będzie dobrze i że jest gwiazdą. Niespiesznie wyplątał się z jej objęć i wstał.

— Garnek mnie woła — oświadczył, podchodząc powoli do kuchenki i sypiąc coś zielonego na wierzch potrawki, po czym porządnie wszystko zamieszał. — Hmm — rzekł, smakując odrobinę z wielkiej, drewnianej łyżki. Otworzył butelkę miejscowego Bordeaux i obficie chlusnął go do garnka.

Bee trzymała między palcami pogniecioną chusteczkę, która żałośnie zwisała między jej kolanami.

— Kocham cię, tato. — Pociągnęła nosem.

— Ja ciebie też. — Mrugnął do niej i wrzucił do potrawki jeszcze jedną garść czegoś zielonego.

Zjedli w kuchni przy blasku świec, słuchając Ennio Morricone. Na zewnątrz zaczęło padać i w okna uderzały ciężkie krople deszczu. Palący się w wielkim kominku z cegieł ogień drżał i syczał, gdy przez komin wpadały krople deszczu, a płomieniami poruszały upiorne podmuchy wiatru.

— No więc — zaczęła Bee, kiedy temat jej osoby został wyczerpany i otrzymała już wystarczająco wiele ojcowskiej uwagi — co to za historia z Joe?

Gregor podniósł się z krzesła, pozbierał puste naczynia i dłonią oczyścił serwetę na stole z okruchów chleba.

— Mówiłem ci już, kochanie. Coś mu wypadło.

— Co jest, tato? Opera mydlana? Wiesz, w prawdziwym życiu nie można się wykręcić czymś takim, jak: „Coś mu wypadło".

Wrzucił kości kurczaka do kosza na śmieci i westchnął.

— Co, tato? Co się stało?

Wstawił puste naczynia do zlewu i odwrócił się, by spojrzeć na swoją córkę. Próbował się uśmiechnąć, ale efekt był tak nieprzekonujący, że Bee zachciało się płakać.

— O Boże. Tato. Co się stało? — Wstała i położyła dłoń na jego ramieniu.

Ponownie się do niej uśmiechnął. Był to wymuszony, przepraszający uśmiech.

— On odszedł — wyrzucił z siebie, poklepując uspokajająco jej dłoń. — Joe odszedł.

— Co to znaczy, że Joe odszedł?

— To znaczy, że między nami wszystko skończone.

Bee prawie się uśmiechnęła. Myśl, iż Joe zostawił jej ojca, była tak niedorzeczna, że niemal zabawna. Joe nie istniał bez Gregora.

— Ależ to najbardziej idiotyczna rzecz, jaką zdarzyło mi się słyszeć.

Mężczyzna westchnął i wziął do ręki kieliszek z winem.

— Czy to nie wystarczy?

— A więc co dokładnie się dzieje? To znaczy, jak to się mogło stać?

— Och, kochanie — odparł, wbijając wzrok w podłogę.

— Co! Czy mógłbyś łaskawie mi powiedzieć, co się dzieje?

— Sądzę, że powinnaś usiąść.

Bee zdjęła dłoń z jego ramienia i z odrętwieniem usiadła na krześle.

— Więc?

— Więc on... eee... Joe miał... eee... romanse, jak ty byś to pewnie nazwała.

— Romanse?

— Tak. Sypiał z innymi ludźmi. Za moimi plecami.

— Ale. To niemożliwe. — Bee wystarczająco trudno było wyobrazić sobie Joe uprawiającego seks, nie mówiąc już o uprawianiu seksu z bezimiennymi osobami za plecami jej ojca. Do niego coś takiego po prostu nie pasowało.

Gregor uśmiechnął się cierpko.

— Och, kochanie. Obawiam się, że to bardziej niż możliwe.

— Ale z kim? — Bee uświadomiła sobie, że zadaje głupie pytanie, ale odpowiadała nim jedynie na to, co dla niej było głupim stwierdzeniem.

— Mężczyznami, kochanie. Sypiał z mężczyznami.

— Ale z mężczyznami, których znasz? Czy też zupełnie obcymi?

— Obcymi.

— Jakimi obcymi mężczyznami?

Gregor westchnął i opuścił wzrok na kieliszek z winem.

— Obcymi mężczyznami, których poznawał w publicznych toaletach.

— To znaczy szukał partnerów w toaletach? Puszczał się w kiblach?

Jej ojciec kiwnął głową.

Bee zadrżała.

— To odrażające — oświadczyła. — To takie odrażające. Od jak dawna to robił?

— Wygląda na to, że od lat. Od lat. Jednak to nie jest jedynie jego winą, kochanie. Seksualna strona naszego związku przybladła już dość dawno temu, szczególnie z powodu moich problemów z kręgosłupem i...

— To nie o to chodzi, tato. To nie o to chodzi. Jeżeli był niezadowolony z takiej sytuacji, to mógł coś powiedzieć, porozmawiać z tobą...

— Ale o to właśnie chodzi. On był zadowolony. Dla niego

stanowiło to doskonały kompromis. On mnie kocha. Zawsze mnie kochał. Nigdy nie zrobiłby niczego, co mogłoby mnie zranić. Dlatego właśnie zdecydował się zaspokajać swój... eee... apetyt w tak anonimowy sposób. Nigdy, przenigdy nie przyszło mu do głowy, by mogło to rzutować na nasz związek...

— Ale ty się dowiedziałeś. Jak? W jaki sposób się o tym dowiedziałeś?

— Cóż, i w tym problem, kochanie. To jest bardzo, bardzo...eee... trudna sprawa.

— Trudna?

— Tak. Widzisz, pomimo podejmowania wszelkich kroków ostrożności, pomimo to, że Joe jest jednym z najbardziej inteligentnych, świadomych ludzi, jakich znam, w jakiś sposób został... zainfekowany.

Na chwilę przed jej oczami pojawiła się pustka i Bee zakryła je dłońmi.

— Tak, w zeszłym tygodniu otrzymał wyniki testu. Jest zainfekowany wirusem HIV, kochanie.

Bee z bólem przełknęła ślinę i przesunęła dłonie z oczu do ust.

— I widzisz, mimo że w ciągu ostatnich kilku lat nie byliśmy już parą szczególnie aktywną seksualnie, nie znaczy to, że nie mieliśmy swoich momentów, od czasu do czasu. I...

— Nie — rzekła Bee przez palce. — Nie...

— Cóż, tak, kochanie. Na to wygląda. I...

— Nie... nie.

— Tak. Ale kochanie, wiesz równie dobrze jak ja, że medycyna robi ogromne postępy i...

— Medycyna paliatywna, tato. Prochy, które uczynią twoją śmierć łatwiejszą, a nie lekarstwa, które pomogą ci żyć.

— Nie. To nieprawda. Każdego dnia czynione są postępy. A ja znajduję się w bardzo wczesnym stadium. Dopiero niedawno zostałem zarażony. Do czasu, kiedy wirus zacznie się rozwijać...

— Przestań! Przestań natychmiast. Nie mogę tego słuchać.

— Zakryła dłońmi uszy.

Gregor odsunął je.

— Wszystko będzie dobrze, mój skarbie. Obiecuję ci to. Wszystko będzie po prostu wspaniale.

— Nie, nie będzie. Nie będzie dobrze. W jednej chwili jesteś zdrowym mężczyzną w średnim wieku, cieszącym się zasłużoną emeryturą, a w następnej masz AIDS i to wszystko z winy tego drania. Tego ohydnego drania. On jest odrażający. Puszczać się w kiblach. Śmierdzących, obsikanych, obsranych kiblach. Po tym wszystkim, co dla niego zrobiłeś. Karmiłeś go, ubierałeś, wprowadziłeś go w świat, w którym nigdy nie byłby mile widziany, gdyby nie ty. Dałeś mu życie. Dałeś mu życie, tato. Nienawidzę go. Nienawidzę go. — Twarz Bee była szkarłatna i mokra od łez.

— Nigdy, przenigdy nikogo w życiu tak bardzo nie nienawidziłam. — Dłonie miała zaciśnięte w twarde pięści.

— Proszę. Bee. Nie wyżywaj się na Joe. Nie wściekaj się na niego. To nie jego wina. Wiń Boga. Wiń pecha. Wiń kiepskiej jakości kondomy. Ale, proszę, nie wiń Joe.

— Och, ale ja winię jego i już. Naprawdę, naprawdę go winię. Gdzie on jest?

— Joe?

— Tak, Joe. Gdzie on jest?

— On jest... eee... on jest w szpitalu. W Angoulême.

— Czemu?

— Widzisz, on jest bardzo, bardzo chory. Dlatego właśnie poddał się badaniom. Już od jakiegoś czasu nie czuł się dobrze. Miał zapalenie płuc.

— Od jak dawna tam jest?

— Od kilku tygodni. Jeszcze się nie przemogłem, by pojechać go odwiedzić.

— Ale dlaczego nie powiedziałeś mi o tym wcześniej?

— Nie pytałaś, prawda, moja mała gwiazdo pop? — uśmiechnął się i zmierzwił jej włosy.

— Ale... Sądziłam, że mówiłeś, iż to wczesne stadium?

— Powiedziałem, że ja jestem we wczesnym stadium. Nie Joe. Wygląda na to, że został on zarażony kilka lat wcześniej.

— Czy on umrze?

Gregor wzruszył ramionami.

— Mam nadzieję, że tak. Mam nadzieję, że umrze.

— Proszę, kochanie. Proszę, nie mów takich rzeczy. Proszę.

— Nie mogłam się powstrzymać. Jeżeli coś ci się stanie, tato, ja chyba umrę. Naprawdę umrę.

Jej ojciec podszedł do pokaźnych rozmiarów lodówki i wyjął z niej duże, ceramiczne naczynie. Znajdowało się w nim śmietankowo wyglądające ciasto, pokryte wijącymi się, czekoladowymi wiórami. Wyciągnął je w kierunku Bee i uśmiechnął się.

— Sernika, kochanie?

Bee obudziła się o czwartej nad ranem. Była cała spocona i ledwie mogła oddychać. Śnił jej się koszmar. Dave Donkin siedział okrakiem na jej ojcu, a w ręku trzymał wielką strzykawkę. Twarz miał pomalowaną na czerwono i był ubrany w skórzane majteczki. Jej ojciec krzyczał, a dziwnie unieruchomiona Bee nie mogła zrobić niczego, by mu pomóc.

Kiedy się obudziła, rozejrzała się i przez chwilę nie potrafiła sobie przypomnieć, gdzie się znajduje. Ale tylko przez chwilę. Zaczęło jej walić serce. Miała mokrą szyję. Próbowała przełknąć ślinę, ale w jej ustach nie było ani odrobiny wilgoci. Chwyciła w dłonie szklankę. Trzęsły jej się ręce. Wylała wodę na kołdrę. Jej serce zaczęło bić jeszcze szybciej. Przez głowę przemknęła jej wizja ojca, zakażonego i wychudzonego, rozciągniętego na szpitalnym łóżku. Zabrakło jej tchu. Kolejny obraz pojawił się w jej wyobraźni: toalety publiczne w nocy. Czuła odór moczu, słyszała wodę kapiącą ze spłuczki i widziała czającego się Joe. Piskliwy czyścioszek Joe. Spokojny, cichutki Joe. Joe, którego znała, odkąd skończyła dwanaście lat. Zaraził kogoś, kto dał mu wszystko. Jej ojca. Najmilszego, najbardziej hojnego, kochającego i uprzejmego człowieka, jakiego Bee kiedykolwiek poznała.

Jej serce zaczęło walić tak szybko, że czuła, jak uderza ono o żebra. Zostanie zupełnie sama. Jej ojciec umrze. Nastąpi długa, bolesna, przeciągająca się śmierć, a potem ona zostanie zupełnie sama. I jej kariera — jej kariera dobiegła końca. Nie miała już niczego ani nikogo. Skończy zupełnie sama, gdzieś w jakimś okropnym mieszkaniu. Też pewnie umrze. Umrze młodo. I nikogo to nie będzie obchodziło. Ale dlaczego miałoby być inaczej, pomyślała, drżącymi rękami wysoko podciągając kołdrę, dlaczego kogokolwiek miałaby ona obchodzić?

W jej głowie pojawiało się coraz więcej myśli i obrazów. Wszystkie negatywne. Wszystkie czarne. Wszystkie mówiły jej, że dobre czasy się skończyły. Na zawsze. W jej życiu zagości teraz choroba, śmierć, klęska i bieda. Wyczołgała się z łóżka i zaczęła krążyć po pokoju. Chodziła i chodziła, i przepełniała ją panika. Przyłożyła dłoń do piersi i poczuła uporczywe walenie. Ona umiera. Była tego pewna. Ledwie mogła oddychać. Ma atak serca. Czy powinna obudzić ojca? Obudzić go? Powiedzieć mu, że umiera? Nie, pomyślała, nie, nie przeszkadzaj ojcu, po prostu głęboko oddychaj. Głęboko... głęboko... oddychaj. Jej oddech był krótki i urywany. Płuca w ogóle nie chciały się rozszerzać. Usiadła na skraju łóżka. Jej serce waliło teraz tak szybko, że nie była w stanie rozróżnić poszczególnych uderzeń. Miała wrażenie, że jej klatka piersiowa zaraz eksploduje. Ściany pokoju zaczęły się rozmazywać, a jej ciałem wstrząsały drgawki, jakby przepływał przez nie prąd. Wszystko się zamykało, wszystko się po prostu...

— Dzień dobry, kochanie. — Gregor wszedł do pokoju z tacą, na której znajdował się dzbanek z kawą, duży, niebieski kubek, trzy grube tosty, słoik dżemu z pigwy i biała róża o płatkach poprzecinanych różowawymi żyłkami.

Postawił tacę na stoliku przy jej łóżku, po czym odsłonił jasnobeżowe zasłony.

— Uch. Boże. Tato. Czy ty musisz? — Bee otworzyła oczy i natychmiast nakryła głowę poduszką. — Która godzina?

— Wpół do jedenastej.

Usiadła wyprostowana.

— Naprawdę? — zapytała.

— Tak. I mamy naprawdę piękny dzień. Ani jednej chmurki... — Zerknął przez okno na niebo.

Bee miała wrażenie, że oberwała w głowę drewnianym kijem.

— Jak się czujesz?

— Cholera. Prawie w ogóle nie spałam. I sądzę, że... — Jej myśli plątały się, gdy próbowała sobie przypomnieć, co dokładnie wydarzyło się zeszłej nocy. — Chyba zemdlałam.

Gregor odwrócił się do niej zaalarmowany.

— Zemdlałaś?

— Tak. — Nalała sobie kawy. — W samym środku nocy. Ja... martwiłam się różnymi sprawami, a potem myślę, że urwał mi się film. Czułam się strasznie.

— A czym tak bardzo się martwiłaś?

Bee uniosła brwi. Typowy tata. Nie można robić zamieszania. Udawajmy, że wszystko jest w porządku.

— Tobą, ty kretynie — drażniła się z nim. — Martwiłam się o ciebie. — Zamieszała kawę i wypiła łyk. Zawahała się chwilę, zanim wypowiedziała następne zdanie. — Wolałabym nie wiedzieć tak dużo, tato.

— Co masz na myśli?

— AIDS. Wolałabym nie wiedzieć o tym tak dużo. To tylko pogarsza sytuację. Te wszystkie wizyty u Geoffrey'a i Bobby'ego w Westminster. Ci wszyscy ludzie. Ci ludzie, którzy rok wcześniej, niczym się nie przejmując, wirowali w satynowych koszulach w rytm piosenek Donny Summer. Leżący tam, wyglądający na trzydzieści lat starszych, niż są, tak jakby już byli martwi. Żałuję, że ich widziałam. Może w przeciwnym wypadku to wszystko nie wydawałoby się tak bardzo realne...

— Och, kochanie. To nie jest jeszcze realne, wiesz o tym. Jeszcze nie. Nie teraz.

Bee głośno odstawiła kubek na stolik.

— Ależ to jest realne, tato. To jest tak niewiarygodnie realne. Niemożliwe, by stało się jeszcze bardziej realne.

Gregor wzruszył ramionami i zdjął z tacy różę. Podniósł ją do nosa i powąchał. Zamknął oczy, a jego twarz się rozjaśniła.

— Wiesz jednak co, moja słodka? To nie wydaje się realne. Naprawdę nie wydaje się. I wolę, by tak na razie pozostało.

Położył różę na kolanach Bee, uśmiechnął się do niej i cicho wyszedł z pokoju.

Rozdział trzydziesty szósty

Bee pojechała po zakupy dla ojca. Gregor starał się jej to wyperswadować, zwłaszcza po tym nocnym incydencie z zemdleniem, ale ona chciała się wyrwać. Usiąść gdzieś i w samotności wypić kawę. Tak wiele spraw musiała przemyśleć.

Ominęła kuszące i egzotyczne *boulangerie*, *boucherie* i *patisserie*, a zamiast tego udała się do *supermarché*, gdzie nie będzie od niej wymagane użycie jej koszmarnego, szkolnego francuskiego. Bee włożyła do koszyka pokrytą pleśnią wędzoną kiełbasę w siatce, spory kawał śmierdzącego sera, słoik mętnego, rybiego wywaru i obsypane mąką bochenki chleba. Przy kasie wskazała na paczkę marlboro i kupiła także egzemplarz angielskiego „Timesa". Wrzuciła zakupy na tylne siedzenie swego samochodu, wzięła gazetę i papierosy i znalazła w małej kawiarence wolne miejsce tuż przy oknie.

— Un café... — rzekła, a jej twarz wykrzywiła się, gdy uświadomiła sobie, że nie potrafi sobie przypomnieć nawet słowa „proszę": *por favor? Pourquoi?* Uśmiechnęła się wyjątkowo uprzejmie do kelnera, mając nadzieję, że tym nadrobi swoje braki językowe i zdjęła folię z papierosów. Zapaliła jednego i przez chwilę wyglądała przez okno. W promieniach grudniowego słońca miasteczko wydawało się posępnie ładne. Uliczne latarnie oplecione były świątecznymi lampkami, a wszystko pokrywała warstwa połyskującego szronu. Tydzień temu było Boże Narodzenie. Jej ulubiona pora. Zazwyczaj. Westchnęła i wyciągnęła dodatek ze środka gazety. Z roztargnieniem i bez entuzjazmu przekartkowała go. Tradycyjne podsumowania kończącego się roku. Strony z ponurymi, czarno-białymi zdjęciami. Fotografia „Challengera", rozpadającego się nad przylądkiem Canaveral, wzruszające portrety ofiar Czarnobyla, jedno radosne zdjęcie przedstawiające rozentuzjazmowanego Desmonda Tutu*. A potem listy.

Kto umarł.

Kto jest na topie.

Kto nie jest.

Trendy. Gwiazdy. Filmy.

Muzyka. Hity. Aha. Madonna. The Communards. The Housemartens. Porażki. Gwiazdy. Nick Berry. Najgorsi z Najgorszych. Utwory, przez które baliśmy się włączyć radio.

Bee uśmiechnęła się z pełną satysfakcji *schadenfreude* na widok zdjęć Dr & the Medics i Nu Shooz i różnych innych gwiazd jednego przeboju, po czym przerzuciła stronę.

A tam była ona. O Boże. Poczuła, jak z jej twarzy odpływa cała krew. Wielkie na ćwierć strony zdjęcie jej samej z nadąsaną miną, w czarnej, satynowej marynarce z bufiastymi rękawami, z zaczesanymi do tyłu włosami i czerwoną obróżką wokół szyi. To była jedna z tych promocyjnych fotografii, których nie cierpiała najbardziej. Makijażysta zużył masę czarnej konturówki Siouxsie-Sioux i pomalował jej usta tak, że wydawały się być wygięte niczym łuk Kupidyna i wyglądała po prostu... wyglądała jak kompletna krowa, straszna, zadzierająca nosa dziwka. Z pewnością celowo wybrali właśnie to zdjęcie.

„Cóż za różnicę czyni jeden rok (informował tekst). Dokładnie przed rokiem Bee Bearhorn została okrzyknię-

---

* Desmond Tutu — ur. w 1931 r., anglikański biskup i polityk RPA, Afrykanin; przeciwnik apartheidu, prześladowany przez władze; w 1984 r. otrzymał Pokojową Nagrodę Nobla.

ta twarzą nowego popu, brytyjską odpowiedzią na Madonnę, gwiazdą w ascendencie. *Groovin' for London* stał się klasycznym hitem muzyki pop, a Bee była jej niekwestionowaną królową. Z tym swoim porażającym wizerunkiem i napastliwą osobowością stała się kobietą z plakatu dla chłopców i bohaterką dla dziewcząt. A potem pojawiła się piosenka *Space Girl*. Była zła. Była bardzo zła. I kiedy pomyślałeś, że już nie może być gorzej, ukazał się singiel zatytułowany *Honey Bee*. Lekcja dla wszystkich robiących karierę gwiazd pop. To że jesteś ładna i dobrze wyglądasz w czarnym skaju, nie oznacza od razu, że potrafisz pisać piosenki. Zostaw to profesjonalistom, dobrze? A jeżeli chodzi o Bee — cóż, jako że wytwórnia płytowa właśnie się jej pozbyła, możemy ze spokojem oczekiwać, że jeszcze przed końcem tej dekady ujrzymy ją w programie telewizyjnym *Co się stało z...*"

Bee upuściła gazetę na stolik i poczuła, jak jej oczy wypełniają się łzami. To już za dużo. To już za dużo, o wiele za dużo. Pojawił się kelner z jej kawą. Bee wyciągnęła portmonetkę i wyrzuciła z niej garść monet, pozwalając im opaść z hałasem na talerzyk. „The Times", pomyślała z przerażeniem. Najpopularniejsza gazeta w kraju. Jej przyjaciele czytają „Timesa". Jej fani czytają „Timesa". Jej matka czyta „Timesa". Wszyscy czytają tego pieprzonego „Timesa" i teraz wszyscy się dowiedzą. Jakby nie było wystarczającym upokorzeniem wypuszczenie w przeciągu sześciu miesięcy dwóch singli, które zrobiły klapę, bycie obsmarowaną w prasie muzycznej, odsyłanie przez Woolwortha i Our Price całych skrzynek z jej singlami do centrum dystrybucji Electrogramu, bycie obiektem kpin. Tak, jakby klęska nie była już wystarczająco zła, teraz jeszcze to. W gazecie ogólnokrajowej.

Bee wytoczyła się z kafejki i skierowała do samochodu. Chciała teraz wrócić do swojego taty. Pragnęła, by jej powiedział, że wszystko będzie dobrze. Nie chciała być teraz sama. Wycofała się z miejsca parkingowego i ruszyła w stronę domu. Gdy jechała, po jej policzkach spływały łzy, a serce ponownie zaczęło walić w szaleńczym tempie. Ciągle myślała o tych wszystkich ludziach, wszystkich, którzy rok temu traktowali ją tak poważnie, a teraz z niej kpili. Rechotali za jej plecami. Wyśmiewali jej spektakularny brak talentu. A potem pomyślała o twarzy Dave'a Donkina. Jak starał się udawać, że Bee go obchodzi. Jakby łamało mu serce to, że nie będą już razem pracować. I że gdyby to zależało tylko od niego...

— Brednie! — zawołała głośno, wierzchem dłoni ocierając łzy. — Wierutne brednie.

Z nosa na usta skapywał jej śluz. Wytarła go. Kilka razy głęboko odetchnęła. Jej serce waliło, waliło i waliło. Wszystko się rozpadało. Naprawdę wszystko. Rozpadało się na drobne kawałki. I jeszcze to jej serce, pomyślała. Zdecydowanie z jej sercem jest coś nie tak. Przyłożyła dłoń do klatki piersiowej. Waliło mocno, nieregularnie. Nie mogła oddychać. Ma atak serca. Ma. Była tego pewna. Atak serca w wieku dwudziestu dwóch lat. Umiera. Zaraz umrze. Tutaj. We Francji. We fiacie panda. Jezu. Jezu Chryste. Musi wracać. Musi wracać do domu. Do ojca. Dotknęła stopą pedału gazu i otworzyła okno. Świeże powietrze. Gdy wjechała na obszar leśny, droga zaczęła się wić. Usłyszała, jak opony piszczą na asfalcie. Musi jechać do domu. Nie może tutaj umrzeć. Nie tutaj. Nie w samochodzie. Zupełnie sama.

Skręciła, a koła pandy ledwie trzymały się pokrytej topniejącym śniegiem nawierzchni. Weszła w kolejny zakręt. A potem — Jezu — Chryste. Co takiego... W jej kierunku pędził biały van. Wielki, biały van. Po niewłaściwej stronie drogi. Jechał po niewłaściwej stronie drogi. Nacisnęła klakson i gwałtownie obróciła kierownicę o dziewięćdziesiąt stopni. Biały van także skręcił i chwilę po tym, jak zjechał jej z drogi, ona zatrzymała się jakieś pięć centymetrów od pnia wielkiego dębu. Głową poleciała w kierunku przedniej szyby i zabrakło jej tchu, gdy klatką piersiową uderzyła w kierownicę.

Przez chwilę panowała nienaturalna cisza. Bee dotknęła czoła, a potem żeber. Ale nic jej się nie stało. I wtedy, gdy miała już z powrotem uruchomić silnik i ruszyć dalej, usłyszała dziwny, przytłumiony, głuchy odgłos. A potem jeszcze jeden. Odwróciła głowę, by obejrzeć się za siebie. W powietrzu unosiły się chmury kurzu. Nigdzie nie było widać białego vana. Po obu stronach droga opadała w stromy wąwóz. Nie, pomyślała Bee. Nie, to niemożliwe. Była tego pewna. Byłoby więcej hałasu. Nie, uznała, z vanem jest wszystko w porządku i właśnie jedzie w kierunku miasteczka. Z vanem jest wszystko w porządku.

Wrzuciła pierwszy bieg, głęboko odetchnęła i ruszyła dalej. I dopiero kiedy powróciła na drogę i automatycznie obrała jej lewą stronę, uświadomiła sobie, że to nie van jechał po niewłaściwej stronie drogi.

To ona.

RODZINA GINIE, DZIECKO CUDOWNIE UCHODZI Z ŻYCIEM

Jedynie sześciomiesięczne dziecko przeżyło tragiczny wypadek, w którym wczoraj zginęli czterej inni członkowie jego rodziny. Dwoje członków rodziny Roper z Tenterden w hrabstwie Kent i dwoje członków rodziny Wright z Tunbridge Wells było w drodze do wynajętego domu na wsi w regionie Dordogne we Francji, gdzie mieli zamiar wspólnie spędzić ferie świąteczne i noworoczne. Ich wynajęty minibus zjechał z drogi na ostrym zakręcie tuż za miasteczkiem Ruffec i spadł ponad osiemdziesiąt metrów w dół do skalistego wąwozu. Dziecko, Alexander Roper, zostało wyrzucone z minibusa razem z fotelikiem. Jego stan określany jest jako krytyczny.

Rodzice dziecka, Joanne i Rupert Roperowie, oraz wujostwo Beverly i Tim Wrightowie, zginęli na miejscu na skutek eksplozji, która zniszczyła minibusa.

Francuskie władze rozpoczną śledztwo w sprawie tego wypadku. Nikt nie jest poszukiwany w związku z tym wydarzeniem.

Rozdział trzydziesty siódmy

Po kręgosłupie Any przebiegł dreszcz. Odłożyła na łóżko wycinek z gazety.

— O mój Boże — rzekła cicho.

— Kurwa — rzucił Flint, siadając ciężko na łóżku Zandera. Przeczesał palcami włosy i głośno odetchnął. Na zewnątrz głośno śmiało się jakieś dziecko.

Zander przeniósł spojrzenie z Any na Flinta i z powrotem na Anę, a na jego twarzy malowało się wyczekiwanie. Ale oni siedzieli bez słowa. Powoli docierał do nich pełen horror tego, co właśnie przeczytali.

— Spodziewałem się, że zadzwoni — odezwał się wreszcie Zander. — Miałem wszystko zaplanowane, to, co jej wtedy powiem. Jak każę jej się czuć. Chciałem ją zniszczyć. Ponieważ doskonale wiedziałem, jak jej dokopać, wiecie? Powstała między nami ta... więź, i ja potrafiłem zranić Bee. Zamierzałem odebrać jej tę odrobinę nadziei, która jej pozostała i ją zniszczyć. Chciałem powiedzieć, że jej nienawidzę. Że jest brzydka. I stara. Że pragnę, by nie żyła... — urwał i zamyślił się. — Ale ona nie zadzwoniła. Po jakimś czasie ja po prostu... To nie brzmi jak list pożegnalny samobójcy, prawda? — zapytał z niecierpliwością.

— To znaczy, nie było sposobu, by z niego wyczytać, że ma właśnie zamiar zrobić coś tak strasznego? A nawet gdyby wyrażała się jaśniej, i tak byłoby za późno, gdyż otrzymałem ten list w następny poniedziałek, więc musiała wysłać go w tamten dzień, wiecie, dokładnie tamtego wieczoru, więc...

Ponownie zapanowała cisza, a Zander spoglądał desperacko to na Anę, to na Flinta, czekając na jakąś reakcję. Ale oni byli nadal zbyt wstrząśnięci, by coś powiedzieć.

— Miałem zamiar jej wybaczyć, wiecie? — odezwał się cicho Zander.

— Naprawdę? — zapytała Ana, wreszcie podnosząc wzrok z podłogi.

— Tak.

— Ale jak? Nie rozumiem, jak ktokolwiek mógłby... — Wskazała oczami na wózek.

Zander westchnął i popatrzył na sufit.

— Oczywiście strasznie dużo o tym wszystkim myślałem i z upływem czasu moje spojrzenie na tę sytuację stało się — jak zwykle, przypuszczam — racjonalne.

— Ale jak można myśleć racjonalnie o czymś tak okropnym?

— Popatrz na to w ten sposób, Ano. Zakładając, że to, co się stało na drodze we Francji w ogóle się nie wydarzyło, zakładając, że byłem silny, krzepki i wychowywałem się w kochającej rodzinie, kto udowodni, że to nie ja brawurowo prowadziłbym samochód? Kto udowodni, że to nie ja stałbym się dzikim, zbuntowanym dzieciakiem kradnącym samochody, zapieprzającym nimi, zabijającym ludzi? Nie sposób się tego dowiedzieć i dlatego właśnie nie jestem w stanie osądzać Bee. I, używając komunału, nie tęskni się za tym, czego się nie miało. Jak na ironię Bee zapewniła mi jedyne doświadczenia mego życia do chwili obecnej, których będzie mi brakowało. Nie istniało nic, za czym mógłbym tęsknić, zanim nie poznałem Bee, nic, co mógłbym wspominać, żadnej prawdziwej historii. Rozumiecie? Bee odebrała mi to wszystko, ale ponieważ nie doświadczyłem tego, co zabrała, mogę ją oceniać jedynie na podstawie tego, co mi dała. A dała naprawdę dużo.

— Na przykład co?

— Cóż, podejrzewam, że miała na mnie spory wpływ. Mobilizowała mnie. I wyciągnęła ze mnie na zewnątrz to, co najlepsze. Zazwyczaj nie przejmuję się uszczęśliwianiem innych ludzi, ale w Bee było coś takiego, co sprawiało, że po prostu pragnąłem ją zadowolić. Lubiłem patrzeć, jak się uśmiecha. Lubiłem, gdy była odprężona. Lubiłem ją rozśmieszać. Uwielbiałem z nią przebywać. Uwielbiałem ją... — Odkaszlnął i Ana zauważyła, że na jego policzkach pojawia się ognisty rumieniec. — Gdyby nie Bee... cóż... za kilka tygodni opuszczam to miejsce, wiedzieliście o tym?

— Co to znaczy, że opuszczasz to miejsce?

— Zostałem przyjęty na Uniwersytet św. Andrzeja. Będę studiować nauki matematyczne. To ona nalegała, bym próbował się tam dostać.

— Gratulacje!

Ponownie się zarumienił.

— Tak. Dzięki. Właśnie otrzymałem wyniki egzaminów końcowych. Dostałem cztery piątki, najlepiej w szkole — uśmiechnął się do nich z dumą. — Będę tam najmłodszym studentem, co już stanowi pewne osiągnięcie.

— Kto tam będzie, no wiesz, opiekował się tobą?

— No cóż, na tym uniwersytecie będą jeszcze trzej inni niepełnosprawni studenci. Mamy zająć specjalnie przystosowany dom. Zamieszka z nami pielęgniarka, ale generalnie będę bardzo niezależny. Och — i mam zamówiony nowy wózek. Za siedem patyków. Powinni go dostarczyć w przyszłym tygodniu. Będzie naprawdę super! — uśmiechnął się do nich szeroko i nagle wyglądał jak szesnastoletni dzieciak, a nie jak stary człowiek. Ale po chwili uśmiech zniknął z jego twarzy. Zamilkł i bawił się brzegiem koszulki. Po jego twarzy spłynęła łza. Pociągnął nosem i użył lewej strony koszulki do otarcia policzków. — Przepraszam — rzekł. — Przepraszam. Boże, jakie to krępujące. — Ana położyła dłoń na jego bladej ręce. — Nie mogę uwierzyć w to, że jej już nie ma. Jak może nie być Bee? To się wydaje niemożliwe. Wierzysz w niebo, Ano?

Wzruszyła ramionami.

— Nie jestem szczególnie przekonana co do nieba, ale czasami mam dziwne uczucie, że ludzie mnie obserwują. No wiesz. Ci, co nie żyją. Nie w jakiś straszny, upiorny sposób, po prostu spokojnie, tak, jakbym grała w przedstawieniu, a oni byli publicznością. To jest bardziej poczucie, że nie jest się samym, niż wiara, że pewnego dnia wszyscy ponownie się spotkamy. Czy to, co mówię, ma jakiś sens?

Zander kiwnął głową.

— No a ty? Wierzysz w niebo?

Chłopiec roześmiał się.

— Oczywiście, że nie — odparł. — Jestem naukowcem. Jak mogę wierzyć w niebo? Ale podoba mi się twoja analogia do przedstawienia. Czuję, jeżeli wolno mi w ogóle wierzyć, że Bee mnie obserwuje, że będzie dalej wywierała na mnie pozytywny wpływ. I moja rodzina. Mogę sprawić, by byli ze mnie dumni, coś zrobić, dla nich. Tak — dodał, a jego twarz nieco się rozjaśniła. — Bee może być moim aniołem stróżem, jeżeli wolisz, bym ujął to tak. Podoba mi się ten pomysł. Dziękuję ci, Ano.

Ponownie uścisnęła jego ramię, a potem włożyła dłoń do kieszeni swoich dżinsów.

Flint spojrzał na zegarek.

— Przykro mi, stary — rzekł. — Będziemy musieli zaraz się zmywać. O siódmej mam robotę.

— Jasne, jasne. Oczywiście. Odprowadzę was do samochodu, jeżeli nie macie nic przeciwko temu?

Gdy pożegnali się już na parkingu, Zander popatrzył na nich oboje ciepło i z lekkim zakłopotaniem.

— Czy mógłbym… czy mógłbym poprosić was o przysługę?

Kiwnęli głowami.

— Cóż, jeżeli byście się zgodzili, to naprawdę chciałabym pozostać z wami w kontakcie. Nie chodzi o to, że chcę być wielką częścią waszego życia czy coś w tym rodzaju. — Przełknął ślinę. — Po prostu wiecie, jakiś telefon albo może, gdybyście byli w Szkocji... Grasz w golfa, Flint? — tak naprawdę to po raz pierwszy od ich przyjazdu zwrócił się wyłącznie do niego.

Flint kiwnął głową.

— Tak się składa, że gram.

— Cóż, w takim razie zapraszam. Moglibyście razem przyjechać na weekend golfowy. Przenocować w hotelu Stary Tor. Podobno jest tam bardzo romantycznie. Mógłbym wyjść gdzieś z wami. Wynajęlibyśmy mały samochód terenowy czy coś innego, a potem moglibyście przyjechać i napić się czegoś ze mną w barze studenckim... — Jego twarz rozjaśniła się. — Ale oczywiście jedynie, jeśli macie na to ochotę.

— Jak najbardziej — zapewniła go Ana. — Ja zdecydowanie chcę pozostać z tobą w kontakcie. Naprawdę.

— Cóż, w takim razie może powinniśmy wymienić się numerami telefonów? Wtedy będę mógł dać wam znać, jak złapać mnie na uniwerku.

Ana wyjęła z plecaka papier i długopis, zapisali swoje namiary, a potem wsiedli do samochodu. Zander podjechał na wózku do drzwi od strony pasażera i pokazał gestem Anie, by opuściła szybę.

— Testament — rzekł. — Nie porozmawialiśmy o testamencie.

— Och, no tak, może...

— Mogę to załatwić — oświadczył z przejęciem. — Mam prawnika. Zarządza moimi funduszami powierniczymi. On mi powie, czy ten testament jest prawnie wiążący, czy też nie. A jeżeli tak, jeżeli naprawdę dziedziczę wszystko, wtedy chciałbym, no wiecie, być pewnym, że wy też coś dostaniecie.

Ana potrząsnęła głową.

— Nie bądź głupi — rzekła. — Bee zdecydowała, byś wszystko dostał ty. Żebyś miał to na przyszłość. No wiesz.

— Ano — odparł — nie potrzebuję pieniędzy Bee. Jestem nadziany.

— Naprawdę?

— Aha. Mam jakieś pół miliona, czy coś takiego.

— Co?

— Taa. To jedna z zalet sytuacji, że jestem jedynym ocalałym członkiem niebiednej rodziny z wykupionymi wysokimi polisami na życie. Dopóki nie skończę dwudziestu jeden lat, wszystko spoczywa w funduszach powierniczych, ale i tak pieniądze Bee nie są mi potrzebne.

— Cóż — rzekła Ana, czując się trochę nieswojo w tym temacie. — To znaczy, jak chcesz. Ale naprawdę. Ja nie...

Flint zwiększył obroty silnika.

— Sorki — uśmiechnął się do Zandera.

— Tak, tak, tak — odparł. — Musicie jechać. Zaraz zaczną się korki.

Ana kiwnęła głową, uśmiechnęła się i podniosła z powrotem szybę. Ona i Flint kiwali rękoma do Zandera, który z uśmiechem machał im jeszcze długo po tym, jak zniknęli mu z oczu.

Rozdział trzydziesty ósmy

Flint i Ana jechali w pełnej odrętwienia ciszy. Ze wszystkich miejsc, do których w ciągu ostatnich kilku dni zaprowadziła ich ta szaleńcza podróż, to było ostatnie i żadne z nich nie spodziewało się takiego rozwoju wypadków. Anie nie mieścił się w głowie ogrom tego, co wyznała Bee, rozmiar tajemnicy, która ciągnęła się za nią przez piętnaście lat. To było nie do pomyślenia.

Flint położył dłoń na jej kolanie i uścisnął je. Ana popatrzyła na niego i uśmiechnęła się z przymusem. Miała wrażenie, że znalazła się w innym kraju, na innej planecie, w innym układzie kosmicznym. Biedna Bee. Jej życie w stanie hipostazy. Nigdy nie być w stanie pójść naprzód. Nigdy nie być w stanie się rozwinąć. Nigdy nie być w stanie do nikogo się zbliżyć. Jak musiała się czuć? Budzić się każdego ranka i mieć świadomość, że nie ma drogi naprzód. Szesnaście lat braku nadziei i rozpaczy. I możliwości jej ukojenia. Nie móc urżnąć się i wyżalić przyjaciołom, nie móc pójść do psychoterapeuty lub kupić jakiegoś poradnika czy też obejrzeć programu telewizyjnego z ludźmi, rozmawiającymi o takim samym problemie jak twój. Żadnego współczucia, empatii, ujścia dla poczucia winy. Niemożność dzielenia jej z nikim.

To cud, że wytrwała w tym wszystkim tak długo.

— Chcesz jechać dziś ze mną? Wieczorem?

Ana spojrzała na Flinta i poczuła, jak ogarnia ją wdzięczność. Kiwnęła głową.

— Tak, proszę. Naprawdę nie sądzę, bym dzisiaj dała sobie radę sama z tym całym mętlikiem w głowie.

— Doskonale rozumiem, co masz na myśli. Możesz też zostać u mnie na noc. Jeśli chcesz. No wiesz, nic niestosownego. Po prostu dla towarzystwa.

Ponownie kiwnęła głową, myśląc, że teraz tego właśnie pragnie najbardziej na świecie. To, jak się teraz czuła, sprawiało, że nie chciała już nigdy opuszczać boku Flinta. A potem w jej głowie pojawiła się kolejna myśl. Już po wszystkim. Wszystko skończone. Wiedzą już, dlaczego Bee się zabiła. Nie było powodu, dla którego Ana miała dłużej pozostawać w Londynie. A więź, jaka wytworzyła się w ciągu ostatnich dni między nią i Flintem, zniknęła. Co się stało? Poczuła, że jej serce zamiera na chwilę z nerwów. Przełknęła ślinę i odłożyła tę myśl na samo dno swojej świadomości. Teraz jest z nim. Spędzi z nim dzisiejszy wieczór. Na razie musi jej to wystarczyć.

Flint włączył jakąś muzykę i Ana pogrążyła się w rozmyślaniach. Marzyła o świecie, w którym jej matka nie pojechałaby na pogrzeb Gregora, i Bee nigdy by jej stamtąd nie wykopała, a jej własna relacja z siostrą rozwinęłaby się i wreszcie stałyby się przyjaciółkami. I w tych jej fantazjach ona i Bee pewnego wieczoru bardzo by się upiły i zaczęły rozmawiać o życiu i kłopotach, i przeszłości i Bee nagle zaczęłaby płakać, a Ana zapytałaby ją, co się stało. Bee odmówiłaby odpowiedzi na to pytanie, ale po długich i cierpliwych namowach wreszcie by się otworzyła i opowiedziała wszystko o tym, co się wydarzyło na tamtej drodze we Francji. I obie obejmowałyby się i płakały — nad Zanderem, jego rodziną, Gregorem i Bee. I może wtedy Bee mogłaby ruszyć z miejsca. Może świadomość tego, że ktoś zna jej tajemnicę, pomogłaby jej to znieść, nawet gdyby nigdy nie miała wyznać tego nikomu innemu. Może wtedy zrobiłaby coś ze swoim życiem, podjęła starania o odbudowanie kariery muzycznej, utrzymywała przyjaźnie, tworzyła związki, znalazła kogoś, z kim chciałaby spędzić resztę życia, miała dzieci, była szczęśliwa...

A potem Ana poczuła się sprowadzona na ziemię, gdy przyznała sama przed sobą, że jej fantazje to tylko kupa bzdetów i że nic na świecie nie mogłoby pomóc Bee poradzić sobie z jej poczuciem winy z powodu zmiecenia z powierzchni ziemi całej rodziny i uczynienia kaleką maleńkiego dziecka. Absolutnie nic.

Rozdział trzydziesty dziewiąty

Następnego dnia Ana wróciła do domu Gill wcześnie rano. Jej gospodyni jak zwykle nie było, zaparzyła więc sobie filiżankę herbaty i usadowiła się przed jej komputerem. Przyciskiem przywołała urządzenie do życia, a potem zerknęła pod biurko w poszukiwaniu tego jakiegoś modemu. Do komputera podłączone było czarne pudełko. Poszukała włącznika i kiedy go wcisnęła, pojawiła się masa migających, czerwonych światełek. Uznała, że to oznacza, iż jest już włączony. Ana korzystała w college'u z komputera, ale tak właściwie to jedynie do pisania i zapisywania wyników badań, a od ukończenia szkoły nawet go nie dotknęła. Nie miała zupełnie pojęcia, jak funkcjonują takie urządzenia i do czego jeszcze można je wykorzystać. Kolejny kwadrans zajęło jej ustawienie modemu i dostanie się do sieci.

Próbując odnaleźć wyszukiwarkę, najechała na pasek na górze ekranu i rozwinęła się długa listów adresów internetowych. Kliknęła na chybił trafił na jeden z nich i po chwili zmienił się ekran. Pojawiły się na nim krzykliwe, duże napisy: PEŁNA PENETRACJA, DZIEWCZYNA NA DZIEWCZYNIE, AZJATKI, UCZENNICE, MOKRO, OSTRO. Ana wróciła do paska z adresami i kliknęła ponownie: Trailertrash.com, Chazbaps.com, Asian-babe.com, Hotsex.com.

Uśmiechnęła się. Jak łatwo to można było przewidzieć. Ta

kobieta ma obsesję. Ana jeszcze nigdy nie spotkała babki z tak męskim podejściem do seksu. I to z męskim podejściem w najgorszym wydaniu. Seks bez zobowiązań. Seks z obcymi. Seks tylko z ludźmi, którzy pasują do jakiegoś wyznaczonego wzorca doskonałości. Seks tylko po pijanemu. Seks, o którym nie pamiętasz następnego ranka. Seks na ekranie. Wirtualny seks. Ana uznała, że Gill jest naprawdę trochę niezrównoważona.

Znalazła wreszcie okno wyszukiwarki i wpisała tam dwa słowa: Bee Bearhorn. Natychmiast pojawiła się lista, którą szybko przebiegła wzrokiem. Dobry Boże, pomyślała, są ich miliony. Kliknęła na kilka z nich i na ekranie pojawiły się mroczne strony o muzyce z lat osiemdziesiątych, na których była jedynie wzmianka o Bee. Ale wtedy wreszcie ją znalazła. Stronę, o której powiedział jej Zander. Nadal istniała. „Nieoficjalna strona Bee Bearhorn".

Podzielona była na wiele części: biografia, dyskografia, różności, galeria zdjęć, księga odwiedzających. Kliknęła na ikonkę ze zdjęciami, a potem ze zdumieniem patrzyła na strony i strony, i strony z fotografiami Bee. Niesamowite, pomyślała. Bee była sławna zaledwie pięć minut, ale wydaje się, że cały ten czas spędziła na pozowaniu do zdjęć. Kliknęła na jedną z fotografii wielkości kciuka i obserwowała, jak powiększa się na ekranie. Gdy obraz załadował się do końca, spojrzała w oczy Bee i próbowała sobie wyobrazić, co mogłoby się z nią stać, gdyby tamtego dnia w 1986 roku nie jechała po niewłaściwej stronie drogi, starała się odgadnąć, kim by była i czego dokonała. Ale w tych oczach lśniła surowość, stalowy błysk, który przypominał Anie, jaki dokładnie typ człowieka reprezentowała Bee przez te wszystkie lata. Dziwka. Zadzierająca nosa dziwka, która manipulując ludźmi, zdobywała to, co chciała. Kobieta bez serca, która pragnęła stanowić dla wszystkich centrum ich wszechświata. Kobieta taka jak jej matka. I w głowie Any pojawiła się myśl, że Bee i tak znajdowała się na ścieżce wiodącej do samounicestwienia, w ten czy inny sposób, od chwili, kiedy wydostała się z łona matki i spojrzała na kobietę, która wydała ją na świat. Nigdy nie miała osiągnąć spełnienia, zaznać szczęścia czy odnieść sukcesu. Ponieważ urodziła się z wbudowanym w duszę przyciskiem samozagłady. I Bee także o tym wiedziała, pomyślała Ana, wracając myślami do jej listu do Zandera. Nawet zanim jeszcze zmiotła z drogi tę rodzinę, zdawała sobie sprawę, że skończy w samotności. Że umrze. Od chwili, kiedy przyszła na świat, to mieszkanie przy Baker Street na nią czekało. I patrząc teraz w oczy Bee, Ana zrozumiała, że ona także o tym wiedziała.

Ana czerpała dziwne uczucie spokoju ze świadomości tego, że kiedy 28 lipca Bee wyszła na swoje ostatnie sushi, kiedy połknęła te pigułki i popiła je alkoholem, prawdopodobnie miała niewytłumaczalne poczucie rezygnacji, poczucie nieuchronności i wrażenie, że wszystko nareszcie wpasowuje się w swoje miejsce.

Przyszli jej na myśl inni, którzy także umarli młodo, sami siebie unicestwiając. River Phoenix, Marilyn Monroe, James Dean, Kurt Cobain, Ian Curtis, Michael Hutchence. I pomyślała o tym, że kiedy minął szok spowodowany śmiercią tamtych ludzi, pozostało uczucie, że ich przeznaczeniem było umrzeć młodo. Patrząc wstecz, wydawało się to bez mała oczywiste. A potem uświadomiła sobie, że istnieje jedna ogromna różnica pomiędzy śmiercią Bee i śmiercią tych wszystkich innych emanujących blaskiem ludzi: oni byli opłakiwani. Otoczeni czcią. Stali się idolami. Ich tragiczne odejście powiększyło ich do podwójnych rozmiarów. Podczas gdy Bee nie miała niczego. Zdanie albo dwa w „Timesie". Pogrzeb, w którym udział wzięły trzy osoby. Jej odejście ze świata tak naprawdę ją skurczyło, umniejszyło jej status. Patrząc teraz na ekran, na strony utworzone ku czci Bee przez kogoś, kogo nawet nigdy nie poznała, Ana uznała, że ten jakiś Stuart Crosby, który pocił się nad komputerem przez wiele godzin, pedantycznie je tworząc, skanując zdjęcia, pisząc tekst, prawdopodobnie nie ma pojęcia, że jego idol nie żyje. A powinien o tym wiedzieć. Bee zasługiwała na odrobinę żalu. Kliknęła na „Kontakt" i pojawiła się strona, z której wysyła się maile. Przez chwilę jej palce wahały się nad klawiaturą, gdy starała się dobrać właściwe słowa, by wyrazić to, co chciała mu przekazać. A potem zaczęła pisać.

Drogi Stuarcie,

nazywam się Ana Wills i jestem siostrą Bee. Właśnie prze-
glądałam Twoją stronę i jestem naprawdę pod wrażeniem, szcze-
gólnie Twojej galerii zdjęć. Nie wiem, czy jesteś tego świadomy,
czy też nie, ale moja siostra niedawno zmarła. 28 lipca, jeżeli
chodzi o ścisłość. Właśnie się dowiedzieliśmy, że jako oficjalny
powód jej śmierci podano samobójstwo. Wszyscy jesteśmy bar-
dzo, bardzo przygnębieni i zasmuceni. Bee była tak niezwykle
pełną życia, ekscytującą osobą i nie sądzę, by ktokolwiek z nas
pozostał z nią tak blisko, jak mógł albo jak powinien. Ale stało
się tak raczej w wyniku splotu okoliczności niż braku uczucia
bądź zainteresowania. Nie jestem pewna, dlaczego piszę Ci o tym
wszystkim. Pewnie dlatego, że pamiętam Bee głównie jako gwiaz-
dę, jako olśniewającą, sławną gwiazdę pop. I Ty także. Nie zna-
łam jej jako osoba dorosła, jedynie jako dziecko. I miło jest po-
myśleć, że gdzieś tam wciąż istnieje ktoś, kto z sympatią myśli
o Bee. I tak naprawdę podczas mojego pobytu w Londynie od-
kryłam, że myślała tak o niej cała masa ludzi. Lojalnych ludzi.
Ludzi, którym udało się w niej dostrzec to, co najlepsze bez
względu na to, jak bardzo ona sama czasami to utrudniała. Była
niezwykłą osobą, ale śmierć miała raczej zwyczajną. Pogrzeb już
się odbył, więc nie ma niestety sposobu, by uczcić jej pamięć. Co
jest naprawdę dosyć tragiczne. W każdym razie z jakiegoś powo-
du pomyślałam, że powinieneś o tym wiedzieć, skoro w ciągu
tych wszystkich lat okazywałeś tyle zainteresowania Bee. Może
mógłbyś umieścić tę wiadomość na swojej stronie, tak by inni
fani mogli się dowiedzieć... Proszę, nie krępuj się i odpisz mi, je-
śli masz na to ochotę.

Pozdrawiam
Ana Wills

Przeczytała jeszcze raz swój list i już miała zamiar kliknąć
„Wyślij", kiedy w jej głowie pojawiła się jeszcze jedna myśl.
Szybko zaznaczyła ostatnie kilka linijek, usunęła je i napisała od
nowa:

363

...Jej pogrzeb już się odbył i wzięło w nim udział zaledwie troje ludzi. Nie było na nim nawet mnie. Nieważne, jakie człowiek w życiu popełnia błędy, naprawdę wierzę, że zasługuje na lepsze pożegnanie niż coś takiego, zwłaszcza Bee, która zawsze była szczęśliwa, gdy znajdowała się w centrum zainteresowania. Postanowiłam więc, że zorganizuję dla Bee przyzwoite pożegnanie. To znaczy, jeżeli w ogóle można tak powiedzieć, gdy ktoś już od pewnego czasu spoczywa w grobie. Ale w każdym razie mam zamiar zorganizować coś, co będzie godne Bee, i mam zamiar zaprosić wszystkich ludzi, których nie było na cmentarzu trzy tygodnie temu. I naprawdę cieszyłabym się, gdyby udało Ci się przybyć. I każdemu, kogo znasz, a kto kochał Bee. Każdemu, kto chce uczcić pamięć o niej. Nie zdecydowałam jeszcze, co to dokładnie będzie, ale na pewno dam Ci znać.

Gdy Ana pisała coraz szybciej i szybciej, przez jej głowę przelatywały myśli i pomysły. Miała zamiar urządzić imprezę, z której Bee byłaby dumna.

Rozdział czterdziesty

Ana zasłoniła jedno ucho, by choć trochę odgrodzić się od ogłuszającego hałasu ulicy i zawołała do trzeszczącego domofonu:

— Dzień dobry, pani Tilly-Loubelle. Z tej strony Ana. Siostra Bee.

— Ana! Jak cudownie. Wróciłaś! Wejdź, proszę.

Pojechała windą na trzecie piętro i poczuła dreszcz rozpoznania. To właśnie tutaj wszystko zaczęło się w czwartek, niecały tydzień temu. Ana miała wrażenie, że była wtedy zupełnie inną osobą.

Wydawało się, że pół godziny zajęło pani Tilly-Loubelle otworzenie tych wszystkich zamków i zdjęcie łańcuchów przy drzwiach. Wreszcie przywitała Anę w oparach pełnego talku zakłopotania, a do piersi przyciskała nieodłącznego Freddiego. Wyglądała szykownie w czarnym golfie i niebieskich spodniach, z jej uszu zwisały duże, złote kolczyki, a usta miała pomalowane koralową szminką. W tle grało Radio 3.

— Ana — uśmiechnęła się promiennie, odsłaniając porcelanowe zęby. — Cudownie tak szybko cię znowu widzieć. Mimo że zakładam, iż nie przyszłaś tutaj, by zobaczyć się ze mną? — uśmiechnęła się znacząco.

— Oczywiście, że tak — odparła Ana, zastanawiając się, o czym ona u licha mówi.

Staruszka przytrzymała jej drzwi.

— O rany — rzekła Ana. — Jakie piękne mieszkanie. — Wielkość miało dokładnie taką samą, jak dawne mieszkanie Bee, ale było kunsztownie umeblowane niezwykłymi antykami, drogimi zasłonami, rzeźbionymi lustrami i obrazami w pozłacanych ramach.

— Trochę zagracone. Widzisz, przeprowadziłam się tutaj z Paryża, z domu z siedmioma sypialniami. Wiele rzeczy sprzedałam, ale z większością nie potrafiłam się rozstać. Ale dość o tym, nie przyszłaś tutaj, by oglądać moje meble, prawda? No więc gdzie on jest?

Pani Tilly-Loubelle kucnęła i zaczęła cmokać.

— On jest tutaj — rzekła Ana, wskazując na Freddiego, który rozciągnięty, cicho pochrapując, leżał tam, gdzie położyła go Amy, czyli na zielonym, aksamitnym podnóżku.

— Nie, nie. Nie on. Ten drugi. No chodź, chłopcze. — Zaczęła podnosić poduszki i zaglądać za sprzęty. — Nie wiem — rzekła, prostując się i uśmiechając do Any. — Znowu się chowa. Myślę, że pozostał mu pewien uraz. Ale czy można go winić? Może ty go trochę poszukasz, a ja w tym czasie zrobię dla nas herbatę?

— Poszukam kogo? — Ana zaczynała się już lekko martwić o Amy. A w zeszłym tygodniu wydawała się tak zdrowa psychicznie.

— No jak to kogo? Johna, rzecz jasna.

— Johna?

— Tak.

— Kota Johna?

— Tak, moja droga. — Teraz Amy przyglądała się Anie z troską.

— Ale Amy, John tutaj nie mieszka.

— Nie, zazwyczaj nie. Ale nie wiedziałam, co innego mogłabym z nim zrobić. To naprawdę najbardziej szczęśliwy z trafów, że dowiedziałaś się o nim. Kto ci powiedział? Pan Whitman? Wiesz, to on go znalazł. John włóczył się na tyłach budynku, wyjadając resztki z puszek. Na początku prawie nie rozpoznałam tej biednej kruszyny. Był taki wychudzony. Ale...

— Przepraszam? Amy? Czy mówi pani, że John znajduje się tutaj?

— Oczywiście, że tak. Znaleźliśmy go kilka dni temu.

— Johna?

— No tak, Johna, ooo, tu jest — uśmiechnęła się promiennie i podeszła do drzwi po drugiej stronie pokoju. — Witaj, mój kochany. No popatrz tylko, kto przyszedł się z tobą zobaczyć. Twoja ciocia Ana.

Ana odłożyła plecak i zaczęła iść w kierunku pani Tilly-Loubelle.

— Ostrożnie — poleciła staruszka. — Idź powoli. On jest bardzo nerwowy.

Ana zerknęła za lśniący, okrągły stolik, na którym stały zdjęcia w srebrnych ramkach. A tam, w rogu pokoju, przyczajony, z jedną łapą wsuniętą pod siebie i oczami szeroko otwartymi z przerażenia siedział najpiękniejszy kot, jakiego kiedykolwiek widziała. Był wielki i okrągły, miał kwadratowy pyszczek, gęste, srebrnoniebieskie futerko i żywe, miedzianopomarańczowe oczy.

— Witaj, przystojniaku — odezwała się, przysuwając się do niego bardzo powoli i wyciągając przed siebie dłoń. Położył uszy po sobie i cofnął się jeszcze bardziej w róg. — Wszystko w porządku, malutki. Nie chcę cię skrzywdzić.

— Bóg jeden wie, przez co przeszła ta biedna kruszyna w ciągu tych kilku tygodni. Musiał uciec pod wpływem szoku, kiedy odeszła Bee. Podejrzewam, że od tamtej pory krążył po śmietniku.

— Nie — odparła Ana. — Pan Arif kazał Bee się go pozbyć. Przebywał u jej przyjaciółki i uciekł przez okno. Jakieś trzy tygodnie temu.

— A gdzie mieszka ta przyjaciółka?

— W Ladbroke Grove.

Amy wyglądała na zaskoczoną i przyłożyła dłoń do piersi.

— Ależ to prawie pięć kilometrów stąd. Chcesz mi powiedzieć, że ten mały mężczyzna odnalazł drogę stamtąd aż tutaj? Sam?

Ana zbliżyła palec kilka centymetrów od nosa Johna. Na początku go ignorował, ale po chwili ostrożnie wyciągnął łepek w jego kierunku i powąchał go.

— Na to wygląda.

— O niebiosa! — zawołała Amy. — To naprawdę niesamowite. Cóż za dzielność. Cóż za odwaga. Cóż za ikra! On jest prawdziwym bohaterem.

Ana delikatnie pogłaskała palcem policzek kota i lekko go połaskotała. Zamknął oczy i zaczął mruczeć.

— Był w strasznym stanie, kiedy pan Whitman go znalazł. Okropnie brudny i bez mała zagłodzony. Wczoraj zabrałam go do weterynarza i wystawiono mu tam świadectwo zdrowia. Miał kilka ran i zadrapań, cierpi też na lekką niedowagę, ale poza tym tryska kocim zdrowiem.

— Nie mogę uwierzyć, że John jest tutaj — rzekła Ana ze zdumieniem, głaszcząc go po brodzie. — Jaki on piękny. — I to była prawda. Nie chodziło jedynie o wygląd zewnętrzny, ten kot naprawdę miał w sobie coś szczególnego. Ana natychmiast zrozumiała, dlaczego jej siostra tak bardzo była do niego przywiązana. A potem poczuła, że z jej lewego oka zaczyna spływać łza, gdy pomyślała o liście Bee, jej poczuciu winy i smutku z powodu utraty Johna i spróbowała wyobrazić sobie wyraz twarzy Bee, gdyby w tej właśnie chwili weszła do tego pokoju i zobaczyła tutaj Johna, Johna, który przecisnął się przez dziesięciocentymetrową szparę w oknie i przebył prawie pięć kilometrów, by ją odnaleźć.

— Wiesz, próbowałam się z tobą skontaktować. Naprawdę rozpaczliwie. Nawet zadzwoniłam do tego ohydnego pana Arifa, ale nie okazał się ani trochę pomocny. Jak panu Whitmanowi udało się ciebie wyśledzić?

Ana popatrzyła na nią ze zdumieniem.

— Nie udało się.

— A więc skąd wiedziałaś?

— Nie wiedziałam.

— W takim razie, co tutaj robisz?

— Przyszłam po prostu, by się z panią zobaczyć. Nie miałam do pani numeru telefonu, a chciałam z panią o czymś porozmawiać.

Twarz starszej pani zaróżowiła się z zadowolenia.

— Naprawdę — zapytała — chciałaś ze mną porozmawiać?

— Tak. Ja...

Amy uniosła dłoń, by jej przerwać.

— Herbata — oświadczyła. — Pozwól, bym najpierw zaparzyła herbatę. Potem będziemy mogły sobie pogawędzić.

Ana zwinęła się w kłębek na podłodze i mówiła do Johna, podczas gdy Amy pobrzękiwała w kuchni. Nieco bardziej się odprężył, przewrócił się na plecy i miauknął.

— Co? — zapytała. — Czego ode mnie chcesz? — Dotknęła dłonią jego wielkiego, miękkiego brzuszka i pogłaskała go. A potem John się wyprostował, szybko podrapał za uszami, po czym wspiął na kolana Any i zaczął się mościć, przygotowując się do drzemki. Ana wzięła go delikatnie na ręce i zaniosła na sofę. Po drodze powąchała jego łepek. Pachniał świeżym powietrzem.

— Dobry Panie — rzekła Amy, wracając do pokoju z tacą. — Patrzcie no tylko. Od kiedy przyniosłam go od weterynarza, prawie nie ruszał się z tamtego kąta, a teraz spójrzcie na niego. Musi to wyczuwać — dodała. — Wyczuwać twoje pokrewieństwo z Bee. Mleko? Cukier?

Gdy Amy nalewała herbatę, Ana głaskała Johna po szyi i brodzie, a on mruczał głośno i rytmicznie.

— No więc, co mogę dla ciebie zrobić? — Podała Anie maleńką filiżankę z porcelany tak cienkiej, że wydawała się być wykonana z włókna szklanego.

— Otrzymaliśmy raport koronera na temat Bee i obawiam się, że to już jest oficjalne. Samobójstwo.

Amy głośno wciągnęła powietrze i przyłożyła dłoń do klatki piersiowej.

— I my, ja i przyjaciel Bee, cóż, dowiedzieliśmy się, dlaczego to zrobiła. Przytrafiło jej się coś naprawdę strasznego — jakieś piętnaście lat temu.

— Strasznego?

— Tak. Wolałabym nie mówić, co to było takiego, ale to wszystko wyjaśnia. I chodzi o to, że teraz, kiedy już wszystko skończone, chciałam po prostu coś zrobić. Coś wyjątkowego dla Bee. I wiem, że ona uważałaby, iż na to nie zasługuje. Ale okazuje się, że wszyscy inni, nawet ci, których skrzywdziła, sądzą inaczej. Chciałam więc zorganizować pożegnanie. Pogrzeb. Dla Bee. No wie pani, porządny pogrzeb, z muzyką, ludźmi, winem i łzami. Czy wie pani, że na jej prawdziwym pogrzebie pojawiły się tylko trzy osoby? Trzy.

— To straszne.

— Prawda? No więc tak. Przyszłaby pani? Gdybym coś takiego urządziła?

— Cóż za doskonały pomysł. Oczywiście, że bym przyszła. Jak sądzisz, będzie tam wielu młodych mężczyzn?

Ana uśmiechnęła się do niej.

— Tak — odparła. — Sądzę, że będzie.

— W takim razie możesz na mnie liczyć. Co masz w planach?

— Jeszcze nie jestem pewna. Miałam nadzieję, że może pani coś mi doradzi. Musiała przecież pani brać udział w wielu pogrzebach. Och, przepraszam, nie chciałam...

— Nie krępuj się, Ano. Masz rację. Byłam na większej ilości pogrzebów, niż bym chciała. I każdy jest inny, wiesz? Każdy jest wyjątkowy. Ale Bee... cóż, jej musi być wyjątkowo wyjątkowy. Szczególnie wyjątkowy.

Gawędziły aż do wczesnego popołudnia, dopóki Ana nie spojrzała na zegarek i nie zdała sobie sprawy, że musi już iść, jeżeli ma dzisiaj zdążyć zrobić coś jeszcze. Delikatnie podniosła z kolan wciąż śpiącego Johna i ułożyła go na sofie, gdzie się wyciągnął, wydał z siebie cichy, śmieszny odgłos i z powrotem zapadł w sen.

— Co z nim zrobimy? — zapytała.

— Cóż — odparła Amy, uśmiechając się promiennie. — Nie sądzisz, że Johnowi spodobałoby się w Devon? Może mogłabyś go zaadoptować i zabrać ze sobą do domu?

Z twarzy Any zniknął uśmiech. Myśl o domu sprawiła, że po prostu odechciało jej się żyć. Oblał ją zimny pot. Poczuła się, o Boże, poczuła się dokładnie tak, jak zawsze opowiadała Bee, że czuje się, myśląc o powrocie do domu, kiedy już zamieszkała w Londynie. Przełknęła ślinę i potrząsnęła głową.

— Jeszcze niczego nie postanowiłam. Czy nie przeszkadzałoby pani, gdybym zostawiła go tutaj aż do pogrzebu, zanim nie zdecyduję, co dalej zrobię?

Amy przyjrzała jej się z figlarnym wyrazem twarzy.

— Nie masz zamiaru wracać do domu, prawda?

Ana wyglądała na zaskoczoną.

— Oczywiście, że mam — zaczęła. — Ja tylko...

— Och, przestań, mnie nie oszukasz. Widzę, że oddałaś duszę temu miastu, prawda? Nie wracasz do domu. Zaszłaś za daleko.

— Co ma pani na myśli?

— Chodzi mi o to, że kiedy widziałam cię poprzednio, byłaś na jednodniowej wycieczce. Miałaś ten sposób myślenia. Poprzebierałaś się w ubrania swojej siostry. Piłaś szampana. Odgrywałaś jakąś rolę. Ale teraz jesteś inną osobą, nieprawdaż?

Żołądek Any się skurczył, a na jej policzkach pojawiły się rumieńce. Amy miała rację. Była inną osobą. Po raz pierwszy w życiu czuła, że ma własną tożsamość. Tylko i wyłącznie własną. Nie ma ona nic wspólnego z jej mamą, Bee czy też Hugh. Ale z nią. Aną Wills. Uśmiechnęła się do Amy i wstała.

— Cóż — rzekła staruszka, idąc w kierunku drzwi wejściowych. — Naprawdę mam nadzieję, że będziesz w stanie przekonać twoją biedną matkę, by pokonała swoje lęki i przybyła na pogrzeb. Tragedią byłoby, gdyby nie wzięła w nim udziału. I wiesz co, sądzę, że na dłuższą metę bardziej cierpiałaby wtedy, gdyby nie przyjechała. — Przeszyła Anę przenikliwym spojrzeniem.

Ana poczuła, że brakuje jej tchu. Nawet nie zastanawiała się do tej pory nad swoją matką. Ale Amy ma rację. Nie może planować czegoś takiego i nie zrobić wszystkiego, by przekonać matkę do wzięcia w tym udziału. To był kolejny rozdział zniszczonego życia Bee, który musiał zostać zamknięty. Kiwnęła głową.

— Zobaczę, co będę w stanie zrobić — obiecała.

Amy uśmiechnęła się.

— To dobrze — odparła. — Bardzo dobrze. No więc tak. Masz mój numer telefonu. Dzwoń, jeśli tylko będziesz czegoś potrzebować. A ja mam twój i będziemy w kontakcie. Pożegnaj się ze swoją ciocią Aną, John. — Odwróciła się do posapującego kota, który machnął do niej ogonem. Uśmiechnęła się. — Muszę przyznać, że tak naprawdę nie przepadam zbytnio za kotami. Ale ten jest naprawdę rozkoszny, czyż nie?

Obie odwróciły się i z uwagą przyjrzały Johnowi, który rozmyślnie je ignorował. A potem Amy otworzyła wszystkie zamki, zdjęła wszystkie łańcuchy i Ana ucałowała ją w blady policzek, po czym udała się do domu, by zająć się następnym etapem swego planu.

Rozdział czterdziesty pierwszy

— Chcę jechać z tobą.

— Co?

— Do Devon. Pozwól mi jechać z tobą. Mogę cię tam zawieźć. I jestem dobry w kontaktach z matkami.

Anie zabrakło tchu. Myśl o powrocie do Devon wystarczająco ją rozstrajała, ale pojechać tam z mężczyzną? To było w zasadzie nie do pomyślenia.

— Naprawdę, Flint. Dam sobie radę.

— Ale naprawdę, Ano, nalegam — uśmiechnął się do niej i zamknął w uścisku jej dłoń, po czym ją wykręcił.

— Grozisz mi przy użyciu przemocy fizycznej?

— Tak — odparł.

— Dlaczego?

— Ponieważ — wyjaśnił — naprawdę się boję, że jeśli pojedziesz do domu sama, twoja matka ponownie cię przekona, że jesteś bezużyteczną szumowiną, i zamkniesz się w swoim pokoju, i już nigdy do mnie nie wrócisz.

— A kto powiedział, że nie chcę się zamknąć w swoim pokoju, ha? Może byłam szczęśliwa jako bezużyteczna szumowina? — uśmiechnęła się do niego, chwyciła jego ramię i też zaczęła je wykręcać.

— No cóż, jeżeli o to właśnie ci chodzi, w takim razie możesz wsiąść do pociągu. Ale ja wiem, że tak nie jest. I wiem też, że tak naprawdę powrót do domu cię przeraża. I wiem, że tak właściwie czułabyś się lepiej, gdybym był tam razem z tobą. A poza tym zawsze miałem ochotę uciąć sobie z twoją matką krótką pogawędkę…

— Ale co z twoją pracą? Z pewnością będziesz zbyt zajęty…

Flint wzruszył ramionami i uwolnił się z uścisku Any.

— Jutro rano mam kurs na lotnisko, ale w południe powinienem być już wolny. Dotrzemy do Devon akurat na podwieczorek. Ooooch — dodał, uśmiechając się. — Sądzisz, że twoja mama poczęstuje nas herbatą ze śmietanką?

Ana przesuwała palcem po gładkiej skórze na wewnętrznej stronie ramienia Flinta i także się uśmiechnęła.

— Tak. Z całą pewnością.

— No to w takim razie jadę z tobą, czy tego chcesz, czy nie.

Ana ponownie posłała mu uśmiech.

— Co? Znowu? — Uklękła i usiadła na nim okrakiem.

Uśmiechnął się do niej krzywo i położył dłonie na jej nagich biodrach.

— Taa — odparł. — Znowu. Czy ci się to podoba, czy nie.

Gdy zaparkowali samochód na chodniku przed domem Gay, Flint poczuł, jak po plecach przebiega mu dreszcz. Przez te wszystkie lata, od chwili, kiedy poznał Bee, ten budynek przy Main Street nabrał cech bez mała mitycznych. Dom, w którym Bee była nieszczęśliwa. Dom, w którym meble traktowano z większym szacunkiem niż dzieci i mężów. Dom, w Którym Mieszkała Gay. W jego wyobraźni miał on żółtawe szyby, wisiał nad nim księżyc w pełni, a drewniana furtka trzeszczała, gdyż wiecznie tam hulał upiorny wiatr. W rzeczywistości okazał się bardzo eleganckim budynkiem z lśniącymi, czerwonymi drzwiami, otwieranymi pionowo oknami, które otaczały kosztownie wyglądające, upięte zasłony i skrzynki z pnącym się bluszczem oraz innymi, niewielkimi roślinkami.

— Wszystko w porządku? — Odwrócił się do Any i uścisnął jej dłoń.

Odetchnęła głęboko i kiwnęła głową.

— Nie mogę uwierzyć, że minął dopiero tydzień — przyznała.

— Czuję się tak, jakby nie było mnie tu przez całą wieczność.

Ponownie uścisnął jej dłoń.

— Gotowa?

— Aha.

Flint poprawił krawat — nadal miał na sobie swój szoferski mundur — i pomógł Anie wysiąść z samochodu. Przechodząca obok para w średnim wieku, która jadła frytki, z nieskrywaną ciekawością zmierzyła ich spojrzeniem od góry do dołu.

— Dzień dobry, Anabello — odezwali się do niej.

— Dzień dobry, Anne, dzień dobry, Roy — odparła Ana, posyłając w ich kierunku wyjątkowo wymuszony uśmiech.

— Jak się czuje twoja matka?

— Och, nieźle. Tak sądzę.

Cmoknęli i zgodnie potrząsnęli głowami.

— Biedna, biedna kobieta — oświadczyła Anne.

— Modlimy się za nią, Anabello. Koniecznie jej o tym powiedz — dodał Roy.

Ana kiwnęła głową, a oni się ukłonili i jeszcze raz popatrzyli na Flinta, po czym ruszyli dalej, pozostawiając za sobą zapach oleju z frytek i octu.

— Chrześcijanie — wyszeptała Ana do ucha Flinta.

Mężczyzna skinął głową.

Chwilę potrwało, nim Gay podeszła do drzwi, ale wreszcie usłyszeli odgłos otwieranych zamków, a kilka sekund później w szparze w drzwiach pojawiła się twarz Gay.

— Tak?

— Mamo, to ja.

— Kto?

— Ana. Anabella.

Szpara nieco się powiększyła.

— Och.

Gay wyglądała drobniej, niż zapamiętał to Flint, i dużo starzej. Ale nadal wysoko upinała te swoje kruczoczarne włosy, a oczy umalowane miała rozmazaną, czarną konturówką i smętnymi, liliowymi cieniami.

— A to kto?

— To jest Flint, mamo. Przyjaciel Bee.

Dostała sójkę w bok.

— I mój — uśmiechnęła się.

— Dzień dobry, pani Wills. Tak naprawdę spotkaliśmy się już kiedyś, wtedy, gdy...

— Jesteś bardzo wysoki — przerwała Gay, przypatrując mu się intensywnie. — Przypominasz mi Gregora. Wejdźcie.

Popędziła ich, a potem głośno i bardzo szybko zamknęła za nimi drzwi. Flint zauważył, że ma problemy ze złapaniem tchu. Udała się prosto do salonu i opadła na sofę, drobną dłoń przyciskając do piersi.

— A więc — rzekła, odwracając się do Any — jak to miło, że wreszcie wróciłaś do domu. Czy potrafisz to sobie wyobrazić? Czy potrafisz choć w małym stopniu wyobrazić sobie, przez co ja przeszłam w ciągu tego tygodnia? Potrafisz? — Jej głos był drżący i słaby.

— Tak. Tak właściwie to potrafię. Potrafię wyobrazić sobie każdą przerażającą sekundę ubiegłego tygodnia.

Gay wyglądała na poruszoną i zakłopotaną.

— W takim razie dlaczego? Dlaczego mi to zrobiłaś?

— Ponieważ nienawidzę cię, oto dlaczego. Ponieważ chciałam, byś umarła z głodu.

— Och, Anabello, wiesz, jak nie znoszę tego twojego sarkazmu.

— Kto powiedział, że jestem sarkastyczna? — mruknęła pod nosem Ana.

Flint ciągle nie został poproszony, by usiadł, więc czekał z nadzieją z tyłu, aż ktoś zaproponuje mu filiżankę herbaty i może jakąś babeczkę albo i dwie.

— Hugh mówi, że mieszkasz z parą lesbijek.

Ana roześmiała się głośno, a Flint zdołał powstrzymać uśmiech.

— Słucham?

— Powiedział, że mieszkasz w bardzo małym domu z dwiema lesbijkami. W getcie.

— W getcie?

— Tak. To miasto nie zrobiło na nim najlepszego wrażenia. Twierdzi, że jest bardzo brudne i bardzo groźne, i że mieszka tam cała masa czarnych ludzi. Wszędzie.

Ana uniosła brwi i położyła plecak na sofie.

— Mamo — rzekła, kładąc dłonie na biodrach. — Jesteś okropna. I mogę cię zapewnić, że ani Gill, ani Di nie są w żadnym wypadku lesbijkami. Tak właściwie to mają dokładnie przeciwne preferencje.

Gay przycisnęła dłoń do serca.

— Proszę, Ano — wycharczała. — Moje nerwy. Nie igraj z moimi nerwami. — Wstała z sofy. — Zrobię nam herbatę.

Zmierzyła wzrokiem Flinta, gdy go mijała, tak jakby dopiero teraz uświadomiła sobie, że on tam w ogóle jest. Uśmiechnęła się.

— Och, jakie to z mojej strony niegrzeczne. Usiądź, Clint. Proszę. — Poklepała poduszkę i Flint zauważył, że Gay wciąga brzuch i prostuje plecy. Dotknęła dłonią włosów, po czym eleganckim krokiem udała się do kuchni. Flint i Ana popatrzyli na siebie i usiedli na sofie.

— Czyż nie jest straszna? — zapytała Ana.

Wzruszył ramionami.

— Jest chora, Ano. Odpuść jej trochę.

Tym razem to ona wzdrygnęła ramionami.

— Mówisz tak, bo już zdążyła z tobą flirtować. Widzisz, ona jest prawdziwą kokietką. Tak jak Bee.

— Kobiety nie lubią kokietek, prawda?

Ana potrząsnęła głową.

— Takie są najgorsze.

— Czy lubisz Earl Grey, Clint? — zawołała Gay dziewczęcym głosem.

— Tak, poproszę, pani Wills. Dziękuję.

— Proszę, mów do mnie Gay.

Po minucie wyłoniła się z kuchni z tacą, na której znajdowały się słodkie bułeczki, gęsta śmietana, dżem, wąskie kubki, antyczny dzbanek z herbatą z namalowanymi złotymi kwiatami, lniane serwetki, ozdobione herbem srebrne sztućce i mały talerzyk z truflami.

— Skąd to wszystko masz? — zapytała oskarżycielskim tonem Ana.

— Cóż, kochanie, chyba nie spodziewałaś się, że będę siedziała tutaj jak panna Havisham*, zarastając pajęczynami i umierając z głodu, podczas gdy ty rozbijasz się po Londynie, prawda?

— Właściwie to tak. Po tym, jak się żaliłaś…

— Zjawiał się tutaj niezastąpiony i szarmancki pan Redwood i każdego dnia robił dla mnie zakupy.

Flint posłał Anie spojrzenie typu „A widzisz, mówiłem ci".

— Ale oczywiście nie mogę już zawsze zależeć od jego uprzejmości. To jest przecież sprawa rodziny, nieprawdaż, kiedy któryś z jej członków nie czuje się dobrze?

— Tak, mamo, masz rację. Tak, jak my pomogliśmy Bee, kiedy nas potrzebowała. Kiedy była chora.

— Chora? — Gay podniosła dzbanek i przechyliła go nad sitkiem.

— Tak. Chora. Miała depresję. Cierpiała na pourazowy stres. Przez wiele lat. I gdzie my wtedy byliśmy?

— Och, na miłość boską, Bee nie cierpiała na depresję. Co, do diabła, miało ją do niej doprowadzić? Miała przecież wszystko, wszystko, o czym mogła marzyć kobieta.

— Na przykład co?

— Talent. Urodę. Pieniądze. Uwielbienie obcych ludzi.

— Miała urodę, mamo. Miała pieniądze. I absolutnie nic poza tym. Uwierz mi. Poznałam jej życie. Jak sądzisz, dlaczego się zabiła?

Gay wzdrygnęła się.

— Mamo, dlaczego nie wyznałaś mi prawdziwego powodu,

---

* Bohaterka powieści Charlesa Dickensa *Wielkie nadzieje*.

dla którego pokłóciłaś się z Bee? Dlaczego nie powiedziałaś mi tego?

— Nie wiem, o czym teraz mówisz. — Gay położyła na talerzyku bułeczkę i podała go Flintowi.

— Och, na miłość boską. Przestań być taka tępa i ograniczona. — Ana wskazała na Flinta. — Czy myślisz, że nie rozmawiałam z ludźmi, którzy byli na pogrzebie Gregora? Ludźmi, którzy widzieli i słyszeli, jak potraktowałaś jego przyjaciela?

— Zbyt silnie zareagowali. — Pociągnęła nosem. — Absurdalnie. To było absurdalne. Cholerne pedały... — urwała i przybrała ponurą minę.

— Mamo, ty oskarżyłaś przyjaciół Gregora o to, że go zabili. Na jego pogrzebie. Jak możesz mówić, że zbyt silnie zareagowali?

— No cóż. Byłam w żałobie. W szoku. Belinda i tak nie miała prawa mnie wyrzucać. Upokorzyć mnie przy wszystkich.

— Gay — zaczął podejrzanie spokojnie Flint — eee... ja też tam byłem. I muszę powiedzieć, że naprawdę nie uważam, by Bee zareagowała zbyt silnie. Tak właściwie to sądzę, że zasłużyłaś na to, by zostać upokorzoną.

Wyraz jej twarzy raptownie się zmienił: najpierw był to przestrach, potem lodowaty szok, a wreszcie maska kobiecego zadowolenia. Uśmiechnęła się do niego.

— Co masz na myśli, mówiąc, że tam byłeś?

— To, że brałem udział w pogrzebie Gregora. Wszystko widziałem.

— Ale jak to możliwe? Kto cię do diabła zaprosił?

— Bee. Zaprosiła mnie Bee.

— Nie rozumiem dlaczego.

— Byłem jej przyjacielem, Gay.

— Naprawdę — uśmiechnęła się promiennie, a jej głos przesycony był podtekstami. — Cóż, Clint. Nie wątpię, że byłeś przyjacielem Bee, ale, i proszę, nie miej mi za złe, że to powiem, to jest sprawa rodzinna, tak samo jak była, i jeśli wybaczysz...

Flint od dawna cierpiał na wrodzony, wewnętrzny przymus mówienia prawdy wtedy, gdy czuł, że inni jej unikają. Ta cecha nie raz wpędziła go w tarapaty, ale to go i tak nie powstrzymało. Połowa problemów na tym świecie, według niego, wynikała z faktu, że uprzejmi ludzie owijali w bawełnę to, co chcą powiedzieć innym uprzejmym ludziom. I patrząc teraz na Gay, zobaczył kobietę, którą przez całe życie nieprzyzwoicie wprost psuto, której niczego nie odmawiano, która była rozpieszczana i za wszelką cenę chroniona przed prawdą. Flint przypomniał sobie, jak Bee wyjaśniała mu, dlaczego nie pojechała na pogrzeb Billa — ponieważ obawiała się, że powie prawdę. Flint starał się ją do tego przekonać, ale Bee oświadczyła mu, że nie ma racji i że teraz nie jest odpowiednia pora — nie wtedy, gdy jej matka przeżywa żałobę. I tymczasem pozwolono Gay, by kolejny rok rozsiewała wokół siebie truciznę, niszczyła swoje dzieci i stawała się coraz bardziej nieszczęśliwa. Odetchnął głęboko i przysunął się do niej, spojrzał jej prosto w oczy i ujął jej chłodne, kościste dłonie. Wyglądała na wstrząśniętą.

— Gay — zaczął wyważonym, uspokajającym głosem. — Znałem Bee przez piętnaście lat. To dłużej, niż znam kogokolwiek, kto nie należy do mojej rodziny. I w pewien sposób ona była dla mnie rodziną. Więc tym samym jesteście nią Ana i ty. I wiem, że przez te wszystkie lata uzbierała się masa rzeczy, które Bee chciała ci powiedzieć. Jednak zbyt się tego bała. No cóż, ja się nie boję, Gay, więc mam zamiar uczynić to za nią. Doprowadziłaś do tego, że Bee opuściła dom. Odcięłaś ją od Any. A potem upewniłaś się, że Bee nigdy więcej nie rozważy zbliżenia się do ciebie. Okropnie traktowałaś Gregora. Okropnie traktowałaś Billa. Manipulujesz ludźmi, a jeżeli nie możesz tego robić, wtedy ich niszczysz. Rozumiem, że nie jesteś zupełnie zdrowa. Wiem o twojej agorafobii i jestem przekonany, że nie masz z nią łatwego życia. Ale nie możesz oczekiwać, że inni będą wszystko za ciebie robić. Nie możesz wymagać, by twoja dwudziestopięcioletnia córka wyrzekła się dla ciebie swego życia. Nie pojawiłaś się na pogrzebie Bee. Swojej własnej córki. Ponieważ nie byłaś przygotowana na to, by pokonać własne problemy. No więc powodem, dla którego Ana i ja zjawiliśmy się tutaj jest to, że w ciągu ostatnich kilku dni wiele się dowiedzieliśmy o życiu Bee. Tak naprawdę była to bardzo ponura, bardzo samotna egzystencja i postanowiliśmy wyprawić Bee porządne pożegnanie. Organizujemy przyjęcie i chcemy, byś na nie przyjechała. Nawet, jeżeli miałoby to oznaczać, że będziesz musiała przejść piekło. Dosłownie. Nie musisz nawet korzystać z transportu publicznego. Na zewnątrz czeka limuzyna. Prosto od drzwi możesz się udać do mojego samochodu. Mogę cię zabrać teraz. Albo przyjechać po ciebie później. Ale się zjawisz. Bez względu na to, jak bardzo to będzie bolało... Winna to jesteś Bee.

Flint przerwał i jeszcze intensywniej popatrzył w oczy Gay. Przewiercała go wzrokiem. Przez chwilę w pokoju panowała przytłaczająca cisza. A potem Flint wrzasnął, gdy poczuł w dłoni piekący, ostry ból. Wyrwał rękę z uścisku Gay, a ona natychmiast zerwała się na równe nogi i popędziła do kuchni. Flint przyjrzał się swojej dłoni.

— Kurwa. Cholerna dziwka!

Z pięciu półksiężyców na jego ręce sączyła się krew. W drzwiach pojawiła się Gay, wycierając dłonie w ręcznik kuchenny.

— Wynoś się z mojego domu — odezwała się apatycznie.

— Mamo! — Ana zerwała się z sofy.

— I ty też — dodała, odwracając się do Any. — Oboje. Wynoście się natychmiast z mojego domu. — Zwinęła ręcznik w kulkę i odgarnęła z oczu pasmo włosów. Trzęsły jej się ręce. Ana podeszła do niej.

— Mamo, wysłuchaj go. Proszę. On ma rację. Niszczysz samą siebie. Jeżeli nie przyjedziesz i nie pożegnasz się z Bee, będziesz coraz bardziej chora. Pomogę ci. Naprawdę. Zrobię, co tylko zechcesz. Ja...

— Proszę. Błagam was. Opuśćcie natychmiast mój dom. — Gay drżał głos, ale nie miała zamiaru się rozpłakać.

— Nie — odparła Ana. — Ja nigdzie nie pójdę. Dopóki nie zgodzisz się przynajmniej pomyśleć o przyjeździe do Londynu...

— Wynocha! — zawołała Gay, a na jej twarzy pojawił się gniew. — Wynoście się już!

Flint kiwnął głową. Ana popatrzyła na matkę, której klatka piersiowa podnosiła się i opadała. Potem wzięła plecak i razem z Flintem wyszła z domu, pozwalając, by głośno zatrzasnęły się za nimi drzwi.

Rozdział czterdziesty drugi

sobota, 2 września 2000

Zapowiadał się urzekająco piękny dzień. Na niebie nie pojawiła się ani jedna chmurka, a temperatura też była w sam raz. Ana poprawiła ramiączka swojej nowej sukienki i wygładziła fałdę na jej skraju. W zeszłym tygodniu wybrała się na zakupy. W chwili, kiedy zżerało ją poczucie winy, zadzwoniła do Zandera i powiedziała mu o siedmiu tysiącach, które znalazła pod łóżkiem Bee — że prawnie te pieniądze należą do niego. I jakkolwiek nalegała, by pozwolił je sobie oddać, Zander odmówił. Uparł się, by je zatrzymała i przeznaczyła na swoje londyńskie początki. W zeszłym tygodniu wpłaciła więc większą część sumy na konto, a potem wydała prawie pięćset funtów na ubrania. Dotychczas nigdy się nie zdarzyło, by jednorazowo wydała na ciuchy więcej niż pięćdziesiąt funciaków. Ale Lol się uparła i już. Ana nie miała więc wyboru. Brakowało jej ubrań, a teraz, kiedy zaczynało się robić coraz bardziej oczywiste, że już nigdy nie wróci do domu, potrzebowała ich. Lol zabrała ją na zakupy do Kensington i Notting Hill, przegoniła po mieszczących się w bocznych uliczkach ekscentrycznych butikach, w których personel znał jej imię i witał jak starą przyjaciółkę. Kupiła nowe dżinsy, trzy pary butów — jedne na wysokich obcasach — kilka odjazdowych T-shirtów i tę właśnie sukienkę. 125 funtów. Za sukienkę. Lol omal nie uderzyła Anę, żeby tylko ta zgodziła się rozstać z gotówką. Ale sukienka była taka ładna i tak bardzo w stylu Any. Uszyta z czarnego jedwabiu, prosta od góry do dołu, z rozcięciem z tyłu i ponaszywanymi wszędzie czarnymi cekinami.

Tamtego wieczoru wyszła do klubu z Lol i tym jej sławnym Keithem, który wreszcie wrócił do domu ze swego kornwalijskiego wygnania. Pięćdziesięciolatek. I był prawie zupełnie łysy. Miał dość duży, wystający brzuch. I trzy dorosłe córki. Kiedy Lol powiedziała wcześniej, że jest Romem, w głowie Any natychmiast pojawił się standardowy obraz mężczyzny z oliwkową skórą i czarnymi, gęstymi włosami. Ale był miły, zabawny i kompletnie zadurzony w Lol, i Ana bardzo go polubiła. O jedenastej, po skończonej pracy przyjechał po nią Flint i trzeba było widzieć twarz Lol.

— Nie! — wykrzyknęła, kiedy Flint udał się do baru po następną kolejkę. — Proszę. Powiedz mi, że tak nie jest.

— Co? — udała głupią Ana.

— Ty. I Flint. Wy nie…?

— Co my nie?

— Och. Jezu. Zrobiłaś to, prawda? Pozwoliłaś mu, by dostał, czego chce?

Ana zaczerwieniła się, a Lol zapiszczała.

— Po tym wszystkim, co ci mówiłam. Po tych wszystkich ostrzeżeniach. I jednak dałaś się nabrać.

— Nie dałam się na nic nabrać — odrzekła obronnie Ana. — Ja tylko chciałam… tylko potrzebowałam… Ja tylko… to po prostu się stało. I jest dobrze. Naprawdę dobrze. On jest uroczy.

Lol przewróciła oczami.

— Tak — syknęła. — Przecież ci powiedziałam, że tak właśnie będziesz sądzić.

— Posłuchaj. Flint i ja. Naprawdę myślę, że to… coś innego…

Lol ukryła twarz w dłoniach i głośno jęknęła:

— O Boże. Pomóż mi. Niech mi ktoś pomoże. Nie mogę tego znieść.

A potem wrócił Flint z drinkami i usiadł obok Any. Przeczesał dłonią jej włosy, uśmiechnął się do niej, ucałował koniuszek jej nosa i uścisnął kolano, a Lol robiła różne najdziwniejsze miny, dopóki Ana kilka minut później nie poszła do toalety. Kiedy wróciła, Flint sprawdzał coś przy samochodzie, a Lol chwyciła ją za rękę i oświadczyła:

— Nigdy czegoś takiego nie widziałam. Ten facet jest za-ko-
-cha-ny.

Ana zaczerwieniła się.

— Nie bądź głupia — odparła.

Lol potrząsnęła głową.

— Nigdy, ale to nigdy nie widziałam, by tak za kimś szalał. Kiedy poszłaś do kibelka, z jego twarzy nie schodził uśmiech. Wciąż się oglądał przez ramię. I szczerzył zęby. Co ty, do diabła, mu zrobiłaś?

Słowa Lol dotarły do żołądka Any, która poczuła, że chyba zemdleje z radości. Ponieważ Lol potwierdzała to, co już wiedziała. Że między nią a Flintem dzieje się coś wyjątkowego. Coś naturalnego, rzeczywistego i nieuchronnego. Z Flintem czuła się całkowicie i bezwarunkowo bezpieczna, nigdy nie wątpiła w jego zamiary, nigdy nie analizowała słów w poszukiwaniu ukrytego znaczenia, akceptowała go takiego, jakim jest. A on robił wszystko dokładnie tak, jak trzeba. Nie naciskał zbyt mocno. I nie grał też zupełnego luzaka. Robił to, co powinien, by czuła się kochana, chroniona, szanowana i podziwiana, natomiast w żadnym wypadku osaczona bądź oszukana, bezradna czy też okrutna.

Ana pomyślała teraz o słowach Lol, gdyż przy wjeździe na cmentarz Kensal Rise pojawił się jego samochód. Na jej twarzy błąkał się uśmiech. Odwróciła się do Flinta i uśmiechnęła promiennie, a on jej odpowiedział tym samym. Na tylnym siedzeniu jego auta znajdowali się Lol i Keith, Gill, Di i Amy, która wzięła ze sobą Freddiego, a wcześniej specjalnie na tę okazję kupiła mu czarny, aksamitny płaszczyk.

Flint zatrzymał samochód na parkingu, gdzie wysypali się z niego wszyscy pasażerowie. Tuż przy wejściu do krematorium silnym uściskiem dłoni powitał Anę ojciec Anthony, uśmiechnięty pastor z zaróżowionymi policzkami, który miał poprowadzić całą ceremonię.

— No tak — rzekł. — Zamówiła sobie pani zdecydowanie piękną pogodę. — Popatrzył w niebo, jakby częściowo się spodziewał, że ujrzy tam samego Boga unoszącego kciuki. Ana przedstawiła go wszystkim, a potem zaczęli iść w kierunku grobu Bee.

— Zjawiło się już wielu uczestników — rzekł, zacierając dłonie — ale nie rozpoczniemy, dopóki nie przybędzie reszta. Zostało jeszcze kilka minut.

Anie zabrakło tchu. Nagle poczuła się bardzo za to wszystko odpowiedzialna. Tak naprawdę nigdy wcześniej nie zajmowała się organizowaniem czegokolwiek, nawet imprezy w domu. Kiedy dorastała, to jej matka była mistrzem ceremonii, a potem, gdy wyprowadziła się z domu, funkcję tę przejął Hugh. To on wykonywał wszystkie telefony, planował menu, wysyłał zaproszenia. Ana musiała się martwić jedynie o to, na jaki temat będzie rozmawiać z tymi wybitnie inteligentnymi przyjaciółmi Hugh, by nie wydać się im kompletną debilką. A po wszystkim do niej należało zmywanie. Ale w ciągu ostatniego tygodnia wymieniała się e-mailami ze Stuartem Crosbym, który umieścił na swojej stronie wszystkie szczegóły. Zorganizowała przyjazd do Londynu Zandera pod opieką doktor Chan. I zaprosiła Eda. Zadzwoniła do niego do biura, a on na początku odmówił. Dla dobra swojej rodziny zerwał wszelkie łączące go z Bee więzi i nie chciał podejmować żadnego ryzyka. Ale następnego dnia oddzwonił do niej i oświadczył, że przemyślał wszystko i uznał, iż winien jest Bee ostatnie pożegnanie, i że jego żona i dzieci i tak spędzają noc u jej matki, więc będzie mógł przybyć.

Ustaliwszy listę gości, Ana uzgodniła z ojcem Anthonym porządek modlitw, a potem zaplanowała przyjęcie po uroczystości, które, po wielu godzinach gorących dyskusji z Flintem i Lol, odbędzie się w ulubionym pubie Bee w Belsize Park, niedaleko jej dawnego mieszkania. Ana spędziła tam ranek razem z Flintem i Lol, dekorując znajdującą się na górze salę bankietową plakatami Bee i mnóstwem czarnych i żółtych balonów. Zamówiła firmę cateringową, a Lol zorganizowała zespół, więc trzeba było wynająć sprzęt nagłaśniający. I jeszcze napisać swoją mowę.

Gdy zbliżali się do grobu, z cienia wyłonił się zarys małej grupki ludzi. Byli to mężczyźni i kobiety w różnym wieku i o różnym wyglądzie. Ana wstrzymała oddech, gdy dojrzała drobną osobę z czarnymi włosami — w zeszłym tygodniu wysłała Gay zaproszenie i mimo iż wiedziała, że raczej się tak nie stanie, jakaś jej część wciąż miała nadzieję, że może się tutaj zjawi. Kobieta odwróciła się i Ana poczuła przygnębienie, to nie była jej matka.

Nie znała żadnej z osób stojących wokół grobu, więc uznała, że są to zapewne fani. Fani Bee.

— Witam — rzekła, gdy zbliżyła się do nich. — Jestem Ana. Bardzo wam dziękuję za przybycie. — Wszyscy się odwrócili, by się do niej uśmiechnąć i Ana zobaczyła w ich oczach coś, co sprawiło, że poczuła łaskotanie w brzuchu. Podziw. Podziwiali ją. Sądzili, że jest kimś szczególnym ze względu na pokrewieństwo z Bee i ponieważ to ona zorganizowała to wszystko. Uważali, że jest właściwą osobą na właściwym miejscu. I oglądając się teraz za siebie na Flinta i Lol, Ana nagle przypomniała sobie, iż jest prawdziwą osobą, osobą, której wnętrze pasuje wreszcie do wyglądu. Popatrzyli na nią wyczekująco.

— Zaczekamy jeszcze na kilka osób, a potem możemy zacząć. Dojechaliście bez przeszkód?

Chwilę później pojawili się Zander i doktor Chan. Zander wyglądał bardzo elegancko w spodniach koloru khaki i czarnej, rozpinanej koszuli. Następnie wreszcie przybył Ed, który wyglądał na zdenerwowanego, a do zadraśnięcia po goleniu na jego brodzie przywarł strzęp chusteczki. Uśmiechnął się ponuro do Any i Flinta i najwyraźniej odczuwał koszmarne skrępowanie.

Ojciec Anthony zakaszlał i rozpoczął uroczystość.

— No cóż — zaczął. — Muszę powiedzieć, że jeszcze nigdy nie odprawiałem nabożeństwa żałobnego tak szybko po pogrzebie, ale rozumiem, że pośród was są tacy, którzy nie wiedzieli o odejściu Bee, bądź też z różnych powodów nie mogli w nim uczestniczyć. Myślę, że stare powiedzenie, które mówi, że lepiej późno niż wcale, okazuje się w tej sytuacji wyjątkowo trafne, ponieważ naprawdę nigdy nie jest zbyt późno, by uczcić pamięć kogoś, kto był nam w jakikolwiek sposób bliski. Widzę pośród was przyjaciół i rodzinę. Także sąsiadów, współpracowników i wielbicieli. Jesteście wyjątkowo niejednorodną grupą ludzi, ale coś macie ze sobą wspólnego. Zmarła podczas swego krótkiego życia wywarła na was jakiś wpływ, dzięki któremu zmieniliście się głęboko i na zawsze. Z tego, co opowiedziała mi Ana, wnioskuję, że życie Bee było czasami tragiczne i bardzo często samotne. Fakt, że mimo tego udało jej się wywierać tak pozytywny wpływ na tych, którzy ją otaczali, jest testamentem jej żywej osobowości i miłości do ludzi. Zmówmy teraz modlitwę za Bee i prośmy Boga o pomoc w zapewnieniu jej życia po śmierci, które wynagrodzi braki w jej ziemskiej egzystencji. Niech Bóg błogosławi jej duszę… — Ojciec Anthony uczynił znak krzyża. — A teraz — dodał — Ana poprosiła, bym pozwolił jej powiedzieć kilka słów o jej siostrze, nie o życiu Bee, które jak już wspomniałem nie zawsze było szczęśliwą podróżą, ale o niej samej. Ale jestem pewny, że są też inni, którzy chcieliby skorzystać ze sposobności, by coś nam przekazać. Czy jest ktoś chętny? — Rozejrzał się zachęcająco po gościach. — O, świetnie — ucieszył się, gdy jakaś osoba zaczęła iść w jego kierunku. To był Stuart, który nerwowo ściskał w dłoni kartkę papieru. Odkaszlnął.

— Gdy już to napisałem, nie byłem pewny, czy to przeczytam, czy też nie. To jest bardzo sentymentalne i sprawi, że wydam się wam mięczakiem. Ale co mi tam — uśmiechnął się szeroko i ponownie odkaszlnął. — Miałem piętnaście lat, kiedy po raz pierwszy zobaczyłem Bee. Wykonywała *Groovin' for London* w Top of the Pops. Muszę przyznać, że była to miłość od pierwszego wejrzenia — uśmiechnął się przepraszająco do swojej żony i wszyscy się cicho zaśmiali. — Emanowała z niej taka energia i pewność siebie przed kamerą. Byłem wtedy nieśmiałym dzieciakiem. Nie miałem wielu przyjaciół i Bee uosabiała wszystko to, czego mi brakowało. Była także olśniewająco piękna i nosiła bardzo krótkie spódniczki, co przecież stanowiło dodatkowy atut. — Ponownie się uśmiechnął. — Stałem się jej wielkim fanem. Podążałem za nią, gdziekolwiek się udała. A potem pewnego dnia podczas podpisywania płyt w sklepie muzycznym podeszła do mnie i zapytała: „To znowu ty?", a ja prawie się przewróciłem. Zacząłem się jąkać i trząść, a moja twarz musiała mieć kolor buraka. „Jestem naprawdę wielkim fanem" — udało mi się wreszcie z siebie wydusić. I pomyślałem, że ona na pewno to zlekceważy, ponieważ jest przyzwyczajona do tego typu rzeczy, ale pamiętam, że wyglądała na naprawdę zadowoloną. A potem odwróciła się do swojego ochroniarza — Stuart uśmiechnął się i spojrzał na Flinta — tak właściwie to do tego faceta. I poprosiła go o zanotowanie mojego adresu, by mogła przysłać mi kilka zdjęć z autografami. Podyktowałem mu go więc i nie sądziłem, że coś z tego wyniknie. Ale trzy dni później w moim domu pojawiła się duża paczka. Otworzyłem ją, a w środku było pełno drobiazgów. T-shirt, kaseta video, około dwudziestu podpisanych zdjęć, długopisy, gumki, naklejki. Po prostu wszystko. I kartka od Bee, na której napisała odręcznie, że będzie się za mną w przyszłości rozglądać i że jeśli znajdę się kiedyś w potrzebie, to mam napisać do niej przez jej menedżera, a ona zobaczy, co da się zrobić. To znaczy — czy potraficie to sobie wyobrazić? Z jednej strony ja, pryszczaty, nieśmiały piętnastolatek, z drugiej ta piękna, sławna gwiazda pop, która poświęciła swój czas, by się ze mną skontaktować. — Potrząsnął głową, a na jego twarzy nadal malowało się niedowierzanie. Piętnaście lat później. — Spotkałem Bee jeszcze kilkakrotnie w przeciągu roku i zawsze była bardzo uprzejma, czarująca, ciepła i hojna. A potem, oczywiście, zachorował jej ojciec i wykopali ją z muzycznego interesu. Ja także dorosłem, zniknęły moje pryszcze i rozwinąłem w sobie inne zainteresowania. Ale ona była naprawdę ważną częścią mojego dorastania. Świadomość, że ją znałem, że zostałem przez nią zaakceptowany, radykalnie zmieniła mnie jako osobę. Więc kiedy parę lat temu kupiłem mój pierwszy komputer, przyniosłem ze strychu wszystkie pamiątki po Bee Bearhorn i na kilka tygodni na nowo ogarnęła mnie obsesja, gdy przekopywałem się przez te wszystkie rzeczy. I z tych starych papierzysk, tych wszystkich wspomnień powstała strona o Bee Bearhorn. Tak naprawdę zrobiłem ją tylko dla siebie. Nie sądziłem, by zainteresowała kogokolwiek innego. Ale oto pojawiliście się tutaj wy. Miło wiedzieć, że nie jestem tutaj jedyną smutną, starą ofiarą — uśmiechnął się i odwrócił kartkę. — Nie myślałem wiele o Bee w ciągu ostatnich kilku lat. Ale kiedy Ana skontaktowała się ze mną w zeszłym tygodniu i poinformowała mnie o tym, co się stało, płakałem. Nie mogę uwierzyć, że mówię wam teraz to wszystko. Ale to prawda. I to było dla mnie zupełnie nieoczekiwane. A stało się tak dlatego, że kiedy umarła Bee, razem z nią odeszła jakaś mała część mnie. Ponieważ ona jedyna sprawiła, że kiedy byłem niezdarnym nastolatkiem, poczułem się jak ktoś inny. I dlatego na zawsze pozostanie ona w mojej pamięci. Niech jej dusza spoczywa w pokoju. — Opuścił głowę, złożył kartkę i wrócił do żony, która pokrzepiająco uścisnęła jego dłoń.

Ojciec Anthony rozejrzał się za kolejnym ochotnikiem i uśmiechnął się, gdy zobaczył, że podjeżdża do niego Zander.

Chłopak popatrzył na grupę i pewnym siebie głosem zaczął czytać:

— Cześć. Mam na imię Zander i jestem tajemniczym...

Ana z przerażeniem zasłoniła dłonią usta i uczyniła krok w kierunku chłopaka, ale Flint ją powstrzymał.

— Spokojnie — wyszeptał. — Spokojnie.

— Jestem tajemniczym przyjacielem Bee. Moja rodzina zginęła w wypadku samochodowym w 1986 roku. Tym samym wypadku, który posadził mnie na tym wózku. Bee przeczytała w gazecie o mojej trudnej sytuacji i przez lata śledziła moje postępy. W tajemnicy. Kiedy skończyłem dziesięć lat, zaczęła wysyłać mi na Boże Narodzenie przekazy na duże sumy pieniędzy. I nigdy nie wiedziałem, od kogo one pochodzą. A potem, pewnego dnia w 1997 roku ta kobieta pojawiła się w ośrodku, w którym mieszkam od szesnastu lat. Była bardzo drobna i bardzo ładna i powiedziała, że jest moją ciotką. Wiedziałem, że to nieprawda, ale w ośrodku panują bardzo surowe przepisy dotyczące dostępu do nas ludzi z zewnątrz. Wymyśliła więc tę głupią historię. Okazuje się, że udało jej się nawet dostarczyć jakieś papiery, by to udowodnić. Do dzisiejszego dnia nie mam pojęcia, jak ona to zrobiła. Ale od razu wiedziałem, że ją lubię. Że jest inna. Że jest niebanalna. Że nadajemy na tych samych falach. A była to dla mnie nowość, ponieważ wcześniej nie spotkałem nikogo, kto by nadawał na tych samych falach co ja. Więc wreszcie udało mi się wydobyć z niej prawdę…

Ana zesztywniała.

— …i okazało się, że jej życie było bardzo puste, odkąd w 1988 jej ukochanego ojca zabrało AIDS. Tak naprawdę nigdy nie znalazła już w sobie wystarczająco wiele entuzjazmu, by odbudować swoją karierę. Otrzymała od życia kilka kopniaków i jej pewność siebie została porządnie nadszarpana. Miała pieniądze, więc nigdy nie musiała się sprawdzać, zobaczyć, co jeszcze może jej zaoferować życie. Stałem się więc projektem Bee. Przyjeżdżała do mnie w odwiedziny w każdy weekend i jeśli było ładnie, chodziliśmy na spacery, albo po prostu siedzieliśmy w moim pokoju i wspólnie oglądaliśmy telewizję, jeżeli padał deszcz. Uwielbiałem patrzeć w telewizor razem z Bee. Była taką niesamowitą plotkarą. Potrafiliśmy siedzieć i nie pozostawić na nikim suchej nitki, naśmiewać się z włosów i akcentów czy też z tego, jak bardzo ci ludzie są głupi. Wiem, że nie jest to szczególnie po chrześcijańsku — popatrzył na ojca Anthony'ego — ale to była świetna zabawa. A ja nigdy wcześniej dobrze się nie bawiłem. Przynajmniej nie w ten sposób. Zdecydowanie wolę rozmawiać. A potem, po kilku miesiącach takich wizyt Bee zrobiła dla mnie coś niesamowitego. Kupiła nam dom. Mały dom nad morzem. I w każdy weekend zostawiała za sobą Londyn, przyjaciół, życie towarzyskie i jechała na wybrzeże, by spędzić go ze mną. Ze mną. Irytującym dzieciakiem na wózku inwalidzkim. I było nam wspaniale. Wspólnie gotowaliśmy. I słuchaliśmy muzyki. Zanim poznałem Bee, nie byłem zbyt wielkim amatorem muzyki, ale ona to we mnie zmieniła. W każdy weekend przywoziła ze sobą trzy filmy na wideo: komedię, thriller i film akcji. I gawędziliśmy sobie, i się śmialiśmy. Wymyślaliśmy imiona dla wszystkich tępaków we wsi. Szpiegowaliśmy sąsiadów przez lornetkę i robiliśmy sobie z nich jaja. Wciągnąłem ją w obserwowanie ptaków i gry planszowe. A ona traktowała mnie jak najnormalniejszego chłopca pod słońcem. Dlatego czas spędzany z Bee był dla mnie tak bardzo szczególny. Czułem się normalny. I wyjątkowy. Nienormalnie wyjątkowy. Ale wyjątkowo normalny. Dała mi pewność siebie, którą przez te trzynaście lat, zanim ją poznałem, tylko udawałem. Skruszyła mój pancerz i zastąpiła go czymś istotnym. I wiem, że już nigdy nie spotkam kogoś takiego jak Bee, bez względu na to, jak długo będę żył, i czyni mnie to bardzo, bardzo smutnym. I jestem naprawdę szczęśliwy, że w ogóle dane mi było ją znać. Dziś rano usłyszałem w radiu piosenkę. Była to Janet Jackson i *Together Again*. Śpiewała o kimś, kto odszedł i że ta osoba żyje w uśmiechach innych ludzi i w gwiazdach, i tym podobne. Muszę w tym miejscu dodać, by zachować jakiekolwiek pozory luzactwa, że naprawdę nie lubię Janet Jackson. Ale trzeba przyznać pani Jackson, iż to naprawdę radosna piosenka i podziałała na mnie bardzo uspokajająco. Myślę, że ona jest wszędzie, że jest gwiazdą, która mruga do mnie z nieba. Bee i tak zawsze była bardziej żywiołem niż człowiekiem. Dziękuję — uśmiechnął się znacząco, schował kartkę do kieszeni, po czym spuścił głowę i pojechał z powrotem do doktor Chan, która posłała mu pełen uczucia uśmiech.

— Eee... dziękuję także i tobie, Zanderze — rzekł ojciec Anthony, a w jego głosie pobrzmiewała nutka dezorientacji i skrępowania. — Ktoś jeszcze? — Ale nikt nie wysunął się naprzód. Pochwycił spojrzenie Any i kiwnął do niej głową. Ana odetchnęła głęboko i wyciągnęła z torby starannie złożony arkusz papieru. Wygładziła go spoconymi palcami.

— Bee — zaczęła — była moją siostrą. Ale pozostawała kimś obcym. Tak naprawdę to poznałam ją dopiero w ciągu ostatnich dwóch tygodni — dzięki ludziom, którzy się tutaj zjawili. Dzięki waszym opowiadaniom i uczuciom. Dla mnie Bee była mirażem, ale dla was kimś rzeczywistym, a teraz wiem, że dla nas wszystkich stanowiła zagadkę. W ciągu ostatnich tygodni, podczas których poznawałam Bee, ogarnęło mnie każde możliwe uczucie. Radość ze znalezienia w jej zbiorze tych samych płyt, co i w moim. Dezorientacja, gdy się dowiedziałam, że jej życie pozbawione było głębi emocjonalnej. Prawdziwa i natychmiastowa miłość, gdy poznałam jej najbliższych przyjaciół. Smutek, kiedy odkryłam obecne w jej życiu tragedie i rozpacz, których nie dzieliła z nikim. Duma, gdy natrafiłam na miłość i lojalność, jakie wyzwalała w innych. I wstyd, kiedy uświadomiłam sobie, że była kimś znacznie lepszym, niż zawsze wyobrażałam sobie, że jest. Bee nie była osobą prostolinijną. Bee nie była osobą łatwą. Stanowiła zlepek przeciwieństw. Była słodka i gorzka. Szczęśliwa i smutna. Dobra i zła. Szlachetna i podła. Niegrzeczna i miła. Umiała wydobywać z ludzi to, co najlepsze, wywierać na nich pozytywny wpływ. Ale potrafiła także onieśmielać i niszczyć. Była lojalna wobec przyjaciół, ale obojętna względem rodziny. Potrafiła interesować się życiem jakiejś osoby, a potem zapomnieć o jej urodzinach. Była samowystarczalna. Niezależna. Ale też zamknięta w sobie. Pełna rezerwy. I lekceważąca. Popełniała błędy. I drogo przyszło jej za nie zapłacić. Była piękna. Ale jej życie zależało nie tylko od urody. Była nieosiągalna i chłodna, ale także uczuciowa i szczodra. Stanowiła inspirację i rozczarowanie. Była wszystkim i niczym. Ale Bee — ciągnęła Ana — to Bee. I to wystarczało, ponieważ Bee była wyjątkowa i niemożliwa do zapomnienia. Bee była moją siostrą... Niech Bóg ma w opiece jej duszę.

Odkaszlnęła, złożyła wilgotny arkusz papieru i ze wzrokiem wbitym w ziemię wróciła do Flinta, który natychmiast otoczył ją ramieniem. Poczuła jeszcze jeden uścisk, a kiedy podniosła głowę, zobaczyła Lol, która uśmiechała się krzywo, a z koniuszka jej nosa skapywały wielkie łzy.

— To było piękne — wyszeptała bezgłośnie, po czym uściskała Anę tak mocno, że ta aż nie mogła oddychać. Ana poczuła, że i po jej policzkach spływają gorące łzy.

A potem poczuła, jak Flint sztywnieje i chwyta ją za ramię.

— Ana — wyszeptał niecierpliwie — Spójrz.

Wyplątała się z uścisku Lol i otarła łzy z policzków. A kiedy się odwróciła, aż podskoczyła. Ponieważ w jej kierunku, z wielkim bukietem białych, długich lilii w jednej ręce, a z drugą wsuniętą pod ramię zadowolonego z siebie pana Redwooda, zbliżała się jej matka.

Rozdział czterdziesty trzeci

Miała na sobie szarą, tweedową marynarkę z ogromnymi, srebrnymi guzikami, długą, czarną, plisowaną spódnicę i bardzo elegancki szary, filcowy kapelusz, do którego przypięta była biała lilia. Wyglądała słabowicie i bardzo pięknie — niczym stara, hollywoodzka gwiazda filmowa.

— Witaj, kochanie — rzekła bez zająknienia, gdy zbliżyła się do Any. — Witaj, Clint.

Ana wpatrywała się w nią ze zdumieniem.

— Co takiego? — zapytała jej matka, po czym zacisnęła usta.

— Nic — odparła Ana. — Nic. Ja tylko… naprawdę się cieszę, że przyjechałaś.

— Tak, no cóż — rzekła, wachlując się arkuszem papieru. — Nie zostanę długo. Naprawdę nie sądzę, bym wytrzymała więcej niż kilka minut. Czuję się bardzo słabo. Myślę, że powiem, co mam do powiedzenia, a potem pojedziemy z powrotem.

Ana przytaknęła tępo i zrobiła dla matki przejście. Zapanowała cisza, gdy Gay rozejrzała się, potem popatrzyła na kartkę, a następnie jeszcze raz na otaczających ją ludzi. W jej oczach widoczne były kłębiące się uczucia, ale usta pozostawały nieruchome. Aż wreszcie zaczęła mówić.

— Słuchałam — oznajmiła — stamtąd. — Wskazała na pokrytą żwirem ścieżkę. — Słuchałam was wszystkich i... no cóż. To było straszne. Kiedy wydajesz na świat dziecko, masz względem niego tak wiele nadziei i ambicji. Ale generalnie jesteś szczęśliwy, jeżeli postępuje ono zgodnie z ogólnie przyjętymi zasadami i nie krzywdzi siebie ani nikogo innego. Dla większości rodziców jest to wszystko, na co mogą liczyć. Ale kiedy na tym świecie pojawiła się Belinda, raz tylko na nią spojrzałam i wiedziałam, że w jej przypadku będzie inaczej. Zdawałam sobie sprawę, że kiedyś prześcignie moje oczekiwania. I tak się stało. Nie w jakiś zwykły sposób. Nie wyróżniała się w szkole. Nie miała żadnych szczególnych zdolności. Ale prześcignęła moje oczekiwania, będąc po prostu sobą. Tą pełną życia, radosną, niegrzeczną, hałaśliwą, kolorową, niesforną, irytującą mieszaniną czystej energii i ambicji. A wiecie, dlaczego tak bardzo mnie to cieszyło? Cieszyło mnie to dlatego, ponieważ przeistaczała się w osobę, którą ja zawsze chciałam być. Przyszła na świat bez zahamowań. Ja urodziłam się ze zbyt wieloma. I wstyd się przyznać, ale żywiłam do niej o to urazę. Miałam jej za złe sposób, w jaki trzymała świat obiema rękami i potrząsała nim, i potrząsała, i potrząsała — Gay użyła swych rąk, by to zademonstrować — aż coś się rozpadło. Nie mogłam zaakceptować jej niezależności. Jej siły. I starałam się w niej to stłamsić. Aż wreszcie miała tego dość, wyprowadziła się z domu i zamieszkała ze swoim ojcem. Obawiam się, że nie ułatwiłam jej tej sytuacji, ale ona także niczego mi nie ułatwiała. To właśnie był jeden z największych problemów, jeżeli chodzi o mnie i o Bee. Byłyśmy zupełnie różne w niektórych aspektach, a w innych tak bardzo podobne do siebie. Podczas tych rzadkich okazji, kiedy się ze sobą spotykałyśmy, obie nieustannie się ścierałyśmy. Nie było to z pewnością przyjemne dla mojego zmarłego męża czy też naszej córki. Ale wydawało się, że jest to jedyny sposób, w jaki jesteśmy w stanie komunikować się ze sobą. Przeżywałam wówczas straszny okres. Moja starsza córka urzeczywistniała wszystkie moje marzenia i ambicje. Była sławna. Oglądałam ją w telewizji i czułam, że za chwilę serce pęknie mi z dumy. Ale nie potrafiłam wyrazić tej dumy w obecności Belindy. Nie jestem pewna, czy w ogóle wiedziała, jak bardzo, ale to bardzo mi imponuje. Jaki podziw często wobec niej czułam. Naprawdę nie wiedziałam, jak poradzić sobie z takimi uczuciami wobec własnej córki. Kogoś, kogo przecież sama stworzyłam. Więc zamiast gratulować jej sukcesów, próbowałam ze wszystkich sił je pomniejszać. A potem nastąpił ten incydent, dawno temu. Obawiam się, że zachowałam się naprawdę źle. Bee nigdy mi tego nie wybaczyła. Patrząc wstecz, rozumiem dlaczego. I nigdy więcej jej nie zobaczyłam. I to... — Gay urwała nagle i wykrzywiła się, powstrzymując łzy. — I to jest najgorsze uczucie na świecie, wiedzieć, że teraz nie można już przeprosić. Więc — jestem tutaj. Mając nadzieję, że w jakiś sposób moje słowa przenikną przez marmurową płytę i dotrą do mojej kochanej córki. Która była dużo lepsza ode mnie. We wszystkim. Niech cię Bóg błogosławi, Belindo. I tak bardzo cię przepraszam...

Zgniotła w dłoni swoją kartkę papieru i pospiesznie udała się w kierunku pana Redwooda. Ojciec Anthony kontynuował ceremonię. Ludzie złożyli kwiaty na grobie Bee. Lol pokierowała wszystkich do pubu. Zaczęto się rozchodzić. Ale Ana stała jak przyklejona, obserwując matkę, która szlochała w chusteczkę pana Redwooda. Nigdy wcześniej nie oglądała jej płaczącej. Widziała, jak straszy, że będzie płakać, jak udaje, że płacze i smarka dramatycznie w chusteczkę, ale nigdy nie płakała naprawdę.

— Poczekałbyś na mnie w samochodzie? — poprosiła Flinta.

Popatrzył na Gay, a potem na Anę.

— Oczywiście — odparł. Ucałował czubek jej nosa i odszedł.

Kiedy Ana podeszła do matki, koło niej znajdowała się już Amy.

— Jest pani bardzo odważną kobietą — mówiła właśnie, ściskając ramię Gay i uśmiechając się do niej. — Agorafobia jest straszną przypadłością. Ale tak bardzo, bardzo się cieszę, że udało się ją pani przezwyciężyć na tę właśnie okazję. Tak się cieszę. Pani córka była cudowną dziewczyną, pani Wills. Tak bardzo dla mnie uprzejmą. Taką czarującą. Jedną z niewielu osób w tym mieście, które nazwałabym moimi przyjaciółmi. I Ana także jest zachwycająca. Zupełnie inna od swojej siostry, ale równie wyjątkowa. Może być pani dumna. Z ich obu. Naprawdę... — Po raz ostatni uścisnęła ramię Gay, a Ana obserwowała ze zdumieniem, jak na twarzy jej matki zaczyna się pojawiać blady uśmiech. Nie uśmiech triumfujący, nie złośliwy, nie chytry, nie sztuczny — nie był to żaden z grymasów ze zwykłego repertuaru Gay. Był to uśmiech zadowolony i nieco zakłopotany.

— Dziękuję pani — usłyszała słowa Gay. — To bardzo miłe z pani strony. A teraz proszę mi wybaczyć, ale czuję się naprawdę słabo. Chyba będę musiała usiąść.

— Oczywiście. Oczywiście. — Amy uśmiechnęła się do Any i wdzięcznie podreptała na parking, a tuż za nią pobiegł Freddie.

— Mamo! — zawołała Ana, gdy Gay zaczęła się odwracać.

— Zaczekaj. Tylko na chwilkę. Dzień dobry, panie Redwood. — Uśmiechnęła się do szczupłego, wytwornego mężczyzny w niebieskim blezerze i jasnobrązowych sztruksach, a on także odpowiedział uśmiechem.

— Witaj, Anabello. Wyglądasz doskonale.

Podziękowała mu.

— Zastanawiałam się, czy mogłabym na chwilę zostać z mamą sama. Czy to możliwe?

Pan Redwood wylewnie pokiwał głową i ponownie szeroko się do nich uśmiechnął, po czym udał się powoli w kierunku pozostawionego na parkingu lśniącego rovera.

Gay odwróciła się do Any. Była blada i ciężko oddychała.

— Przytyłaś — oświadczyła, mierząc ją wzrokiem od góry do dołu.

Ana przewróciła oczami.

— Pasuje ci to — dodała. — Wyglądasz ładnie.

Jej córka bez mała zemdlała.

— Eee... dzięki — udało jej się wyjąkać.

— Naprawdę będę musiała usiąść, Anabello. To był dla mnie bardzo traumatyczny dzień.

— Chodźmy więc może w kierunku samochodu. Ale najpierw chciałam zmówić razem z tobą modlitwę. Za Bee. — Pokazała oczami grób.

Gay popatrzyła na nią podejrzliwie, po czym niezauważalnie skinęła głową. Ana przytrzymała ją za ramię, gdy klękała, i przez chwilę obie kobiety milczały z opuszczonymi głowami. Gdzieś w oddali zaszczekał pies, a wiatr poruszył grubymi liśćmi wiązu. Ana pomyślała o przytrzymaniu matki za rękę albo o objęciu jej kościstych ramion. Ale za każdym razem, gdy już miała to zrobić, przypominała sobie twarz Gay w dniu, w którym się dowiedziały o śmierci Bee i jak ona odtrąciła jej dłoń. Nie zrobiła więc tego, a po minucie albo dwóch obie wstały i zaczęły iść w kierunku samochodu, zachowując między sobą półtorametrowy odstęp.

— Cieszę się, że przyjechałaś, mamo.

Gay kiwnęła głową.

— Tak — rzekła szorstko. — Ja też. Dobrze, gdy się porządnie coś zakończy, prawda?

— Jak ci się to udało?

— Cóż, ja chyba… eee… nastawiłam się psychicznie, jak to mówią. I pan Redwood był naprawdę wspaniały. Tak właściwie — zatrzymała się i odwróciła, by spojrzeć Anie w oczy — to pan Redwood mi się oświadczył.

Ana z niedowierzaniem wpatrywała się w swoją matkę.

— Co takiego?!

— Pan Redwood. Oświadczył mi się. Kilka dni temu.

— A ty powiedziałaś…?

— No cóż, bycie wdową naprawdę do mnie nie pasuje, wiesz o tym. Nie jestem typem osoby, której podoba się życie w pojedynkę. A teraz, kiedy wreszcie wyszłaś z ukrycia, zaczęłaś coś ze sobą robić… Nie mogę oczekiwać, że będziesz skakać koło mnie przez resztę moich dni. A pan Redwood jest naprawdę uprzejmym i troskliwym mężczyzną i…

Ana odwróciła się do matki i szeroko uśmiechnęła.

— Ty się zgodziłaś, prawda?

Jej matka lekko poczerwieniała i kiwnęła głową. Ana krzyknęła, a potem zakryła dłonią usta, gdy przypomniała sobie, że znajdują się na cmentarzu. Prawie rzuciła się w kierunku matki, by ją uściskać, ale uświadomiła sobie, że gdyby to zrobiła, zaszokowana Gay prawdopodobnie by umarła. Stała więc i zamiast tego uśmiechała się do niej promiennie.

— Myślę, że to fantastycznie — oświadczyła. — Naprawdę, naprawdę fantastycznie.

— No cóż — westchnęła jej matka. — Może nie jest to najbardziej romantyczny związek. Raczej rodzaj współpracy. Ale myślę, że tak będzie najlepiej.

— Będziesz... będziesz dla niego miła, dobrze, mamo?

— O czym ty, do diaska, mówisz?

— O tym, byś go doceniała. Mów mu, że jest dobry. Mów mu, że jest uprzejmy. Mów mu, że cieszysz się, że za niego wyszłaś. Dobrze?

— Nie mam pojęcia, o czy ty mówisz, Anabello. Będę traktować pana Redwooda z należnym mu szacunkiem. Takim samym szacunkiem, jaki on okazuje mnie.

Ana uśmiechnęła się do niej szeroko i Gay również pozwoliła, by na jej twarzy pojawił się uśmiech.

— No a co z tobą? — zapytała. — Jakie masz plany na przyszłość?

Jej córka wzruszyła ramionami.

— Tak właściwie to nie mam pojęcia. Zupełnie. W przyszłym tygodniu będę się musiała wyprowadzić z domu, w którym teraz mieszkam. W weekend do Gill wprowadza się długoterminowa lokatorka. Poszukam sobie czegoś innego. A może zamieszkam z Flintem... Naprawdę byłam zbyt zajęta, by o tym myśleć.

Gay zacisnęła usta.

— Ten Flint. Czy on był kochankiem Bee?

Ana zachichotała.

— Co?

— Wiesz, o co mi chodzi.

— No cóż, tak właściwie to nim był. Istotnie raz ze sobą spali. Bardzo dawno temu. Ale teraz jest moim kochankiem — oświadczyła.

Czekała na pełną szoku reakcję jej matki, ale nic takiego się nie stało.

— Tak — rzekła zamiast tego sucho. — Hugh powiedział mi, że podejrzewa, iż coś się między wami dzieje. No cóż. Cieszę się. Z wyglądu mi się podoba. Jest dużym mężczyzną. Zawsze lubiłam dużych mężczyzn. Można się z nimi czuć bardzo bezpiecznie. I są zazwyczaj delikatni i uprzejmi.

Zbliżały się właśnie do samochodu pana Redwooda i Ana przyspieszyła.

— Panie Redwood! — zawołała radośnie. — Mama właśnie mi o wszystkim powiedziała i uważam, że to cudownie. Sądzę, że jest pan niespełna rozumu, ale to i tak cudownie. Gratulacje!

Na sympatycznej twarzy pana Redwooda pojawił się szeroki uśmiech.

— Nie potrafię wyrazić, jak bardzo jestem szczęśliwy, że mam twoją aprobatę, Anabello. To naprawdę bardzo dużo dla mnie znaczy. — Wyskoczył zwinnie z samochodu i zamknął Anę w bardzo silnym, bardzo nieangielskim uścisku.

— Witam w rodzinie, panie Redwood. I przynajmniej wie pan dokładnie, w co się pan pakuje.

Uśmiechnął się promiennie do Gay.

— O tak — odparł. — Bez wątpienia wiem.

— No więc tak — rzekła Gay, nie zwracając uwagi na pełne uczucia gesty pana Redwooda. — Przywiozłam ci trochę rzeczy. Ubrania. Książki. Płyty. I tak dalej. Myślałam, że pewnie chciałabyś je mieć tutaj.

Pan Redwood otworzył bagażnik swego samochodu.

— I jeszcze to. — Gay podała Anie dużą, szarą kopertę. — To jest list. Do ciebie. Od Bee. Obawiam się, że ja... eee... cóż, powinnam dać ci go wcześniej. Tak naprawdę nie jestem pewna, dlaczego tego nie zrobiłam. To nie jest coś, z czego mogłabym być dumna. Może powinnaś przeczytać go później, w jakimś spokojniejszym momencie. Och... — Przyłożyła dłoń do czoła i głęboko odetchnęła. — A teraz naprawdę, naprawdę musimy jechać. Czuję się raczej... och.

Pan Redwood szybko wrócił z tyłu samochodu i otworzył dla Gay drzwi, a ona z gracją opadła na siedzenie.

Ana zawołała Flinta i Keitha, by pomogli panu Redwoodowi przenieść kartony z jego samochodu do mercedesa, a potem Gay się pożegnała.

— Pozostaniemy w kontakcie, dobrze? Wszystko będzie dużo prostsze teraz, kiedy mam pana Redwooda. On może odbierać za mnie telefony...

— A może sama mogłabyś to robić?

— Powoli, Ano. Jedna rzecz na raz. A tak w ogóle, to dziękuję ci. Za zorganizowanie tego wszystkiego. Myślę, że to był bardzo dobry pomysł — uśmiechnęła się, a Ana także odpowiedziała uśmiechem.

— Ja też, mamo, ja też. — Ucałowała policzek Gay i zamknęła za sobą drzwi.

— Och, Clint — rzuciła Gay, nagle opuszczając szybę i kiwając na niego. — Chciałam cię przeprosić za zeszły tydzień. Za twoją dłoń. Strasznie mi przykro. To było najzupełniej zbędne i dość prostackie. Jestem okropnie zakłopotana z tego powodu.

Flint wzruszył ramionami i pomachał do niej prawie zagojoną ręką, a potem pan Redwood i Gay odjechali z parkingu.

Gdy samochód zniknął im z oczu, Ana odwróciła się do Flinta.

— Dziękuję ci — rzekła.

— Za co?

— Za to. Za to, co zrobiłeś z mamą. W przeciwnym wypadku nie przyjechałaby.

— Przyjechałaby — odparł, zamykając ją w uścisku.

— A właśnie, że nie — upierała się Ana, otaczając ramionami szeroki tors Flinta. — A ty jesteś cudowny. — Uniosła głowę i uśmiechnęła się, gdy jego usta dotknęły jej warg.

— Chodźcie no, wy dwoje, wystarczy już tego — rzekła Lol, zarzucając na ramiona szal, gdyż słońce zaczęło się chować za drzewami. — Czeka nas jeszcze impreza!

Rozdział czterdziesty czwarty

— Witam wszystkich. Mam nadzieję, że dobrze się bawicie tego wyjątkowego wieczoru. Nazywam się Lolita Tate, a ci tutaj — wskazała na muzyków za sobą — to jacyś dziwni kolesie, którzy, tak się składa, potrafią grać na instrumentach. Ten facet — wskazała na Keitha — jest najlepszym bębniarzem na świecie. A także, i jestem szczęśliwa, że mogę to powiedzieć, moim kochankiem. Dzisiejszego wieczoru będziemy waszym zespołem. Śmiało możecie nas prosić, o co chcecie. Chętnie także powitamy wśród nas muzykujących gości, więc jeśli ktoś uważa, że potrafi to robić lepiej niż my, musi tylko dać nam znać. OK, chłopaki, ruszamy. — Perkusista trzy razy uderzył w talerze, a potem zespół zaczął grać fantastyczną wersję *Born to Run*.

Ana odwróciła się do Flinta i uśmiechnęła się.

— Umiesz tańczyć? — zapytała.

Skrzywił się.

— Ani trochę — odparł.

— To dobrze — oświadczyła. — Bo ja też nie.

Razem oparli się o ścianę i obserwowali imprezę. Flint otoczył ją ramieniem, a ona przyciągnęła do ust jego dłoń i ucałowała ją. Na sali bawiło się około trzydziestu ludzi. Kręciło się wielu „fanów", którzy początkowo twierdzili, że zostaną tylko na jednego drinka. Amy także tutaj była i właśnie tańczyła z jednym z przyjaciół Keitha, który wyglądał tak, jakby doskonale się bawił. Ed opuścił cmentarz zaraz po ceremonii. Miał lekko zaczerwienione oczy, ale ogólnie odczuwał ulgę, że już po wszystkim. A doktor Chan powtórzyła Zanderowi już jakieś dziesięć razy, że muszą jechać, ale on nadal tutaj był, pił ciepłe piwo z lemoniadą i ukradkiem popalał fajki innych, kiedy jego opiekunka nie patrzyła.

Głos Lol był po prostu niesamowity. Ana wcześniej nie słyszała jej, jak śpiewa na żywo, jedynie na taśmie, i teraz po jej plecach przebiegał dreszcz. I zespół też grał fantastycznie. Ana nic miała pojęcia, że Lol stworzy dla siebie tak profesjonalną ekipę. Saksofony, trąbki, gitara elektryczna, akustyczna i gitary dwunastostrunowe. Samych muzyków było bez mała tylu, co przybyłych gości.

Flint i Ana obejmowali się mocno i obserwowali zespół, kołysząc się lekko na boki i odzywając się do siebie co jakiś czas, a na ich twarzach błąkał się taki sam, idiotyczny uśmiech. Z gracją zbliżyła się do nich Amy, uśmiechając się od ucha do ucha.

— Och, Ano — rzekła. — Bee spodobałoby się to wszystko. To naprawdę cudowny dzień. Absolutnie cudowny. Ale jest coś, o czym chciałam z tobą pomówić. I wiem, że nie jest to pewnie najbardziej odpowiedni moment, wiem, jak wy, młodzi ludzie, jesteście zajęci, ale muszę zapytać cię o Johna. Nie znaczy to, że nie podoba mi się jego towarzystwo. Wręcz przeciwnie. Ale kochany Freddie ma pewne... eee... obiekcje co do jego obecności. I zastanawiałam się, czy nie mogłabyś pomyśleć nad alternatywnym rozwiązaniem problemu tego drogiego stworzenia...

Ana popatrzyła na Flinta.

Uśmiechnął się do niej.

— Ja go wezmę — rzekł krótko.

Amy z zachwytem klasnęła w dłonie.

— Naprawdę? — zapytała Ana. — Jesteś tego pewny?

— Jasne — odparł. — Czemu nie? Zawsze chciałem mieć zwierzaka. I może łapać za mnie pająki.

— Boisz się pająków?

— Aha. Strasznie… — Zwrócił się do Amy. — Może wpadnę jutro i go zabiorę?

Ale zanim starsza pani odpowiedziała, w ich rozmowie nastąpiła krótka przerwa, akurat na czas, by usłyszeć, jak Lol ogłasza:

— Mamy tutaj śpiewającą dziewicę, pewną młodą damę, która mówi mi, że sądzi, iż potrafi to robić, ale nie jest tego pewna, ponieważ jeszcze nigdy nie zaprezentowała swych umiejętności publicznie. Cóż, śpiewanie nie jest obce jej rodzinie, więc jestem przekonana, że wypadnie super. Ana, gdzie jesteś?

I zanim mogła jakoś na to zareagować, pół tuzina par dłoni, włączając Flinta, wepchnęło ją na scenę, a kilka sekund później stała przy mikrofonie i zasłaniała oczy przed światłem reflektorów, z których istnienia aż do tej chwili nie zdawała sobie sprawy.

— No dalej, aplauz, wszyscy!

Ana popatrzyła ślepo w tłum ludzi. Trzydzieścioro nagle wyglądało na trzy setki. Półmetrowa mównica wydała się nagle potężną sceną w Wembley. Uśmiechały się do niej pełne wyczekiwania twarze, a ona nie potrafiła rozpoznać żadnej z nich. Próbowała dyskretnie zejść ze sceny, ale zewsząd pojawiały się dłonie i z powrotem ją na nią wpychały. Odwróciła się do Lol.

— Nie mogę — wyszeptała bezgłośnie.

— Ależ, cholera jasna, możesz — odparła, kierując ją z powrotem w stronę mikrofonu.

— Ale nie wiem, co zaśpiewać.

— Jaka jest twoja ulubiona piosenka prysznicowa?

— Moje co?

— Co śpiewasz pod prysznicem?

— Boże. Czy ja wiem. Mnóstwo różnych kawałków.

— No więc wybierz jeden. Powiedz zespołowi jaki. A potem zaśpiewaj. Możesz zrobić to tyłem, jeśli masz ochotę.

— Tyłem?

— Tak. Odwracając się plecami do publiczności.

— O Boże. To okropne, Lol.

— Taa. Okropne. Na początku. Ale kiedy już zaczniesz, uzależnisz się. Obiecuję ci to. No dawaj. Co chcesz zaśpiewać?

— Boże. Nie wiem. — Zagryzła wargę i popatrzyła z desperacją na przyjaciółkę. Każdy fragment jej ciała nakazywał jej zejść ze sceny. Natychmiast. Każda szara komórka w jej mózgu krzyczała, by natychmiast uciekała, zanim zrobi z siebie pośmiewisko. Ale potem zaczął do niej przemawiać cichy głosik. Głos, który pamiętał te wszystkie noce, kiedy leżała w łóżku i wyobrażała sobie chwilę taką jak ta, zastanawiając się, czy jej się uda, i marząc, że kiedyś zostanie o coś takiego poproszona. I oto tak się wreszcie stało, w późnym wieku dwudziestu pięciu lat otrzymała możliwość zaśpiewania czego tylko chce z grupą profesjonalnych muzyków przed bardzo przyjazną jej publicznością na uroczystości żałobnej ku czci jej siostry. Głęboko odetchnęła i powiedziała pierwszy tytuł, jaki przyszedł jej do głowy. — Może *Time Will Pass You By*?

— Co?

— Tobi Legend.

— Kto?

— Klasyczny północny soul.

— Nigdy o nim nie słyszałam. — Odwróciła się, by się naradzić z zespołem. — OK — rzekła, odwracając się z powrotem do Any. — Oni słyszeli. No to, dawaj.

Mrugnęła do niej i nagle perkusista wybijał już rytm, i nagle grali już wstęp, i nagle Ana stała twarzą do tłumu, i nagle zaczęła śpiewać. Kurwa. Jak to się stało? Ona śpiewa. Na początku brakowało jej tchu, głos jej lekko drżał, ale po kilku taktach po prostu... śpiewała. Przed ludźmi. Nie patrzyła na nich, gdy to robiła. Spoglądała na tarczę do rzutków. Na plakat na ścianie. I wszystkie dźwięki były jak należy. Zaczęła nawet trochę tańczyć. A w połowie utworu tak naprawdę zapomniała, że śpiewa przed publicznością i skoncentrowała się po prostu na tym, by wydobyć z piosenki jej pełne znaczenie. Świadoma była jedynie tekstu i tego, jak bardzo jest on odpowiedni i jak bardzo by chciała, żeby Bee mogła być tutaj z nimi i jej posłuchać... a potem nagle się kłaniała i było po wszystkim, a cała publiczność szalała. Na jej twarzy pojawił się szeroki uśmiech, Lol chwyciła ją i uściskała, a Flint wskoczył na scenę i zatopił w niedźwiedzim uścisku, a potem ujął jej twarz i pocałował w usta. Jej serce waliło z powodu podwyższonego poziomu adrenaliny, a twarz miała zarumienioną z gorąca i podekscytowania. O mój Boże. Zrobiła to. Po tych wszystkich, pełnych marzeń latach. Stanęła na scenie przed publicznością i zaśpiewała. I było fantastycznie. Jedno z najbardziej niesamowitych uczuć, jakich kiedykolwiek doświadczyła. Uśmiechnęła się szeroko do tłumu, który zachęcał ją do dalszego śpiewania. Odwróciła się do Lol.

— Co powiesz na duet? — wyszeptała.

Lol kiwnęła głową i znów ją uściskała.

— *Suspicious Minds*?

Ana przytaknęła entuzjastycznie.

Zespół ponownie zaczął grać, a one wspólnie śpiewały na głosy. Tym razem Anie podobało się nawet bardziej i w chwili, kiedy skończyła się piosenka, a tłum znowu zaczął wrzeszczeć, Ana była gotowa spędzić resztę życia na scenie.

— Jestem dobra? — wyszeptała do Lol.

— Ana, kochana, jesteś dużo lepsza niż dobra. Jesteś, cholera, fantastyczna. A teraz zaśpiewaj coś jeszcze. Szybko. Tłum zaczyna się niecierpliwić.

Ana odwróciła się w kierunku publiczności. Uśmiechnęła się. Wznosili okrzyki. Było zabawnie. A potem rozejrzała się po twarzach obecnych na sali ludzi, dostrzegła rozpromienionego Zandera, który trzymał ręce nad głową, głośno klaskał i gwizdał, i nagle w jej głowie pojawiła się myśl, że prawdopodobnie jest on najodważniejszą osobą, jaką kiedykolwiek poznała. To przyjęcie było dla Bee, ale Zander zasługiwał na chwilę w blasku reflektorów. Ponieważ pojawił się tutaj. Na przyjęciu upamiętniającym życie kobiety, która zabrała mu wszystko. A potem przypomniała sobie o czymś. *Piosenka dla Zandera*? W zeszłym tygodniu wreszcie dopisała do niej muzykę. Miała zamiar poprosić Lol, by nagrała to dla niego, a potem chciała wysłać mu kasetę na uniwersytet. Ale teraz... cóż, teraz nadarzyła się doskonała okazja.

Pochyliła się i poprosiła Flinta, by podał jej torbę. A potem zapytała wielkiego faceta z brodą, czy mogłaby pożyczyć jego gitarę. Zawiesiła ją sobie na szyi i cicho przesunęła po niej palcami, na nowo przyzwyczajając się do tego instrumentu po tak wielu tygodniach przerwy.

— Eee... To jest piosenka. To naprawdę, naprawdę wyjątkowa piosenka. Ponieważ napisała ją Bee. I nie, nie jest to *Space Girl* ani także *Honey Bee* — wśród publiczności rozległy się tłumione chichoty — ale jest to piosenka, którą znalazłam w jej mieszkaniu, kiedy sprzątałam je w zeszłym miesiącu. Tekst napisała Bee. Ja dodałam jedynie prostą melodię. A nosi tytuł: *Piosenka dla Zandera*.

Gdy śpiewała, w jej oczach pojawiły się łzy i przez chwilę czuła się tak, jakby wstępowała w nią jakaś zewnętrzna siła. I przez ułamek sekundy czuła, jakby to nie ona ją wykonywała, jakby robił to ktoś inny, a gdy odnalazła wzrokiem spojrzenie Zandera, poczuła wstrząs i widziała, że on także go odczuł i że była to Bee.

Kiedy skończyła, oddała gitarę brodaczowi i nachyliła się do mikrofonu.

— Teraz kolej na kogoś innego — rzekła, a potem zeszła z mównicy.

— Ana. — Flint chwycił ją natychmiast w ramiona. — To było... Jezu... To było po prostu doskonałe. Ty byłaś doskonała. — Ścisnął ją mocno i pocałował, a potem podeszli do niej inni ludzie i w oczach wszystkich widniało to samo. Szacunek.

Do Flinta i Any podjechał Zander.

— No cóż — rzekł — to był oficjalnie najlepszy moment w moim życiu. Zdecydowanie. Lepszy niż otrzymanie wyników moich egzaminów końcowych, lepszy niż Napster, lepsze niż cokolwiek innego. Dziękuję ci, Ano. — Ujął jej dłonie, ona nachyliła się nad nim i pocałowała go, a on wyszeptał do jej ucha:

— Czy Bee naprawdę to napisała? Czy też, no wiesz, powiedziałaś to tylko dla lepszego efektu? Możesz mi to zdradzić. Nie wygadam się nikomu.

— Bee to napisała, Zander. Przysięgam. Przyślę ci słowa, jeśli chcesz.

— Bee naprawdę napisała tę piosenkę? O mnie?

— Aha.

— O kurwa.

Przy wózku Zandera pojawiła się doktor Chan.

— No dobra. Dostałeś ekstra godzinę, a teraz jeszcze napisano dla ciebie piosenkę i wykonano ją na twoją cześć. Czas, by Kopciuszek wymknął się do domu.

Zander westchnął i wzruszył ramionami.

— Wygląda na to, że mój czas się kończy. Karoca czeka już na mnie. Muszę jechać. Dzięki za wspaniały dzień. Było naprawdę... no wiesz. Było fantastycznie. Wiem, że to trochę dziwne mówić coś takiego o pogrzebie, ale rozumiesz, o co mi chodzi. Myślę, Ano, że naprawdę potrzebowaliśmy czegoś takiego. Dziękuję bardzo za zorganizowanie wszystkiego.

— Ależ absolutnie nie ma za co.

— A tak przy okazji, rozmawiałem z moim prawnikiem o tym testamencie. Wygląda na to, że jest w porządku. Jest zgodny z prawem. Oczywiście wszystko musi zostać sfinalizowane i nie mogę się powstrzymać przed myśleniem, że twoja matka będzie miała na ten temat coś do powiedzenia. Chciałbym, żebyście traktowali dom na wsi jak swój własny. Mam zamiar przyjeżdżać tam podczas ferii i wakacji, ale przez większość czasu będzie stał pusty. Naprawdę pragnąłbym, byście z niego korzystali. No i jeszcze motor. — Zander popatrzył na Anę. — Chcę, byś ty go wzięła. To oczywiste, że ja nie będę miał z niego większego pożytku. I myślę, że naprawdę pasowałby do ciebie... — uśmiechnął się do niej szeroko.

Gdy Flint zniósł Zandera po schodach na dół, pomógł doktor Chan umieścić go w ambulansie i obiecali sobie po drodze, że pozostaną w kontakcie, i odwiedzą go na uniwersytecie, Zander przyciągnął do siebie Anę i wyszeptał jej do ucha:

— Czułem to. Kiedy śpiewałaś. Czułem Bee.

Skinęła ze zrozumieniem głową, a on pocałował ją mocno w policzek.

— Dziękuję — wyszeptał. A potem doktor Chan zamknęła drzwi, wspięła się na siedzenie dla pasażera i ambulans zniknął w ciemności.

O jedenastej Flint i Ana zamówili taksówkę. Lekko się chwiali, kiedy wstawieni schodzili na dół i już mieli do niej wsiąść, kiedy Ana przypomniała sobie o czymś.

— Och — rzekła. — Moje rzeczy. Które przywiozła mama. Są ciągle w twoim bagażniku.

— Możemy zabrać je jutro — odparł Flint. — Nie martw się o to.

— Nie, chodzi mi o rzeczy Bee. Mama powiedziała, że jest tam list. Od Bee. Dla mnie. Chcę go zobaczyć.

— No dobra — zgodził się Flint i podał jej kluczyki od swojego samochodu.

Ana chwiejnym krokiem podeszła do limuzyny i otworzyła bagażnik. Zajrzała do środka, a potem wyciągnęła szarą kopertę. Otworzyła ją, ale w przytłumionym, pomarańczowawym blasku latarni nic nie widziała. Jedynie kilka arkuszy papieru. Zamknęła bagażnik i wróciła do czekającej na nią taksówki, gdzie zbliżyła list do światła.

— Co tam jest napisane? — zapytał Flint.

— Boże — odparła. — A bo ja wiem. Trudno cokolwiek dostrzec w takiej ciemności. Sprawdzę, kiedy będziemy już u ciebie.

Wsunęła kartki z powrotem do koperty, schowała ją do torebki i przytuliła się do ramienia Flinta, gdy tymczasem taksówka wiozła ich do domu przez puste ulice północnego Londynu.

Kiedy wysiedli z samochodu, na dworze było nadal ciepło, a żadne z nich nie odczuwało zmęczenia, postanowili więc otworzyć sobie po jeszcze jednym piwie i przez chwilę posiedzieć w ogrodzie. Flint przysunął pod okno odtwarzacz płyt kompaktowych i włączył album Green Day, a Ana umościła się na jego kolanach, kiedy on usiadł na starym, brązowym fotelu. Na nocnym niebie wisiała idealna połówka księżyca. Przez chwilę siedzieli w milczeniu, wdychając coraz słabszy zapach lata i nasłuchując odległych, miejskich odgłosów. Ktoś, kto wyprawiał imprezę gdzieś po drugiej stronie ulicy, otworzył okno i z ich muzyką zmieszało się dudnienie Chemical Brothers.

— Boże — rzekł Flint. — Tutaj nigdy nie jest zupełnie cicho, prawda? Nawet w środku nocy.

— Cisza nie jest czymś tak dobrym, jak by się mogła wydawać — zapewniła Ana. — To jeden z aspektów życia w Torrington, których nie cierpiałam najbardziej. Cisza. To było tak, jakbym wiedziała, że gdzieś tam istnieje cały ten świat i życie. Ale nikt nie wysyłał mi żadnych sygnałów dymnych. Wiesz, o czym mówię?

— Rozumiem, że w takim razie nie masz zamiaru tam wrócić?

Ana parsknęła.

— Nie ma mowy — oświadczyła. — A teraz nawet nie muszę brać tego pod uwagę dzięki uroczemu panu Redwoodowi, który zabiera mi matkę. Ale nie sądzę, by kiedykolwiek moim przeznaczeniem było pozostać tam, naprawdę. Tak jak i Bee. Ryba wyjęta z wody. Od mojego drugiego dnia w Londynie wiedziałam, że jest to dla mnie właściwe miejsce. A potem poznałam ciebie...

— Tak?

— A potem poznałam ciebie i nagle zyskałam najlepszy powód na świecie, by tutaj zostać. — Odwróciła się i pocałowała go w policzek, i była szczęśliwa, że nie musiała czuć się niepewnie, mówiąc Flintowi o takich rzeczach.

— Co masz zamiar zrobić z mieszkaniem? Kiedy wyprowadzisz się od Gill?

— Czy ja wiem. — Pociągnęła spory łyk piwa. — Znajdę jakąś stancję. Albo coś innego.

— Wiesz, że jesteś tutaj mile widziana? U mnie?

— Och. Nie chcesz, bym się tutaj kręciła. Na stówę. Tylko bym ci przeszkadzała, panie Zatwardziały Kawalerze.

— Nie. Ja tak naprawdę uważam. Serio. Tymczasowo. Oczywiście. To znaczy, chodzi mi o to, że jesteś młoda, zbyt młoda, by podejmować już tak ważne decyzje. Ale wolałbym, byś przez jakiś czas została u mnie, a nie wynajmowała pierwszą lepszą stancję, jaka wpadnie ci w ręce. A poza tym najpierw musisz znaleźć pracę, prawda?

Zadrżała.

— Uch. Boże. Nie przypominaj mi.

— Wiesz, żc możesz robić, co tylko chcesz, prawda?

— Akurat.

— Nie. Naprawdę. Nie utknij w czymś beznadziejnym. Bierz przykład z Bee. Goń za swoimi marzeniami. Zobacz, jak daleko udało ci się dojść w przeciągu zaledwie dwóch tygodni. Daj sobie trochę czasu, a sądzę, że podbijesz świat. Co byś chciała robić? W świecie doskonałym?

Ana zastanowiła się przez chwilę. W doskonałym świecie. Na tym świecie. Co by chciała robić?

— Ścieżki dźwiękowe — rzekła w przypływie natchnienia. — Chciałabym zostać kimś, kto zajmuje się muzyką do filmów.

— To znaczy kompozytorem?

— Nie, tym, kto dobiera piosenki do konkretnych scen. Na przykład *Stuck in the Middle with You* we *Wściekłych psach*. Inspirujące.

Roześmiała się i ułożyła głowę na ramieniu Flinta. Przez chwilę siedzieli w milczeniu i delektowali się atmosferą.

— Czy myślałeś kiedyś, że przeznaczeniem Bee było umrzeć młodo? — zapytała.

Flint zastanowił się nad tym przez chwilę.

— Tak — odrzekł. — W pewien sposób chyba tak. Nie w pełni świadomie i oczywiście nie o tym, jak odejdzie z tego świata. Ale wokół niej zawsze unosiła się atmosfera, jakby była tutaj tylko przelotnym gościem.

— Czy kiedykolwiek myślałeś…? — zaczęła Ana.

— O czym?

— Cóż… to może zabrzmieć trochę bezdusznie. Ale czy kiedykolwiek myślałeś o tym, że Bee…?

— Tak — odparł Flint. — Przez cały czas.

— Ale nie wiesz, co ja miałam zamiar powiedzieć.

— Wiem.

— No to dalej. O co chciałam cię zapytać?

— Chciałaś zapytać… czy kiedykolwiek myślałem o tym, że Bee musiała umrzeć po to, byśmy ty i ja mogli się spotkać?

Ana popatrzyła na niego zaszokowana.

— O kurwa — rzekła jedynie.

— I odpowiedź na to pytanie brzmi: tak. Myślałem o tym. Wierzę, że nic się nie dzieje bez powodu. I wierzę także, że nasze spotkanie było nam przeznaczone. Teraz. W takich okolicznościach. Tutaj. Taka jest prawda.

Ana odwróciła się lekko i złożyła mokry pocałunek na czole Flinta. A potem popatrzyła w niebo.

— Żadnej gwiazdy — rzekła. — Ani jednej gwiazdy na niebie.

Flint także spojrzał w górę.

— Myślałam o tym, co w swoim przemówieniu powiedział Zander. No wiesz, o tej piosence Janet Jackson? Chciałam sprawdzić, czy zobaczę gwiazdę Bee.

Razem wykrzywiali przez chwilę szyje, przeczesując wzrokiem granatowe niebo w poszukiwaniu gwiazd. A potem zobaczyli jedną. Dużą i okrągłą. Była zupełnie sama. I mrugała do nich. Oboje podnieśli puszki z piwem w jej kierunku.

A potem odstawili puszki, wygramolili się z fotela i ręka w rękę poszli boso po trawie do mieszkania Flinta.

Ana obudziła się o piątej nad ranem, gdyż zachciało jej się do ubikacji. Gdy mijała kuchnię, blask księżyca wyłowił z ciemności jej torbę i nagle przypomniała sobie o szarej kopercie. Przeszła po ciepłym linoleum i wyciągnęła ją z torebki. Surowym charakterem pisma jej matki nakreślone było na niej jedno słowo: „Przepraszam".

Wyjęła list z koperty. Fioletoworóżowy. To był ten sam papier, na którym Bee napisała do Zandera. Spojrzała na datę. Rok temu, prawie co do dnia. A potem zaczęła czytać.

Najdroższa Ano! (tak się zaczynał)
Nigdy nie przypuszczałam, że będę miała siostrę...